STIEG LARSSON

Verblendung

Roman

Aus dem Schwedischen von Wibke Kuhn

D0958230

WILHELM HEYNE VERLAG
MÜNCHEN

Die Originalausgabe erschien unter dem Titel
Män som hatar kvinnor
bei Norstedts Förlag, Stockholm

21. Auflage
Vollständige deutsche Taschenbuchausgabe 06/2007
Copyright © 2005 by Stieg Larsson
Copyright © 2006 der deutschen Ausgabe
by Wilhelm Heyne Verlag, München
in der Verlagsgruppe Random House GmbH
Statistik auf den Seiten 11, 157, 321 und 525 aus: Eva Lundgren,
Gun Heimer, Jenny Westerstrand, Anne-Marie Kalliokoski: Slagen dam –
Mäns våld mot kvinnor i jämställda Sverige, en omfångsundersökning/
Die geschlagene Frau – Männergewalt gegen Frauen im gleichberechtigten
Schweden (Dienststelle für Verbrechensopfer an der Universität
von Umeå und Uppsala, 2001)
Printed in Germany 2008
Umschlaggestaltung: Eisele Grafik Design, München, unter Verwendung
eines Fotos von Araldo de Luca/CORBIS
Satz: Leingärtner, Nabburg
Druck und Bindung: GGP Media GmbH, Pößneck
ISBN: 978-3-453-43245-1

www.heyne.de

Prolog
Freitag, 1. November

Es wiederholte sich alljährlich. Der Empfänger der Blume feierte seinen zweiundachtzigsten Geburtstag. Sowie die Blume bei ihm angekommen war, öffnete er das Paket und entfernte das Geschenkpapier. Danach griff er zum Telefonhörer und wählte die Nummer eines ehemaligen Kriminalkommissars, der sich nach seiner Pensionierung am Siljan-See niedergelassen hatte. Die beiden Männer waren nicht nur gleich alt, sie waren sogar am selben Tag geboren, was in diesem Zusammenhang nicht einer gewissen Ironie entbehrte. Der Kommissar wusste, dass der Anruf um elf Uhr morgens nach der Postzustellung eingehen würde, und trank Kaffee, während er wartete. Dieses Jahr klingelte das Telefon bereits um halb elf. Er nahm den Hörer ab und sagte hallo, ohne sich mit Namen zu melden.

»Sie ist angekommen.«

»Was für eine ist es dieses Jahr?«

»Keine Ahnung, was das für eine Blume ist. Ich werde sie bestimmen lassen. Weiß ist sie.«

»Kein Brief, nehme ich mal an?«

»Nein. Nur die Blume, sonst nichts. Der Rahmen ist derselbe wie letztes Jahr. So ein Billigrahmen zum Selberzusammenbauen.«

»Poststempel?«

»Stockholm.«

»Handschrift?«

»Wie immer, alles in Großbuchstaben. Gerade, ordentliche Buchstaben.«

Damit war das Thema erschöpft, und ein paar Minuten saßen die beiden schweigend am jeweiligen Ende der Leitung. Der pensionierte Kommissar lehnte sich am Küchentisch zurück und zog an seiner Pfeife. Er wusste jedoch, dass von ihm keine erlösende oder bestechend intelligente Frage mehr erwartet wurde, die ein neues Licht auf diese Angelegenheit hätte werfen können. Diese Zeiten waren seit vielen Jahren vorbei, und das Gespräch der beiden alternden Männer hatte beinahe schon den Charakter eines Rituals – eines Rituals um ein Mysterium, dessen Lösung keinen anderen Menschen auf der ganzen Welt interessierte.

Ihr lateinischer Name lautete *Leptosperum (Myrtyceae) Rubinette*. Ein wenig imposantes Strauchgewächs mit kleinen, heidekrautähnlichen Blättern und einer zwei Zentimeter großen weißen Blüte mit fünf Kronenblättern. Sie war ungefähr zwölf Zentimeter hoch.

Das Gewächs stammte ursprünglich aus den australischen Busch- und Gebirgsgegenden, wo es in kräftigen Büscheln wuchs. In Australien nannte man es *desert snow*. Später sollte eine Expertin von einem botanischen Garten in Uppsala feststellen, dass es sich um eine ungewöhnliche Pflanze handelte, die nur selten in Schweden gezogen wurde. In ihrem Gutachten schrieb die Botanikerin, dass die *Rubinette* mit der Rosenmyrte verwandt war und oft mit ihrer viel häufiger auftretenden Cousine, *Leptospermum Scoparium*, verwechselt wurde, die in Neuseeland sehr verbreitet war. Wie sie erklärte, bestand der Unterschied darin, dass die *Rubinette* ein paar mikroskopisch kleine rosa Punkte an der Spitze der Kro-

nenblätter aufwies, was ihnen einen leichten Rosaschimmer
verlieh.

Die *Rubinette* war im Großen und Ganzen eine verblüffend
anspruchslose Blume. Wirtschaftlichen Wert hatte sie überhaupt nicht. Soviel man wusste, besaß sie keine Heilkräfte und
enthielt auch keine halluzinogenen Substanzen. Man konnte
sie weder essen noch als Gewürz verwenden, und für die Er-
zeugung pflanzlicher Farbstoffe war sie ebenfalls wertlos. Für
die australischen Ureinwohner, die Aborigines, hatte sie hingegen eine gewisse Bedeutung, da diese das Gebiet und die
Flora rund um den Ayers Rock traditionell als heilig betrachteten. Der einzige Daseinszweck dieser Blume schien also darin
zu bestehen, ihre Umgebung mit ihrer unbeständigen Schönheit zu erfreuen.

In ihrem Gutachten schrieb die Botanikerin, dass der *desert
snow* in Australien schon ungewöhnlich war, in Skandinavien
aber geradezu eine Rarität. Sie selbst hatte noch nie ein Exemplar zu Gesicht bekommen, doch als sie Kollegen zurate zog,
erfuhr sie, dass man versucht hatte, diese Pflanze in einem
Garten in Göteborg einzuführen, und dass es denkbar war,
dass sie hie und da privat angepflanzt wurde, von Blumenlieb-
habern und Amateurbotanikern in ihren eigenen kleinen Ge-
wächshäusern. Die Blume war in Schweden nur schwer zu ziehen, weil sie ein mildes und trockenes Klima benötigte und
während des Winterhalbjahres in einem geschlossenen Raum
stehen musste. Für kalkhaltigen Boden war sie ungeeignet.
Das Wasser musste ihr von unten her zugeführt werden, direkt
an die Wurzeln. Man musste schon ein Händchen für sie
haben.

Dass diese Blume in Schweden derart selten war, hätte die
Suche nach ihrer Herkunft theoretisch erleichtern müssen,
aber praktisch gesehen war das eine unlösbare Aufgabe. Man
konnte weder in Registern nachschlagen noch Lizenzen über-

prüfen. Niemand wusste, wie viele private Blumenzüchter sich überhaupt darum bemüht hatten, eine so schwer zu kultivierende Blume zu ziehen – alles war möglich, von einem einzelnen bis hin zu mehreren hundert Blumenfans, die Zugang zu Samen oder Pflanzen hatten. Die konnten entweder privat gekauft oder über den Postweg von einem anderen Züchter oder jedem beliebigen botanischen Garten in Europa bestellt werden. Man konnte sie sogar direkt von einer Australienreise mitbringen. Mit anderen Worten: Unter den Millionen von Schweden, die ein kleines Gewächshaus oder auch nur einen Blumentopf im Wohnzimmerfenster hatten, ausgerechnet diesen einen Züchter herauszufinden, war ein hoffnungsloses Unterfangen.

Diese Blume war nur eines der vielen rätselhaften Exemplare, die jedes Jahr am 1. November in einem gefütterten Umschlag eintrafen. Jedes Jahr war es eine andere Art, aber es waren stets schöne und meistens relativ seltene Blumen. Wie immer war die Blume gepresst, sorgfältig auf Aquarellpapier gelegt und hinter Glas in einem einfachen Rahmen mit dem Format 29 x 16 Zentimeter befestigt worden.

Das Geheimnis um die Blumen war den Massenmedien oder der Allgemeinheit nie bekannt geworden, sondern nur einem ausgewählten Kreis. Vor drei Jahrzehnten war das jährliche Eintreffen der Blume Gegenstand von Analysen des Staatlichen Kriminaltechnischen Laboratoriums gewesen; Experten für Fingerabdrücke und Grafologen, Ermittler und ein paar Verwandte und Freunde des Empfängers hatten sich mit dem Rätsel beschäftigt. Nun bestand der Kreis der Akteure nur mehr aus drei Personen: dem alternden Geburtstagskind, dem pensionierten Polizisten und natürlich dem Unbekannten, der das Geschenk geschickt hatte. Da sich zumindest die beiden Erstgenannten bereits in einem so respektablen Alter befanden, dass es Zeit wurde, sich auf das Unausweichliche vorzubereiten, würde sich der Kreis der Interessierten bald noch verkleinern.

Der pensionierte Polizist war ein mit allen Wassern gewaschener Veteran. Er würde niemals seinen ersten Einsatz vergessen, bei dem er einen gewalttätigen und schwer betrunkenen Anlagenmechaniker festgenommen hatte, bevor dieser sich selbst oder anderen weiteren Schaden zufügen konnte. Im Laufe seiner Karriere hatte er Wilderer, prügelnde Ehemänner, Betrüger, Autodiebe und angesäuselte Autofahrer eingesperrt. Er war Einbrechern, Räubern, Dealern, Sexualverbrechern und mindestens einem mehr oder weniger geisteskranken Sprengstoffattentäter begegnet. An neun Ermittlungen in Mord- beziehungsweise Totschlagsfällen war er beteiligt gewesen. Davon waren fünf so verlaufen, dass der Täter selbst die Polizei angerufen und voller Reue gestanden hatte, er habe seine Frau oder seinen Bruder oder einen anderen ihm nahe stehenden Menschen getötet. Von den Morden wurden zwei nach ein paar Tagen aufgeklärt und einer nach zwei Jahren mit Hilfe der Reichskrimininalbehörde.

Der neunte Fall war aus polizeilicher Sicht gelöst, sprich, die Ermittler kannten den Mörder, aber die Beweislage war so unsicher, dass der Staatsanwalt beschlossen hatte, den Fall ruhen zu lassen. Die Angelegenheit wurde dann zur Erbitterung des Kommissars für verjährt erklärt. Aber im Großen und Ganzen konnte er auf eine erfolgreiche Karriere zurückblicken und hätte mit seiner Arbeit zufrieden sein können.

Doch er war alles andere als zufrieden.

Für den Kommissar steckte *Der Fall mit den Gepressten Blumen* in seinem Berufsleben wie ein kleiner Stachel, den er einfach nie hatte entfernen können – ein frustrierender Fall, dessen Lösung immer noch ausstand, obwohl er ihm, verglichen mit anderen Fällen, doch am meisten Zeit gewidmet hatte.

Die Situation war umso komplizierter, da er nach buchstäblich Tausenden von durchgrübelten Stunden während und außerhalb seiner Dienstzeiten nicht einmal mit Sicherheit sagen konnte, ob überhaupt ein Verbrechen begangen worden war.

Wie die beiden Männer wussten, hatte die Person, die die Blumen gepresst und gerahmt hatte, Handschuhe getragen, denn weder auf dem Rahmen noch auf dem Glas waren Fingerabdrücke zu finden. Sie wussten, dass es unmöglich war, den Absender aufzuspüren. Sie wussten, dass man solche Rahmen in Fotoläden oder Schreibwarengeschäften auf der ganzen Welt kaufen konnte. Es gab einfach keine Spur, der die Ermittler hätten folgen können. Und die Poststempel wechselten ständig: Meistens kamen sie aus Stockholm, je zweimal aus Paris und Kopenhagen, je einmal aus Madrid, Bonn sowie – was sicherlich das größte Rätsel war – aus Pensacola, USA. Im Gegensatz zu den anderen Namen war Pensacola so unbekannt, dass der Kommissar die Stadt in einem Atlas nachschlagen musste.

Nachdem sie sich verabschiedet hatten, blieb der zweiundachtzigjährige Jubilar eine Weile ganz still sitzen und betrachtete die schöne, aber bedeutungslose Blume, von der er noch nicht einmal den Namen kannte. Dann hob er den Blick zur Wand über seinem Schreibtisch. Dort hingen dreiundvierzig gepresste Blumen hinter Glas in ihren Rahmen; vier Reihen mit jeweils zehn Blumen und eine noch nicht abgeschlossene Reihe mit fünf. In der obersten Reihe fehlte eine. Platz Nummer zehn war ebenfalls leer. *Desert Snow* würde die Nummer vierundvierzig werden.

Zum ersten Mal geschah aber etwas, was das Muster der früheren Jahre durchbrach. Ganz plötzlich und ohne jede Vorwarnung begann er zu weinen. Er wunderte sich selbst über diesen jähen Gefühlsausbruch nach fast vierzig Jahren.

Teil I
Reizmittel

20. Dezember bis 3. Januar

18% aller schwedischen Frauen über fünfzehn sind
schon einmal von einem Mann bedroht worden.

1. Kapitel
Freitag, 20. Dezember

Der Prozess war unbestreitbar vorüber, und alles, was es zu sagen gab, war bereits gesagt worden. Er hatte keine Sekunde daran gezweifelt, dass er verurteilt werden würde. Das schriftliche Urteil war am Freitagmorgen um zehn Uhr ergangen, und nun stand nur noch der abschließende Bericht der Reporter aus, die im Korridor vor dem Gerichtssaal warteten.

Mikael Blomkvist sah sie durch die geöffnete Tür und zögerte kurz. Er wollte den Urteilsspruch, der gerade über ihn verhängt worden war, nicht diskutieren, aber die Fragen waren unvermeidlich, und wenn irgendjemand wusste, dass sie gestellt und beantwortet werden mussten, dann er. So fühlt es sich also an, ein Verbrecher zu sein, dachte er. Auf der falschen Seite des Mikrofons zu stehen. Er streckte sich verlegen und versuchte, sich ein Lächeln abzuringen. Die Reporter lächelten zurück und nickten ihm freundlich, fast ein wenig verschämt zu.

»Mal sehen ... *Aftonbladet*, *Expressen*, *TT, TV4* und ... wo bist du denn her ... ach ja, *Dagens Industri*. Ich muss berühmt geworden sein«, stellte Mikael Blomkvist fest.

»Geben Sie uns ein Statement, *Kalle Blomkvist*«, sagte der Reporter der einen Abendzeitung.

Mikael Blomkvist, dessen vollständiger Name Carl Mikael Blomkvist lautete, unterdrückte den Impuls, die Augen zu verdrehen, wie immer, wenn er seinen Spitznamen hörte. Vor zwanzig Jahren, als er im Alter von dreiundzwanzig gerade seine Journalistenkarriere mit einer ersten Vertretung begann, hatte Mikael Blomkvist – eigentlich ohne eigenes Verdienst – eine Bankräuberbande hochgehen lassen, die innerhalb von zwei Jahren fünf aufsehenerregende Dinger gedreht hatte. Dass es in allen Fällen dieselbe Bande war, stand völlig außer Zweifel; ihre Spezialität bestand nämlich darin, in kleinen Gemeinden aufzutauchen und dort mit militärischer Präzision eine oder zwei Banken auf einmal zu überfallen. Sämtliche Beteiligte trugen Walt-Disney-Masken aus Gummi und wurden mit nicht ganz abwegiger Polizeilogik auf den Namen »Donald Duck-Bande« getauft. Die Zeitungen änderten diesen Namen in »Die Panzerknacker«, was ein bisschen ernsthafter klang und dem Umstand Rechnung trug, dass die Bande bei zwei Überfällen planlos und ohne jede Rücksicht Warnschüsse abgefeuert und Passanten oder neugierige Gaffer mit der Waffe bedroht hatte.

Den siebten Coup landete sie in Östergötland mitten im Hochsommer. Ein Reporter vom Lokalradio hatte sich rein zufällig in der Bank aufgehalten, als der Überfall stattfand, und zeigte eine Reaktion wie aus dem Diensthandbuch für Journalisten. Sowie die Täter die Bank verlassen hatten, ging er zu einer Telefonzelle vor der Bank, rief seinen Sender an und gab die Nachricht live durch.

Mikael Blomkvist hatte damals eine Weile als Vertretung bei einer Lokalzeitung gearbeitet und verbrachte gerade mehrere Tage mit einer weiblichen Bekannten im Sommerhäuschen ihrer Eltern in der Nähe von Katrineholm. Wie er eigentlich auf die Querverbindung zwischen seinen Beobachtungen und dem Fall gekommen war, konnte er selbst nicht sagen, als ihn die Polizei befragte. Aber als er die Nachrichten hörte, fielen ihm sofort die vier Typen ein, die in einem zirka hundert Meter entfernten Sommerhäuschen wohnten. Ein paar Tage zuvor, als er auf dem Weg zum Eis-Kiosk mit seiner Freundin bei ihnen vorbeigegangen war, hatte er sie im Garten Federball spielen sehen.

Alles, was er gesehen hatte, waren vier blonde, durchtrainierte junge Männer in Shorts mit nacktem Oberkörper gewesen. Ganz offensichtlich betrieben sie Bodybuilding, und irgendetwas an diesem Bild mit den vier Federball spielenden jungen Männern hatte ihn ein zweites Mal hinsehen lassen – vielleicht, weil sie sich ihr Match in gnadenloser Sonnenglut lieferten, mit einer gewaltsam konzentrierten Energie, wie er fand. Irgendwie sah das Ganze nicht nach harmlosem Zeitvertreib aus.

Es gab keinen rationalen Grund, sie für Bankräuber zu halten, aber trotzdem war er zu einen Spaziergang aufgebrochen und hatte sich auf einen Hügel gekauert, von dem aus er ihre Hütte im Blick hatte. Nach ungefähr vierzig Minuten kam die Clique in einem Volvo angefahren und parkte den Wagen auf dem Grundstück. Sie schienen es eilig zu haben, und jeder von ihnen schleppte eine Sporttasche, was an und für sich nichts bedeuten musste, denn sie konnten ja genauso gut irgendwo beim Baden gewesen sein. Aber einer von ihnen ging noch einmal zum Auto zurück und holte einen Gegenstand heraus, den er schnell mit einer Sportjacke verhüllte. Sogar von seinem relativ weit entfernten Beobachtungsposten aus konnte Mikael feststellen, dass es sich um eine ziemlich alte AK4 handelte, genau den Typ Gewehr, der vor nicht allzu langer Zeit während des einjährigen Wehrdienstes sein ständiger Begleiter gewesen war. Er rief also die Polizei an und erzählte ihnen von seiner Beobachtung. Das war der Auftakt zu einer drei Tage dauernden, von den Medien intensiv verfolgten Belagerung des Sommerhäuschens gewesen. Mikael stand im Rampenlicht und erhielt ein großzügig bemessenes Freelancer-Honorar von einer der beiden Abendzeitungen. Die Polizei richtete ihr Hauptquartier nämlich in einem Wohnwagen ein, der auf dem

Grundstück des Sommerhäuschens stand, in dem Mikael wohnte.

Der Fall mit den »Panzerknackern« verschaffte Mikael genau den Starstatus, den er als junger Journalist in der Branche benötigte. Die Kehrseite des Ruhmes war, dass die andere Abendzeitung es sich nicht verkneifen konnte, mit »Kalle Blomkvist hat den Fall gelöst« zu titeln. Der spöttische Text stammte von einer ältlichen Kolumnistin und enthielt ein Dutzend Verweise auf Astrid Lindgrens kleinen Detektiv. Obendrein hatten sie noch ein grobkörniges Foto abgedruckt, auf dem es so aussah, als würde Mikael einem uniformierten Polizisten mit erhobenem Zeigefinger irgendwelche Anweisungen erteilen. Dabei hatte er ihm nur den Weg zum Plumpsklo beschrieben.

Es spielte keine Rolle, dass Mikael Blomkvist seinen ersten Namen, Carl, niemals verwendet und auch keinen Artikel jemals mit Carl Blomkvist unterzeichnet hatte. Von diesem Moment an war er zu seiner Verzweiflung bei den Kollegen als *Kalle Blomkvist* bekannt – ein Spitzname, den man spöttisch stichelnd benutzte, nicht unfreundlich, aber auch nicht wirklich freundlich. Nichts gegen Astrid Lindgren – er liebte ihre Bücher, aber er hasste seinen Spitznamen. Es brauchte mehrere Jahre und weitaus gewichtigere journalistische Verdienste, bis sein Spitzname langsam in Vergessenheit geriet. Trotzdem zuckte er immer noch zusammen, wenn dieser Name in seiner Anwesenheit fiel. So wie in diesem Moment.

Er zwang sich zu einem Lächeln und sah dem Reporter der Abendzeitung in die Augen, der sagte: »Ach, komm, denk dir doch einfach was aus. Du dichtest dir deine Texte doch immer zusammen.«

Der Ton war nicht unfreundlich. Sie waren ja alle mehr oder weniger miteinander bekannt, und außerdem waren Mikaels schlimmste Kritiker gar nicht erst aufgetaucht. Mit einem von ihnen hatte er früher zusammengearbeitet, und auf einem Fest vor ein paar Jahren wäre es ihm beinahe gelungen, eine andere aufzureißen – eine Mitarbeiterin von *TV4*.

»Sie haben ja ganz schön was auf die Nase bekommen da drinnen«, kam es von *Dagens Industri* – ganz offensichtlich hatten sie eine junge Sommeraushilfe geschickt.

»Tja, das muss man wohl so sagen«, gab Mikael zu. Etwas anderes konnte er schlecht behaupten.

»Wie fühlt sich das an?«

Trotz der ernsten Lage konnten es sich weder Mikael noch die älteren Journalisten verkneifen, bei dieser Frage den Mund zu verziehen. Mikael tauschte einen Blick mit *TV4*. *Wie fühlt sich das an?* Das war nach der einhelligen Meinung aller seriöser Journalisten die Standardfrage, die bescheuerte Sportreporter hinter der Ziellinie atemlosen Sportlern stellten. Aber dann wurde er gleich wieder ernst.

»Ich kann natürlich nur bedauern, dass das Gericht nicht zu einem anderen Urteil gekommen ist«, antwortete er förmlich.

»Drei Monate Haft und 150 000 Kronen Schadenersatz sind eine empfindliche Strafe«, sagte die Journalistin von *TV4*.

»Ich werd's überleben.«

»Werden Sie Wennerström um Entschuldigung bitten? Ihm die Hand geben?«

»Nein, das glaube ich kaum. Meine Meinung zu Herrn Wennerströms Geschäftsmoral hat sich nicht nennenswert geändert.«

»Wollen Sie damit sagen, dass Sie ihn immer noch für einen Schurken halten?«, fragte *Dagens Industri* schnell.

Diese Frage legte eine Antwort nahe, die leicht in eine verheerende Schlagzeile münden konnte, und Mikael hätte nur zu leicht auf dieser Bananenschale ausrutschen können, wenn ihm der Reporter sein Mikrofon nicht gar so übereifrig vors Gesicht geschoben hätte. Er überlegte sich seine Antwort ein paar Sekunden.

Das Gericht hatte gerade festgestellt, dass Mikael Blomkvist den Industriellen Hans-Erik Wennerström in seiner Ehre verletzt hatte. Mikael war wegen übler Nachrede verurteilt worden. Die Verhandlung war abgeschlossen, und er hatte auch nicht vor, Berufung einzulegen. Aber was würde passieren, wenn er seine Behauptungen unvorsichtigerweise schon auf der Treppe vor dem Gericht wiederholte? Er beschloss, die entsprechende Antwort zu umgehen.

»Ich fand, dass ich gute Gründe hatte, meine Angaben zu veröffentlichen. Das Gericht hat das anders gesehen, und ich muss selbstverständlich akzeptieren, dass der Prozess der Rechtsfindung damit abgeschlossen ist. Jetzt werden wir in der Redaktion das Urteil gründlich diskutieren, bevor wir beschließen, wie wir weiter verfahren. Mehr kann ich dazu momentan nicht sagen.«

»Aber Sie haben außer Acht gelassen, dass man als Journalist seine Behauptungen auch beweisen können muss«, sagte die Mitarbeiterin von TV4 mit einem scharfen Unterton in der Stimme. Dieser Bemerkung konnte er nichts entgegensetzen. Sie waren gute Freunde gewesen. Ihr Gesichtsausdruck war neutral, aber Mikael glaubte einen Hauch von Enttäuschung und Missbilligung in ihren Augen auszumachen.

Mikael Blomkvist blieb stehen und beantwortete noch ein paar quälende Minuten lang weitere Fragen. Die Frage, die unausgesprochen in der Luft lag und die kein Reporter zu stellen wagte – vielleicht wegen der Peinlichkeit und Unverständlichkeit der gesamten Situation –, war die, wie Mikael nur einen Text hatte schreiben können, der jeder Substanz entbehrte. Die Reporter vor Ort, die Urlaubsvertretung von *Dagens Industri* mal ausgenommen, waren allesamt gestandene Journalisten. Die Antwort auf diese Frage lag für sie jenseits der Grenzen des Begreiflichen.

Die Kollegin von TV4 bat ihn, sich vor die Tür des Amtsgerichts zu stellen, und interviewte ihn separat vor der Kamera.

Sie war freundlicher, als er es verdient hatte, und er gab genügend brauchbare Statements ab, um alle Reporter zufriedenzustellen. Die Story würde in die Schlagzeilen kommen – das war unvermeidbar –, aber er rief sich in Erinnerung, dass es sich hier nicht wirklich um ein spektakuläres Medienereignis handelte. Die Reporter waren bald zufrieden und zogen sich in ihre Redaktionen zurück.

Zunächst hatte er nur vorgehabt, spazieren zu gehen, aber es war ein windiger Dezembertag, und nach dem Interview war ihm schon kalt genug. Erst als er alleine auf der Treppe vorm Amtsgericht stand, hob er den Blick und sah William Borg aus einem Auto steigen, in dem er während des Interviews gesessen hatte. Borg lächelte, als ihre Blicke sich trafen.

»Allein, um dich mit diesem Zettel in der Hand da stehen zu sehen, hätte sich das Herkommen schon gelohnt.«

Mikael antwortete nicht. William Borg und Mikael Blomkvist kannten sich seit fünfzehn Jahren. Sie hatten früher gemeinsam als Vertretung für den Wirtschaftsteil einer Morgenzeitung gearbeitet. Vielleicht hätte man einfach sagen können, dass die Chemie zwischen den beiden nicht stimmte. Auf jeden Fall war damals der Grundstein zu einer lebenslangen Feindschaft gelegt worden. Borg war in Mikaels Augen ein erbärmlicher Reporter und ein unangenehmer, kleinlicher, rachsüchtiger Mensch, der seine Umwelt mit dämlichen Witzen drangsalierte und sich abfällig über ältere und erfahrenere Reporter äußerte. Gegen ältere Journalistinnen schien er eine ganz besondere Abneigung zu hegen. Mikael und er hatten einen ersten Streit gehabt, gefolgt von weiterem unerfreulichem Hin und Her, bis ihre Gegnerschaft schließlich zu einer persönlichen Angelegenheit geworden war.

Über die Jahre hinweg waren Mikael und William Borg regelmäßig aneinandergeraten, aber erst gegen Ende der neunziger Jahre richtige Feinde geworden. Mikael hatte ein Buch über Wirtschaftsjournalismus verfasst und fleißig aus einer Anzahl dümmlicher Artikel zitiert, für die Borg verantwortlich zeichnete. Mikael stellte Borg als Wichtigtuer dar, der die meisten Fakten in den falschen Hals kriegte und Lobeshymnen auf Dotcom-Firmen schrieb, mit denen es dann schnurstracks den Bach runterging. Borg hatte keinen Gefallen an Mikaels Analyse gefunden, und bei einem zufälligen Zusammentreffen in einer Kneipe in Söder war es beinahe zu Handgreiflichkeiten gekommen. Ungefähr zur gleichen Zeit kehrte Borg dem Journalismus den Rücken und arbeitete nun zu wesentlich höherem Lohn als Pressesprecher für ein Unternehmen, das obendrein zu Hans-Erik Wennerströms geschäftlichem Interessengebiet gehörte.

Sie musterten sich eine Weile, bevor Mikael auf dem Absatz kehrtmachte und davonging. Typisch Borg, zum Amtsgericht fahren, bloß um sich hinzustellen und ihn auszulachen.

Der 40er-Bus hielt gerade, und Mikael stieg zu, um von diesem Ort zu verschwinden. Am Fridhelmsplan stieg er aus und blieb unentschlossen an der Haltestelle stehen, sein schriftliches Urteil immer noch in der Hand. Zu guter Letzt beschloss er, zum Café Anna hinüberzugehen, das in der Nähe der Garageneinfahrt des Polizeigebäudes lag.

Keine dreißig Sekunden nachdem er sich einen Café latte und ein belegtes Brötchen bestellt hatte, begannen die Zwölf-Uhr-Nachrichten im Radio. Die Story kam an dritter Stelle, nach dem Selbstmordattentäter in Jerusalem und der Meldung, dass die Regierung eine Kommission eingesetzt hatte, um eine neue angebliche Kartellbildung in der Bauindustrie zu untersuchen.

»*Der Journalist Mikael Blomkvist von der Zeitschrift* Millennium *wurde am Donnerstagmorgen zu drei Monaten Haft wegen böswilliger Verleumdung des Industriellen Hans-Erik Wennerström verurteilt. In einem viel beach-*

teten Artikel über die sogenannte Minos-Affäre hatte
Blomkvist behauptet, dass Wennerström staatliche Mittel,
die für Investitionen in Polen genehmigt worden waren,
stattdessen für Waffengeschäfte veruntreut habe. Mikael
Blomkvist wurde zu Schadenersatzzahlungen in Höhe von
150000 Kronen verurteilt. In einem Kommentar sagte
Wennerströms Anwalt, Bertil Camnermarker, sein Man-
dant sei mit dem Urteil zufrieden. Seiner Meinung nach
handele es sich in diesem Fall um eine außerordentlich
böswillige Verleumdung.«

Auf dem Papier war das Urteil sechsundzwanzig Seiten lang. Es erläuterte den sachlichen Grund, warum er in fünfzehn Punkten der böswilligen Verleumdung des Geschäftsmannes Hans-Erik Wennerström für schuldig befunden worden war. Mikael stellte fest, dass ihn jeder dieser Punkte 10000 Kronen und sechs Tage Gefängnis kostete. Abgesehen von den Kosten des Verfahrens und dem Honorar für seinen eigenen Anwalt. Er konnte sich nicht ansatzweise ausmalen, wie die Gesamtrechnung aussehen würde, musste jedoch zugeben, dass es auch schlimmer hätte kommen können; immerhin hatte sich das Gericht in sieben Punkten entschlossen, ihn freizusprechen.

Je länger er die Formulierungen des Urteils las, umso deutlicher braute sich in seiner Magengegend ein unangenehmes Gefühl zusammen. Dieses Gefühl überraschte ihn. Bereits zu Beginn der Verhandlung war ihm klar gewesen, dass er verurteilt werden würde, wenn nicht ein Wunder geschah. Er hatte die zwei Verhandlungstage relativ unbekümmert abgesessen und anschließend noch elf Tage gewartet, bis das hohe Gericht zu Ende überlegt und den Text formuliert hatte, den er jetzt in Händen hielt, ohne das Geringste dabei zu empfinden. Erst jetzt, da der Prozess vorbei war, befiel ihn Unbehagen.

Als er ein Stück von seinem Brötchen abgebissen hatte, schien der Bissen in seinem Mund plötzlich aufzuquellen. Er konnte kaum noch schlucken und schob das Brötchen schließlich beiseite.

Es war das erste Mal, dass Mikael Blomkvist verurteilt worden war – überhaupt das erste Mal, dass man ihn eines Vergehens verdächtigt und angeklagt hatte. Eigentlich handelte es sich um eine vergleichsweise harmlose Verfehlung. Es ging ja nicht um bewaffneten Raubüberfall, Mord oder Vergewaltigung. Finanziell gesehen traf ihn das Urteil freilich empfindlich. *Millennium* war nicht gerade das Flaggschiff der Medienwelt – das Magazin lebte mehr schlecht als recht von seiner Gewinnspanne –, aber das hier war auch nicht wirklich eine Katastrophe. Dummerweise war Mikael gleichzeitig Teilhaber, Journalist und verantwortlicher Herausgeber der Zeitschrift. Die Schadenersatzforderung, 150 000 Kronen, gedachte er aus eigener Tasche zu begleichen, was seine Ersparnisse nahezu vollständig aufzehren würde. Die Zeitschrift übernahm die Gerichtskosten. Wenn man klug mit dem Geld wirtschaftete, würde es schon wieder in Ordnung kommen.

Er überlegte, sein Wohnrecht zu verkaufen, aber das würde ihm ganz schön wehtun. Gegen Ende der unbekümmerten achtziger Jahre, in einer Phase, als er über eine feste Anstellung und ein relativ gutes Einkommen verfügte, hatte er sich nach einer Eigentumswohnung umgesehen. Er war zu zahlreichen Wohnungsbesichtigungen gerannt und hatte das meiste abgelehnt, bis er über eine Mansardenwohnung mit fünfundsechzig Quadratmetern stolperte, die genau an der Ecke zur Bellmansgata lag. Der vorherige Besitzer hatte bereits angefangen, sie gemütlich auszubauen, dann jedoch plötzlich einen Job in einer Dotcom-Firma im Ausland bekommen, und so konnte Mikael das Renovierungsobjekt spottbillig kaufen.

Michael hatte die Skizzen des Innenarchitekten verworfen und den Ausbau selbst übernommen. Er steckte einiges an Geld in die Renovierung des Badezimmers und der Küche und pfiff auf den Rest. Statt Parkett zu verlegen und Zwischenwände einzuziehen, um die geplante Zweizimmerwohnung zu schaffen, schliff er die Dachbalken ab und strich Kalkfarbe direkt auf die Originalwände. Über die schlimmsten Schadstellen hängte er ein paar Aquarelle von Emanuel Bernstone. Das Ergebnis war ein völlig offener Raum mit einer Schlafnische hinter einem Bücherregal und einem kombinierten Ess- und Wohnzimmer mit einer kleinen Küche, wie in einer Bar. Die Wohnung hatte zwei Mansarden- und ein Giebelfenster mit Ausblick über die Dächer in Richtung Riddarfjärden und der Altstadt Gamla Stan. Er konnte einen schmalen Streifen Wasser und das Rathaus sehen. Heutzutage würde er sich eine solche Wohnung nicht mehr leisten können, und er wollte sie gerne behalten.

Aber er riskierte ja nicht nur den Verlust seiner Wohnung. Viel schlimmer war, dass sein berufliches Ansehen gelitten hatte. Es würde lange dauern, bis es wiederhergestellt war. Falls dies überhaupt je der Fall sein würde.

Es ging um Vertrauen. In der nächsten Zeit würden viele Redakteure erst mal zögern, einen Artikel von ihm zu drucken. Er hatte immer noch genügend Freunde in der Branche, die akzeptieren würden, dass er einfach Opfer unglücklicher Zufälle gewesen war, aber ab jetzt konnte er sich keinen Fehler mehr leisten.

Am meisten schmerzte allerdings die Demütigung.

Er hatte alle Trümpfe in der Hand gehabt und dann doch verloren, gegen einen Gangster im Armani-Anzug. Einen Schweinehund von einem Börsenhai. Einen Yuppie mit einem Promi-Anwalt, der sich durch den ganzen Prozess gegrinst hatte.

Wie zum Teufel hatte alles nur so schiefgehen können?

Die Wennerström-Affäre hatte so vielversprechend begonnen, hinter dem Steuer seines Bootes, einer gelben Mälar-30, an einem Mittsommerabend vor achtzehn Monaten. Ein ehemaliger Journalistenkollege, mittlerweile Pressebeauftragter beim Provinziallandtag, hatte seiner neuen Freundin imponieren wollen und unbedachterweise ein Boot gemietet, eine Scampi, mit der sie ein paar Tage ebenso planlos wie romantisch durch die Schären segeln wollten. Seine Freundin, die für ihr Studium gerade erst von Hallstahammar nach Stockholm gezogen war, hatte zunächst ein bisschen Widerstand geleistet, sich dann aber überreden lassen, allerdings unter der Bedingung, dass ihre Schwester und deren Freund mitkommen durften. Das Problem war nur, dass der Angestellte des Landtags mehr Enthusiasmus als Segelerfahrung vorweisen konnte. Drei Tage bevor sie ablegen wollten, hatte er Mikael verzweifelt angerufen und ihn überredet, sich ihnen als fünftes und navigationskundiges Besatzungsmitglied anzuschließen.

Mikael hatte zuerst rundheraus abgelehnt, sich dann aber von dem Versprechen verführen lassen, dass man sich in den Schären ein paar Tage bei gutem Essen in guter Gesellschaft entspannen würde. Aus diesem Versprechen wurde allerdings überhaupt nichts, und der Segeltörn hatte sich zu einer weit größeren Katastrophe ausgewachsen, als er sich hätte träumen lassen. Obwohl sie die schöne, aber wenig dramatische Strecke ab Bullandö über die Furusund-Route eingeschlagen hatten, war die neue Freundin sofort seekrank geworden. Ihre Schwester hatte angefangen, mit ihrem Freund zu streiten, und keiner von ihnen zeigte auch nur das geringste Interesse daran, ein paar Segelkenntnisse zu erwerben. Wie sich bald herausstellte, erwartete man von Mikael, dass er sich um das Boot kümmerte, während ihm die anderen gute, aber größtenteils nutzlose Ratschläge gaben. Nach der ersten Übernachtung auf Ängsö war er so weit, dass er in Furusund anlegen und den ersten Bus nach Hause nehmen wollte. Nur das verzweifelte Flehen seines Freundes hatte ihn bewogen, an Bord zu bleiben.

Am nächsten Tag gegen zwölf Uhr, früh genug, um noch ein paar freie Plätze zu finden, hatten sie das Boot auf Arholma an der Anlegestelle für Besucher festgemacht. Sie hatten gerade zu Mittag gegessen, als Mikael eine gelbe M-30 bemerkte, die nur das Großsegel gesetzt hatte und langsam in die Bucht glitt. Das Boot machte eine ruhige Drehung nach Luv, während der Skipper nach einem Platz an der Landungsbrücke Ausschau hielt. Mikael sah sich um und stellte fest, dass der Platz zwischen ihrer Scampi und einem H-Boot auf der Steuerbordseite vermutlich die einzige verbliebene Lücke war. Die schmale M-30 würde dort gerade noch hineinpassen. Er stand auf und gab ein Zeichen; der Skipper der M-30 hob die Hand, um sich bei ihm zu bedanken, und hielt auf die Landungsbrücke zu. Ein Einhandsegler, der sich nicht die Mühe machen wollte, den Motor anzuwerfen, sagte sich Mikael. Er hörte das Rasseln der Ankerkette, und wenige Sekunden später wurde das Großsegel eingeholt, während der Skipper nur so hin und her flitzte, um gleichzeitig das Ruder gerade zu richten und am Vordersteven ein Tau für das Anlegemanöver vorzubereiten.

Mikael kletterte auf die Reling und streckte eine Hand aus, um zu signalisieren, dass er das Tau entgegennehmen konnte. Der Neuankömmling nahm eine letzte Kursänderung vor und glitt perfekt, in ganz langsamer Fahrt, ans Heck der Scampi heran. Erst als der Skipper Mikael den Tampen zuwarf, erkannten sie einander und brachen in lautes Gelächter aus.

»Hallo, Robban!«, rief Mikael. »Warum schmeißt du nicht den Motor an, dann schrammst du nicht allen Booten im Hafen den Lack ab.«

»Hallo, Micke! Dachte ich mir doch, dass du mir irgendwie bekannt vorkommst. Und den Motor würde ich ja gerne anmachen, wenn ich ihn in Gang kriegen könnte. Das Biest ist mir vor zwei Tagen bei Rödlöga endgültig abgestorben.«

Sie schüttelten sich über die Reling hinweg die Hand.

Vor ewigen Zeiten, in den siebziger Jahren, waren Mikael Blomkvist und Robert Lindberg am Kungsholmer Gymnasium Freunde gewesen, sogar sehr gute Freunde. Doch wie es so oft mit alten Schulkameraden geht, war die Freundschaft nach den Abschlussprüfungen zu Ende. Sie waren getrennte Wege gegangen und hatten sich in den letzten zwanzig Jahren höchstens fünf oder sechs Mal getroffen. Als sie sich unerwartet auf der Landungsbrücke von Arholma begegneten, hatten sie sich schon mindestens sieben oder acht Jahre nicht mehr gesehen. Jetzt musterten sie einander neugierig. Robert war braun gebrannt, sein Haar war verfilzt, und wie man an den Bartstoppeln sehen konnte, hatte er sich seit Wochen nicht mehr rasiert.

Mikaels Laune hellte sich plötzlich bedeutend auf. Als der Pressetyp und sein einfältiges Gefolge aufbrachen, um beim Kaufladen auf der anderen Seite der Insel um den Maibaum zu tanzen, war er bei Hering und Schnaps auf der M-30 geblieben, um mit seinem Schulkameraden über Gott und die Welt zu quatschen.

Irgendwann im Laufe des Abends, als sie den Kampf gegen die berüchtigten Mücken von Arholma aufgegeben hatten und in die Kajüte gegangen waren, hatte sich das Gespräch nach einer beträchtlichen Anzahl von Schnäpsen in eine freundschaftliche Kabbelei über Moral und Ethik in der Geschäftswelt verwandelt. Beide hatten sich für Karrieren entschieden, die irgendwie mit der schwedischen Finanzwelt zu tun hatten. Robert Lindberg war nach dem Abitur auf die Handelshochschule gegangen und danach ins Bankgeschäft eingestiegen. Mikael Blomkvist war auf der Journalistenschule gelandet und hatte einen Großteil seines Berufslebens darauf verwandt, dubiose Geschäfte in der Finanzwelt aufzuklären. Das Gespräch begann um die Frage nach der moralischen Korrektheit gewisser Abfindungspraktiken zu kreisen, die in den neunziger Jahren bekannt geworden waren. Nachdem er so manchen Manager verteidigt hatte, stellte Lindberg sein Glas ab und räumte widerwillig ein, dass sich in der Geschäftswelt trotz allem der eine oder andere Schweinehund versteckte. Plötzlich hatte er Mikael ganz ernst angesehen.

»Du gehörst doch zu den Journalisten, die in Sachen Wirtschaftskriminalität recherchieren – warum schreibst du nicht über Hans-Erik Wennerström?«

»Ich wusste nicht, dass es über den was zu schreiben gibt.«

»Dann fang an zu wühlen. Fang in Dreiteufelsnamen an zu wühlen. Wie viel weißt du über das SIB-Programm?«

»Tja, das war eine Art Förderprogramm in den neunziger Jahren, mit dem man der Industrie in den ehemaligen Ostblockstaaten auf die Füße helfen wollte. Vor ein paar Jahren wurde es dann eingestellt. Ich hab nie irgendetwas darüber geschrieben.«

»SIB, das Industrieförderungsprogramm – das war ein von der Regierung gefördertes Projekt unter der Leitung von Repräsentanten einiger großer schwedischer Unternehmen. SIB bekam staatliche Garantien für eine ganze Reihe von Projekten zugesichert, die in Abstimmung mit den Regierungen von Polen und den baltischen Staaten verabschiedet wurden. Der Schwedische Gewerkschaftsbund war ebenfalls mit von der Partie, um sicherzustellen, dass auch die Gewerkschaften im Osten nach schwedischem Modell gestärkt würden. Offiziell war das Ganze ein Förderprogramm nach dem Prinzip Hilfe zur Selbsthilfe, das den Regierungen im Osten eine Möglichkeit eröffnen wollte, ihre Wirtschaft zu sanieren. In der Praxis ging es aber darum, dass schwedische Unternehmen staatliche Subventionen einstrichen, um sich damit als Teilhaber in osteuropäische Unternehmen einzukaufen. Dieser verdammte heuchlerische Minister war ein treuer Anhänger des SIB. Man wollte eine Papierfabrik in Krakau bauen, die Metallindustrie in Riga auf Vordermann bringen, eine Zementfabrik in Tallinn errichten und so weiter. Die Gelder wurden von den Vorständen des SIB verteilt, lauter einflussreichen Persönlichkeiten aus der Welt der Banken und der Großindustrie.«

»Steuergelder also?«

»Ungefähr 50 % staatliche Zuschüsse, den Rest steuerten die Banken und die Unternehmen selbst bei. Aber weniger aus ideellen Gründen. Sie rechneten damit, eine ordentliche Stange Geld einzustreichen. Sonst hätten sie keinen Pfifferling dafür gegeben.«

»Von wie viel Geld sprechen wir denn da?«

»Beim SIB ging es hauptsächlich um schwedische Unternehmen, die sich auf dem osteuropäischen Markt etablieren wollten. Hochkarätige Unternehmen wie *ABB* und *Skanska* und so. Mit anderen Worten also, keine Spekulanten.«

»Willst du etwa behaupten, dass *Skanska* nicht spekuliert? Deren Geschäftsführer war es doch, der gefeuert wurde, als er einen von seinen Jungs eine halbe Milliarde mit irgendwelchen Day Tradings versenken ließ? Und was ist mit ihren Immobiliengeschäften in London und Oslo?«

»Sicher, Idioten gibt es in jedem Unternehmen dieser Welt, aber du weißt schon, was ich meine. Das sind auf jeden Fall Firmen, die etwas produzieren. Das Rückgrat der schwedischen Industrie.«

»Und was hat Wennerström jetzt damit zu tun?«

»Wennerström ist der Joker in diesem Spiel. Also, da kommt ein Typ von irgendwoher, er hat keinen großartigen industriellen Hintergrund und auf dieser Bühne eigentlich überhaupt nichts zu suchen. Aber er hat sich an der Börse ein enormes Vermögen erworben und es in sichere Unternehmen investiert. Er ist sozusagen durch die Hintertür dazugestoßen.«

Mikael Blomkvist hatte sein Glas mit »Reimersholmer Schnaps« aufgefüllt, sich in der Kajüte zurückgelehnt und nachgedacht, was er alles über Wennerström wusste. Und das war eigentlich nicht besonders viel. Geboren irgendwo in Norrland, wo er irgendwann in den siebziger Jahren ein Investmentunternehmen gründete. Er verdiente gutes Geld und ging nach Stockholm, um in den goldenen achtziger Jahren eine kometenhafte Karriere hinzulegen. Er hatte die Wennerström-Gruppe gegründet, später umbenannt in *The Wennerstroem Group*, als in London und New York Dependancen eröffnet wurden, die in den Zeitungen bald in einem Atemzug mit Beijer genannt wurden. Er handelte mit Aktien und Optionen und steckte Geld in Day Tradings. Er kam in die Klatschpresse als einer unserer zahlreichen neuen Milliardäre – ein Penthouse am Strandvägen, ein großartiges Sommerhaus auf Värmdö und eine dreiundzwanzig Meter lange Motoryacht, die er einem ehemaligen, Pleite gegangenen Tennisstar abkaufte. Eigentlich hatte er immer nur gut rechnen können, aber die achtziger Jahre waren nun mal das Jahrzehnt der Rechner und Immobilienspekulanten, und Wennerström hatte sich nicht mehr hervorgetan als die anderen. Eher im Gegenteil, unter all den Big Boys hielt er sich ein bisschen im Hintergrund. Mit Immobilien wollte er nichts zu tun haben; stattdessen investierte er in großem Stil im ehemaligen Ostblock. Als in den neunziger Jahren langsam die Luft raus war und ein Manager nach dem anderen zwangsweise seine Abfindung einforderte, war Wennerströms Unternehmen überraschend gut davongekommen. Nicht einmal die Spur eines Skandals. *Eine schwedische Erfolgsstory*, so hatte die *Financial Times* es zusammengefasst.

»Es geschah 1992. Wennerström meldete sich plötzlich beim SIB und teilte mit, dass er Geld wollte. Offenbar unterstützt von in Polen ansässigen Interessenten, legte er einen Plan vor, wie man eine Fabrik aufbauen könnte, die Verpackungsmaterial für die Lebensmittelindustrie produzierte.«

»Eine Fabrik für Konservendosen?«

»Nicht ganz, aber so was in der Art. Ich habe keine Ahnung, wen er beim SIB kannte, aber er konnte ohne Weiteres sechzig Millionen Kronen abstauben.«

»Das klingt ja langsam spannend. Lass mich raten: Danach hat man von diesem Geld nichts mehr gesehen.«

»Falsch«, sagte Robert Lindberg. Er lachte, bevor er sich mit einem weiteren Schnaps stärkte.

»Was dann geschah, ist ein klassisches Beispiel für betriebswirtschaftliche Rechenkünste. Wennerström baute wirklich eine Verpackungsindustrie in Polen auf, in Lodz, um genau zu sein. Das Unternehmen hieß *Minos*. 1993 erhielt das SIB ein paar enthusiastische Geschäftsberichte, danach Schweigen. 1994 brach *Minos* plötzlich zusammen.«

Robert Lindberg hatte das leere Schnapsglas mit einem kräftigen Rums auf dem Tisch abgestellt, um zu illustrieren, wie die Firma zusammengebrochen war.

»Das Problem mit dem SIB war, dass es keine festen Regeln dafür gab, wie die Rechenschaftsberichte für die Projekte auszusehen hatten. Du weißt, wie das in diesen Zeiten war. Alle waren derart optimistisch, als die Mauer fiel. Die Demokratie wurde eingeführt, die Gefahr eines Atomkrieges war gebannt, und die Bolschewiken sollten über Nacht Kapitalisten werden. Die Regierungen wollten die Demokratie im Osten stärken. Jeder Unternehmer wollte dabei sein und beim Aufbau des neuen Europa mithelfen.«

»Ich wusste ja gar nicht, dass Unternehmer so eine Schwäche für wohltätige Werke haben.«

»Glaub mir, das war der feuchte Traum eines jeden Unternehmers. Russland und die ehemaligen Ostblockstaaten sind so ungefähr der größte noch zu erschließende Markt nach China. Die Industrie hatte kein Problem damit, der Regierung beizuspringen, vor allem, weil die Unternehmen nur für einen Bruchteil der Ausgaben einstehen mussten. Insgesamt verschlang das SIB knapp dreißig Milliarden Kronen an Steuergeldern. Das Geld sollte in Form zukünftiger Gewinne zurückfließen. Offiziell war das SIB eine Initiative der Regierung gewesen, aber der Einfluss der Industrie war so groß, dass der Vorstand praktisch selbstständig arbeitete.«

»Verstehe. Steckt dahinter auch noch irgendeine Story?«

»Gedulde dich. Als das Projekt anlief, gab es keinerlei Probleme mit der Finanzierung. Schweden war noch nicht vom Rentenschock heimgesucht worden. Die Regierung war zufrieden, weil sie mit dem SIB zeigen konnte, wie groß das schwedische Engagement im Osten war.«

»Das geschah alles unter der bürgerlichen Regierung?«

»Die politische Richtung spielt doch keine Rolle. Es geht um Geld, und da ist es scheißegal, ob die Sozis oder die Konservativen die Minister stellen. Also volle Kraft voraus, aber dann kam das Valutaproblem, und danach meldeten sich ein paar dämliche Neue Demokraten – erinnerst du dich noch an die Neuen Demokraten, diese Populistenpartei? – und fingen an zu nörgeln, dass man nicht genügend Einblick in die Tätigkeiten des SIB habe. Einer von diesen Wichteln hatte SIB mit SIDA verwechselt und glaubte, es handele sich um irgendein Entwicklungshilfe-Programm, wie das in Tansania. Im Frühjahr 1994 wurde eine Untersuchungskommission gegründet, die das SIB unter die Lupe nehmen sollte. Zu diesem Zeitpunkt gab es bereits Beanstandungen bei mehreren Projekten, aber eines der ersten, das man sich vornahm, war *Minos*.«

»Und Wennerström konnte nicht nachweisen, wofür die Gelder verwendet worden waren.«

»Im Gegenteil. Wennerström konnte einen ganz ausgezeichneten Rechenschaftsbericht vorlegen, der nachwies, dass knapp vierundfünfzig Millionen Kronen in *Minos* investiert worden waren. Dann hätten sich aber die strukturellen Probleme im zurückgebliebenen Polen als zu groß herausgestellt, als dass eine moderne Verpackungsindustrie hätte funktionie-

31

ren können. Ihre Fabrik sei von einem ähnlichen deutschen Projekt praktisch verdrängt worden. Die Deutschen waren gerade dabei, den ganzen Ostblock aufzukaufen.«

»Du hast gesagt, er habe sechzig Millionen Kronen bekommen.«

»Stimmt genau. Die SIB-Gelder waren quasi ein zinsfreies Darlehen. Der Hintergedanke war natürlich der, dass die Unternehmen einen Teil der Gelder nach ein paar Jahren zurückzahlen sollten. Aber *Minos* war baden gegangen und das Projekt missglückt, wofür man Wennerström schlecht verantwortlich machen konnte. Hier traten die staatlichen Garantien in Kraft, und Wennerström musste die Gelder, die mit dem Konkurs von *Minos* verloren gegangen waren, einfach nicht zurückzahlen. Er konnte nachweisen, dass er eine entsprechende Summe eigenen Geldes verloren hatte.«

»Warte mal, ich will sichergehen, dass ich das alles richtig verstanden habe. Die Regierung hielt die Steuermillionen bereit und stellte die Diplomaten, die die entsprechenden Türen öffneten. Die Industrie bekam das Geld und verwendete es für Investitionen in Joint Ventures, mit denen dann Rekordgewinne erzielt wurden. Also das übliche Spiel. Die einen gewinnen, und die anderen bezahlen die Rechnungen, und wir wissen, wer welche Rolle spielt.«

»Du bist ein Zyniker. Das Darlehen sollte dem Staat zurückgezahlt werden.«

»Die Darlehen waren zinslos, hast du gesagt. Das bedeutet, die Steuerzahler bekamen keine Zinsen dafür, dass sie ihre Kohle zur Verfügung stellten. Wennerström hat sechzig Millionen eingesackt, von denen vierundfünfzig investiert wurden. Was ist mit den restlichen sechs Millionen passiert?«

»Als klar wurde, dass sein SIB-Projekt genauer untersucht werden würde, schickte Wennerström einen Scheck über sechs Millionen ans SIB, mit dem er den Differenzbetrag beglich. Damit war die Sache, rein juristisch betrachtet, aus der Welt.«

Robert Lindberg verstummte und warf Mikael einen herausfordernden Blick zu.

»Klingt ganz so, als hätte Wennerström SIB-Gelder in den Sand gesetzt, aber verglichen mit der halben Milliarde, die bei *Skanska* verschwunden ist, oder mit der Story von diesem *ABB*-Manager, der eine knappe Milliarde Abfindung bekam – das hat die Leute wirklich aufgebracht! –, scheint das hier nicht gerade viel Stoff zu bieten«, meinte Mikael. »Die Leser haben die Artikel über unfähige Spekulanten mittlerweile satt, auch wenn dabei Steuergelder im Spiel sind. Steckt noch mehr hinter dieser Story?«

»Sie wird noch besser.«

»Woher weißt du all diese Dinge über Wennerströms Geschäfte in Polen?«

»In den neunziger Jahren habe ich in der Handelsbank gearbeitet. Rate mal, wer die Berichte für den Vertreter unserer Bank im SIB erstellt hat?«

»Alles klar. Erzähl weiter.«

»Also ... um das Ganze jetzt mal zusammenzufassen: Das SIB erhielt eine Erklärung von Wennerström. Papier ging hin und her. Ausstehende Gelder wurden zurückgezahlt. Dass er die sechs Millionen zurückzahlte, war ziemlich schlau. Wenn dir jemand freiwillig eine Tasche voller Geld geben will, dann bist du doch geneigt zu glauben, dass er eine reine Weste hat.«

»Komm zur Sache.«

»Aber mein lieber Blomkvist, das hier ist bereits die Sache. Das SIB war mit Wennerströms Bericht zufrieden. Die Investition war zum Teufel gegangen, aber an der Durchführung des Projekts fand man nichts auszusetzen. Wir haben jede Fakturierung, jeden Transfer und sämtliche Papiere durchgesehen. Alles war penibel abgerechnet. Ich habe es geglaubt. Mein Chef hat es geglaubt. Das SIB hat es geglaubt, und die Regierung hatte dem nichts hinzuzufügen.«

»Wo ist der Haken?«

»Tja, jetzt wird die Geschichte langsam brisant«, sagte Lindberg und sah auf einmal verblüffend nüchtern aus. »Du bist Journalist, also betrachte alles, was jetzt kommt, als *off the record*.«

»Jetzt mach aber mal halblang! Du kannst mir nicht solche Sachen erzählen und hinterher damit ankommen, dass ich nichts davon weitergeben darf.«

»Und ob ich das kann. Alles, was ich bis jetzt erzählt habe, ist der Öffentlichkeit bekannt. Du kannst sogar den Bericht einsehen, wenn du willst. Über den Rest der Story – das, was ich noch nicht erzählt habe – kannst du gerne was schreiben, aber du musst mich als anonyme Quelle behandeln.«

»Aha. Aber nach der gängigen Terminologie bedeutet *off the record*, dass man mir im Vertrauen etwas erzählt, ich aber nichts drüber schreiben darf.«

»Ich scheiß auf die Terminologie. Schreib, was du willst, aber lass mich dabei aus dem Spiel, okay?«

»Selbstverständlich«, antwortete Mikael.

Was, im Nachhinein betrachtet, ein Fehler gewesen war.

»Na dann. Diese Story mit *Minos* spielte sich also vor zehn Jahren ab, direkt nach dem Mauerfall, als die Bolschewiken langsam anständige Kapitalisten wurden. Ich gehörte zu dem Personenkreis, der Wennerströms Geschäfte untersuchte, und ich dachte mir die ganze Zeit, dass irgendwas an dieser Story verdammt faul war.«

»Warum hast du während der Untersuchung nichts gesagt?«

»Ich habe es mit meinem Chef durchgesprochen. Aber letztlich hatten wir keine Handhabe. Die Papiere waren in Ordnung. Ich musste den Untersuchungsbericht abzeichnen. Doch jedes Mal, wenn ich in der Presse auf Wennerströms Namen stieß, habe ich an *Minos* gedacht.«

»Mhm.«

»Die Sache war allerdings die, dass meine Bank Mitte der neunziger Jahre ein paar Geschäfte mit Wennerström machte.

Große Geschäfte, bei denen er nicht den besten Eindruck hinterließ.«

»Er hat euch um euer Geld gebracht?«

»Nein, nein, beide Seiten haben an diesen Geschäften verdient. Es war eher so, dass ... Ich weiß nicht recht, wie ich dir das erklären soll. Ich rede hier gerade über meinen eigenen Arbeitgeber, was mir etwas unangenehm ist. Aber der Gesamteindruck, den ich von Wennerström gewann, war kein guter. Er hat ja in den Medien das Image des großen Machers. Davon lebt er. Das ist sein Vertrauenskapital.«

»Ich weiß, was du meinst.«

»Ich hatte den Eindruck, dass der Kerl ganz einfach ein riesengroßer Bluff ist. Er ist überhaupt kein besonders begabter Betriebswirtschaftler. Im Gegenteil. Ich konnte feststellen, dass seine Kenntnisse in manchen Dingen wahnsinnig oberflächlich sind. Er hatte ein paar wirklich hochintelligente *young warriors* als Berater, aber ich verabscheute ihn eben von ganzem Herzen.«

»Okay.«

»Vor ein paar Jahren war ich in einer ganz anderen Angelegenheit in Polen. Unsere Gesellschaft traf sich zu einem Geschäftsessen mit ein paar Investoren in Lodz, und ich landete zufällig mit dem Bürgermeister am selbem Tisch. Wir sprachen unter anderem darüber, wie schwierig es doch ist, Polens Wirtschaft in die Gänge zu bekommen, und als Beleg dafür erwähnte ich das *Minos*-Projekt. Der Bürgermeister blickte einen Moment lang völlig verständnislos drein – als hätte er noch nie von *Minos* gehört –, schien sich dann jedoch an so ein kleines Pipifax-Unternehmen erinnern zu können, das nie so richtig auf die Füße gekommen war. Er wischte es mit einem Lachen vom Tisch und sagte – ich zitiere wörtlich –, wenn das alles wäre, was schwedische Investoren zustande brächten, dann müsste Schweden demnächst zusammenbrechen. Kannst du mir folgen?«

»Dieser Ausspruch lässt vermuten, dass der Bürgermeister von Lodz ein kluges Kerlchen ist, aber erzähl weiter.«

»Dieser Satz blieb bei mir hängen und spukte mir unablässig im Hinterkopf herum. Am nächsten Morgen hatte ich einen Geschäftstermin, aber den Rest des Tages hatte ich frei. Mich ritt der Teufel, ich fuhr hinaus und sah mir die stillgelegte *Minos*-Fabrik an. Sie befand sich in einem kleinen Dorf außerhalb von Lodz, mit einer Kneipe in einer Scheune und Plumpsklos im Hof. Die große *Minos*-Fabrik war eine baufällige Bruchbude. Ein altes Lagergebäude aus Wellblech, das die Rote Armee in den fünfziger Jahren errichtet hatte. Auf dem Grundstück traf ich einen Wächter, der ein bisschen Deutsch sprach, und erfuhr, dass eine seiner Kusinen bei *Minos* gearbeitet hatte. Diese Kusine wohnte ganz in der Nähe, und wir gingen zu ihr. Der Wächter übersetzte. Möchtest du wissen, was er gesagt hat?«

»Ich kann kaum noch an mich halten.«

»*Minos* nahm 1992 den Betrieb auf. Es gab maximal fünfzehn Angestellte, die meisten von ihnen waren irgendwelche alten Weiblein. Der Lohn lag bei knapp hundertfünfzig Kronen im Monat. Am Anfang waren gar keine Maschinen da, und die Angestellten mussten erst einmal diese Bruchbude in Ordnung bringen. Anfang Oktober trafen dann drei Kartonmaschinen aus Portugal ein. Sie waren abgenutzt und völlig veraltet. Der Schrottwert kann sich allenfalls auf ein paar Tausender belaufen haben. Zwar funktionierten die Maschinen, aber sie gingen pausenlos kaputt. Ersatzteile fehlten natürlich, also litt *Minos* unter ständigen Produktionsstopps. Oft sprang einer der Angestellten ein und reparierte die Maschinen provisorisch.«

»Was wurde bei *Minos* denn eigentlich hergestellt?«

»1992 und das erste Halbjahr 1993 stellten sie ganz normale Pappkartons für Spülmaschinen-Tabs her und Eierkartons und so. Danach produzierten sie Papiertüten. Aber es fehlte der Fabrik permanent an den nötigen Rohstoffen, und so richtig groß war das Produktionsvolumen eigentlich nie.«

»Klingt alles nicht gerade nach der Rieseninvestition.«

»Ich habe es nachgerechnet. Die gesamte Miete für zwei Jahre belief sich auf 15 000 Kronen. Für die Löhne können maximal 150 000 draufgegangen sein, und da bin ich sogar noch großzügig. Die Anschaffungskosten für die Maschinen und den Transporter ... einen Kastenwagen, der die Eierkartons auslieferte ... schätzungsweise 200 000. Leg noch Bearbeitungsgebühren für Genehmigungen drauf und ein paar Reisekosten – offenbar hat nur eine einzige Person aus Schweden das Dorf ein paarmal besucht. Tja, sagen wir mal, das ganze Unterfangen spielte sich unter der Millionengrenze ab. Eines Tages im Sommer 1993 teilte der Vorarbeiter mit, dass die Fabrik stillgelegt sei. Und wenig später kam ein ungarischer Lastwagen und holte den Maschinenpark ab. Exit *Minos*.«

Während der Gerichtsverhandlung hatte Mikael oft an jenen Mittsommerabend zurückgedacht. Ihre Unterhaltung war teilweise eine freundschaftlich Kabbelei gewesen, genau wie zu ihrer Schulzeit. Als Teenager hatten sie Sorgen und Nöte miteinander geteilt. Als Erwachsene waren sie einander eigentlich fremd, im Grunde waren sie sehr unterschiedliche Menschen. Im Laufe des Abends hatte Mikael überlegt, dass er sich eigentlich nicht recht erinnern konnte, was sie in ihrer Gymnasialzeit zu so guten Freunden gemacht hatte. Er erinnerte sich an Robert als an einen stillen und zurückhaltenden Jungen, unglaublich schüchtern im Umgang mit Mädchen. Als Erwachsener war er ein erfolgreicher ... tja, ein richtiger Aufsteiger im Bankwesen geworden. Mikael zweifelte keinen Augenblick daran, dass sein alter Schulfreund Ansichten hegte, die seinem eigenen Weltbild völlig zuwiderliefen.

Mikael betrank sich nur selten, aber ihre zufällige Begegnung hatte einen missglückten Segelausflug in einen angenehmen Abend verwandelt, und die Schnapsflasche leerte sich zusehends. Gerade weil das Gespräch in einem so schülerhaften Ton verlaufen war, hatte er Roberts Bericht über Wennerström zunächst nicht ernst genommen, aber zu guter Letzt war sein journalistischer Instinkt erwacht. Plötzlich hatte er aufmerksam gelauscht, und dabei waren ihm auch einige logische Einwände eingefallen.

»Warte mal kurz«, hatte Mikael gebeten. »Wennerström ist ein Top-Name unter den Börsenhaien. Wenn ich mich nicht völlig täusche, ist er doch wohl Milliardär …«

»Die *Wennerstroem Group* verfügt schätzungsweise über 200 Milliarden. Dir liegt wahrscheinlich die Frage auf der Zunge, warum ein Milliardär sich überhaupt damit aufhalten sollte, ein Taschengeld von lumpigen 50 Millionen zu erschwindeln.«

»Vor allem, warum er alles durch einen offensichtlichen Betrug aufs Spiel setzt.«

»Ich weiß nicht, ob man behaupten kann, dass dieser Betrug so offensichtlich ist; der SIB-Vorstand, die Banker, die Regierung und die Finanzexperten des Reichstages haben Wennerströms Rechenschaftsbericht schließlich abgesegnet.«

»Es geht jedenfalls um eine lächerliche Summe.«

»Allerdings. Aber denk noch mal nach: Die *Wennerstroem Group* ist ein Investmentunternehmen, das mit allem Möglichen handelt, womit man schnell gute Geschäfte machen kann – Wertpapiere, Optionen, Valuta … *you name it*. Wennerström hat 1992 mit dem SIB Kontakt aufgenommen, zu einer Zeit, als der Finanzmarkt ins Bodenlose abstürzte. Kannst du dich an den Herbst 1992 erinnern?«

»Und ob ich das kann. Ich hatte einen Kredit mit Tagesgeldzinssatz auf meine Wohnung aufgenommen, und dann schoss der Refinanzierungssatz der Reichsbank im Oktober auf 500 % hoch. Sodass ich ein Jahr lang 19 % Zinsen zahlen musste.«

»Mmh, das waren vielleicht Zeiten«, sagte Robert lächelnd. »Und Hans-Erik Wennerström rang – genau wie alle anderen Akteure auf dem Markt – mit demselben Problem. Das Unternehmen hatte Milliarden in verschiedenen Papieren fest angelegt, aber verblüffend wenig liquide Mittel. Von einem Tag auf den anderen konnte es sich keine Fantasiebeträge mehr leihen. Normalerweise würde man in so einer Situation ein paar Immobilien verschachern und sich nach dem Verlust die Wunden lecken – aber 1992 wollte plötzlich kein Schwein mehr Immobilien kaufen.«

»Ein Cashflow-Problem.«

»Genau. Und mit solchen Problemen stand Wennerström nicht alleine da. Jeder Geschäftsmann ...«

»Keine Geschäftsmänner. Nenn sie, wie du willst, aber solche Leute Geschäftsmänner zu nennen, kommt der Verunglimpfung eines seriösen Berufsstandes gleich.«

»... also von mir aus die Börsenhaie, die hatten Cashflow-Probleme. Du musst es mal so betrachten: Wennerström hat sechzig Millionen Kronen bekommen. Sechs Millionen hat er zurückgezahlt, aber erst nach drei Jahren. Die Ausgaben für *Minos* können eine Million nicht überstiegen haben. Allein die Zinsen für sechzig Millionen über drei Jahre hinweg bedeuten schon einen ordentlichen Gewinn. Je nachdem, wie er das Geld investiert hat, kann er die SIB-Gelder verdoppelt oder verzehnfacht haben. Und dann reden wir nicht mehr von Bagatellbeträgen. Prost übrigens.«

Kapitel 2
Freitag, 20. Dezember

Dragan Armanskij war sechsundfünfzig Jahre alt und in Kroatien geboren. Sein Vater war ein armenischer Jude aus Weißrussland, seine Mutter eine bosnische Muslima mit griechischem Blut in den Adern. Sie war für seine Erziehung verantwortlich gewesen, und so war er als Erwachsener Teil der großen, vielschichtigen Gruppe, die von den Massenmedien als »Muslime« bezeichnet wird. Die Einwanderungsbehörde führte ihn in ihren Listen seltsamerweise als Serben. Sein Pass bewies, dass er schwedischer Staatsbürger war, und das Passfoto zeigte ein viereckiges Gesicht mit einer ausgeprägten Kieferpartie, dunklem Bart und grauen Schläfen. Er wurde oft »Araber« genannt, obwohl es nicht den geringsten arabischen Einschlag in seiner Familie gab. Hingegen war er eine genetische Mischung, die Dummköpfe mit einem Faible für Rassenbiologie mit großer Wahrscheinlichkeit als minderwertiges Menschenmaterial bezeichnen würden.

Sein Aussehen erinnerte entfernt an das Stereotyp eines kleinen Bandenführers in einem amerikanischen Gangsterfilm. In Wirklichkeit war er weder Rauschgiftschmuggler noch Schutzgeldeintreiber für die Mafia. Er war ein scharfsinniger Betriebswirtschaftler, der Anfang der siebziger Jahre als kaufmännischer Assistent bei der Sicherheitsfirma Milton Security angefangen hatte und drei Jahrzehnte später zum Geschäftsführer dieses Unternehmens aufgestiegen war.

Sein Interesse an Sicherheitsfragen war im Nachhinein gewachsen und hatte sich mit der Zeit in Faszination verwandelt. Es war wie ein Strategiespiel – Gefahren erkennen, Verteidigungsstrategien entwickeln und Industriespionen, Erpressern und Dieben das Handwerk legen. Es begann damit, dass er entdeckte, wie ein Kunde durch kreative Buchführung sehr geschickt betrogen worden war. Er konnte nachweisen, wer aus einer Gruppe von zwölf Leuten dahintersteckte, und noch dreißig Jahre später erinnerte er sich, wie überrascht er gewesen war, als ihm aufging, dass diese Unterschlagung nur deswegen möglich gewesen war, weil es das betreffende Unternehmen versäumt hatte, ein paar einfache Lücken in seinem Sicherheitssystem zu schließen. Er selbst wurde vom kleinen Buchhalter zu einem der Verantwortlichen für die Weiterentwicklung der Firma und zum Experten für Wirtschaftsbetrug. Nach fünf Jahren stieg er in den Führungskreis auf, und nach weiteren zehn Jahren wurde er – nicht ganz ohne Gegenstimmen – Geschäftsführer. Doch die kritischen Stimmen waren seit Langem verstummt. In all den Jahren hatte er Milton Security zu einer der kompetentesten und gefragtesten Beratungsfirmen für Sicherheitsthemen gemacht.

Milton Security hatte dreihundertachtzig Vollzeitangestellte und knapp dreihundert zuverlässige freie Mitarbeiter, die nach ihrem jeweiligen Einsatz bezahlt wurden. Verglichen mit Falck oder dem Schwedischen Überwachungsdienst war es also ein kleines Unternehmen. Als Armanskij in der Firma anfing, hieß sie immer noch Johan Fredrik Miltons Allgemeine Bewachungs-AG, und ihr Kundenkreis bestand aus Einkaufszentren, die Ladendetektive und muskelbepackte Wachmänner brauchten. Unter seiner Führung hatte das Unternehmen seinen Namen gegen das international gangbarere Milton Security ausgetauscht und auf Spitzentechnologien gesetzt. Das

Personal, bis dato eher abgehalfterte Nachtwächter, Uniform-fetischisten und jobbende Gymnasiasten, war durch wirklich kompetente Mitarbeiter ersetzt worden. Armanskij stellte ein paar ehemalige Polizisten als operative Führungskräfte ein, des Weiteren Staatswissenschaftler, die sich mit internationalem Terrorismus, Personenschutz und Wirtschaftsspionage auskannten, und vor allem Telekommunikationstechniker und EDV-Experten. Das Unternehmen war von Solna in standesgemäßere Räumlichkeiten in der Nähe des Slussen mitten in Stockholm umgezogen.

Mit Beginn der neunziger Jahre war Milton Security in der Lage, eine ganz neue Art von Sicherheitsdienst für eine exklusive Gruppe von Kunden anzubieten – hauptsächlich mittelgroße Unternehmen mit hohem Umsatz oder gut situierte Privatpersonen, neureiche Rockstars, Börsenhaie und Dotcom-Unternehmer. Meistenteils ging es um Bodyguards oder Sicherheitslösungen für schwedische Firmen im Ausland, vor allem in Nahost. Diese Tätigkeiten machten mittlerweile an die 70 Prozent des Firmenumsatzes aus. Unter Armanskijs Ägide war der Umsatz von knapp 40 Millionen jährlich auf nahezu zwei Milliarden gestiegen. Sicherheit zu verkaufen war ein extrem lukratives Geschäft.

Die Firma hatte drei Betätigungsfelder: die *Sicherheitsberatung*, durch die potenzielle Gefahren identifiziert wurden; die *Gegenmaßnahmen*, für gewöhnlich die Installation teurer Überwachungskameras, Einbruchs- oder Feueralarmanlagen, elektronischer Schließanlagen und Computerausrüstung, und zu guter Letzt der *Personenschutz* für Privatpersonen oder Firmen, die einer tatsächlichen oder eingebildeten Bedrohung ausgesetzt waren. Letzterer Markt hatte sich innerhalb von zehn Jahren um das Vierzigfache vergrößert, und im Laufe der letzten Jahre war ein neuer Kundenkreis entstanden, der sich aus wohlhabenden Damen zusammensetzte, die vor ehemaligen Freunden und Ehemännern oder auch vor unbekannten fanatischen Verehrern beschützt werden wollten, die sich im Fernsehen auf die engen Tops oder die Lippenstiftfarbe ihres Stars fixiert hatten. Milton Security arbeitete außerdem mit Partnerunternehmen im europäischen Ausland und in den USA zusammen und war für die Sicherheit internationaler Gäste während ihres Besuchs in Schweden zuständig. So gab es zum Beispiel eine amerikanische Schauspielerin, die zwei Monate in einem Film in Trollhättan mitgespielt hatte und deren Agent der Meinung war, ihr Status erfordere Bodyguards für ihre seltenen Spaziergänge ums Hotel.

Ein viertes, bedeutend kleineres Betätigungsfeld war das sogenannte PU oder P-Unt, im internen Sprachgebrauch *Punts* genannt, was nichts anderes bedeutete als Personen-Untersuchung, also eine Studie über die persönlichen Verhältnisse eines Objekts.

Armanskij war nicht allzu begeistert von diesem Aufgabenbereich. Er war weniger lukrativ und zudem ein beschwerliches Geschäft, das von den Mitarbeitern eher Urteilsvermögen und Kompetenz verlangte als Kenntnisse in der Telekommunikationstechnik oder der Installation diskreter Überwachungsanlagen. Nachforschungen zu den persönlichen Verhältnissen eines Menschen waren akzeptabel, wenn es um einfache Kreditauskünfte ging, um Hintergrundinformationen vor der Einstellung eines neuen Mitarbeiters oder wenn ein Angestellter verdächtigt wurde, vertrauliche Informationen weiterzugeben oder anderweitig kriminelle Handlungen gegen seinen Arbeitgeber begangen zu haben. In solchen Fällen gehörten die *Punts* zu den operativen Tätigkeiten.

Aber allzu oft kamen seine Firmenkunden auch mit privaten Problemen, die die ungute Tendenz hatten, Schwierigkeiten nach sich zu ziehen. *Ich will wissen, mit was für einem verlotterten Kerl meine Tochter da verkehrt ... Ich glaube, meine Frau betrügt mich ... Er ist eigentlich ein guter Junge, aber er ist in schlechte Gesellschaft geraten ... Ich werde erpresst ...*

Armanskij lehnte oftmals rundweg ab. Wenn die Tochter erwachsen war, hatte sie das Recht, nach Belieben mit verlotterten Kerlen zu verkehren, und er fand, dass Untreue etwas war, was Eheleute untereinander regeln sollten. Hinter derartigen Anfragen versteckten sich unzählige Fallgruben, die nur zu leicht Skandale auslösen und juristische Konflikte für Milton Security nach sich ziehen konnten. Dragan Armanskij hielt daher ein wachsames Auge auf diese Aufträge, auch wenn sie keinen nennenswerten Gewinn abwarfen.

Leider stand an diesem Morgen ausgerechnet eine solche Nachforschung zu persönlichen Verhältnissen auf der Tagesordnung. Dragan Armanskij zupfte sich die Bügelfalten zurecht, bevor er sich in seinem bequemen Bürosessel zurücklehnte. Argwöhnisch musterte er seine zweiunddreißig Jahre jüngere Mitarbeiterin Lisbeth Salander. Zum tausendsten Mal stellte er fest, dass in einem renommierten Sicherheitsunternehmen wohl kaum ein Mensch so augenfällig fehl am Platze sein konnte wie sie. Doch für Armanskij war Lisbeth Salander die fähigste Ermittlerin, die er in dieser Branche je kennengelernt hatte. Während der vier Jahre ihrer Zusammenarbeit mit ihm hatte sie weder bei einem Auftrag geschludert noch einen einzigen mittelmäßigen Bericht abgegeben – ihre Arbeit war eine Klasse für sich. Armanskij war überzeugt, dass Lisbeth Salander über ein einmaliges Talent verfügte. Jeder konnte Kreditauskünfte einholen oder beim Gerichtsvollzieher nachfragen, aber Salander besaß Phantasie und legte immer völlig unerwartete Ergebnisse vor. Wie sie das anstellte, hatte er nie verstanden, und bisweilen schien ihre Fähigkeit, Informationen ans Licht zu holen, die reine Magie zu sein. Sie war aufs Beste vertraut mit allen möglichen bürokratischen Archiven und konnte die zwielichtigsten Existenzen ausfindig machen. Vor allem besaß sie die Fähigkeit, sich in die Person hineinzuversetzen, die sie gerade untersuchte. Wenn da irgendetwas

faul war, das ans Tageslicht geholt werden musste, schoss sie
so treffsicher auf ihr Ziel zu wie ein programmiertes Cruisemissile.

Dieses Talent hatte sie wohl schon immer gehabt.

Ihre Berichte konnten für den Menschen, der auf ihren Radarschirm geraten war, allerdings eine Katastrophe auslösen.
Armanskij brach immer noch der Schweiß aus, wenn er daran
dachte, wie er ihr einmal den Auftrag erteilt hatte, vor einer Fir-
menübernahme einen Lebensmittelchemiker einer Routinekontrolle zu unterziehen. Für diesen Job war eine Woche angesetzt
gewesen, aber er zog sich dann doch in die Länge. Nach vier
Wochen Schweigen und mehreren Nachfragen, die sie einfach
ignoriert hatte, legte sie einen Bericht vor, in dem sie nachwies,
dass das betreffende Objekt pädophil war und in mindestens
zwei Fällen Sex mit einer Dreizehnjährigen vom Babystrich in
Tallinn gehabt hatte. Außerdem deuteten gewisse Anzeichen
darauf hin, dass er obendrein ein unziemliches Interesse für die
Tochter seiner damaligen Lebensgefährtin hegte.

Salander hatte Eigenschaften, die Armanskij manchmal an
den Rand der Verzweiflung trieben. Nachdem sie entdeckt
hatte, dass der Mann pädophil war, hatte sie nicht zum Hörer
gegriffen und Armanskij alarmiert und war auch nicht in sein
Büro geplatzt, um ihn um eine Unterredung zu bitten. Im Gegenteil – ohne im Mindesten anzudeuten, dass ihr Bericht
Sprengstoff von geradezu nuklearen Ausmaßen enthielt, hatte
sie ihn eines Abends stillschweigend auf seinen Schreibtisch
gelegt. Er hatte den Bericht mit nach Hause genommen und
ihn erst spätabends aufgeschlagen, als er sich vor dem Fernseher im Wohnzimmer seiner Villa in Lidingö gerade ganz entspannt eine Flasche Wein mit seiner Frau teilte.

Der Bericht war wie immer nüchtern geschrieben und mit
fast wissenschaftlicher Sorgfalt erstellt, inklusive Fußnoten,
Zitaten und exakten Quellenangaben. Die ersten Seiten refe-
rierten den Hintergrund des Objekts, seine Ausbildung, Kar-

riere und finanzielle Situation. Erst auf Seite 24, unter einer Zwischenüberschrift, hatte Salander die Bombe mit seinen Ausflügen nach Tallinn platzen lassen, allerdings in demselben sachlichen Ton, mit dem sie auch von seiner Villa in Sollentuna und seinem blauen Volvo berichtet hatte. Um ihre Behauptungen zu belegen, verwies sie auf den umfangreichen Anhang, in dem sich auch Fotos fanden, die das dreizehnjährige Mädchen zusammen mit dem Objekt zeigten. Eines der Bilder war in einem Hotelflur in Tallinn entstanden; er hatte seine Hand unter ihr Oberteil geschoben. Irgendwie hatte Lisbeth Salander auch noch das betreffende Mädchen ausfindig machen können und sie dazu gebracht, einen detaillierten Bericht auf Tonband zu sprechen.

Dieser Bericht löste genau die Art von Chaos aus, die Armanskij gerne vermieden hätte. Zunächst einmal musste er ein paar von den Magentabletten schlucken, die ihm sein Arzt verschrieben hatte. Danach bestellte er die Auftraggeber unverzüglich zu einem unangenehmen Gespräch ein. Schließlich sah er sich – trotz ihres spontanen Protests – gezwungen, das ganze Material der Polizei zu übergeben. Was wiederum bedeutete, dass Milton Security riskierte, in einen einzigen Zirkus von Anklagen und Gegenanklagen verwickelt zu werden. Falls das Beweismaterial des Berichts nicht stichhaltig war oder der Mann freigesprochen wurde, konnte das Unternehmen durchaus wegen übler Nachrede belangt werden. Es war wirklich ein Elend.

Dabei war es nicht einmal Lisbeth Salanders bemerkenswerter Mangel an Emotionen, der ihn am meisten störte. Es ging ums Image. Miltons Image war konservative Stabilität. Salander passte in dieses Bild ungefähr so gut wie ein Schaufelbagger in eine Bootsausstellung.

Armanskij konnte sich nur schwer mit dem Gedanken versöhnen, dass seine Star-Ermittlerin ein bleiches, anorektisch mageres Mädchen war, das stoppelkurzes Haar und Piercings in Nase und Augenbrauen hatte. Auf ihren Hals war eine zwei Zentimeter große Wespe tätowiert, und um den Bizeps des linken Armes sowie um einen Knöchel wand sich je ein weiteres Tattoo. Als sie einmal ein Top trug, hatte Armanskij außerdem feststellen können, dass ihr Schulterblatt noch ein größeres Tattoo in Gestalt eines Drachen zierte. Sie war eigentlich rothaarig, hatte ihr Haar jedoch pechschwarz gefärbt. Sie sah aus, als wäre sie gerade nach einer einwöchigen Orgie mit einer Hardrockgang aufgewacht.

Sie hatte – da war sich Armanskij ganz sicher – keine richtigen Essstörungen, vielmehr schien sie ein Fall von Junkfood zu sein. Sie war ganz einfach dünn geboren und hatte diesen leichten Knochenbau, der sie mädchenhaft und feingliedrig aussehen ließ, mit kleinen Händen, schmalen Handgelenken und Brüsten, die man unter ihrer Kleidung kaum ausmachen konnte. Sie war vierundzwanzig, sah aber aus wie vierzehn.

Sie hatte einen breiten Mund, eine kleine Nase und hohe Wangenknochen, die ihrem Aussehen einen leicht orientalischen Touch verliehen. Ihre Bewegungen waren rasch und spinnenartig, und wenn sie am Computer arbeitete, flogen ihre Finger geradezu manisch über die Tastatur. Ihr Körper war völlig ungeeignet für eine Karriere als Model, doch mit dem richtigen Make-up hätte eine Nahaufnahme ihres ungleichmäßigen Gesichts jedes Werbeplakat zieren können. Unter ihrer Schminke – manchmal trug sie dazu noch einen abstoßenden schwarzen Lippenstift –, ihren Tattoos und den Piercings in Nase und Augenbrauen war sie durchaus anziehend. Auf eine ganz unbegreifliche Art und Weise.

Dass Lisbeth Salander überhaupt für Dragan Armanskij arbeitete, war an und für sich schon verblüffend. Sie war nicht die Art Frau, mit der Armanskij für gewöhnlich in Kontakt kam, von einem Jobangebot ganz zu schweigen.

Sie hatte eine Bürostelle als Mädchen für alles gehabt, als Holger Palmgren, ein kurz vor der Pensionierung stehender Rechtsanwalt, der sich um die persönlichen Angelegenheiten des alten J. F. Milton kümmerte, Armanskij plötzlich darauf hinwies, dass Lisbeth Salander *ein ziemlich cleveres Mädchen* wäre, *das nur ein bisschen schwierig im Auftreten* sei. Palmgren bat Armanskij, ihr eine Chance zu geben, was dieser ihm widerwillig versprochen hatte. Palmgren gehörte zu der Sorte Mann, die ein Nein als Ansporn betrachten würden, ihre Anstrengungen zu verdoppeln; da war es einfacher, gleich Ja zu sagen. Armanskij wusste, dass Palmgren eine Schwäche für schwierige Jugendliche und ähnlichen Sozialquatsch hatte, aber trotz allem ein gutes Urteilsvermögen besaß.

Er bereute seinen Entschluss sofort, als er Lisbeth Salander zum ersten Mal begegnete. Sie wirkte nicht nur schwierig – in seinen Augen war sie die Verkörperung dieses Wortes. Sie hatte schulisch auf der ganzen Linie versagt, niemals einen Fuß ins Gymnasium gesetzt und keine Art höherer Bildung genossen.

Während der ersten Monate hatte sie Vollzeit gearbeitet, na ja, beinahe Vollzeit, jedenfalls war sie hie und da an ihrem Arbeitsplatz aufgetaucht. Sie hatte Kaffee gekocht, die Post geholt und sich um den Kopierer gekümmert. Das Problem war, dass sie sich keinen Deut um normale Bürozeiten oder Arbeitsabläufe scherte.

Hingegen hatte sie ein großes Talent, die anderen Mitarbeiter vor den Kopf zu stoßen. Sie wurde »das neue Mädchen mit den zwei Gehirnzellen« genannt, »eine fürs Atmen und eine für den aufrechten Gang«. Sie sprach nie über sich selbst. Kollegen, die mit ihr ins Gespräch zu kommen versuchten, stießen kaum auf Resonanz und gaben schnell auf.

Außerdem sagte man ihr nach, ihre Stimmung könne abrupt umschlagen, wenn sie merkte, dass jemand sie aufzog, obwohl das durchaus zum allgemeinen Umgangston am Arbeitsplatz gehörte. Ihr Auftreten weckte weder Vertrauen, noch lud es zu Freundschaften ein, und bald wurde sie zu einer seltsamen Erscheinung, die wie eine herrenlose Katze durch die Korridore von Miltons strich. Sie galt als hoffnungsloser Fall.

Schon nach einem Monat unausgesetzter Scherereien hatte Armanskij sie zu sich ins Büro rufen lassen, in der Absicht, sie zu entlassen. Sie hatte seinen Ausführungen über ihre Vergehen reglos zugehört, ohne etwas einzuwenden oder auch nur eine Augenbraue zu heben. Erst als er ihre »allgemeine Einstellung« bemängelte und ihr gerade empfehlen wollte, sich eine andere Firma zu suchen, die »Ihre Kompetenzen besser zu nutzen« wüsste, hatte sie ihn mitten im Satz unterbrochen. Zum ersten Mal äußerte sie sich mit mehr als nur ein paar einzelnen Wörtern.

»Hören Sie mal, wenn Sie einen für die Poststelle wollen, dann holen Sie sich doch einfach jemand vom Arbeitsamt. Ich kann Ihnen jede Information über jede x-beliebige Person verschaffen, und wenn Sie keine andere Verwendung für mich finden, als mich die Post sortieren zu lassen, dann sind Sie echt ein Idiot.«

Armanskij erinnerte sich noch heute, wie er sprachlos vor Wut dasaß, während sie unbekümmert fortfuhr: »Sie beschäftigen einen Typen, der drei Wochen braucht, um einen völlig nutzlosen Bericht über diesen Yuppie zu schreiben, den sie in dieser Dotcom-Firma zum Vorsitzenden des Aufsichtsrates machen wollen. Ich hab den Scheißbericht gestern Abend für ihn kopiert und sehe gerade, dass das Ding vor Ihnen auf dem Schreibtisch liegt.«

Armanskijs wütender Blick irrte über den Tisch, bis er den Bericht fand. Ausnahmsweise hob er die Stimme.

»Sie dürfen keine vertraulichen Berichte lesen.«

»Wahrscheinlich nicht, aber die Sicherheitsvorkehrungen in Ihrem Unternehmen sind stellenweise ein wenig lückenhaft. Nach Ihren Vorgaben muss er so etwas selbst kopieren, aber er hat mir den Bericht gestern reingeschmissen, bevor er in die Kneipe ging. Außerdem hab ich seinen vorherigen Bericht vor ein paar Wochen in der Kantine gefunden.«

»Sie haben was?«, entfuhr es Armanskij schockiert.

»Beruhigen Sie sich. Ich hab ihn in seinen Safe gelegt.«

»Hat er Ihnen etwa die Kombination für seinen persönlichen Safe gegeben?«, keuchte Armanskij.

»Nein, nicht direkt. Aber er hat sie auf einem Zettel notiert, der unter seiner Schreibtischunterlage liegt, zusammen mit dem Passwort für seinen Computer. Der eigentliche Skandal ist jedoch, dass Ihr Stümper von Privatdetektiv einen völlig wertlosen Untersuchungsbericht erstellt hat. Es ist ihm leider entgangen, dass der Typ wahnsinnige Spielschulden hat und Kokain schnupft wie ein Staubsauger und zudem seine Freundin im Frauenhaus Zuflucht gesucht hat, nachdem er sie grün und blau geprügelt hat.«

Sie verstummte. Armanskij saß ein paar Minuten ganz still und blätterte den neuesten Bericht durch. Er war kompetent ausgearbeitet, in verständlicher Sprache abgefasst und voller Quellenangaben und Urteile von Freunden und Bekannten des Zielobjekts. Schließlich hatte er den Blick gehoben und drei Worte gesagt: »Beweisen Sie das!«

»Wie viel Zeit bekomme ich?«

»Drei Tage. Wenn Sie Ihre Behauptungen nicht bis Freitag Nachmittag beweisen können, sind Sie gefeuert.«

Drei Tage später hatte sie wortlos einen Bericht eingereicht, der mit ebenso ausführlichen Quellenangaben den scheinbar so angenehmen Yuppie in einen unzuverlässigen Scheißkerl verwandelte. Armanskij hatte ihren Bericht übers Wochenende mehrmals durchgelesen und am Montag halbherzig einige ihrer Behauptungen überprüft. Doch schon bevor er damit anfing, wusste er, dass sich ihre Informationen als korrekt herausstellen würden.

Armanskij war verblüfft und wütend auf sich selbst, weil er sie offenkundig so falsch eingeschätzt hatte. Er hatte sie als dumm, wenn nicht sogar zurückgeblieben eingestuft. Er hatte nicht damit gerechnet, dass ein Mädchen ohne richtigen Schulabschluss einen Bericht schreiben könnte, der nicht nur sprachlich korrekt war, sondern auch noch Beobachtungen und Informationen enthielt, deren Herkunft er sich nicht erklären konnte.

Er war überzeugt, dass kein anderer Mitarbeiter von Milton Security in der Lage gewesen wäre, sich von einem Frauenhaus einen Auszug aus einem vertraulichen Arztbericht zu beschaffen. Als er sie fragte, wie sie das fertiggebracht hatte, bekam er nur ausweichende Antworten. Sie wollte es sich nicht mit ihren Quellen verderben, behauptete sie. Allmählich dämmerte es Armanskij, dass Lisbeth Salander ihre Arbeitsmethoden weder mit ihm noch mit irgendjemand sonst zu diskutieren gedachte. Das beunruhigte ihn – doch nicht genug, um der Versuchung zu widerstehen, es mit ihr zu probieren.

Er überlegte sich das Ganze ein paar Tage und rief sich die Worte Holger Palmgrens ins Gedächtnis: »Alle Menschen verdienen eine Chance.« Er dachte an seine muslimische Erziehung, die ihn gelehrt hatte, dass es seine Pflicht vor Gott sei, den Ausgestoßenen zu helfen. Er glaubte zwar nicht an Gott und hatte keine Moschee mehr besucht, seit er ein Teenager war, aber Lisbeth Salander wirkte auf ihn wie ein Mensch, der handfeste Hilfe nötig hatte. Und in den vergangenen Jahrzehnten hatte er sich weiß Gott nicht viele derartige Verdienste erworben.

Anstatt sie zu feuern, hatte er Lisbeth Salander zu einer privaten Unterredung bestellt, in der er herauszufinden versuchte, wie dieses anstrengende Mädchen eigentlich tickte. Er wurde in seiner Überzeugung bestärkt, dass Lisbeth Salander unter einer ernsten Störung litt, aber er begann auch zu entdecken, dass sich hinter ihrem komplizierten Wesen ein intelligenter Mensch verbarg. Er fand sie labil und irritierend, stellte jedoch zu seiner großen Verwunderung fest, dass er eine gewisse Sympathie für sie empfand.

Während der folgenden Monate nahm Armanskij sie unter seine Fittiche. Wenn er ganz ehrlich mit sich war, betrachtete er sie als sein kleines soziales Hobbyprojekt. Er stellte ihr einfache Rechercheaufgaben und versuchte ihr Tipps zu geben, wie sie vorgehen sollte. Sie hörte ihm geduldig zu und zog dann los, um seine Aufträge ganz nach ihren eigenen Vorstellungen auszuführen. Er bat den Chef der technischen Abteilung, ihr einen Computer-Grundkurs zu geben. Salander drückte also einen ganzen Nachmittag lang folgsam die Schulbank, bevor der Informatikexperte erstaunt vermeldete, dass sie bereits bessere Grundkenntnisse zu haben schien als die meisten ihrer Kollegen.

Doch Armanskij wurde bald klar, dass Lisbeth Salander trotz vertraulicher Mitarbeitergespräche, Fortbildungsangebote und gewisser Privilegien nicht vorhatte, sich den normalen Bürogepflogenheiten bei Miltons anzupassen. Das stellte ihn vor ein echtes Dilemma.

Einerseits war sie ein ständiger Stein des Anstoßes für ihre Kollegen. Armanskij war sich bewusst, dass er keinem anderen Mitarbeiter erlaubt hätte, zu kommen und zu gehen, wie es ihm passte, sondern ihm in jedem anderen Fall ein Ultimatum gestellt hätte, sein Verhalten zu ändern. Er ahnte auch, dass Lisbeth Salander auf ein Ultimatum oder Kündigungsdrohungen nur mit einem Achselzucken reagieren würde. Er war also gezwungen, sie entweder loszuwerden oder zu akzeptieren, dass sie eben nicht so funktionierte wie andere Menschen.

Ein noch größeres Problem für Armanskij bestand darin, dass er aus seinen eigenen Gefühlen für die junge Frau nicht schlau wurde. Sie war wie ein unangenehmer Juckreiz, störend, aber auch verlockend. Es war keine sexuelle Anziehung, zumindest sah Armanskij das so. Die Frauen, denen er nachlief, waren blond und kurvig und hatten volle Lippen, die seine Fantasie beflügelten. Außerdem war er seit zwanzig Jahren mit einer Finnin verheiratet, die auch noch in ihren mittleren Jahren all diese Bedürfnisse mehr als erfüllte. Er war niemals untreu gewesen, na ja, vielleicht hatte es da mal ein, zwei Situationen gegeben, die seine Frau hätte missverstehen können, aber ihre Ehe war glücklich, und er hatte zwei Töchter in Salanders Alter. Jedenfalls war er nicht interessiert an flachbrüstigen Mädchen, die man von Weitem mit schmächtigen Jungs verwechseln konnte. Das entsprach nicht seinem Stil.

Trotzdem hatte er angefangen, sich bei ungehörigen Tagträumen zu ertappen, und er musste sich eingestehen, dass ihn ihre Gegenwart nicht ganz kaltließ. Aber die eigentliche Anziehungskraft lag Armanskijs Meinung nach darin, dass Salander wie ein fremdes Wesen für ihn war. Er hätte sich genauso gut in ein Gemälde oder in eine Nymphe aus einer griechischen Sage verlieben können. Salander stand für ein unwirkliches Leben, das ihn faszinierte, aber das er nicht teilen konnte – und das mit ihr zu teilen sie ihm verbot.

Einmal saß Armanskij in einem Straßencafé auf dem Stortorget in Gamla Stan, als Lisbeth Salander heranschlenderte und sich an einen Tisch am entgegengesetzten Ende der Terrasse setzte. Sie war in Begleitung dreier Mädchen und eines Jungen, die alle ähnlich gekleidet waren. Armanskij hatte sie neugierig betrachtet. Sie schien genauso reserviert wie im Büro, lachte jedoch tatsächlich über eine Bemerkung, die ein Mädchen mit purpurfarbenen Haaren gemacht hatte.

Armanskij fragte sich, wie Salander reagieren würde, wenn er eines Tages mit grünen Haaren zur Arbeit erschien, in Baggie-Pants und einer beschmierten nietenbesetzten Lederjacke.

Würde sie ihn als ihresgleichen betrachten? Vielleicht – sie schien ihre ganze Umgebung mit der Einstellung »not my business« zu akzeptieren. Wahrscheinlicher war jedoch, dass sie ihn einfach auslachen würde.

Sie hatte mit dem Rücken zu ihm gesessen, hatte sich nicht ein einziges Mal umgedreht und war sich seiner Anwesenheit anscheinend gar nicht bewusst gewesen. Er fühlte sich von ihrer Gegenwart außerordentlich irritiert, und als er nach einer Weile aufgestanden war, um sich unbemerkt fortzuschleichen, hatte sie sich plötzlich umgedreht und ihn angesehen, als hätte sie ihn schon die ganze Zeit auf ihrem Radarschirm gehabt. Ihr Blick traf ihn so unvermutet, dass er sich fast wie ein Angriff anfühlte. Armanskij hatte so getan, als hätte er sie nicht gesehen, und raschen Schrittes das Lokal verlassen. Sie folgte ihm mit den Augen, und erst als er um die nächste Ecke gebogen war, brannte ihm ihr Blick nicht mehr auf dem Rücken.

Sie lachte so gut wie nie. Dennoch glaubte Armanskij eine wachsende Ungezwungenheit in ihrem Verhalten zu bemerken. Sie hatte, gelinde gesagt, einen trockenen Humor, der manchmal in ein schiefes ironisches Lächeln mündete.

Zuweilen fühlte Armanskij sich von ihrem Mangel an emotionalem Feedback so provoziert, dass er sie packen und schütteln wollte, mit Gewalt unter ihre Schale dringen und sich ihre Freundschaft oder zumindest ihren Respekt erwerben wollte.

Einmal – sie arbeitete seit neun Monaten für ihn – hatte er versucht, mit ihr über diese Gefühle zu sprechen. Das war auf der Weihnachtsfeier an einem Dezemberabend, und ausnahmsweise war er nicht mehr ganz nüchtern gewesen. Es war nichts Ungehöriges vorgefallen, er hatte ihr nur zu sagen versucht, dass er sie wirklich mochte. Vor allem hatte er ihr erklären wollen, dass sie den Beschützerinstinkt in ihm weckte und sich, sollte sie einmal Hilfe brauchen, stets vertrauensvoll an ihn wenden konnte. Er hatte sogar Anstalten gemacht, sie zu umarmen. In aller Freundschaft, versteht sich.

Sie hatte sich aus seiner unbeholfenen Umarmung befreit und das Fest verlassen. Danach war sie nicht mehr zur Arbeit erschienen und hatte auch nicht auf Anrufe reagiert. Armanskij empfand ihre Abwesenheit als Qual, fast wie eine persönliche Bestrafung. Er konnte mit niemandem über seine Gefühle sprechen, mit seiner Frau am allerwenigsten, und zum ersten Mal war ihm mit erschreckender Klarheit aufgegangen, was für eine verstörende Macht Lisbeth Salander über ihn gewonnen hatte.

Drei Wochen später, als Armanskij an einem Januarabend zu fortgeschrittener Stunde Überstunden schob, um den Jahresabschlussbericht durchzusehen, war Salander zurückgekehrt. Leise wie ein Gespenst kam sie in sein Büro, und plötzlich wurde er gewahr, dass sie im Dunkeln bei der Tür stand und ihn musterte. Er hatte keinen Schimmer, wie lange sie schon dort gestanden hatte.

»Möchten Sie einen Kaffee?«, fragte sie. Sie zog die Tür hinter sich zu und hielt ihm eine Tasse Kaffee von der Espressomaschine in der Kantine entgegen. Stumm nahm er die Tasse entgegen und verspürte sowohl Erleichterung als auch Angst, als sie sich in den Besuchersessel setzte und ihm in die Augen sah. Dann stellte sie die verbotene Frage, und zwar so, dass er sie weder spaßhaft abtun noch ausweichen konnte.

»Dragan, sind Sie scharf auf mich?«

Armanskij saß wie gelähmt da, während er verzweifelt nach einer Antwort suchte. Zunächst hatte er alles abstreiten wollen. Aber dann hatte er ihren Blick gesehen und begriffen, dass sie zum allerersten Mal eine persönliche Frage stellte. Eine ernst gemeinte, und wenn er sie abtat, käme das für Salander einer persönlichen Beleidigung gleich. Sie wollte mit ihm sprechen, und er fragte sich, wie lange sie gebraucht hatte, um den

Mut dafür aufzubringen. Er legte seinen Füller langsam aus der Hand und lehnte sich in seinem Stuhl zurück. Schließlich entspannte er sich.

»Wie kommen Sie darauf?«, fragte er.

»Ihre Art, mich anzuschauen, und Ihre Art, mich nicht anzuschauen. Und die Gelegenheiten, wenn Sie fast schon die Hand ausstrecken und mich anfassen wollten, sich dann aber doch zurückhielten.«

Er lächelte sie plötzlich an.

»Ich hatte immer den Eindruck, Sie würden mir die Hand abbeißen, wenn ich Sie auch nur leicht berühren würde.«

Sie lächelte nicht. Sie wartete.

»Lisbeth, ich bin Ihr Chef, und selbst wenn ich Sie attraktiv fände, würde ich niemals weiter gehen.«

Sie wartete immer noch.

»Unter uns … ja, es gab Momente, da fühlte ich mich zu Ihnen hingezogen. Ich kann es nicht erklären, aber es ist so. Aus irgendeinem Grund, den ich selber nicht verstehe, mag ich Sie sehr gerne. Aber ich bin nicht scharf auf Sie.«

»Gut. Denn da wird im Leben nichts laufen.«

Armanskij lachte auf. Salander hatte zum ersten Mal etwas Persönliches zu ihm gesagt, wenn es auch eine definitive Abfuhr war. Er versuchte, die passenden Worte zu finden.

»Lisbeth, mir ist schon klar, dass Sie sich nicht für einen Mann über fünfzig interessieren.«

»Ich interessiere mich nicht für einen Mann über fünfzig, *der mein Chef ist.*« Sie hob eine Hand. »Moment, lassen Sie mich ausreden. Sie sind manchmal dämlich und aufreizend bürokratisch, aber Sie sind wirklich ein attraktiver Mann, und … meine Gefühle könnten auch … Aber Sie sind mein Chef, und ich habe Ihre Frau kennengelernt, und ich will meinen Job bei Ihnen behalten, und das Blödeste, was ich tun könnte, wäre, mich mit Ihnen einzulassen.«

Armanskij saß ganz still da und wagte kaum zu atmen.

»Es ist mir nicht entgangen, was Sie für mich getan haben«, sagte sie, »und ich bin nicht undankbar. Ich weiß es zu schätzen, dass Sie sich über Ihre Vorurteile hinweggesetzt haben und mir hier eine Chance gegeben haben. Aber ich will Sie nicht als Liebhaber, und Sie sind auch nicht mein Vater.«

Sie verstummte. Nach einer Weile stieß Armanskij einen hilflosen Seufzer aus. »Was wollen Sie eigentlich von mir?«

»Ich will weiter für Sie arbeiten. Wenn das für Sie okay ist.«

Er nickte und antwortete ihr dann so ehrlich, wie er konnte: »Ich möchte furchtbar gerne, dass Sie für mich arbeiten. Aber ich möchte auch, dass Sie mir irgendwie Freundschaft und Vertrauen entgegenbringen.«

Sie nickte.

»Sie sind nicht gerade der Typ Mensch für freundschaftliche Annäherungen«, stieß er plötzlich hervor. Ihr Gesicht verfinsterte sich ein wenig, aber er fuhr unbeirrt fort: »Ich hab schon verstanden, Sie wollen nicht, dass sich jemand in Ihr Leben einmischt, und ich werde mir Mühe geben, das auch nicht zu tun. Aber ist es in Ordnung, wenn ich Sie trotzdem weiterhin gern habe?«

Salander hatte lange überlegt. Dann antwortete sie, indem sie aufstand, um den Tisch herumging und ihn umarmte. Er saß da wie gelähmt. Erst, als sie ihn wieder losließ, konnte er nach ihrer Hand greifen.

»Können wir Freunde sein?«, fragte er.

Sie nickte erneut.

Das war das einzige Mal gewesen, dass sie ein gewisses Maß an Gefühl gezeigt hatte. Ein Augenblick, an den sich Armanskij heute noch mit Wärme erinnerte.

Noch nach vier Jahren hatte sie Armanskij kaum etwas über ihr Privatleben oder ihren persönlichen Hintergrund verraten. Er hatte einmal seine eigenen P-Unt-Fähigkeiten bei ihr angewandt und ein langes Gespräch mit Holger Palmgren geführt, der gar nicht verwundert schien, ihn zu sehen. Was er schließlich in Erfahrung brachte, trug nicht dazu bei, sein Vertrauen in sie zu stärken. Er hatte ihr gegenüber natürlich nicht erwähnt, dass er in ihrem Privatleben herumgeschnüffelt hatte. Stattdessen versteckte er seine Besorgnis und erhöhte seine Wachsamkeit.

Noch bevor der denkwürdige Abend vorüber war, hatten Salander und Armanskij eine Übereinkunft getroffen. In Zukunft sollte sie als freie Mitarbeiterin Rechercheaufträge für ihn durchführen. Sie bekam ein bescheidenes Festgehalt, doch den wesentlichen Teil ihres Einkommens machte das aus, was sie Armanskij für seine Aufträge in Rechnung stellte. Sie konnte arbeiten, wie es ihr passte, und verpflichtete sich im Gegenzug, nichts zu tun, was ihn oder Milton Security jemals in Verlegenheit bringen könnte.

Für Armanskij war das eine praktische Lösung, die ihm, dem Unternehmen und Salander selbst gleichermaßen zugute kam. Er reduzierte die lästige PU-Abteilung auf einen einzigen fest angestellten Mitarbeiter, einen älteren Mann, der Routinearbeiten verrichtete und Kreditauskünfte einholte.

Alle heiklen Aufträge überließ er Salander und ein paar anderen freien Mitarbeitern, die – sollte es wirklich einmal Schwierigkeiten geben – praktisch selbstständige Unternehmer waren, für die Milton Security keine Verantwortung übernahm. Da er sie oft konsultierte, kam sie auf ein sehr anständiges Gehalt. Es hätte noch wesentlich höher ausfallen können, aber sie arbeitete nur, wenn sie Lust dazu hatte, und vertrat den Standpunkt, dass Armanskij sie ja jederzeit rauswerfen konnte, wenn ihm das nicht passte.

Armanskij akzeptierte sie, wie sie war, hielt sie aber von den Kunden fern.

Ausnahmen waren selten. Leider war das heutige Thema so eine Ausnahme.

Lisbeth Salander trug ein schwarzes T-Shirt, auf dem ein Bild von E. T. mit Fangzähnen und der Schriftzug *I am also an alien* zu sehen waren. Außerdem trug sie einen schwarzen Rock mit ausgefranstem Saum, eine kurze, schwarze, abgewetzte Lederjacke, einen Nietengürtel, klobige Doc-Marten's-Stiefel und Kniestrümpfe mit rot-grünen Querstreifen. Sie hatte Make-up aufgelegt, dessen Farbskala die Vermutung nahelegte, sie sei farbenblind. Mit anderen Worten, sie hatte sich ungewöhnlich hübsch zurechtgemacht.

Armanskij ließ den Blick seufzend zu der dritten Person im Raum schweifen, dem konservativ gekleideten Besucher mit der dicken Brille. Der Rechtsanwalt Dirch Frode war achtundsechzig Jahre alt und hatte darauf bestanden, die Mitarbeiterin, die den Bericht erstellt hatte, persönlich zu treffen, um ihr Fragen stellen zu können. Armanskij hatte versucht, dieses Treffen mit allen möglichen Ausflüchten abzuwenden: Sie sei erkältet, auf Reisen oder bis über beide Ohren mit anderer Arbeit eingedeckt. Frode hatte leichthin geantwortet, das mache ihm nichts aus; die Angelegenheit sei ja nicht dringend, und er könne gut und gerne ein paar Tage warten. Armanskij hatte innerlich geflucht, aber zu guter Letzt keinen anderen Ausweg mehr gesehen, als das Gespräch zu arrangieren. Somit saß Rechtsanwalt Frode nun hier und betrachtete Lisbeth Salander mit halb geschlossenen Augen und offensichtlicher Faszination. Salander hingegen schoss Blicke auf ihn ab, die verrieten, dass sie keine allzu warmen Gefühle hegte.

Armanskij seufzte nochmals und betrachtete die Mappe auf seinem Schreibtisch, die mit CARL MIKAEL BLOMKVIST und einem fein säuberlich notierten Personenkennzeichen beschriftet war. Er sprach den Namen laut aus. Rechtsanwalt Frode erwachte aus seiner Verzauberung und wandte seinen Blick Armanskij zu. »Also, das ist Fräulein Salander, die den Bericht verfasst hat.« Armanskij zögerte eine Sekunde und fuhr mit einem Lächeln, das vertraulich aussehen sollte, aber hilflos entschuldigend wirkte, fort: »Lassen Sie sich von ihrer Jugend nicht täuschen. Sie ist unbestritten unsere beste Ermittlerin.«

»Davon bin ich überzeugt«, entgegnete Frode mit dürrer Stimme, die seine Aussage Lügen strafte. »Erzählen Sie mir, was sie herausgefunden hat.«

Offensichtlich wusste Rechtsanwalt Frode nicht, wie er sich Lisbeth Salander gegenüber verhalten sollte, und blieb auf sicherem Terrain, indem er seine Frage an Armanskij richtete. Salander ergriff die Gelegenheit und machte eine große Blase mit ihrem Kaugummi. Bevor Armanskij etwas sagen konnte, wandte sie sich an ihren Chef, als wäre Frode gar nicht anwesend.

»Können Sie den Kunden fragen, ob er eine lange oder eine kurze Version hören möchte?«

Rechtsanwalt Frode begriff augenblicklich, dass er einen Fauxpas begangen hatte. Es folgte ein peinliches Schweigen, worauf er sich an Lisbeth Salander wandte und den Schaden wiedergutzumachen versuchte, indem er einen freundlich jovialen Ton anschlug.

»Ich würde mich freuen, wenn das Fräulein mir eine mündliche Zusammenfassung dessen geben könnte, was Sie herausgefunden haben.«

Salander sah aus wie ein tückisches nubisches Raubtier, das überlegte, ob es Dirch Frode zum Mittagessen verzehren sollte. Ihr Blick war so hasserfüllt, dass es Frode kalt den Rücken hinunterlief. Doch im nächsten Moment hatten sich ihre Gesichtszüge wieder entspannt. Frode fragte sich, ob er sich das Ganze nur eingebildet hatte. Als sie anfing zu sprechen, klang sie wie ein Staatsbediensteter.

»Lassen Sie mich vorausschicken, dass dieser Auftrag nicht sonderlich kompliziert war, wenn man von der vagen Auftragsbeschreibung absieht. Sie wollten ›alles wissen, was man über ihn in Erfahrung bringen kann‹, haben jedoch nicht angedeutet, ob Sie dabei etwas Bestimmtes im Sinn hatten. Deshalb ist quasi eine Unmenge von Fakten aus seinem gesamten Leben zusammengetragen worden. Der Bericht ist 193 Seiten lang, aber knapp 120 davon bestehen nur aus Kopien von Artikeln, die er verfasst hat, oder aus Presseausschnitten von Artikeln, in denen er selbst vorkam. Blomkvist ist eine Persönlichkeit des öffentlichen Lebens mit wenigen Geheimnissen, der nicht viel zu verbergen hat.«

»Demnach hat er aber doch das eine oder andere zu verbergen?«, erkundigte sich Frode.

»Jeder Mensch hat Geheimnisse«, antwortete sie neutral. »Man muss nur herausfinden, was für welche.«

»Lassen Sie hören.«

»Mikael Blomkvist wurde am 18. Januar 1960 geboren, ist jetzt also dreiundvierzig Jahre alt. Er wurde in Borlänge geboren, wo er aber nie gewohnt hat. Seine Eltern, Kurt und Anita Blomkvist, waren Mitte dreißig, als sie Kinder bekamen. Mittlerweile sind sie beide verstorben. Sein Vater war Maschineninstallateur und viel unterwegs. Seine Mutter war, soviel ich in Erfahrung bringen konnte, immer nur Hausfrau. Die Familie zog nach Stockholm, als Mikael in die Schule kam. Er hat eine drei Jahre jüngere Schwester namens Annika, eine Rechtsanwältin. Außerdem hat er auch noch ein paar Onkel und Kusinen. Wollen Sie uns einen Kaffee einschenken?«

Der letzte Satz galt Armanskij, der hastig die Thermoskanne aufschraubte, die er für das Meeting bestellt hatte. Mit einer Geste bat er sie fortzufahren.

»1966 zog die Familie also nach Stockholm. Sie wohnten in Lilla Essingen. Blomkvist ging zuerst in Bromma zur Schule und dann aufs Gymnasium von Kungsholm. Er hatte ein ausgesprochen gutes Abschlusszeugnis; die Kopien liegen in der Mappe. Während seiner Gymnasialzeit hat er sich viel mit Musik beschäftigt und spielte Bass in einer Rockband namens

Bootstrap. Sie haben sogar eine Single rausgebracht, die im Sommer 1979 im Radio lief. Nach dem Gymnasium jobbte er als Fahrkartenkontrolleur in der U-Bahn, sparte sich Geld zusammen und reiste ins Ausland. Er war ein Jahr unterwegs und hat sich anscheinend die meiste Zeit in Asien rumgetrieben – Indien, Thailand und ein Abstecher nach Australien. Mit einundzwanzig begann er, in Stockholm Journalistik zu studieren, brach sein Studium aber nach dem ersten Jahr ab, um in Kiruna seinen Wehrdienst als Feldjäger abzuleisten. Ein ziemlicher Machoverein, den er mit 10-9-9 verließ – eine sehr gute Note. Nach dem Militär schloss er seine Ausbildung zum Journalisten ab und hat seitdem gearbeitet. Wie detailliert soll ich werden?«

»Erzählen Sie einfach das, was Sie für wesentlich halten.«

»Okay. Er sieht mir aus wie ein rechter Streber. Bis heute war er ein erfolgreicher Journalist. In den achtziger Jahren hatte er viele Vertretungsjobs, erst in der Lokalpresse und danach in Stockholm. Eine Liste liegt bei. Den Durchbruch schaffte er mit der Story von der sogenannten Panzerknackerbande – diese Bankräubergang, die er überführte.«

»Kalle Blomkvist.«

»Er hasst diesen Spitznamen, was auch verständlich ist. Wenn mich jemand in seiner Schlagzeile *Pippi Langstrumpf* nennen würde, könnte er sich auf was gefasst machen.«

Sie warf Armanskij einen finsteren Blick zu. Er schluckte, denn mehr als einmal hatte er Lisbeth Salander im Stillen Pippi Langstrumpf genannt, und jetzt war er froh, dass er klug genug gewesen war, nie einen Witz in dieser Richtung gemacht zu haben. Er wedelte mit dem Zeigefinger, zum Zeichen, dass sie fortfahren sollte.

»Eine meiner Quellen gibt an, dass er bis dahin Kriminalreporter hatte werden wollen – als solcher hatte er auch eine Vertretung bei einer Abendzeitung –, aber was ihn eigentlich bekannt gemacht hat, ist seine Arbeit als politischer Berichterstatter und Wirtschaftsjournalist. Er hat hauptsächlich als Freelancer gearbeitet und hatte nur eine einzige Festanstellung bei einer Abendzeitung, das war Ende der achtziger Jahre. Dort kündigte er 1990 und wurde dann eines der Gründungsmitglieder des monatlich erscheinenden Magazins *Millennium*. Die Zeitschrift ging als totaler Außenseiter ins Rennen und hatte keinen starken Verlag im Rücken, der ihr unter die Arme greifen konnte. Aber die Auflage ist stetig gestiegen und liegt heute bei 21 000 Exemplaren. Die Redaktion ist in der Götgata, nur ein paar Blöcke von hier entfernt.«

»Ein linkes Blatt.«

»Kommt drauf an, wie man links definiert. *Millennium* geht wohl im Allgemeinen als gesellschaftskritisch durch, aber vermutlich betrachten die Anarchisten die Zeitschrift als spießiges Scheißblatt im Stile von *Arena* oder *Ordfront*. Und der rechtskonservative Studentenverband denkt höchstwahrscheinlich, dass sich die Redaktion aus Bolschewisten zusammensetzt. Nichts deutet darauf hin, dass Blomkvist irgendwann politisch aktiv gewesen wäre, nicht einmal während der linken Welle zu seiner Gymnasialzeit. Als er an der Hochschule für Journalisten studierte, wohnte er mit einem Mädchen zusammen, das damals bei den Gewerkschaftsanhängern aktiv war und heute für die Linkspartei im Reichstag sitzt. Es scheint mir ganz so, als hätte er sich seinen Stempel als Linker eher deswegen weggeholt, weil er sich als Wirtschaftsjournalist auf Enthüllungsreportagen über Korruption in der Businesswelt spezialisiert hat. Er hat vernichtende Artikel über den einen oder anderen Manager oder Politiker veröffentlicht, die sicher mehr als berechtigt waren, und hat einige Rücktritte und so manches juristische Nachspiel erzwungen. Am bekanntesten war die Aboga-Affäre, die damit endete, dass ein konservativer Politiker zurücktreten musste und ein ehemaliger Gemeindekämmerer zu einem Jahr Gefängnis wegen Veruntreuung von Gemeindegeldern verurteilt wurde. Aber Verbrechen anzuprangern kann man wohl kaum als Ausdruck von linker Gesinnung bezeichnen.«

»Ich verstehe, was Sie sagen wollen. Was sonst noch?«

»Er hat zwei Bücher geschrieben. Eines über die Aboga-Affäre und eines über Wirtschaftsjournalismus mit dem Titel *Die Tempelritter*, das vor drei Jahren erschienen ist. Ich habe es nicht gelesen, aber den Rezensionen zufolge scheint es recht kontrovers gewesen zu sein. Es hat so einige Debatten in den Medien ausgelöst.«

»Wie steht es um seine Finanzen?«, fragte Frode.

»Er ist nicht reich, aber er nagt auch nicht am Hungertuch. Seine Steuererklärungen sind dem Bericht beigefügt. Er hat knapp 250 000 Kronen in Anleihen und Fonds angelegt. Sein Kontostand beträgt ungefähr 100 000 Kronen, damit deckt er seine laufenden Ausgaben, Reisen und Ähnliches. Er hat das Wohnrecht für seine Wohnung gekauft und fertig abbezahlt – 65 Quadratmeter in der Bellmansgata – und ist mit keinen Krediten oder Schulden belastet.«

Salander streckte einen Finger in die Luft.

»Er besitzt noch einen weiteren Vermögenswert – eine Immobilie auf der Schäreninsel Sandhamn. Eine Hütte, 30 Quadratmeter groß, als Ferienhäuschen eingerichtet und direkt am Wasser gelegen, an einem der attraktivsten Flecken von Sandhamn. Offensichtlich hat einer seiner Onkel die Immobilie in den vierziger Jahren erworben, als das für Normalsterbliche noch möglich war, und Blomkvist hat sie schließlich geerbt. Sie haben es so aufgeteilt, dass seine Schwester die Wohnung der Eltern in Lilla Essingen bekam und Mikael das Sommerhäuschen. Ich weiß nicht, was so was heute wert ist – sicher ein paar Millionen Kronen –, aber andererseits sieht es nicht so aus, als wollte er das Häuschen verkaufen. Er ist ziemlich oft in Sandhamn.«

»Was machen seine Einkünfte?«

»Er ist wie gesagt Miteigner von *Millennium*, bezieht aber nur ein Gehalt von knapp 12 000 Kronen im Monat. Den Rest erwirtschaftet er sich durch seine Arbeit als Freelancer, die Einkünfte schwanken. Vor drei Jahren erzielte er ein Spitzenergebnis, als er von diversen Medien Aufträge bekam und fast 450 000 Kronen einnahm. Voriges Jahr hat er mit seiner freien Arbeit nur 120 000 Kronen eingenommen.«

»Er muss 150 000 Kronen Schadenersatz bezahlen, außerdem das Honorar für seinen Anwalt etc.«, stellte Frode fest. »Wir können davon ausgehen, dass er insgesamt eine ziemlich hohe Summe aufbringen muss und außerdem Einkünfte einbüßt, während er seine Gefängnisstrafe absitzt.«

»Das bedeutet, dass er ziemlich abgebrannt aus dieser ganzen Geschichte rauskommt«, merkte Salander an.

»Halten Sie ihn für integer?«, fragte Dirch Frode.

»Seine Integrität ist sein Vertrauenskapital. Er hat das Image des unbestechlichen Wächters über die Moral der Geschäftswelt. Man lädt ihn ziemlich oft als Kommentator ins Fernsehen ein.«

»Von diesem Kapital ist nach dem heutigen Urteil wohl nicht mehr viel übrig«, sagte Frode nachdenklich.

»Ich kann nicht behaupten, dass ich wüsste, welche Anforderungen ein Journalist genau erfüllen muss, aber nach diesem Schlag dürfte es wohl ein bisschen dauern, bis der Meisterdetektiv Blomkvist den Großen Journalistenpreis verliehen bekommt. Er hat sich ganz schön ins Aus katapultiert«, stellte Salander nüchtern fest. »Wenn ich eine persönliche Überlegung anfügen darf ...«

Armanskij riss die Augen auf. In all den Jahren, in denen Lisbeth Salander für ihn tätig war, hatte sie noch nie eine persönliche Überlegung zu einem Zielobjekt verlauten lassen. Für sie galten nur die staubtrockenen Fakten.

»Es gehörte nicht zu meinem Auftrag, die Wennerström-Affäre sachlich zu durchleuchten, aber ich habe den Prozess verfolgt und muss zugeben, ich war völlig verblüfft. Das Ganze sieht so falsch aus, und es ist so völlig ... *out of character* für einen Mikael Blomkvist, etwas zu veröffentlichen, das dann geradewegs in die Binsen geht.«

Salander kratzte sich am Hals. Frode wartete geduldig. Armanskij fragte sich, ob er sich täuschte oder ob Salander wirklich unschlüssig war, wie sie weitermachen sollte. Die Salander, die er kannte, war nie unschlüssig oder unsicher. Zu guter Letzt schien sie sich entschieden zu haben.

»Mal ganz inoffiziell gesprochen ... Ich hab mich nicht gründlich mit der Wennerström-Affäre befasst, aber ich glaube tatsächlich, dass man Kalle Blomkvist ... Entschuldigung, Mikael Blomkvist, geleimt hat. Ich glaube, hinter der Story steckt etwas ganz anderes, als das Urteil ahnen lässt.«

Jetzt war es an Dirch Frode, sich in seinem Stuhl aufzurichten. Der Rechtsanwalt musterte Salander mit forschendem Blick, und Armanskij bemerkte, dass ihr Auftraggeber zum ersten Mal, seit sie ihren Bericht begonnen hatte, mehr als nur höfliches Interesse an den Tag legte. Er registrierte auch, dass die Wennerström-Affäre für Frode offensichtlich von gewissem Interesse war. Stimmt nicht, dachte Armanskij im nächsten Moment, Frode interessierte sich nicht für die Wennerström-Affäre – er hat erst reagiert, als Salander andeutete, dass Blomkvist hinters Licht geführt worden ist.

»Was wollen Sie damit sagen?«, fragte Frode interessiert.

»Das ist nur eine Spekulation meinerseits, aber ich bin ziemlich sicher, dass ihn jemand reingelegt hat.«

»Und wie kommen Sie darauf?«

»Alles weist darauf hin, dass er stets ein sehr umsichtiger Reporter war. Alle anderen heiklen Enthüllungsstorys, die er davor gebracht hat, waren immer aufs Beste dokumentiert. Ich war an einem der Verhandlungtage dabei und habe zugehört. Er brachte überhaupt keine Gegenargumente und schien sich kampflos zu ergeben. Nur, das passt so gar nicht zu seinem Charakter. Wenn wir dem Gericht Glauben schenken wollen, dann hat er eine Geschichte über Wennerström zusammenfantasiert, ohne die geringste Spur eines Beweises zu haben, und hat sie dann quasi als journalistisches Selbstmordattentat veröffentlicht – das ist einfach nicht Blomkvists Stil.«

»Was ist also Ihrer Meinung nach passiert?«

»Ich kann nur eine Vermutung anstellen. Blomkvist glaubte an seine Story, aber dann ist irgendetwas passiert, und seine Information stellte sich als falsch heraus. Das bedeutet wiederum, dass seine Quelle entweder jemand war, dem er blind vertraute, oder dass ihn jemand vorsätzlich mit falschen Informationen versorgte – was wenig wahrscheinlich ist. Die Alternative wäre die, dass man ihn so ernsthaft bedroht hat, dass er das Handtuch warf und sich lieber als unfähigen Idioten hinstellen ließ, als den Kampf aufzunehmen. Aber wie gesagt, ich spekuliere nur.«

Als Salander ansetzte, mit ihrem Bericht fortzufahren, hob Dirch Frode die Hand. Er schwieg eine Weile und trommelte mit den Fingern nachdenklich auf die Lehne, bevor er wieder das Wort an sie richtete.

»Wenn wir Sie damit beauftragen würden, in der Wennerström-Affäre zu recherchieren … wie groß wären die Chancen, dass Sie etwas herausfinden?«

»Das kann ich nicht beantworten. Vielleicht gibt es gar nichts herauszufinden.«

»Aber Sie würden sich bereit erklären, es zu versuchen?«

Sie zuckte mit den Achseln. »Darüber habe nicht ich zu bestimmen. Ich arbeite für Dragan Armanskij; er entscheidet, welche Aufträge er mir zuteilen will. Und dann kommt es noch darauf an, welche Art Information Sie haben wollen.«

»Lassen Sie es mich so formulieren … Ich kann doch davon ausgehen, dass dieses Gespräch vertraulich behandelt wird?«

Armanskij nickte. »Ich weiß nichts über diese Affäre, aber ich weiß ohne jeden Zweifel, dass Wennerström bei anderen

Gelegenheiten unehrlich gewesen ist. Die Wennerström-Affäre hat Mikael Blomkvists Leben in höchstem Maße beeinflusst, und ich will wissen, ob etwas an Ihren Spekulationen dran ist.«

Das Gespräch hatte eine unerwartete Wendung genommen, und Armanskij war sofort hellwach. Frodes Anliegen bedeutete, dass Milton Security weitere Untersuchungen in einer bereits ad acta gelegten Strafsache anstellen sollte, während deren Verhandlung Mikael Blomkvist möglicherweise rechtswidrig bedroht worden war. Mit so etwas lief Milton potenziell Gefahr, mit Wennerströms Rechtsanwaltsimperium aneinanderzugeraten. Die Vorstellung, Salander in so einer Angelegenheit wie ein unkontrollierbares Cruisemissile loszulassen, fand Armanskij nicht unbedingt amüsant.

Das hatte nicht nur mit seiner Sorge um die Firma zu tun. Salander hatte hinreichend deutlich gemacht, dass ihr Armanskij in der Rolle des beunruhigten Stiefpapas überhaupt nicht zusagte, und nachdem sie darüber einig gewesen waren, hatte er sorgfältig darauf geachtet, nicht als solcher aufzutreten. Innerlich konnte er allerdings nie aufhören, sich um sie zu sorgen. Manchmal ertappte er sich dabei, wie er Salander mit seinen eigenen Töchtern verglich. Er hielt sich für einen guten Vater, der sich nicht übertrieben ins Privatleben seiner Töchter einmischte, aber ihm war auch klar, dass er es niemals akzeptieren würde, wenn sie sich wie Lisbeth Salander benehmen oder ihre Art Leben führen würden.

In den Tiefen seines serbischen – vielleicht auch bosnischen oder armenischen – Herzens war er die Überzeugung nie losgeworden, dass Salanders Leben in voller Fahrt auf eine Katastrophe zusteuerte. Seiner Meinung nach bot sie sich als geradezu perfektes Opfer für jemanden an, der ihr übel wollte, und ihm graute vor dem Morgen, an dem er mit der Neuigkeit geweckt werden würde, dass ihr jemand Schaden zugefügt hatte.

»Eine solche Untersuchung kann ziemlich teuer werden«, unternahm Armanskij einen vorsichtigen Abschreckungsversuch, um zu sondieren, wie ernst es Frode mit seiner Anfrage war.

»Wir müssen freilich eine Obergrenze festlegen«, erwiderte Frode nüchtern. »Ich verlange nichts Unmögliches von Ihnen, aber es ist ganz offensichtlich, wie Sie mir ja selbst versicherten, dass Ihre Mitarbeiterin äußerst kompetent ist.«

»Salander?«, fragte Armanskij mit hochgezogenen Augenbrauen.

»Ich habe gerade nichts anderes laufen«, sagte sie.

»Okay. Aber ich hätte gerne, dass wir uns über die Bedingungen dieses Auftrages einig sind. Lassen Sie uns noch den Rest Ihres Berichtes hören.«

»Nur noch ein paar Details aus seinem Privatleben. 1988 heiratete er eine Frau namens Monica Abrahamsson, und im selben Jahr bekamen sie eine Tochter, Pernilla. Sie ist heute sechzehn. Die Ehe hielt nicht lange, die beiden wurden 1991 geschieden. Frau Abrahamsson hat wieder geheiratet, aber die zwei sind offensichtlich immer noch befreundet. Die Tochter wohnt bei ihrer Mutter und trifft ihren Vater nicht sonderlich oft.«

Frode bat um einen weiteren Kaffee aus der Thermoskanne und wandte sich dann wieder an Salander.

»Zu Beginn haben Sie angedeutet, dass jeder Mensch Geheimnisse hat. Haben Sie welche gefunden?«

»Damit wollte ich sagen, dass jeder Mensch gewisse Dinge hat, die er als privat betrachtet und die er nicht unbedingt öffentlich macht. Blomkvist ist ein Frauentyp. Er hat mehrere Affären und jede Menge Zufallsbekanntschaften gehabt. Um es kurz zu machen – er hat ein buntes Sexleben. Eine Person taucht jedoch seit vielen Jahren immer wieder in seinem Leben auf, und das ist ein ziemlich ungewöhnliches Verhältnis.«

»Inwiefern?«

»Er unterhält eine sexuelle Beziehung zu Erika Berger, der Chefredakteurin von *Millennium*; Tochter aus guten Hause, schwedische Mutter, belgischer Vater mit Wohnsitz in Schweden. Berger und Blomkvist kennen sich seit dem Journalistikstudium und haben seitdem immer wieder ein Verhältnis gehabt.«

»Das ist doch nichts Ungewöhnliches«, meinte Frode.

»Nein, das nicht. Aber Erika Berger ist mit dem Künstler Greger Beckman verheiratet – so ein B-Promi, der in öffentlichen Räumen jede Menge schauderhaftes Zeug ausgestellt hat.«

»Sie ist ihm untreu?«

»Nein. Beckman weiß von ihrem Verhältnis. Eine *ménage à trois*, die anscheinend von allen drei Beteiligten akzeptiert wird. Mal schläft sie bei Blomkvist, mal bei ihrem Mann. Ich weiß nicht wirklich, wie das funktioniert, aber es gehörte auf jeden Fall zu den Gründen, aus denen die Ehe mit Monica Abrahamsson in die Brüche ging.«

3. Kapitel
Freitag, 20. Dezember – Samstag, 21. Dezember

Erika Berger hob die Augenbrauen, als ein offensichtlich völlig durchgefrorener Mikael Blomkvist am späten Nachmittag in die Redaktion kam. Die *Millennium*-Redaktion lag mitten auf dem höchsten Punkt der Götgata, eine Etage über der *Greenpeace*-Niederlassung. Die Miete war eigentlich ein wenig zu hoch für die Zeitung, aber Erika, Mikael und Christer waren sich einig gewesen, dass sie die Räume halten wollten.

Erika warf einen verstohlenen Blick auf die Uhr. Es war zehn nach fünf, und schon längst hatte sich die Dunkelheit über Stockholm gelegt. Sie hatte ihn eigentlich bereits gegen Mittag zurückerwartet.

»Entschuldige«, sagte er zur Begrüßung, bevor sie zu Wort kam. »Ich bin noch sitzen geblieben, hab das Urteil gelesen und hatte keine Lust zu reden. Hab einen langen Spaziergang gemacht und nachgedacht.«

»Ich hab im Radio von dem Urteil gehört. Die von *TV*4 hat mich angerufen und wollte einen Kommentar von mir.«

»Was hast du gesagt?«

»In etwa das, was wir abgesprochen hatten: Wir werden das Urteil sorgfältig prüfen, bevor wir uns dazu äußern. Ich habe also gar nichts gesagt. Und ich bin immer noch derselben

Meinung – ich glaube, dass das die falsche Strategie ist. Wir sehen schwach aus und verlieren unseren Rückhalt in den Medien. Wir müssen damit rechnen, dass sie heute Abend was im Fernsehen bringen.«

Blomkvist nickte und sah finster drein.

»Wie geht es dir?«

Mikael Blomkvist zuckte mit den Achseln und setzte sich in seinen Lieblingssessel, der in Erikas Zimmer am Fenster stand. Ihr Arbeitszimmer war spartanisch eingerichtet: ein Schreibtisch, zweckdienliche Bücherregale und billige Büromöbel. Alle Möbel waren von IKEA, abgesehen von den zwei bequemen und extravaganten Sesseln und einem kleinen Beistelltischchen – ein Zugeständnis an meine Herkunft, pflegte sie zu scherzen. Sie saß meistens mit angezogenen Beinen in einem der Sessel und las, wenn sie einmal eine Pause vom Schreibtisch brauchte. Mikael blickte auf die Götgata hinunter, auf der die Menschen in der Dunkelheit vorbeihasteten. Das Weihnachtsgeschäft setzte zum Endspurt an.

»Ich schätze, das geht auch wieder vorbei«, sagte er. »Aber im Moment fühl ich mich, als hätte ich gerade eine Tracht Prügel bezogen.«

»Das geht uns doch allen so. Janne Dahlman ist heute Früh nach Hause gegangen.«

»Ich nehme an, er war nicht sonderlich begeistert vom Urteil.«

»Er ist ja ohnehin nicht gerade der positivste Mensch.«

Mikael schüttelte den Kopf. Janne Dahlman war seit neun Monaten Redaktionsassistent bei *Millennium*. Er hatte genau zu dem Zeitpunkt bei ihnen angefangen, als die Wennerström-Affäre in Gang kam. Mikael versuchte sich zu erinnern, wie Erika und er über Dahlmans Bewerbung diskutiert hatten. Er war in der Tat kompetent und hatte als Springer bei der Nachrichtenagentur *TT*, verschiedenen Abendzeitungen und *Ekot* gearbeitet. Aber er war ganz offensichtlich niemand, der mit schwierigen Umständen zurechtkam. Im letzten Jahr hatte Mikael oft genug bereut, dass sie Dahlman angestellt hatten, der ein enervierendes Talent besaß, alles so negativ wie nur irgend möglich zu betrachten.

»Hast du von Christer gehört?«, fragte Mikael, ohne den Blick von der Straße zu wenden.

Christer Malm war Chef der Bildredaktion und Layouter bei *Millennium* und neben Erika und Mikael der dritte Teilhaber des Magazins. Momentan befand er sich mit seinem Freund auf Auslandsreise.

»Er hat angerufen. Schöne Grüße.«

»Ist wohl das Beste, wenn er meine Stelle als verantwortlicher Herausgeber übernimmt.«

»Ach, komm, Micke, als verantwortlicher Herausgeber musst du damit rechnen, dass du ab und zu ordentlich was auf die Nase kriegst. Das steht so in der Stellenbeschreibung.«

»Ja, stimmt. Aber ich war nun mal derjenige, der diesen Text verfasst hat, der in dem Magazin veröffentlicht wurde, bei dem ich auch verantwortlicher Herausgeber bin. Damit sieht die Sache schon wieder ganz anders aus. Da geht es dann ganz einfach um mangelndes Urteilsvermögen.«

Erika Berger merkte, wie die Sorge, die sie den ganzen Tag mit sich herumgetragen hatte, vollends die Oberhand gewann. In den letzten Wochen vor dem Prozess war Mikael Blomkvist herumgelaufen, als wäre er von einer finsteren Wolke umgeben, aber selbst damals hatte sie ihn nicht als so düster und resigniert empfunden, wie er ihr nun in seiner Niederlage vorkam. Sie umrundete ihren Schreibtisch, setzte sich rittlings auf ihn und schlang ihm die Arme um den Hals.

»Mikael, hör mal zu. Wir wissen beide ganz genau, was hier passiert ist. Ich bin genauso verantwortlich wie du. Wir müssen das gemeinsam durchstehen.«

»Da gibt es nichts durchzustehen. Das Urteil bedeutet für mich den medialen Genickschuss. Ich kann nicht als verantwortlicher Herausgeber bei *Millennium* bleiben. Es geht einfach um die Glaubwürdigkeit dieses Magazins. Um Schadensbegrenzung. Das weißt du doch genauso gut wie ich.«

»Wenn du denkst, dass ich dich die Schuld ganz alleine tragen lasse, dann hast du in all den Jahren wirklich noch gar nichts über mich gelernt.«

»Ich weiß genau, was in dir vorgeht, Ricky. Du bist auf eine einfältige Art und Weise loyal zu deinen Mitarbeitern. Wenn du die Wahl hast, dann streitest du dich mit Wennerströms Rechtsanwälten rum, bis auch deine Glaubwürdigkeit ruiniert ist. Das können wir uns nicht leisten.«

»Und du hältst es also für einen klugen Plan, bei *Millennium* auszusteigen und es so aussehen zu lassen, als hätte ich dich gefeuert?«

»Wir haben das doch schon hundertmal durchgesprochen. Wenn *Millennium* überleben soll, kommt es jetzt ganz auf dich an. Christer ist ein richtig guter Kerl, der alles Mögliche über Bilder und Layout weiß, aber von Machtkämpfen mit Milliardären hat er keinen Schimmer. Das ist nicht sein Ding. Ich muss *Millennium* bald den Rücken kehren, als Herausgeber, Reporter und Führungsmitglied; meinen Anteil übernimmst du. Wennerström weiß, dass ich weiß, was er getan hat, und ich bin überzeugt, solange er weiß, dass ich mich in der Nähe von *Millennium* aufhalte, wird er nichts unversucht lassen, um das Magazin in die Knie zu zwingen.«

»Aber warum willst du nicht mit den Fakten an die Öffentlichkeit gehen – auf Biegen und Brechen!«

»Weil wir nicht das Geringste beweisen können, und weil ich derzeit nicht die mindeste Glaubwürdigkeit besitze. Diese Runde hat Wennerström gewonnen. Vorbei. Gib es auf.«

»Okay, du bist also gefeuert. Was wirst du stattdessen machen?«

»Ich brauche ganz einfach eine Pause. Ich fühle mich total ausgebrannt und bin kurz davor, an meine Belastungsgrenze

zu stoßen. Ich werde mich ein Weilchen um mich selbst kümmern. Dann sehen wir weiter.«

Erika umarmte Mikael und zog seinen Kopf an ihre Brust.
Sie drückte ihn fest an sich. Schweigend und unglücklich blieben sie ein paar Minuten so sitzen.

»Soll ich heute Abend bei dir bleiben?«, fragte sie.

Mikael Blomkvist nickte.

»Gut. Ich habe Greger schon angerufen und ihm Bescheid
gesagt, dass ich heute Nacht bei dir schlafe.«

Die einzige Lichtquelle im Zimmer war die Straßenlaterne, die
vom Fenstersturz reflektiert wurde. Als Erika irgendwann nach
zwei Uhr morgens einschlief, lag Mikael wach und betrachtete
im Halbdunkel ihr Profil. Sie war nur bis zur Taille zugedeckt,
und er sah zu, wie sich ihre Brust langsam hob und senkte. Er
war entspannt, und der angsterfüllte Knoten in seinem Zwerch-
fell hatte sich gelöst. Erika hatte diese Wirkung auf ihn. Sie
hatte sie schon immer gehabt. Und er wusste, dass er dieselbe
Wirkung auf sie hatte.

Zwanzig Jahre, dachte er. So lange hatten Erika und er
schon ein Verhältnis. Wenn es nach ihm ging, konnten sie auch
die nächsten zwanzig Jahre noch miteinander Sex haben. Mindestens. Sie hatten nie ernsthaft versucht, ihr Verhältnis zu
verbergen, wenngleich sich dadurch ungeheuer heikle Situationen in ihren Beziehungen zu anderen Menschen ergeben
hatten. Er wusste, dass man in ihrem Bekanntenkreis über sie
sprach, und dass die Leute sich fragten, was für eine Art Verhältnis die beiden eigentlich verband. Erika und er gaben rätselhafte Antworten und ignorierten die Kommentare.

Sie hatten sich auf einem Fest bei gemeinsamen Freunden
kennengelernt. Sie studierten beide im zweiten Jahr Journalistik und lebten jeweils in einer festen Beziehung. Im Laufe des
Abends hatten sie sich gegenseitig mehr provoziert, als gut für
sie war. Ihr Flirt hatte vielleicht als Scherz begonnen – er war

sich da nicht ganz sicher –, doch bevor sie auseinandergingen, tauschten sie Telefonnummern. Sie wussten, dass sie miteinander im Bett landen würden, und innerhalb einer Woche hatten sie dieses Vorhaben in die Tat umgesetzt, hinter dem Rücken ihrer jeweiligen Partner.

Mikael war sich sicher, dass es hierbei nicht um Liebe ging – zumindest nicht um Liebe im traditionellen Sinne, die in eine gemeinsame Wohnung, gemeinsame Ratenzahlungen, Weihnachtsbäume und Kinder mündet. In den achtziger Jahren hatten sie ein paarmal überlegt zusammenzuziehen, als sie gerade keine Beziehungen hatten, auf die sie hätten Rücksicht nehmen müssen. Er wollte. Aber Erika hatte immer im letzten Moment einen Rückzieher gemacht. Sie sagte, es würde nicht funktionieren, und sie sollten ihre Beziehung nicht aufs Spiel setzen, indem sie sich jetzt auch noch verliebten.

Sie waren sich einig, dass es bei ihrer Beziehung um Sex ging – vielleicht sogar um sexuellen Irrsinn –, und Mikael hatte sich oft gefragt, ob er für eine andere Frau je so eine wahnsinnige Begierde empfinden könne wie für Erika. Sie funktionierten einfach perfekt miteinander. Sie hatten ein Verhältnis, das nicht weniger abhängig machte als Heroin.

In gewissen Phasen trafen sie sich so häufig, dass sie sich fast wie ein Paar fühlten; manchmal konnten Wochen und Monate zwischen ihren Treffen verstreichen. Doch so wie der Alkoholiker nach einer abstinenten Phase stets wieder loszieht und sich neuen Schnaps besorgt, kehrten auch die beiden immer wieder zueinander zurück, um sich eine neue Dosis zu holen.

Das konnte freilich nicht auf Dauer funktionieren. Ein derartiges Verhältnis musste früher oder später Schmerzen verursachen. Erika und er hatten gebrochene Versprechen und Beziehungen rücksichtslos hinter sich gelassen – seine eigene Ehe war daran gescheitert, dass er sich nicht von Erika fernhalten konnte. Er hatte seine Frau Monica in Sachen Erika nie belogen, doch Monica hatte geglaubt, die Affäre würde mit ihrer

Heirat und der Geburt ihrer Tochter ein Ende nehmen, zumal Erika beinahe gleichzeitig die Ehe mit Greger Beckman einging. Er glaubte das auch und hatte Erika in den ersten Jahren seiner Ehe nur rein beruflich getroffen. Dann hatten sie *Millennium* gegründet, und innerhalb von ein paar Wochen waren alle Vorsätze den Bach runtergegangen, und eines Abends hatten sie heftigen Sex auf ihrem Schreibtisch gehabt. Das war der Beginn einer quälenden Zeit gewesen, in der Mikael einerseits bei seiner Familie sein und seine Tochter aufwachsen sehen wollte, sich andererseits aber mit solcher Kraft zu Erika hingezogen fühlte, dass er seine Handlungen nicht mehr kontrollieren konnte. Wie Lisbeth ganz richtig vermutete, hatte seine ständige Untreue dazu geführt, dass Monica ihn verließ.

Seltsamerweise schien Greger Beckman ihr Verhältnis völlig zu akzeptieren. Erika hatte ihr Verhältnis mit Mikael nie verheimlicht und es ihrem Mann auch sofort erzählt, als sie die Affäre wieder aufnahmen. Vielleicht lag es an seiner Künstlerseele, die derart mit ihren Schaffensprozessen (oder auch nur mit sich selbst) beschäftigt war, dass er so gar nicht darauf reagierte, als Erika mit einem anderen Mann schlief. Er teilte sogar die Ferien so auf, dass sie ab und an eine Woche mit ihrem Liebhaber in dessen Sommerhäuschen in Sandhamn verbringen konnte. Mikael mochte Greger nicht besonders und hatte nie begreifen können, warum Erika ihn liebte. Aber er war froh, dass Greger es hinnahm, dass sie zwei Männer gleichzeitig liebte.

Außerdem hatte er Greger im Verdacht, dass er die Untreue seiner Frau als Würze ihrer Ehe betrachtete. Doch darüber hatten sie nie gesprochen.

Mikael fand keinen Schlaf, und gegen vier gab er auf und setzte sich in die Küche, um das Urteil noch einmal von Anfang bis Ende durchzulesen. Mit diesem Resultat in der Hand konnte er spüren, dass die Begegnung in Arholma fast schon schicksalhaft gewesen war. Er wurde sich jedoch einfach nicht klar darüber, ob Robert Lindberg Wennerströms Betrug enthüllt hatte, weil er ihm auf seinem Boot eine gute Geschichte erzählen wollte, oder ob er wirklich gewollt hatte, dass alles an die Öffentlichkeit kam.

Spontan tendierte Mikael zur ersten Alternative, aber es war genauso gut möglich, dass Robert aus höchst privaten oder geschäftlichen Gründen Wennerström schaden wollte und einfach die Gelegenheit beim Schopf ergriff, als er einen harmlosen Journalisten an Bord hatte. Robert war nicht gerade nüchtern gewesen, als er im entscheidenden Augenblick seiner Geschichte Mikael fixiert hatte und ihm die magischen Worte entlockte, die ihn von einer Klatschtante in eine anonyme Quelle verwandelten. Auf diese Art spielte es für Robert keine Rolle, was er erzählte, denn Mikael würde ihn nie als Urheber dieser Aussagen nennen können.

Über eines war sich Mikael jedoch vollkommen im Klaren: Wenn das Treffen in Arholma wirklich von einem Verschwörer inszeniert worden wäre, mit der Absicht, seine Aufmerksamkeit zu erregen, hätte Robert seine Sache kaum besser machen können. Aber das Treffen in Arholma war reiner Zufall gewesen.

Robert wusste gar nicht, wie groß Mikaels Verachtung für Männer wie Hans-Erik Wennerström war. Nach langjährigen Studien auf diesem Gebiet war Mikael überzeugt davon, dass es keinen einzigen Bankdirektor oder bekannten Geschäftsführer gab, der nicht gleichzeitig ein Schweinehund war.

Mikael hatte noch nie von Lisbeth Salander gehört und wusste nichts von dem Bericht, den sie vor einigen Stunden abgeliefert hatte. Doch hätte er ihr zugestimmt, dass seine ausgesprochene Abscheu gegen allzu gewitzt rechnende Betriebswirtschaftler kein Zeichen für politischen Linksradikalismus war. Mikael war nicht uninteressiert an Politik, aber er betrachtete politische Ismen mit größtem Misstrauen. Bei der einzigen Reichstagswahl, bei der er jemals seine Stimme abgegeben hatte – 1982 –, hatte er die Sozialdemokraten gewählt, wenn auch weniger aus Überzeugung als ganz einfach deswegen, weil in seinen Augen nichts schlimmer sein konnte als weitere drei Jahre mit Gösta Bohman als Finanzminister und Thorbjörn Fälldin oder am Ende gar Ola Ullsten als Ministerpräsident. Also hatte er ohne allzu großen Enthusiasmus für Olof Palme gestimmt, um später die Ermordung des Ministerpräsidenten sowie Bofors und Ebbe Carlsson erleben zu müssen.

Mikaels Verachtung vieler Wirtschaftsjournalisten beruhte auf deren zweifelhafter Moral. In seinen Augen war die Gleichung ganz einfach:

Ein Bankdirektor, der hundert Millionen durch kopflose Spekulationen verschleudert, darf nicht auf seinem Posten bleiben. Ein Geschäftsführer, der krumme Dinger mit Mantelgesellschaften dreht, gehört hinter Gitter. Ein Immobilienbesitzer, der jungen Leuten für eine Einzimmerwohnung mit Toilette unter der Hand noch einmal Geld abknöpft, sollte öffentlich vorgeführt werden.

Mikael Blomkvist fand ganz einfach, dass es Aufgabe der Wirtschaftsjournalisten war, diejenigen Finanzhaie zu kontrollieren, die Zinskrisen verursachten und das Geld von Kleinanlegern durch leichtfertige Spekulationen aufs Spiel setzten. Seiner Meinung nach bestand der Auftrag dieser Journalisten darin, Wirtschaftsmanager mit demselben unbarmherzigen Eifer zu verfolgen, mit dem politische Berichterstatter die geringsten Fehltritte von Ministern und Reichstagsabgeordneten verurteilten. Den politischen Journalisten würde es nie einfallen, einen Parteivorsitzenden zur Ikone zur erheben, und Mikael konnte beim besten Willen nicht verstehen, warum die Wirtschaftsjournalisten der wichtigsten Massenmedien des Landes die mediokren Jünglinge in der Finanzwelt wie Rockstars behandelten.

Diese unter Wirtschaftsjournalisten etwas eigensinnige Haltung hatte ein ums andere Mal zu lautstarken Auseinandersetzungen mit Kollegen in der Medienbranche geführt, von denen nicht zuletzt William Borg zum unversöhnlichen Feind geworden war. Mikael hatte gewagt, seinen Kollegen vorzuhalten, sie drückten sich um ihre eigentliche Aufgabe und dienten stattdessen den Interessen der finanzpolitischen Grünschnäbel. Seine Rolle als Gesellschaftskritiker hatte ihm zwar einen gewissen Status verliehen und ihn zu einem unbequemen Gast auf den Sofas politischer Fernsehsendungen gemacht – wenn ein Manager mal wieder eine millionenschwere Abfindung kassierte, bat man ihn stets um einen Kommentar –, aber das hatte ihm auch eine treue Schar erbitterter Feinde beschert.

Mikael konnte sich lebhaft vorstellen, dass im Laufe des Abends in ein paar Redaktionen die Champagnerkorken geknallt hatten.

Erika teilte seine Ansichten über die Rolle des Journalisten, und es hatte ihnen schon während des Studiums Vergnügen bereitet, sich gemeinsam eine Zeitung mit entsprechendem Profil auszumalen.

Erika war die beste Chefin, die Mikael sich denken konnte. Sie konnte gut organisieren und pflegte einen warmherzigen und vertrauensvollen Führungsstil. Gleichzeitig scheute sie sich nicht, Konfrontationen einzugehen und, wenn nötig, hart durchzugreifen. Vor allem aber besaß sie ein unbestechliches Fingerspitzengefühl, wenn es darum ging, über den Inhalt der nächsten Nummer zu entscheiden. Sie und Mikael hatten oftmals unterschiedliche Meinungen und konnten sich lebhaft streiten, aber sie hatten auch unerschütterliches Vertrauen zueinander und bildeten ein unschlagbares Team. Er war der Mann fürs Grobe, der die Story an Land zog; sie sorgte für ihre Verpackung und Vermarktung.

Das Projekt *Millennium* hatten sie zu zweit auf die Beine gestellt, aber es hätte nie realisiert werden können ohne ihre Fähigkeit, immer wieder neue Wege der Finanzierung zu finden. Der Arbeiterjunge und die höhere Tochter als Erfolgsduo. Erika kam aus einer wohlhabenden Familie. Sie selbst hatte die finanzielle Grundlage geschaffen und sowohl ihren Vater als auch ihre Bekannten überredet, ansehnliche Beträge zu investieren.

Mikael hatte oft überlegt, warum Erika auf *Millennium* gesetzt hatte. Freilich, sie war dadurch Teilhaberin – sogar mehrheitliche Anteilseignerin – und Chefredakteurin ihrer eigenen Zeitschrift geworden, was ihr ein Prestige und eine publizistische Freiheit gab, die sie an einem anderen Arbeitplatz kaum hätte erreichen können. Im Gegensatz zu Mikael hatte sie sich nach dem Studium zunächst fürs Fernsehen entschieden. Sie war tough, sah auf dem Bildschirm unverschämt gut aus und konnte sich gegen die Konkurrenz behaupten. Außerdem hatte sie beste Kontakte innerhalb des bürokratischen Apparats. Wäre sie beim Fernsehen geblieben, hätte sie zweifellos eine bedeutend besser bezahlte Führungsposition bei irgendeinem Sender bekommen. Stattdessen hatte sie sich bewusst für den Ausstieg und das Engagement für *Millennium* entschieden, ein höchst riskantes Projekt, das in einem engen, heruntergekommenen Büro in einem Keller im Vorort Midsommarkransen startete, dann aber so viel Erfolg hatte, dass man Mitte der neunziger Jahre in geräumigere und angenehmere Büroräume in der Götgata in Södermalm ziehen konnte.

Außerdem hatte Erika auch noch Christer Malm überredet, Teilhaber am Magazin zu werden – einen exhibitionistischen Promischwulen, der ab und zu mit seinem Freund für Homestorys posierte und regelmäßig auf den Klatsch- und Lifestyle-Seiten auftauchte. Das Medieninteresse verdankte er der Tatsache, dass er mit Arnold Magnusson, genannt Arn, zusammengezogen war, einem Schauspieler vom *Dramaten*, dem Königlichen Theater in Stockholm, der seinen richtigen Durchbruch erst erlebt hatte, als er sich in einer Dokusoap selbst spielte. Seit damals waren Christer und Arn eine Art Fortsetzungsroman für die Medien geworden.

Im Alter von sechsunddreißig Jahren war Christer Malm ein begehrter Berufsfotograf und Designer, der *Millennium* einen modernen und attraktiven grafischen Auftritt verlieh. Sein eigenes Unternehmen befand sich auf derselben Etage wie die Redaktion des Magazins, um dessen Layout er sich eine Woche im Monat auf Teilzeitbasis kümmerte.

Darüber hinaus gab es noch zwei Vollzeitangestellte, einen ständigen Praktikanten und drei Teilzeitmitarbeiter. *Millennium* gehörte zu der Art Zeitschriften, die wenig rentabel waren, dafür aber Prestige besaßen, und bei denen die Angestellten sehr gerne arbeiteten.

Millennium war nicht lukrativ, aber immer in der Lage, seine Kosten zu decken, und sowohl Auflage wie auch Anzeigeneinnahmen waren konstant gestiegen. Bis auf den heutigen Tag stand das Magazin in dem Ruf, mutig und beharrlich die Wahrheit auszusprechen.

Nun würde sich die Situation mit großer Wahrscheinlichkeit verändern. Mikael las die kurze Pressemitteilung durch, die Erika und er am Abend zuvor verfasst hatten und die rasch in ein Telegramm für die Nachrichtenagenturen umformuliert worden war, das bereits auf der Website des *Aftonbladet* zu lesen war:

Verurteilter Reporter verlässt Millennium
Stockholm (TT). Wie Chefredakteurin und Haupteignerin des Magazins Millennium, *Erika Berger, bekannt gab, wird Mikael Blomkvist seinen Posten als verantwortlicher Herausgeber aufgeben.*
»Mikael Blomkvist verlässt Millennium *auf eigenen Wunsch. Er ist von den Strapazen der letzten Wochen sehr*

mitgenommen und braucht eine Auszeit«, sagt Erika
Berger, die die Aufgaben des verantwortlichen Heraus-
gebers selbst übernehmen wird.
Mikael Blomkvist war 1989 einer der Gründer des
Magazins. Erika Berger glaubt nicht, dass die sogenannte
Wennerström-Affäre Einfluss auf die Zukunft der Zeit-
schrift haben wird.
»Millennium wird wie gewohnt nächsten Monat erschei-
nen«, sagt Erika Berger. »Mikael Blomkvist hat eine große
Rolle bei der Entwicklung des Magazins gespielt, doch nun
beginnt ein neues Kapitel.«
Erika Berger gibt an, dass sie die Wennerström-Affäre
als eine Verkettung ungünstiger Zustände betrachtet. Sie
bedauert die Ungelegenheiten, die Hans-Erik Wenner-
ström bereitet wurden. Mikael Blomkvist war für einen
Kommentar nicht zu erreichen.

»Ich finde das schrecklich«, hatte Erika gesagt, als die Pressemitteilung rausging. »Die meisten werden die Schlussfolgerung ziehen, dass du ein unfähiger Idiot bist und ich ein eis-
kaltes Miststück, das die erstbeste Gelegenheit ergreift, dir
den Genickschuss zu verpassen.«

»Wenn man bedenkt, was für Gerüchte über uns schon im
Umlauf sind, hat unser Freundeskreis jetzt jedenfalls was
Neues zum Klatschen«, versuchte Mikael zu scherzen. Sie fand
das überhaupt nicht lustig.

»Ich habe keinen Plan B, aber ich glaube, wir begehen hier
einen Fehler.«

»Es ist die einzige Lösung«, erwiderte Mikael. »Wenn das
Magazin zugrunde geht, war die ganze Mühe umsonst. Du
weißt, dass wir bereits viele Einbußen hatten. Was ist übrigens
mit dieser Computerfirma geworden?«

Sie seufzte. »Tja, sie haben heute Morgen mitgeteilt, dass
sie nicht in der Januarnummer inserieren wollen.«

»Wennerström hat bei denen einen beträchtlichen Aktienanteil. Das kann doch kein Zufall sein.«

»Nein, aber wir können neue Anzeigenkunden an Land ziehen. Wennerström mag ja ein Finanzmogul sein, aber ihm gehört nicht die ganze Welt, und wir haben unsere eigenen Kontakte.«

Mikael umarmte Erika und drückte sie an sich.

»Eines Tages werden wir Hans-Erik Wennerström dermaßen eins überziehen, dass die Wall Street bebt. Aber nicht heute. *Millennium* muss erst mal aus der Schusslinie. Wir dürfen nicht riskieren, dass das Vertrauen in unsere Zeitung völlig kaputtgemacht wird.«

»Ich weiß das alles, aber ich sehe aus wie ein verdammtes Luder, und du gerätst in eine abscheuliche Lage, wenn wir so tun, als wären wir geschiedene Leute.«

»Ricky, solange wir uns aufeinander verlassen können, haben wir auch eine Chance. Wir müssen unserer Intuition vertrauen, und momentan ist einfach Rückzug angesagt.«

Widerwillig hatte sie zugegeben, dass seine Schlussfolgerungen einer bedrückenden Logik folgten.

4. Kapitel
Montag, 23. Dezember – Donnerstag, 26. Dezember

Erika war übers Wochenende bei Mikael Blomkvist geblieben. Im Großen und Ganzen hatten sie das Bett nur für Toilettenbesuche und zum Essenkochen verlassen. Doch hatten sie sich nicht nur geliebt, sondern auch stundenlang Kopf an Fuß im Bett gelegen und über ihre Zukunft diskutiert, Konsequenzen, Möglichkeiten und Wahrscheinlichkeiten gegeneinander abgewägt. Als der Montagmorgen graute, war es ein Tag vor Heiligabend. Erika hatte ihm einen Abschiedskuss gegeben – *until the next time* – und war nach Hause zu ihrem Mann gefahren.

Mikael verbrachte den Montag damit, erst einmal abzuwaschen und die Wohnung sauber zu machen. Danach ging er in die Redaktion, um sein Büro auszuräumen. Er hatte keinen Augenblick ernsthaft vor, mit der Zeitschrift zu brechen, aber er hatte Erika zu guter Letzt davon überzeugt, dass es in absehbarer Zukunft wichtig war, den Namen Mikael Blomkvist von dem des Magazins deutlich abzugrenzen. Bis auf Weiteres wollte er von seiner Wohnung in der Bellmangata aus arbeiten.

Er war allein in der Redaktion, denn über Weihnachten hatten alle Mitarbeiter frei. Er verstaute gerade Papiere und Bücher in einem Umzugskarton, als plötzlich das Telefon klingelte.

»Ich würde gerne Mikael Blomkvist sprechen«, sagte eine hoffnungsvolle, aber unbekannte Stimme am anderen Ende.

»Am Apparat.«

»Entschuldigen Sie, dass ich Sie so einfach einen Tag vor Weihnachten störe. Mein Name ist Dirch Frode.« Mikael notierte sich automatisch Namen und Uhrzeit. »Ich bin Anwalt und vertrete einen Mandanten, der sich sehr gerne mit Ihnen unterhalten würde.«

»Na ja, dann bitten Sie Ihren Mandanten doch einfach, mich anzurufen.«

»Ich wollte damit sagen, dass er Sie persönlich treffen möchte.«

»In Ordnung, lassen Sie sich einen Termin geben und schicken Sie ihn in die Redaktion. Aber Sie müssen sich beeilen, ich räume gerade meinen Schreibtisch aus.«

»Mein Mandant hätte furchtbar gerne, dass Sie ihn besuchen. Er wohnt in Hedestad, das wären nur drei Stunden mit dem Zug.«

Mikael hielt im Papiersortieren inne. Die Massenmedien haben ein Talent dafür, die gestörtesten Menschen anzuziehen, die dann mit den verrücktesten Tipps anrufen. Jede Zeitungsredaktion auf der Welt bekommt Anrufe von Ufologen, Grafologen, Scientologen, Paranoikern und Verschwörungstheoretikern.

Mikael hatte einmal einen Vortrag angehört, den der Schriftsteller Karl Alvar Nilsson anlässlich des Jahrestages des Mordes an Ministerpräsident Olof Palme hielt. Der Vortrag war völlig seriös, und im Publikum saßen Lennart Bodström und andere alte Freunde von Palme. Aber es hatte sich auch eine verblüffend große Zahl Privatdetektive eingefunden. Einer von ihnen, eine ungefähr vierzigjährige Frau, hatte während der obligatorischen Fragerunde das Mikrofon ergriffen und ihre Stimme zu einem kaum hörbaren Flüstern gesenkt. Schon dieses Benehmen sicherte ihr die allgemeine Aufmerksamkeit, und niemand war sonderlich überrascht, als die Frau ihren Beitrag mit der Behauptung begann: »Ich weiß, wer Olof Palme ermordet hat.« Aus dem Publikum kam, leicht ironisch, der Vorschlag, wenn sie denn diese höchst dramatische Information besitze, möge sie die Palme-Ermittlungskommission doch davon in Kenntnis setzen. Hastig, in kaum hörbarem Flüsterton, hatte sie geantwortet: »Das kann ich nicht ... das ist zu gefährlich!«

Mikael fragte sich, ob Dirch Frode auch zu diesem Heer von beseelten Kündern der Wahrheit gehörte, die das geheime psychiatrische Krankenhaus enttarnen wollten, in dem die schwedische Sicherheitspolizei ihre Versuche zur Hirnkontrolle anstellte.

»Ich mache keine Hausbesuche«, sagte er kurz angebunden.

»Dann hoffe ich, Sie überreden zu können, hier eine Ausnahme zu machen. Mein Mandant ist achtzig Jahre alt, für ihn ist die Fahrt nach Stockholm eine anstrengende Reise. Wenn Sie darauf bestehen, können wir sicher etwas arrangieren, aber um ehrlich zu sein, es wäre schön, wenn Sie die Freundlichkeit besäßen ...«

»Wer ist Ihr Mandant?«

»Eine Person, von der Sie durch Ihre Arbeit schon gehört haben, nehme ich an. Henrik Vanger.«

Mikael lehnte sich verblüfft zurück. Henrik Vanger – natürlich hatte er schon von ihm gehört. Der Großindustrielle und Geschäftsführer des Vanger-Konzerns, früher Synonym für Sägewerke, Wald, Gruben, Stahl, Schwerindustrie, Textilien, Produktion und Export. Henrik Vanger hatte zu seiner Zeit den Ruf eines ehrenhaften, altmodischen Patriarchen gehabt, der nicht so schnell klein beigab, wenn der Wind von vorne kam. Er war aus dem schwedischen Wirtschaftsleben nicht wegzudenken; eine Koryphäe wie ein Matts Carlgren von *MoDo* oder Hans Werthén, damals bei *Electrolux*. Das Rückgrat der heimischen Industrie und so weiter und so fort.

Aber der Vanger-Konzern, bis auf den heutigen Tag ein Familienunternehmen, war in den letzten fünfundzwanzig Jahren durch verheerende Rationalisierungen und Umstrukturierungen, Börsenkrisen, Zinskrisen, Konkurrenz aus Fernost, sinkende Exportzahlen und andere Unbill gebeutelt worden. All das hatte den Namen Vanger in Misskredit und die Firma in Schwierigkeiten gebracht. Das Unternehmen wurde heute von Martin Vanger geführt, den Mikael als pummeligen Mann mit buschigem Haar kannte, der ab und zu über den Bildschirm flimmerte, über den er ansonsten aber nur wenig wusste. Henrik Vanger war seit fünfundzwanzig Jahren von der Bildfläche verschwunden, und Mikael war sich nicht einmal sicher gewesen, ob er noch lebte.

»Warum will Henrik Vanger mich treffen?«, war seine logische nächste Frage.

»Es tut mir leid, ich bin seit vielen Jahren Henrik Vangers Anwalt, aber er muss Ihnen selbst erzählen, was er von Ihnen will. Ich kann Ihnen allerdings verraten, dass Henrik Vanger über eine eventuelle Zusammenarbeit mit Ihnen sprechen will.«

»Zusammenarbeit? Ich habe nicht die geringste Absicht, für das Unternehmen Vanger zu arbeiten. Brauchen Sie einen Pressesprecher?«

»Nicht diese Art von Arbeit, Herr Blomkvist. Ich weiß nicht, wie ich es anders formulieren soll, aber Herrn Vanger liegt äußerst viel daran, Sie zu treffen und in einer privaten Angelegenheit zurate zu ziehen.«

»Sie drücken sich etwas rätselhaft aus.«

»Ich bitte um Entschuldigung. Aber gibt es irgendeine Möglichkeit, Sie zu einem Besuch in Hedestad zu überreden? Wir bezahlen Ihnen selbstverständlich die Fahrt und ein angemessenes Honorar.«

»Sie rufen zu einem ungünstigen Zeitpunkt an. Ich habe momentan sehr viel zu tun und … ich schätze, Sie haben in den letzten Tagen auch die Schlagzeilen über mich gelesen.«

»Die Wennerström-Affäre?« Plötzlich gluckste Dirch Frode vergnügt am anderen Ende der Leitung. »Aber ja, das hatte schon einen gewissen Unterhaltungswert. Um die Wahrheit zu sagen, ist Henrik Vanger durch das Aufsehen, das dieser Prozess erregt hat, auf Sie aufmerksam geworden.«

»Ach, tatsächlich? Und wann hätte Herr Vanger gerne, dass ich ihn besuche?«, fragte Mikael.

»So bald wie möglich. Morgen ist Heiligabend, ich denke, da wollen Sie freihaben. Aber was würden Sie zum zweiten Weihnachtsfeiertag sagen? Oder zwischen den Jahren?«

»Sie haben es ja furchtbar eilig. Tut mir leid, aber wenn ich keinen konkreten Anhaltspunkt bekomme, worum es bei diesem Besuch gehen soll, dann …«

»Bitte, Herr Blomkvist, ich versichere Ihnen, dass es sich um ein vollkommen seriöses Angebot handelt. Vanger will Sie und keinen anderen um Rat bitten. Falls Sie interessiert sind, möchte er Ihnen einen Freelancer-Auftrag erteilen. Ich bin nur der Vermittler. Worum es geht, muss er Ihnen selbst erklären.«

»Das ist eines der seltsamsten Telefonate, das ich seit Langem geführt habe. Lassen Sie mich drüber nachdenken. Wie kann ich Sie erreichen?«

Nachdem Mikael aufgelegt hatte, blieb er erst mal sitzen und betrachtete das Chaos auf seinem Schreibtisch. Er konnte sich beim besten Willen nicht vorstellen, warum Henrik Vanger ihn treffen wollte. Er hatte eigentlich kein großes Interesse, nach Hedestad zu fahren, aber Rechtsanwalt Frode hatte es doch geschafft, ihn neugierig zu machen.

Er schaltete seinen PowerMac G4 ein, gab »www.google. com« ein und suchte nach dem Vanger-Konzern. Er bekam mehrere hundert Treffer – das Unternehmen war in Schwierigkeiten, tauchte aber immer noch fast täglich in den Nachrichten auf. Er speicherte ein Dutzend Artikel, in denen die Firma analysiert wurde, und suchte dann der Reihe nach Informationen über Dirch Frode, Henrik Vanger und Martin Vanger.

Martin Vanger wurde häufig in seiner Eigenschaft als derzeitiger Geschäftsführer des Unternehmens genannt. Der Rechtsanwalt trat weniger in Erscheinung, er war Vorstandsmitglied des Golfclubs Hedestad und wurde in Zusammenhang mit Rotary erwähnt. Henrik Vanger kam mit einer Ausnahme nur in Texten mit Hintergrundinformationen zum Vanger-Konzern vor. Der *Hedestads-Kuriren* hatte dem ehemaligen Industriemagnaten allerdings ein Kurzporträt gewidmet, als er vor zwei Jahren seinen achtzigsten Geburtstag feierte. Mikael druckte die Texte aus, die ihm Substanz zu haben schienen, und stellte eine Mappe mit ungefähr fünfzig Seiten zusammen. Anschließend räumte er seinen Schreibtisch weiter auf, packte seine Umzugskartons und ging dann nach Hause. Er war nicht sicher, wann oder ob er zurückkehren würde.

Lisbeth Salander verbrachte Heiligabend im Krankenhaus von Äppelvik in Upplands-Väsby. Sie hatte Geschenke gekauft, ein Eau de Toilette von Dior und einen englischen Weihnachtskuchen von Åhléns. Sie trank Kaffee und beobachtete die sechsundvierzigjährige Frau, die mit ungeschickten Fingern versuchte, den Knoten des Geschenkbandes zu lösen. In Salanders Blicken lag Zärtlichkeit, aber sie konnte nie aufhören, sich darüber zu wundern, dass die fremde Frau, die ihr gegenübersaß, ihre Mutter war. Sosehr sie sich auch bemühte, sie konnte nicht die geringste Ähnlichkeit feststellen, weder im Aussehen noch in der Persönlichkeit.

Schließlich gab ihre Mutter auf und sah das Paket hilflos an. Es war nicht gerade einer ihrer guten Tage. Lisbeth Salander schob ihr die Schere hinüber, die gut sichtbar auf dem Tisch gelegen hatte, worauf sich das Gesicht der Mutter aufhellte, als wäre sie plötzlich zu sich gekommen.

»Du musst mich für schrecklich dumm halten.«

»Nein, Mama. Du bist nicht dumm. Aber das Leben ist ungerecht.«

»Hast du deine Schwester getroffen?«

»Schon länger nicht mehr.«

»Sie besucht mich nie.«

»Ich weiß, Mama. Mich besucht sie auch nicht.«

»Arbeitest du?«

»Ja, Mama. Ich komme gut zurecht.«

»Wo wohnst du denn? Ich weiß nicht mal, wo du wohnst.«

»Ich wohne in deiner alten Wohnung in der Lundagata. Da wohne ich schon seit ein paar Jahren. Ich konnte den Vertrag übernehmen.«

»Im nächsten Sommer kann ich dich vielleicht einmal besuchen.«

»Natürlich. Nächsten Sommer.«

Zu guter Letzt hatte ihre Mutter das Geschenk auspacken können und schnupperte entzückt. »Danke, Camilla«, sagte sie.

»Ich bin Lisbeth. Camilla ist meine Schwester.«

Die Mutter wirkte beschämt. Lisbeth Salander schlug vor, zusammen in den Fernsehraum zu gehen.

Mikael Blomkvist verbrachte den Nachmittag des 24. Dezember mit der traditionellen Donald-Duck-Sendung zusammen mit seiner Tochter Pernilla, die bei seiner Exfrau Monica und deren neuem Mann in einem Einfamilienhaus in Sollentuna wohnte. Nachdem er die Sache mit Monica besprochen hatte, hatten sie sich geeinigt, dass er seiner Tochter einen iPod schenkte, einen MP3-Player, der nicht wesentlich größer war als eine Streichholzschachtel, aber Pernillas gesamte CD-Sammlung speichern konnte. Und die war ziemlich umfangreich. Ein ganz schön teures Geschenk.

Vater und Tochter verbrachten gemeinsam eine Stunde in ihrem Zimmer im Obergeschoss. Mikael und Pernillas Mutter hatten sich scheiden lassen, als sie erst fünf war, und im Alter von sieben Jahren hatte sie einen neuen Vater bekommen. Es war nicht so, dass Mikael den Kontakt vermieden hätte – Pernilla hatte ihn ein paarmal im Monat besucht und wochenlang Ferien in seinem Häuschen in Sandhamn gemacht. Monica hatte nie versucht, den Kontakt zu verhindern, und Pernilla fühlte sich nicht unwohl bei ihrem Vater, im Gegenteil. Wenn sie ein paar Wochen Urlaub miteinander verbrachten, hatten sie sich immer gut verstanden. Aber Mikael ließ seine Tochter selbst bestimmen, wie viel Kontakt sie mit ihm haben wollte, besonders, seitdem Monica wieder geheiratet hatte. Als Pernilla ins Teenageralter kam, war der Kontakt fast ganz zum Erliegen gekommen, und erst in den letzten zwei Jahren hatte sie ihn wieder öfter treffen wollen.

Pernilla hatte den Prozess gegen ihren Vater in der festen Überzeugung verfolgt, dass es so war, wie er beteuerte: Er war unschuldig, konnte es aber nicht beweisen.

Sie erzählte von einem Jungen aus der Parallelklasse, auf den sie ein Auge geworfen hatte, und eröffnete ihrem überraschten Vater, dass sie einer Kirchengemeinde im Ort beigetreten war und sich als gläubig betrachtete. Er gab keinen Kommentar dazu ab.

Sie luden ihn ein, zum Abendessen zu bleiben, doch er lehnte ab. Er hatte bereits verabredet, dass er Heiligabend bei seiner Schwester und ihrer Familie in ihrer Villa im Yuppie-Reservat bei Stäket verbringen würde.

Am Morgen hatte er überdies die Einladung bekommen, Weihnachten mit Erika und ihrem Mann auf der Schäreninsel Saltsjöbaden zu feiern. Er hatte mit dem Hinweis abgelehnt, auch Greger Beckmans wohlwollende Einstellung zu aufregenden Dreiecksbeziehungen müsse doch eine Grenze haben, und er habe keine Lust auszuloten, wo diese Grenze verlaufe. Erika wandte ein, ihr Mann selbst habe diese Einladung vorgeschlagen, und zog Mikael damit auf, dass er zu einem richtigen

Dreier wohl doch nicht bereit sei. Er lachte – Erika wusste um seine unerschütterliche Heterosexualität –, aber von seinem Beschluss, Heiligabend nicht in Gesellschaft des Ehemanns seiner Geliebten zu verbringen, war er nicht abzubringen.

Also klopfte er stattdessen bei seiner Schwester Annika Blomkvist, verheiratete Giannini an, die gemeinsam mit ihrem italienischstämmigen Mann, ihren zwei Kindern und einem ganzen Heer von Verwandten ihres Mannes gerade den Weihnachtsschinken anschnitt. Während des Abendessens beantwortete er Fragen zu seinem Prozess und bekam unzählige wohlmeinende, aber völlig nutzlose Ratschläge.

Mikaels Schwester war die Einzige, die das Urteil nicht kommentierte – andererseits war sie aber auch die einzige anwesende Anwältin. Annika hatte im Eiltempo ihr Jurastudium absolviert und mehrere Jahre als Referendarin und stellvertretende Staatsanwältin gearbeitet, bevor sie mit ein paar Freunden eine eigene Rechtsanwaltskanzlei in Kungsholm aufmachte. Sie spezialisierte sich auf Familienrecht, und bevor Mikael es sich versah, war seine kleine Schwester immer öfter als bekannte Feministin und Anwältin für die Rechte der Frauen in Zeitungen und Talkshows aufgetaucht. Sie vertrat oft Frauen, die von ihren Ehemännern oder Exfreunden bedroht oder verfolgt wurden.

Als Mikael ihr half, den Kaffeetisch zu decken, legte sie ihm die Hand auf den Arm und fragte, wie es ihm ginge. Er erklärte, er fühle sich wie ein Haufen Scheiße.

»Nimm dir das nächste Mal einen richtigen Anwalt«, sagte sie.

»In diesem Fall hätte das wohl auch nichts geholfen, ganz egal, was für einen Anwalt ich gehabt hätte.«

»Was ist da eigentlich passiert?«

»Lass uns ein andermal darüber sprechen, Schwesterherz.«

Sie umarmte ihn und küsste ihn auf die Wange, bevor sie mit dem Kuchen und den Kaffeetassen ins Zimmer gingen.

Gegen sieben Uhr abends entschuldigte sich Mikael und bat, das Telefon in der Küche benutzen zu dürfen. Er rief Dirch Frode an und konnte im Hintergrund Stimmengewirr hören.

»Frohe Weihnachten«, wünschte Frode. »Haben Sie sich entschieden?«

»Ich habe ansonsten nichts vor, und es ist Ihnen gelungen, meine Neugier zu wecken. Ich komme am zweiten Weihnachtsfeiertag, wenn Ihnen das recht ist.«

»Ausgezeichnet! Wenn Sie wüssten, wie froh ich über Ihre Nachricht bin. Entschuldigen Sie bitte, ich habe Kinder und Enkel zu Besuch und kann kaum verstehen, was Sie sagen. Darf ich Sie morgen anrufen, damit wir eine Zeit ausmachen können?«

Mikael Blomkvist bereute seinen Entschluss noch am selben Abend, doch schien es ihm schlecht möglich, seine Zusage noch zurückzuziehen. Am Morgen des 26. Dezember saß er im Zug Richtung Norden. Mikael besaß zwar einen Führerschein, hatte es aber nie für nötig befunden, sich ein Auto zuzulegen.

Frode hatte recht gehabt, die Fahrt dauerte nicht lang. Er fuhr an Uppsala vorbei und passierte danach eine Reihe kleiner Industriestädte, die sich wie an einer Schnur die norrländische Küste entlangzogen. Hedestad war einer der kleineren Orte, wenig mehr als eine Stunde nördlich von Gävle gelegen.

In der Nacht zum 26. hatte es heftig geschneit, doch als er am Bahnhof ausstieg, war es ganz klar und die Luft eiskalt. Mikael begriff, dass er für das Winterwetter in Norrland völlig falsch angezogen war, aber Dirch Frode erkannte ihn sofort, empfing ihn freundlich auf dem Bahnsteig und brachte ihn rasch in die wohlige Wärme eines Mercedes. In Hedestad selbst waren die Räumfahrzeuge gerade bei der Arbeit, und Frode steuerte das Auto vorsichtig zwischen den hohen

Schneebergen am Fahrbahnrand hindurch. Der Schnee wirkte wie ein exotischer Kontrast zu Stockholm, fast wie eine fremde Welt. Und doch war er kaum mehr als drei Stunden von der Hauptstadt entfernt. Mikael warf einen verstohlenen Blick auf den Anwalt: ein kantiges Gesicht, schütteres weißes Stoppelhaar und eine dicke Brille auf der kräftigen Nase.

»Zum ersten Mal in Hedestad?«, fragte Frode.

Mikael nickte.

»Alte Industriestadt mit Hafen. Nicht groß, gerade mal 24 000 Einwohner. Aber den Leuten gefällt es hier. Henrik wohnt in Gamla Hedeby, das liegt genau am südlichen Stadtrand.«

»Wohnen Sie auch hier?«

»Das hat sich so ergeben. Ich bin in Skåne geboren, habe aber direkt nach meinem Examen 1962 angefangen, für Vanger zu arbeiten. Ich bin Wirtschaftsjurist, und Henrik und ich wurden mit der Zeit Freunde. Heute bin ich eigentlich schon im Ruhestand, nur Henrik ist mein Mandant geblieben. Mittlerweile ist er natürlich auch pensioniert und benötigt meine Dienste nicht mehr so oft.«

»Nur, um Reporter mit angeschlagenem Ruf aufzutreiben.«

»Unterschätzen Sie sich nicht. Sie sind nicht der Einzige, der ein Match gegen Wennerström verloren hat.«

Mikael warf Frode einen verstohlenen Blick zu, unsicher, wie er dessen Antwort deuten sollte.

»Hat diese Einladung hier irgendetwas mit Wennerström zu tun?«, fragte er.

»Nein«, antwortete Frode. »Aber Henrik Vanger gehört nicht gerade zu Wennerströms Freundeskreis und hat den Prozess mit Interesse verfolgt. Sie will er jedoch in einer ganz anderen Angelegenheit treffen.«

»Von der Sie mir nichts erzählen wollen.«

»Von der zu erzählen nicht meine Sache ist. Wir haben für Sie eine Übernachtung in Henrik Vangers Haus arrangiert.

Wenn Sie das nicht wollen, können wir Ihnen auch ein Zimmer im Stora Hotel in der Stadt buchen.«

»Ach, ich denke, ich nehme wahrscheinlich den Abendzug zurück nach Stockholm.«

In Gamla-Hedeby war noch nicht geräumt, und Frode bewegte das Auto mühsam durch die gefrorenen Reifenspuren vorwärts. Es gab einen Ortskern mit alten Arbeiterreihenhäusern aus Holz entlang dem Bottnischen Meerbusen. Rundherum standen modernere und größere Häuser. Die Stadt begann auf dem Festland und setzte sich dann über eine Brücke auf eine hügelige Insel fort. Auf der Festlandseite stand eine kleine weiße Steinkirche direkt an der Brücke, und gegenüber befand sich eine altmodische Leuchtreklame mit der Aufschrift *Susannes Brücken-Café und Bäckerei*. Frode fuhr noch ungefähr hundert Meter weiter geradeaus und bog dann links ab auf einen frisch geräumten Platz vor einem Steinhaus. Der Hof war zu klein, um ihn als Herrenhof zu bezeichnen, aber deutlich größer als die übrigen Häuser und verriet unzweifelhaft, dass hier der Hausherr wohnte.

»Das hier ist das Vangersche Anwesen«, sagte Frode. »Früher einmal war es voller Leben, heute wohnen nur noch Henrik und eine Haushälterin darin. Es gibt jede Menge Gästezimmer.«

Sie stiegen aus dem Auto. Frode zeigte nach Norden.

»Hier pflegten die Geschäftsführer des Vanger-Konzerns zu wohnen, aber Martin Vanger wollte etwas Moderneres und hat sich unten auf der Landzunge eine Villa gebaut.«

Mikael sah sich um und fragte sich, aus welchem verrückten Impuls heraus er Frodes Einladung angenommen hatte. Er beschloss, nach Möglichkeit schon am Abend nach Stockholm zurückzufahren. Eine Steintreppe führte zum Eingang, aber bevor sie dort waren, öffnete sich schon die Tür. Mikael erkannte Henrik Vanger nach den Bildern im Internet sofort wieder.

Auf diesen Bildern war er jünger gewesen, aber für seine zweiundachtzig Jahre sah er überraschend kräftig aus. Ein sehniger Körper mit einem markanten, wettergegerbten Gesicht und dichten grauen, nach hinten gekämmten Haaren, die vermuten ließen, dass seine Gene nicht zur Kahlköpfigkeit tendierten. Er trug eine sorgfältig gebügelte schwarze Hose, ein weißes Hemd und eine abgetragene braune Strickjacke. Er hatte einen schmalen Schnurrbart und eine dünne Brille mit Stahlrahmen.

»Ich bin Henrik Vanger«, sagte er zur Begrüßung. »Danke, dass Sie den langen Weg auf sich genommen haben.«

»Guten Tag. Das war eine ziemlich überraschende Einladung.«

»Kommen Sie doch herein, drinnen ist es schön warm. Ich habe ein Gästezimmer vorbereiten lassen. Wollen Sie sich kurz frisch machen? Wir essen nachher zu Abend. Das hier ist Anna Nygren, die sich um mich kümmert.«

Mikael schüttelte kurz die Hand einer kleinen Frau um die sechzig, die ihm die Jacke abnahm und sie an eine Garderobe hängte. Zum Schutz vor der Kälte, die vom Fußboden aufstieg, bot sie Mikael Pantoffeln an.

Mikael bedankte sich und wandte sich dann direkt an Henrik Vanger. »Ich bin nicht sicher, ob ich bis zum Abendessen bleibe. Das kommt ganz darauf an, worauf dieses Spielchen hier hinausläuft.«

Henrik Vanger tauschte einen kurzen Blick mit Dirch Frode. Zwischen den beiden Männern gab es ein stummes Einverständnis, das Mikael nicht deuten konnte.

»Ich glaube, ich werde mich bei dieser Gelegenheit von Ihnen verabschieden«, sagte Dirch Frode. »Ich muss heimfahren und nach meinen Enkeln sehen, bevor sie mir das Haus zerlegen.«

Er wandte sich an Mikael.

»Ich wohne rechter Hand auf der anderen Seite der Brücke. Dort können Sie in fünf Minuten zu Fuß hinüberspazieren, es ist das dritte Haus am Wasser, neben der Konditorei. Und wenn Sie mich brauchen, müssen Sie mich nur anrufen.«

Mikael nutzte die Gelegenheit, um seine Hand in die Jackentasche zu stecken und ein Diktiergerät einzuschalten. *Paranoid, ich?* Mikael hatte keine Ahnung, was Henrik Vanger von ihm wollte, aber nach den Scherereien, die er dieses Jahr mit Wennerström gehabt hatte, wollte er eine exakte Dokumentation aller seltsamen Ereignisse in seiner Umgebung. Und eine plötzliche Einladung nach Hedestad gehörte definitiv in diese Kategorie.

Der ehemalige Großindustrielle klopfte Dirch Frode zum Abschied auf die Schulter und zog die Tür zu, bevor er seine ganze Aufmerksamkeit auf Mikael richtete.

»Lassen Sie mich gleich zur Sache kommen. Das hier ist kein Spiel. Was ich Ihnen zu sagen habe, erfordert ein längeres Gespräch. Ich bitte Sie also, mir in Ruhe zuzuhören, und erst danach zu entscheiden. Sie sind Journalist, und ich würde Ihnen gerne einen freiberuflichen Auftrag erteilen. Anna hat in meinem Arbeitszimmer im Obergeschoss Kaffee vorbereitet.«

Henrik Vanger ging voraus, und Mikael folgte ihm. Sie betraten ein längliches, an die 40 Quadratmeter großes Zimmer an der Giebelseite des Hauses. Eine Wand wurde von einem zehn Meter langen, vom Boden bis zur Decke reichenden Bücherregal dominiert, das eine einzigartige Mischung aus Belletristik, Biografien, Geschichtsbüchern, Fachliteratur über Handel und Industrie sowie A4-Ordnern enthielt. Die Bücher waren nach keinem erkennbaren System geordnet. Es sah aus wie ein Bücherregal, das tatsächlich in Gebrauch ist, und Mikael folgerte, dass Henrik Vanger ein großer Leser war. Auf der gegenüberliegenden Seite stand ein imposanter Schreibtisch aus dunkler Eiche, sodass man, wenn man hinter dem Tisch saß, in den Raum hineinblickte. An der Wand hing eine große Sammlung gepresster, penibel gerahmter Blumen.

Durch das Giebelfenster hatte Henrik Vanger Ausblick auf die Brücke und die Kirche. Vor dem Fenster befand sich eine Sitzgruppe mit einem Serviertischchen, auf dem Anna Geschirr, eine Thermoskanne, selbst gebackene Zimtröllchen und Kuchen angerichtet hatte.

Henrik Vanger machte eine einladende Geste, die Mikael geflissentlich übersah. Stattdessen drehte er eine Runde durchs Zimmer und studierte zunächst das Bücherregal und danach die Wand mit den gerahmten Blumen. Der Schreibtisch war säuberlich aufgeräumt, ein paar einzelne Blätter waren zu einem Stoß aufgeschichtet. Ganz hinten auf dem Tisch stand die gerahmte Fotografie eines hübschen dunkelhaarigen Mädchens mit herausforderndem Blick. Eine junge Dame, die in absehbarer Zeit gefährlich werden wird, dachte Mikael. Das Bild war offensichtlich ein Konfirmationsporträt und so verblasst, dass es schon seit Jahren dort stehen musste. Plötzlich wurde Mikael gewahr, dass Henrik Vanger ihn beobachtete.

»Können Sie sich an sie erinnern, Mikael?«, fragte er.

»Erinnern?« Mikael zog die Augenbrauen hoch.

»Ja, Sie sind ihr schon begegnet. Sie sind sogar schon einmal in diesem Zimmer gewesen.«

Mikael sah sich um und schüttelte den Kopf.

»Nein – wie könnten Sie sich auch daran erinnern! Ich kannte Ihren Vater. Ich habe Kurt Blomkvist in den fünfziger und sechziger Jahren mehrmals Aufträge gegeben; er hat als Installateur und Maschinentechniker für mich gearbeitet. Ein talentierter Kerl war das. Ich versuchte ihn zu überreden, sich fortzubilden und Ingenieur zu werden. Sie waren den ganzen Sommer 1963 hier, als wir den Maschinenpark einer Papierfabrik in Hedestad auswechselten. Es war schwierig, eine Wohnung für Ihre Familie zu finden. Wir haben das Problem damals so gelöst, dass Sie in dem kleinen Holzhaus auf der anderen Seite der Straße wohnten. Sie können das Haus von diesem Fenster aus sehen.«

Henrik Vanger trat an den Schreibtisch und nahm das Porträt in die Hand.

»Das ist Harriet Vanger, die Enkelin meines Bruders Richard Vanger. Sie hat in jenem Sommer ein paarmal auf Sie aufgepasst. Sie waren damals zwei oder drei Jahre alt – ich erinnere mich nicht. Harriet war zwölf.«

»Sie müssen verzeihen, aber ich habe nicht die geringste Erinnerung an die Dinge, die Sie mir da erzählen.« Mikael war nicht einmal völlig überzeugt davon, dass Henrik Vanger die Wahrheit sagte.

»Das kann ich verstehen. Aber ich erinnere mich an Sie. Sie sind hier überall auf dem Hof herumgesprungen, mit Harriet im Schlepptau. Wenn Sie irgendwo auf die Nase fielen, konnte ich Sie schreien hören. Ich erinnere mich, dass ich Ihnen einmal ein Spielzeug gegeben habe, einen gelben Blechtraktor, mit dem ich selbst als Kind gespielt hatte und der Sie in hellste Begeisterung versetzte. Ich glaube zumindest, dass er gelb war.«

Plötzlich wurde Mikael innerlich kalt. Allerdings erinnerte er sich an den gelben Traktor. Als er älter wurde, hatte er immer noch zur Zierde auf einem Regal in seinem Kinderzimmer gestanden.

»Erinnern Sie sich daran?«

»Ja, ich erinnere mich. Vielleicht amüsiert es Sie zu hören, dass es diesen Traktor immer noch gibt, im Spielzeugmuseum am Mariatorget in Stockholm. Ich habe ihn gestiftet, als sie vor zehn Jahren altes Originalspielzeug suchten.«

»Wirklich?« Henrik Vanger gluckste vergnügt. »Ich möchte Ihnen etwas zeigen …«

Der alte Mann trat ans Bücherregal und zog ein Fotoalbum aus einem der unteren Fächer. Mikael bemerkte, dass er offenbar Schwierigkeiten mit dem Bücken hatte und sich deshalb am Regal abstützte, als er sich wieder aufrichtete. Henrik Vanger machte Mikael ein Zeichen, sich aufs Sofa zu setzen, während er im Fotoalbum blätterte. Er wusste, wonach er suchte, und legte das Album kurz darauf auf das Tischchen. Er deutete auf ein Schwarz-Weiß-Foto, auf dem man den Schatten des Fotografen am unteren Rand erkennen konnte. Im Vordergrund stand ein hellhaariger, kleiner Junge mit kurzer Hose, der verwirrt und ein bisschen ängstlich in die Kamera starrte.

»Das hier sind Sie, in jenem Sommer. Ihre Eltern sitzen auf den Gartenmöbeln im Hintergrund. Harriet wird halb verdeckt von ihrer Mutter, und der Junge links neben Ihrem Vater ist Harriets Bruder, Martin Vanger, der heute den Vanger-Konzern führt.«

Mikael erkannte ohne Probleme seine Eltern wieder. Seine Mutter war offenkundig schwanger – seine Schwester musste damals also unterwegs gewesen sein. Er betrachtete das Bild mit gemischten Gefühlen, während Henrik Vanger Kaffee einschenkte und ihm die Schüssel mit dem Gebäck zuschob.

»Ich weiß, dass Ihr Vater tot ist. Lebt Ihre Mutter noch?«

»Nein«, erwiderte Mikael. »Sie ist vor drei Jahren gestorben.«

»Sie war eine nette Frau. Ich kann mich sehr gut an sie erinnern.«

»Herr Vanger, ich bin sicher, Sie haben mich nicht hierhergebeten, um mit mir über alte Erinnerungen an meine Eltern zu reden.«

»Da haben Sie völlig recht. Ich habe mehrere Tage darüber nachgedacht, was ich Ihnen sagen will. Aber jetzt, wo Sie mir endlich gegenübersitzen, weiß ich nicht recht, wie ich anfangen soll. Ich nehme an, Sie haben einiges über mich gelesen, bevor Sie hierhergekommen sind. Dann wissen Sie auch, dass ich früher einmal großen Einfluss auf die schwedische Industrie und den Arbeitsmarkt gehabt habe. Heute bin ich ein alter Mann, der vermutlich bald sterben wird, und vielleicht ist der Tod sogar ein ausgezeichneter Ausgangspunkt für dieses Gespräch.«

Mikael nahm einen Schluck schwarzen Kaffee und fragte sich, worauf diese Geschichte hinauslaufen würde.

»Ich habe Schmerzen in der Hüfte und Schwierigkeiten mit längeren Spaziergängen. Eines Tages werden Sie selbst entdecken, wie alten Männern die Kräfte schwinden, aber ich bin weder altersschwach noch senil. Ich bin auch nicht besessen vom Tod, habe jedoch ein Alter erreicht, in dem ich akzeptieren muss, dass meine Tage gezählt sind. Es kommt einmal eine Zeit, da will man Bilanz ziehen und reinen Tisch machen. Verstehen Sie das?«

Mikael nickte. Vanger sprach mit deutlicher und fester Stimme, und Mikael hatte bereits bemerkt, dass der alte Mann weder senil noch unvernünftig war. »Ich bin sehr neugierig zu erfahren, warum ich hier bin«, wiederholte er.

»Ich habe Sie gebeten zu kommen, weil ich Sie bei eben dieser Schlussbilanz um Hilfe bitten will. Es gibt da noch ein paar unaufgeklärte Angelegenheiten.«

»Warum gerade ich? Ich meine ... was verleitet Sie zu der Annahme, dass ich Ihnen helfen könnte?«

»Weil gerade zu dem Zeitpunkt, als ich darüber nachdachte, jemand zu beauftragen, Ihr Name im Zusammenhang mit der Wennerström-Affäre aktuell wurde. Ich wusste ja, wer Sie sind. Und vielleicht auch deswegen, weil Sie als kleiner Knirps schon auf meinem Knie gesessen haben.« Er wedelte abwehrend mit der Hand. »Nein, missverstehen Sie mich nicht. Ich rechne nicht damit, dass Sie mir aus sentimentalen Gründen helfen. Ich erkläre Ihnen nur, was mich dazu trieb, ausgerechnet zu Ihnen Kontakt aufzunehmen.«

Mikael lachte freundlich. »Tja, an dieses Knie kann ich mich wirklich nicht erinnern. Aber woher konnten Sie wissen, wer ich war? Ich meine, das war Anfang der sechziger Jahre.«

»Entschuldigen Sie, Sie haben mich missverstanden. Sie sind nach Stockholm gezogen, als Ihr Vater eine Anstellung als

Betriebsleiter bei Zarinders Mekaniska bekam. Das war eines der vielen Unternehmen, die zum Vanger-Konzern gehörten, und ich habe ihm diesen Job verschafft. Er hatte keine Ausbildung, aber ich wusste, was in ihm steckte. Ich habe Ihren Vater ein paarmal pro Jahr getroffen, wenn ich bei Zarinders etwas zu erledigen hatte. Wir waren sicher keine engen Freunde, aber wir haben uns immer ein bisschen unterhalten, wenn wir uns wieder begegneten. Das letzte Mal traf ich ihn ein Jahr vor seinem Tod, und da erzählte er mir, dass Sie Journalistik studierten. Er war unglaublich stolz. Dann wurden Sie ja schnell im ganzen Land bekannt durch diese Bankräuberbande – Kalle Blomkvist und all das. Ich habe Ihren Weg mitverfolgt und im Laufe der Jahre viele Ihrer Artikel gelesen. Tatsächlich lese ich *Millennium* ziemlich oft.«

»Okay, ich verstehe. Aber was genau soll ich jetzt eigentlich für Sie tun?«

Henrik Vanger sah kurz auf seine Hände hinunter und nippte dann an seinem Kaffee, als brauchte er eine kleine Pause, bevor er sich endlich seinem Anliegen nähern konnte.

»Mikael, bevor ich anfange, will ich gerne eine Abmachung mit Ihnen treffen. Ich möchte, dass Sie zwei Dinge für mich tun. Das eine ist ein Vorwand und das andere ist mein eigentlicher Auftrag.«

»Was für eine Abmachung?«

»Ich werde Ihnen eine zweiteilige Geschichte erzählen. Der erste Teil handelt von der Familie Vanger. Das ist der Vorwand. Es ist eine lange und dunkle Geschichte, aber ich werde versuchen, mich an die ungeschminkte Wahrheit zu halten. Der andere Teil dieser Geschichte handelt von meinem eigentlichen Anliegen. Ich glaube, Sie werden meine Erzählung streckenweise als ein wenig ... verrückt empfinden. Was ich von Ihnen möchte, ist, dass Sie sich meine Geschichte ganz zu Ende anhören – auch das, was Sie für mich tun sollen und was ich Ihnen dafür anbiete –, bevor Sie entscheiden, ob Sie den Auftrag annehmen wollen oder nicht.«

Mikael seufzte. Es war offensichtlich, dass Henrik Vanger nicht vorhatte, sich kurz zu fassen. Und selbst wenn er Frode anrief und ihn bat, ihn zum Bahnhof zu fahren, würde dessen Auto wegen der Kälte nicht anspringen, da war er ganz sicher.

Offenbar hatte der alte Mann viel Zeit darauf verwendet, sich den richtigen Köder für ihn auszudenken. Mikael hatte den Eindruck, dass alles eine wohlüberlegte Inszenierung war: die überraschende Eröffnung, dass er Henrik Vanger als Kind schon begegnet war; das Bild seiner Eltern im Fotoalbum und die Betonung, dass Mikaels Vater und Henrik Vanger Freunde gewesen waren; die Schmeichelei, dass er wusste, wer Mikael Blomkvist war und dass er seine Karriere über die Jahre aus der Ferne beobachtet hatte … in all dem steckte vermutlich ein Körnchen Wahrheit, aber es war auch ganz elementare Psychologie. Mit anderen Worten: Henrik Vanger konnte Menschen gut manipulieren und hatte im Laufe der Jahre auf geheimen Vorstandssitzungen Erfahrungen mit bedeutend tougheren Menschen sammeln können. Nicht zufällig war er zu einem von Schwedens führenden Industriemagnaten aufgestiegen.

Mikael folgerte, dass Henrik Vanger etwas von ihm wollte, wozu er nicht die geringste Lust hatte. Jetzt galt es nur noch herauszufinden, was es war, und danach abzulehnen. Und möglicherweise doch noch den Nachmittagszug zu erwischen.

»Sorry, no deal«, antwortete Mikael. Er sah auf die Uhr. »Ich bin seit zwanzig Minuten hier. Ich gebe Ihnen genau dreißig Minuten, mir zu erklären, was Sie wollen. Danach rufe ich mir ein Taxi und fahre nach Hause.«

Einen Augenblick lang fiel Henrik Vanger aus seiner Rolle als gutherziger Patriarch, und Mikael konnte ahnen, wie der rücksichtslose Geschäftsführer auf dem Höhepunkt seiner Macht ausgesehen hatte, wenn er auf Widerstand stieß oder

sich mit einem widerspenstigen Juniorgeschäftsführer auseinandersetzen musste. Ebenso schnell kräuselte wieder ein grim-
miges Lächeln seine Lippen.

»Ich verstehe.«

»Sagen Sie mir einfach ohne Umschweife, was ich für Sie tun
soll; dann kann ich entscheiden, ob ich es tun will oder nicht.«

»Wenn ich Sie in dreißig Minuten nicht überzeugen kann,
schaffe ich es auch nicht in dreißig Tagen, wollen Sie damit
sagen.«

»So ungefähr.«

»Aber die Vorgeschichte ist wirklich lang und kompliziert.«

»Verkürzen und vereinfachen Sie sie. Das ist in Journalis-
tenkreisen so üblich. Neunundzwanzig Minuten.«

Henrik Vanger hob eine Hand. »Das reicht. Ich habe begriffen, worum es Ihnen geht. Ich brauche einen Menschen,
der recherchieren und kritisch denken kann, der aber auch integer ist. Ein guter Journalist sollte diese Eigenschaften vermutlich besitzen, und ich habe Ihr Buch *Die Tempelritter* mit
großem Interesse gelesen. Es ist wahr, dass ich Sie ausgewählt
habe, weil ich Ihren Vater kannte und weiß, wer Sie sind.
Wenn ich richtig verstanden habe, sind Sie nach der Wennerström-Affäre von Ihrer Zeitung entlassen worden oder aus
eigenem Wunsch ausgeschieden. Das bedeutet, dass Sie in
nächster Zukunft keine Anstellung haben, und es bedarf keines großen Scharfsinns, um zu vermuten, dass Sie in finanziellen Schwierigkeiten sind.«

»Und diese Schwierigkeiten kommen Ihnen gerade recht?«

»Möglicherweise. Aber Mikael – ich darf Sie doch Mikael
nennen? –, ich will Sie nicht anlügen oder Vorwände erfinden.
Für so etwas bin ich zu alt. Wenn Ihnen mein Angebot nicht
zusagt, können Sie mir sagen, dass ich mich zum Teufel sche-
ren soll. Dann muss ich mir jemand anders suchen, der für
mich arbeiten will.«

»Okay, worin besteht der Job, den Sie mir anbieten wollen?«

»Wie viel wissen Sie über die Familie Vanger?«

Mikael zuckte mit den Achseln. »Na ja, so viel wie ich eben im Internet nachlesen konnte, seit Frode mich am Montag angerufen hat. Zu Ihrer Zeit war Vanger einer der wichtigsten schwedischen Industriekonzerne, heute ist das Unternehmen beträchtlich dezimiert. Martin Vanger ist Geschäftsführer. Okay, ich weiß noch eine Menge mehr, aber worauf wollen Sie hinaus?«

»Martin ist ... er ist ein guter Kerl, aber im Grunde ein Mensch, der sich noch nie mit richtigen Schwierigkeiten auseinandergesetzt hat. Er ist als Geschäftsführer völlig unzureichend für einen krisengeschüttelten Konzern. Er will modernisieren und die Produktion spezialisieren – was an sich ein richtiger Gedanke ist –, aber er tut sich schwer, seine Ideen durchzusetzen, und noch schwerer, die nötige Finanzierung auf die Beine zu stellen. Vor fünfundzwanzig Jahren war Vanger noch ein ernster Konkurrent für das Imperium der Wallenberg-Familie. Wir hatten ungefähr 40 000 Angestellte in Schweden. Das bedeutete Arbeitsplätze und Einkünfte für das ganze Land. Heute sind die meisten dieser Arbeitsplätze in Korea oder Brasilien. Wir sind derzeit bei knapp 10 000 Angestellten, und in ein oder zwei Jahren – wenn Martin bis dahin nicht ein bisschen Aufwind bekommen hat – müssen wir die Mitarbeiterzahl auf 5000 Angestellte reduzieren, hauptsächlich in den kleinen Zulieferbetrieben. Mit anderen Worten: Das Unternehmen Vanger steht im Begriff, auf der Mülldeponie der Geschichte zu landen.«

Mikael nickte. Was Henrik Vanger erzählte, entsprach in ungefähr dem, was er selbst innerhalb kürzester Zeit am Computer herausgefunden hatte.

»Vanger ist immer noch eins der größten Familienunternehmen des Landes. Knapp dreißig Familienmitglieder sind Teilhaber, mit unterschiedlich großen Anteilen. Das war immer eine der Stärken des Konzerns, aber auch unser größter Nachteil.«

Vanger legte eine Kunstpause ein und sprach dann eindringlich weiter. »Mikael, Sie können Ihre Fragen später stellen, aber Sie müssen mir unbedingt glauben, wenn ich Ihnen sage, dass ich die meisten Mitglieder der Familie Vanger hasse. Meine Familie besteht größtenteils aus Räubern, Geizkragen, Tyrannen und Taugenichtsen. Ich habe das Unternehmen fünfunddreißig Jahre lang geführt – fast die ganze Zeit in unversöhnlichem Konflikt mit allen anderen Familienmitgliedern. Sie waren meine schlimmsten Feinde, nicht konkurrierende Firmen oder der Staat.«

Er machte eine Pause.

»Ich habe gesagt, dass ich Sie mit zwei Dingen beauftragen will. Ich möchte, dass Sie eine Art historische Abhandlung oder Biografie der Familie Vanger schreiben. Einfacher ausgedrückt, können wir es auch meine Autobiografie nennen. Das wird sicher keine Sonntagspredigt werden, sondern eine Geschichte von Hass und Familienstreitigkeiten und maßloser Habsucht. Ich stelle Ihnen meine gesamten Tagebücher und Archive zur Verfügung. Sie haben freien Zugang zu meinen innersten Gedanken und können den ganzen Mist, den Sie zutage fördern, ohne Einschränkung veröffentlichen. Ich glaube, neben dieser Geschichte wird Shakespeare wie seichte Familienunterhaltung aussehen.«

»Warum?«

»Warum ich will, dass Sie eine Skandalchronik der Familie Vanger veröffentlichen? Oder was ich für Motive habe, Sie um die Ausarbeitung dieser Abhandlung zu bitten?«

»Beides, würde ich sagen.«

»Ich will Sie nicht belügen, Mikael. Ehrlich gesagt, ist es mir egal, ob das Buch veröffentlicht wird oder nicht. Aber ich finde, dass die Geschichte auf jeden Fall niedergeschrieben werden muss, wenn auch nur in einem einzigen Exemplar, das Sie direkt an die Königliche Bibliothek schicken. Nach meinem Tod soll das Buch dann der Nachwelt zugänglich gemacht werden. Mein Motiv ist das einfachste, das man sich nur denken kann: Rache.«

»An wem wollen Sie sich rächen?«

»Sie brauchen mir nicht zu glauben, aber ich habe mich immer bemüht, ein Ehrenmann zu sein, auch als Kapitalist und Chef eines Unternehmens. Ich bin stolz darauf, dass der Name Henrik Vanger für einen Mann steht, der sein Wort gehalten und seine Versprechen erfüllt hat. Ich habe niemals politische Spielchen betrieben. Ich habe bei Verhandlungen nie Probleme mit den Gewerkschaften gehabt, und sogar ein Tage Erlander hatte seinerzeit Respekt vor mir. Es ging mir um Ethik: Ich trug die Verantwortung für das Auskommen mehrerer tausend Menschen, und ich sorgte für meine Angestellten. Martin hat dieselbe Einstellung, wenn er auch ein ganz anderer Mensch ist als ich. Auch er hat versucht, das Richtige zu tun. Es ist uns vielleicht nicht immer gelungen, aber im Großen und Ganzen gibt es wenig, wofür ich mich schäme.

Leider sind Martin und ich die seltenen Ausnahmen in unserer Familie«, fuhr Vanger fort. »Es gibt viele Gründe, warum der Konzern heute auf dem absteigenden Ast ist, doch einer der wichtigsten ist die kurzsichtige Gier, die viele meiner Verwandten an den Tag legen. Wenn Sie den Auftrag annehmen, werde ich genau erklären, wie sie es angestellt haben, das Unternehmen derart in den Morast zu fahren.«

Mikael überlegte kurz.

»Okay. Ich werde Sie auch nicht belügen. Es würde Monate in Anspruch nehmen, so ein Buch zu schreiben. Und ich habe weder die Lust noch die Kraft dazu.«

»Ich glaube, ich kann Sie überreden.«

»Das bezweifle ich. Aber Sie haben gesagt, dass ich zwei Dinge für Sie tun soll. Das hier war also der Vorwand. Was ist Ihre eigentliche Absicht?«

Henrik Vanger stand auf, abermals mit großer Mühe, und holte Harriet Vangers Foto vom Schreibtisch. Er stellte es vor Mikael hin.

»Der Grund, warum ich von Ihnen eine Biografie der Familie Vanger will, ist Folgender: Ich möchte, dass Sie die Individuen mit den Augen eines Journalisten betrachten. Das verschafft Ihnen auch ein Alibi, in der Familiengeschichte zu wühlen. Was ich eigentlich von Ihnen möchte, ist, dass Sie ein Rätsel lösen. Das ist Ihr Auftrag.«

»Ein Rätsel?«

»Harriet war die Enkelin meines Bruders Richard. Wir waren fünf Brüder. Richard war der Älteste, Jahrgang 1907. Ich war der Jüngste, Jahrgang 1920. Ich verstehe nicht, wie Gott so eine Kinderschar zustande bringen konnte, die ...«

Für ein paar Sekunden verlor Vanger den Faden und schien in Gedanken versunken. Dann wandte er sich mit neuer Entschlossenheit in der Stimme wieder Mikael zu.

»Lassen Sie mich von meinem Bruder Richard erzählen. Damit bekommen Sie gleich eine Kostprobe aus der Familienchronik, die ich von Ihnen geschrieben haben möchte.«

Er füllte seine Tasse auf und bot auch Mikael noch einmal Kaffee an.

»1924, im Alter von siebzehn Jahren, war Richard ein fanatischer Nationalist und Antisemit, der sich dem SNFF, dem Schwedischen Nationalsozialistischen Freiheitsverbund, anschloss, eine der ersten Nazigruppen in Schweden. Faszinierend, wie es den Nazis immer wieder gelingt, das Wort ›Freiheit‹ in ihrer Propaganda unterzubringen.«

Vanger suchte ein weiteres Fotoalbum heraus und schlug die richtige Seite auf.

»Hier ist Richard zusammen mit dem Tierarzt Birger Furugård zu sehen, der später Anführer der sogenannten Furugård-Bewegung wurde, der großen Nazi-Bewegung der frühen dreißiger Jahre. Aber Richard blieb nicht bei ihm. Nur wenige

Jahre darauf war er Mitglied in Schwedens Faschistischer Kampforganisation, der SFKO. Dort lernte er Per Engdahl und andere Personen kennen, die mit der Zeit die politischen Schandflecken der Nation werden sollten.«

Er blätterte um. Richard Vanger in Uniform.

»1927 ließ er sich fürs Militär anwerben – gegen den Willen unseres Vaters –, und in den dreißiger Jahren graste er den Großteil der Nazi-Gruppierungen des Landes ab. Wenn es irgendwo eine krankhafte konspirative Vereinigung gab, konnte man sicher sein, dass sein Name im Mitgliederverzeichnis auftauchte. 1933 wurde die Lindholm-Bewegung gegründet, also die Nationalsozialistische Arbeiterpartei NSAP. Wie bewandert sind Sie in der Geschichte des schwedischen Nazismus?«

»Ich bin kein Historiker, aber ich habe das eine oder andere Buch gelesen.«

»1939 begann der Zweite Weltkrieg und danach der Finnische Winterkrieg. Viele Aktivisten der Lindholm-Bewegung schlossen sich den Freiwilligen an. Richard war einer von ihnen, zu diesem Zeitpunkt war er Hauptmann in der schwedischen Armee. Er fiel im Februar 1940, kurz vor dem Friedensvertrag mit der Sowjetunion. Man erhob ihn zum Märtyrer der Nazi-Bewegung und benannte eine eigene Kampftruppe nach ihm. Noch heute versammeln sich an seinem Todestag ein paar Holzköpfe auf einem Friedhof in Stockholm, um Richard Vanger zu ehren.«

»Ich verstehe.«

»1926, er war neunzehn Jahre alt, lernte er die gleichgesinnte Margarete, eine Lehrerstochter aus Falun, kennen. Sie begannen ein Verhältnis, aus dem ein Sohn hervorging, Gottfried, der 1927 zur Welt kam. Richard heiratete Margarete, als sein Sohn geboren wurde. In der ersten Hälfte der dreißiger Jahre hatte mein Bruder Frau und Kind hier in Hedestad untergebracht, während er selbst bei einem Regiment in Gävle stationiert war und in seiner Freizeit herumreiste, um in Sachen Nazismus zu missionieren. 1936 geriet er in Konflikt mit meinem Vater, der damit endete, dass mein Vater Richard jegliche finanzielle Unterstützung entzog. Daraufhin musste er allein zurechtkommen. Er zog mit seiner Familie nach Stockholm und lebte in relativer Armut.«

»Hatte er kein eigenes Geld?«

»Sein Erbteil am Konzern war blockiert. Ohne die Familie konnte er nicht verkaufen. Dazu kam, dass Richard ein tyrannischer Familienvater mit wenig versöhnlichen Charakterzügen war. Gottfried wuchs eingeschüchtert und schikaniert heran. Er war vierzehn Jahre alt, als Richard fiel; ich glaube, das war der glücklichste Tag in seinem Leben. Mein Vater erbarmte sich der Witwe und des Jungen und holte sie hierher nach Hedestad, wo er sie in einer Wohnung unterbrachte und dafür sorgte, dass Margarete ein erträgliches Leben führen konnte.

Wo Richard die dunkle und fanatische Seite der Familie darstellte, war Gottfried die heitere Seite. Als er achtzehn Jahre alt war, nahm ich mich seiner an – er war trotz allem der Sohn meines ältesten Bruders –, aber wie Sie sich erinnern, war der Altersunterschied zwischen uns nicht groß. Ich war nur sieben Jahre älter als er. Damals saß ich schon im Führungsstab der Firma, und es stand fest, dass ich einmal meinen Vater beerben würde, während Gottfried in der Familie eher als Fremder galt.«

Henrik Vanger überlegte einen Moment.

»Mein Vater wusste nicht recht, wie er sich seinem Enkel gegenüber verhalten sollte. Aber ich bestand darauf, dass man etwas unternehmen musste. Ich gab ihm eine Stelle im Unternehmen. Das war nach dem Krieg. Er versuchte sicherlich, seine Arbeit gut zu machen, hatte jedoch Konzentrationsprobleme. Er war nachlässig, ein Charmeur und Zechbruder, fand großen Anklang bei den Frauen und hatte immer wieder Phasen, in denen er zu viel trank. Ich tue mich schwer, meine Gefühle für ihn zu beschreiben ... Er war kein Taugenichts, aber er war auch alles andere als zuverlässig und enttäuschte mich oft zutiefst. Im Laufe der Jahre wurde er zum Alkoholiker und starb 1965 bei einem Unfall – er ertrank. Er hatte sich hier, auf der anderen Seite der Hedeby-Insel, ein Häuschen bauen lassen, in das er sich regelmäßig zurückzog, um zu trinken.«

»Er ist also der Vater von Harriet und Martin?«, fragte Mikael und zeigte auf das Porträt auf dem Serviertischchen. Widerwillig musste er sich eingestehen, dass die Erzählung des alten Mannes interessant war.

»Richtig. Ende der vierziger Jahre traf Gottfried eine Frau namens Isabella König, eine Deutsche, die nach dem Krieg als Kind nach Schweden gekommen war. Isabella war wirklich eine Schönheit – damit meine ich, dass sie so strahlend schön wie Greta Garbo oder Ingrid Bergman war. Harriet hat ihre Gene wohl eher von Isabella als von Gottfried bekommen. Wie Sie auf dem Foto sehen können, war sie auch schon sehr hübsch, als sie vierzehn war.«

Mikael und Henrik Vanger betrachteten das Foto nachdenklich.

»Aber lassen Sie mich fortfahren. Isabella wurde 1928 geboren und lebt noch. Als sie elf war, brach der Krieg aus, und Sie können sich bestimmt vorstellen, wie es gewesen sein muss, Teenager in Berlin zu sein, als die Bomber ihre Fracht über der Stadt abwarfen. Vermutlich war es für sie wie das Paradies auf Erden, als sie in Schweden ankam. Leider teilte sie allzu viele von Gottfrieds Lastern: Sie war verschwenderisch und genusssüchtig. Manchmal wirkten Gottfried und sie wie Saufkumpane, nicht wie ein Ehepaar. Sie reiste eine Menge in Schweden und im Ausland herum und besaß überhaupt kein Verantwortungsgefühl. Darunter litten natürlich die Kinder. Martin kam 1948 zur Welt, Harriet 1950. Die beiden wuchsen in völligem Chaos auf – ihre Mutter ließ sie ständig im Stich, während ihr Vater langsam zum Alkoholiker wurde.

1958 griff ich ein. Gottfried und Isabella wohnten damals in Hedestad – ich zwang sie, hierherzuziehen. Ich hatte genug und beschloss, den Teufelskreis zu durchbrechen. Martin und Harriet waren zu dieser Zeit nahezu völlig sich selbst überlassen.«

Henrik Vanger sah auf die Uhr.

»Meine dreißig Minuten sind gleich um, aber ich komme langsam zum Ende meiner Geschichte. Geben Sie mir eine Verlängerung?«

Mikael nickte. »Erzählen Sie weiter.«

»In aller Kürze: Ich war kinderlos – ein dramatischer Kontrast zu meinen anderen Brüdern und Familienmitgliedern, die wie besessen schienen von dem dümmlichen Bedürfnis, das Geschlecht der Vangers fortzuführen. Gottfried und Isabella kamen hierher, aber ihre Ehe war so gut wie am Ende. Schon nach einem Jahr zog Gottfried in sein Häuschen. Er wohnte dort lange ganz allein und kehrte nur zeitweise zu Isabella zurück, wenn es ihm zu einsam und kalt wurde. Ich kümmerte mich um die Kleinen, die in vieler Hinsicht die Kinder wurden, die ich niemals bekommen habe.

Martin war ... Um ehrlich zu sein, hatte ich während seiner Jugendjahre eine Weile die Befürchtung, dass er in die Fußstapfen seines Vaters treten würde. Er war schwach und verschlossen und grüblerisch, konnte aber auch charmant und enthusiastisch sein. Er hatte eine schwierige Teenagerzeit, aber als er an der Universität anfing, kam alles in Ordnung. Er ist ... na ja, er ist immerhin Geschäftsführer dessen, was vom Vanger-Konzern noch übrig ist, und das darf man wohl als ausreichendes Zeugnis betrachten.«

»Und Harriet?«, fragte Mikael.

»Harriet wurde mein Augenstern. Ich versuchte, ihr Geborgenheit und Selbstvertrauen zu vermitteln. Wir hatten ein sehr enges Verhältnis zueinander. Ich betrachtete sie als meine eigene Tochter, und sie stand mir mit der Zeit bedeutend näher als ihren Eltern. Wissen Sie, Harriet war ein ganz besonderes Mädchen. Genauso verschlossen wie ihr Bruder, doch von einer schwärmerischen Religiosität, was in unserer Familie eine krasse Ausnahme war. Ihre Begabung und Intelligenz standen außer Frage. Sie hatte Moral und Rückgrat. Als sie vierzehn, fünfzehn Jahre alt war, bestand für mich kein Zweifel, dass sie – im Gegensatz zu ihrem Bruder und all den durchschnittlichen Kusinen und Neffen – dafür bestimmt war, eines Tages den Konzern zu leiten oder zumindest eine zentrale Rolle darin zu spielen.«

»Und was ist dann passiert?«

»Wir sind jetzt beim Kern meines Anliegens angekommen. Ich möchte, dass Sie herausfinden, wer in der Familie Harriet ermordet und danach fast vierzig Jahre versucht hat, mich in den Wahnsinn zu treiben.«

5. Kapitel
Donnerstag, 26. Dezember

Zum ersten Mal, seitdem Henrik Vanger seinen Monolog begonnen hatte, war es dem Alten gelungen, ihn zu überrumpeln. Mikael musste ihn bitten, seinen letzten Satz zu wiederholen, um sicherzugehen, dass er sich nicht verhört hatte. Nichts in den Artikeln, die er gelesen hatte, deutete darauf hin, dass im innersten Kreis der Familie ein Mord begangen worden sein könnte.

Vanger fuhr fort: »Es war der 22. September 1966. Harriet war sechzehn und hatte gerade ihr zweites Jahr auf dem Gymnasium begonnen. Es war ein Samstag, und es sollte der schlimmste Tag meines Lebens werden. Ich bin den Lauf der Ereignisse so oft durchgegangen, dass ich glaube, mich an jede Minute genau erinnern zu können – alles weiß ich, bis auf das Wichtigste.«

Er machte eine ausladende Handbewegung.

»Hier im Haus war ein Großteil meiner Verwandten versammelt. Es war das alljährliche Abendessen, zu dem sich die Teilhaber des Konzerns trafen, um über die Geschäfte der Familie zu sprechen. Das war eine Tradition, die mein Großvater seinerzeit eingeführt hatte und die auf zumeist widerwärtige Veranstaltungen hinauslief. In den achtziger Jahren machte man damit Schluss, weil Martin anordnete, dass alle Diskussionen über die Firma auf den regulären Vorstandssitzungen und Versammlungen stattfinden sollten. Das war die beste Entscheidung, die er jemals gefällt hat. Heute sind es schon zwanzig Jahre, dass sich die Familie nicht mehr zu solchen Veranstaltungen trifft.«

»Sie haben gesagt, dass Harriet ermordet wurde.«

»Warten Sie. Lassen Sie mich erzählen, was geschehen ist. Es war ein Samstag. Außerdem war auch Festtag mit einem Umzug zum ›Tag des Kindes‹, der vom Sportverein in Hedestad organisiert wurde. Harriet war tagsüber in der Stadt gewesen und hatte zusammen mit ihren Schulkameraden bei den Festlichkeiten zugesehen. Um zwei Uhr nachmittags kam sie hierher auf die Hedeby-Insel zurück. Das Abendessen war für fünf Uhr angesetzt, sie sollte auch dabei sein und gleichaltrige Jugendliche aus der Familie kennenlernen.«

Henrik Vanger stand auf und trat ans Fenster. Er winkte Mikael zu sich und sagte: »14.15 Uhr, ein paar Minuten nachdem Harriet heimgekommen war, geschah da draußen auf der Brücke ein fürchterlicher Unfall. Ein Mann namens Gustav Aronsson, der hier auf der Insel einen Hof besitzt, bog auf die Brücke ein und stieß frontal mit einem Tanklaster zusammen, der gerade Heizöl ausliefern wollte. Wie genau der Unfall geschah, wurde nie wirklich geklärt – aus beiden Richtungen hatte man gute Sicht –, aber die zwei fuhren zu schnell, und so kam es zur Katastrophe. Der Fahrer des Tanklasters versuchte den Zusammenstoß zu vermeiden und riss wohl instinktiv das Steuer herum. Er fuhr ins Brückengeländer, der Tanklastzug kippte und legte sich quer über die Brücke, wobei das hintere Fahrgestell weit über die gegenüberliegende Kante hinausragte ... Eine Metallstrebe bohrte sich wie ein Spieß in den Tankbehälter, worauf das leicht entflammbare Heizöl herauszuspritzen begann. Gustav Aronsson war auf dem Fahrersitz eingeklemmt und schrie vor Schmerzen. Der Fahrer der Tanklasters war auch verletzt, konnte sich aber aus seinem Fahrzeug befreien.«

Der alte Mann machte eine Pause und setzte sich wieder.

»Der Unfall hatte eigentlich nichts mit Harriet zu tun. Aber er war auf andere Weise bedeutsam. Menschen eilten herbei, um zu helfen; es war ein heilloses Chaos. Es bestand unmittelbare Brandgefahr, und man löste Großalarm aus. Polizei, Krankenwagen, Rettungsdienst, Feuerwehr, Presse und Schaulustige scharten sich um die Unglücksstelle. Natürlich sammelte sich alles auf der Festlandseite. Wir auf der Insel taten alles, um Aronsson aus seinem Autowrack zu befreien, was sich als verdammt schwierig herausstellte. Er war ziemlich eingeklemmt und schwer verletzt.

Wir versuchten ihn mit den Händen herauszuziehen, aber das ging nicht. Er musste herausgeschnitten oder -gesägt werden. Doch konnten wir natürlich nichts unternehmen, was eine Funkenbildung zur Folge gehabt hätte; wir standen ja mitten in einem See aus feuergefährlichem Heizöl neben einem umgekippten Tanklaster. Wäre der explodiert, wäre es mit uns allen zu Ende gewesen. Es dauerte lange, bevor wir Hilfe vom Festland bekamen, denn der Laster lag wie ein Keil quer über der Brücke, und man konnte uns nur erreichen, indem man über den Tankbehälter kletterte. Ebenso gut hätte man über eine tickende Bombe klettern können.«

Mikael hatte immer noch den Eindruck, dass der alte Mann eine oft wiederholte und wohlüberlegte Geschichte erzählte, um sein Interesse zu fesseln. Aber er musste auch zugeben, dass Vanger ein ausgezeichneter Erzähler war, der seinen Zuhörer in Bann zu ziehen wusste. Er hatte jedoch weiterhin keine Ahnung, worauf die Geschichte eigentlich hinauslaufen würde.

»Das Bedeutsame an diesem Unfall war, dass die Brücke für die nächsten vierundzwanzig Stunden gesperrt wurde. Erst am späten Sonntagabend gelang es, den verbliebenen Brennstoff abzupumpen, den Tanklaster wegzuhieven und die Brücke wieder für den Verkehr zu öffnen. Während dieser vierundzwanzig Stunden war die Hedeby-Insel praktisch von der Umwelt abgeschnitten. Zum Festland konnte man nur mit dem Feuerwehrboot gelangen, das eingesetzt wurde, um die Leute vom Bootshafen der Insel zum alten Fischerhafen unterhalb der Kirche zu bringen. Mehrere Stunden wurde das Boot ausschließlich von den Rettungsdiensten benutzt – erst am späten Samstagabend begann man auch Privatpersonen überzusetzen. Verstehen Sie, was das bedeutet?«

Mikael nickte. »Ich nehme an, dass auf der Insel irgendetwas mit Harriet geschah und die Verdächtigen aus dem Kreis derer kommen müssen, die sich ebenfalls hier aufhielten. Die klassische Situation eines geschlossenen Raumes in Gestalt einer Insel.«

Henrik Vanger lächelte ironisch.

»Mikael, Sie ahnen ja gar nicht, wie recht Sie haben. Auch ich habe meine Dorothy Sayers gelesen. Die Tatsachen sind Folgende: Harriet kam ungefähr um zehn nach zwei auf der Insel an. Wenn wir auch Kinder und Unverheiratete mit einschließen, haben sich im Laufe des Tages ungefähr vierzig Gäste hier eingefunden. Zusammen mit Personal und Inselbewohnern kommen wir auf vierundsechzig Personen, die sich hier und in der Nähe des Hofes aufhielten. Diejenigen, die hier übernachten wollten, richteten sich gerade in den umliegenden Häusern oder Gästezimmern ein.

Harriet wohnte früher in einem Haus auf der gegenüberliegenden Straßenseite, aber wie ich vorhin erzählt habe, waren weder ihr Vater Gottfried noch ihre Mutter Isabella stabile Persönlichkeiten, und ich konnte nicht zusehen, wie Harriet gequält wurde. Sie konnte sich nicht aufs Lernen konzentrieren, und 1964, als sie vierzehn war, ließ ich sie in mein Haus einziehen. Isabella passte es wohl ganz gut, dass sie die Verantwortung für sie loswurde. Harriet bekam ein Zimmer hier oben und wohnte die letzten zwei Jahre bei mir. Auch an jenem Tag kam sie hierher. Wir wissen, dass sie Harald Vanger auf dem Hof traf und ein paar Worte mit ihm wechselte – das ist einer von meinen Brüdern. Danach ging sie die Treppe hoch, in dieses Zimmer, und begrüßte mich. Sie sagte, dass sie mit mir über etwas sprechen müsste. In diesem Moment waren gerade ein paar andere Familienmitglieder bei mir, und ich hatte keine Zeit für sie. Aber es schien ihr so wichtig zu sein, dass ich versprach, gleich anschließend in ihr Zimmer zu kommen. Sie nickte und ging durch diese Tür dort hinaus. Das war das letzte Mal, dass ich sie gesehen habe. Ein paar Minuten später krachte es auf der Brücke, und das Chaos, das alle Pläne für den Tag über den Haufen werfen sollte, brach aus.«

»Wie starb sie?«

»Warten Sie. Es ist so kompliziert, ich muss die Geschichte chronologisch erzählen. Als die Wagen zusammenstießen, ließen die Leute alles stehen und liegen und rannten zur Unfallstelle. Ich war ... ich denke, ich habe das Kommando übernommen und war in den nächsten Stunden fieberhaft beschäftigt. Wir wissen, dass auch Harriet nach der Kollision sofort zur Brücke hinunterlief – mehrere Personen haben sie gesehen –, aber wegen der Explosionsgefahr schickte ich alle, die nicht mithalfen, Aronsson aus seinem Autowrack zu befreien, wieder fort. Wir blieben zu fünft am Unfallort zurück: ich und mein Bruder Harald, ein Hofarbeiter namens Magnus Nilsson, Sixten Nordlander, ein Sägewerksarbeiter, der unten am Fischerhafen ein Haus hat, und ein Kerl namens Jerker Aronsson. Er war erst sechzehn, und ich hätte ihn eigentlich wegschicken sollen, aber er war Aronssons Neffe und kam wenige Minuten nach dem Unfall gerade mit seinem Fahrrad vorbei.

Ungefähr um 14.40 Uhr war Harriet in der Küche. Sie trank ein Glas Milch und wechselte ein paar Worte mit Astrid, der Köchin. Sie sahen durchs Fenster dem Tumult auf der Brücke zu.

Um 14.55 Uhr ging Harriet über den Hof. Sie wurde unter anderem von ihrer Mutter gesehen, aber sie sprachen nicht miteinander. Ein paar Minuten später traf sie Otto Falk, den

Pastor der Kirche in Hedeby. Damals lag das Pfarrhaus dort, wo Martin Vanger heute seine Villa hat. Der Pastor wohnte also auf dieser Seite der Brücke. Er hatte sich erkältet und lag schlafend im Bett, als sich der Unfall ereignete. Er hatte das große Drama verschlafen, war nun alarmiert worden und auf dem Weg zur Brücke. Harriet hielt ihn auf und wollte ein paar Worte mit ihm wechseln, aber er wimmelte sie ab und eilte vorbei. Otto Falk war der Letzte, der sie lebend sah.«

»Wie starb sie?«, wiederholte Mikael.

»Ich weiß es nicht«, antwortete Henrik Vanger mit gequältem Blick. »Erst irgendwann gegen fünf Uhr nachmittags hatten wir Aronsson aus dem Wrack befreit – er überlebte übrigens, wenn auch übel zugerichtet –, und um kurz nach sechs galt die Brandgefahr als gebannt. Die Insel war immer noch vom Festland abgeschnitten, aber die Dinge beruhigten sich langsam. Erst als wir uns gegen acht zu einem verspäteten Abendessen zu Tisch setzten, entdeckte man, dass Harriet fehlte. Ich schickte eine ihrer Kusinen los, um sie aus ihrem Zimmer zu holen, aber sie kam zurück und sagte, sie könne sie nicht finden. Ich dachte nicht groß drüber nach und vermutete wohl, dass sie spazieren gegangen war oder nicht mitbekommen hatte, dass unser Abendessen wie geplant stattfinden sollte. Im Laufe des Abends gab es so einigen Streit mit der Familie. Erst am nächsten Morgen, als Isabella nach ihr suchte, wurde uns klar, dass Harriet bereits seit gestern Nachmittag verschwunden war.«

Er breitete die Arme aus.

»Seit jenem Tag ist Harriet Vanger spurlos verschwunden.«

»Verschwunden?«, echote Mikael.

»In all den Jahren gab es nicht die geringste Spur von ihr.«

»Aber wenn sie verschwunden ist, können Sie doch nicht behaupten, dass sie ermordet wurde.«

»Ich verstehe Ihren Einwand. Ich habe genauso gedacht. Wenn ein Mensch spurlos verschwindet, gibt es vier Möglichkeiten: Er kann freiwillig verschwunden sein und sich verstecken. Er kann bei einem Unfall ums Leben gekommen sein. Er kann Selbstmord begangen haben. Und er kann Opfer eines Verbrechens geworden sein. Ich habe über all diese Möglichkeiten nachgedacht.«

»Sie glauben also, dass jemand sie umgebracht hat. Warum?«

»Weil das die einzig logische Schlussfolgerung ist.« Henrik Vanger hielt einen Finger in die Höhe. »Von Anfang an habe ich gehofft, sie sei einfach davongelaufen. Doch mit der Zeit begriffen wir, dass es nicht so war. Ich meine, wie könnte ein sechzehnjähriges Mädchen aus behüteten Verhältnissen, auch wenn sie clever ist, alleine klarkommen und sich so verstecken, dass sie nicht entdeckt wird? Woher sollte sie das Geld haben? Und selbst, wenn sie irgendwo einen Job gefunden hätte, brauchte sie immer noch eine Steuerkarte und einen festen Wohnsitz.«

Er hielt zwei Finger in die Höhe.

»Mein nächster Gedanke war natürlich, dass sie irgendeinen Unfall gehabt haben musste. Tun Sie mir bitte den Gefallen und öffnen Sie die oberste Schublade meines Schreibtischs. Dort liegt eine Karte.«

Mikael tat, worum man ihn gebeten hatte, und breitete die Karte auf dem Serviertischchen aus. Die Hedeby-Insel war eine unregelmäßig geformte Landmasse von ungefähr drei Kilometern Länge, die an ihrer breitesten Stelle knapp anderthalb Kilometer breit war. Zum überwiegenden Teil bestand die Insel aus Wald. Besiedelt war sie in unmittelbarer Nähe zur Brücke und rund um den Bootshafen. Auf der anderen Seite der Insel gab es noch einen Hof, Östergården, wo der unglückliche Aronsson seine Fahrt begonnen hatte.

»Erinnern Sie sich bitte, dass sie die Insel nicht verlassen haben kann«, unterstrich Vanger. »Auch hier auf der Hedeby-Insel kann man natürlich einen Unfall haben. Man kann vom Blitz getroffen werden – aber an jenem Tag gab es kein Gewitter. Man kann von einem Pferd niedergetrampelt werden, in einen Brunnen fallen oder in eine Felsspalte stürzen. Es gibt garantiert Hunderte von Möglichkeiten, wie man hier einem Unfall zum Opfer fallen könnte. Über die meisten von ihnen habe ich nachgedacht.«

Er hielt einen dritten Finger hoch.

»Es gibt ein einziges ›Aber‹, und das gilt auch für die dritte Möglichkeit – dass sich das Mädchen wider Erwarten das Leben genommen haben könnte. Irgendwo auf dieser begrenzten Fläche müsste ihr Körper gefunden werden.«

Vanger schlug mit der Hand mitten auf die Karte.

»In den Tagen nach ihrem Verschwinden suchten wir die ganze Insel ab. Die Suchmannschaft durchkämmte jeden Graben, jedes Stückchen Ackerland, jede Felsspalte und sah hinter jedem umgestürzten Baum nach. Wir haben jedes Gebäude, jeden Schornstein, jeden Brunnen, jede Scheune und jeden Dachboden durchsucht.«

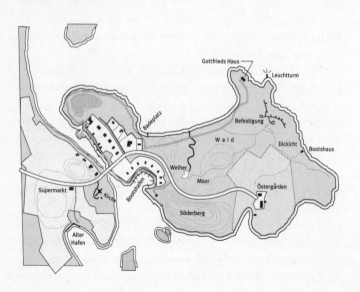

Der alte Mann wandte den Blick von Mikael ab und starrte in die Dunkelheit vor seinem Fenster. Seine Stimme bekam einen tieferen und persönlicheren Klang.

»Den ganzen Herbst suchte ich sie, auch nachdem die Suche offiziell eingestellt worden war. Da ich mich nicht unbedingt meiner Arbeit widmen musste, begann ich Spaziergänge auf der Insel zu machen, von einem Ende zum anderen. Es wurde Winter, ohne dass wir die geringste Spur von ihr gefunden hätten. Im Frühjahr suchte ich immer noch nach ihr, obwohl ich einsah, dass es sinnlos war. Als es Sommer wurde, heuerte ich drei erfahrene Waldarbeiter an, die mit Spürhunden alles noch einmal von vorne absuchten. Sie durchkämmten systematisch jeden Quadratmeter dieser Insel. Zu jenem Zeitpunkt begann ich zu glauben, dass ihr jemand etwas angetan haben könnte. Sie suchten nach einem verborgenen Grab, drei Monate lang, ohne Resultat. Es war, als hätte sie sich in Luft aufgelöst.«

»Ich kann mir eine ganze Menge Alternativen vorstellen«, wandte Mikael ein.

»Ich höre.«

»Sie kann ertrunken sein oder sich ertränkt haben. Das hier ist eine Insel, und Wasser kann fast alles verbergen.«

»Das stimmt. Aber die Wahrscheinlichkeit ist nicht groß. Bedenken Sie: Wenn Harriet einem Unfall zum Opfer gefallen und ertrunken wäre, dann müsste das logischerweise irgendwo hier in der Nähe des Ortes passiert sein. Und vergessen Sie nicht, dass der ganze Wirbel auf der Brücke seit Jahrzehnten das dramatischste Ereignis auf dieser Insel war – nicht gerade der Augenblick, den eine Sechzehnjährige sich aussucht, um einen Spaziergang zur anderen Seite der Insel zu unternehmen.

Noch wichtiger ist jedoch«, fuhr er fort, »dass es hier keine nennenswerten Strömungen gibt und der Wind im Frühherbst aus Norden oder Nordosten kommt. Wenn da etwas ins Wasser fällt, wird es irgendwo an der Küste des Festlands angeschwemmt, und die ist fast durchgehend besiedelt. Wir haben dies natürlich in Erwägung gezogen und suchten alle Stellen ab, wo sie eventuell ins Wasser hätte gehen können. Ich heuerte auch ein paar Jungs vom Taucherclub in Hedestad an. Wir haben hier hauptsächlich Sand- und Lehmboden. Sie verbrachten den Sommer damit, den Meeresgrund im Sund abzusuchen ... keine Spur. Ich bin überzeugt, dass sie nicht im Wasser liegt, ansonsten hätten wir sie gefunden.«

»Aber kann sie nicht auch anderswo verunglückt sein? Die Brücke war zwar gesperrt, aber es ist nicht sonderlich weit bis zum Festland. Sie kann hinübergeschwommen oder gerudert sein.«

»Es war Ende September und das Wasser so kalt, dass Harriet kaum zum Baden gegangen sein dürfte, als hier der große Wirbel losging. Wäre sie zum Festland hinübergeschwommen, hätte man sie außerdem beobachtet. Dutzende von Augen auf der Brücke, und auf der Festlandseite standen zwei- bis dreihundert Menschen am Wasser und schauten dem Spektakel zu.«

»Ein Ruderboot?«

»Nein. An jenem Tag hatten wir hier auf der Insel genau dreizehn Boote. Unten am Bootshafen lagen zwei Petterson-Boote. Es gab sieben Ruderboote, von denen fünf schon an Land geholt worden waren. Neben dem Pfarrhaus lag ein Ruderboot an Land und eins im Wasser. Hinten beim Östergården gab es noch ein Motorboot und ein Ruderboot. All diese Boote sind registriert und lagen an ihrem Platz. Wenn sie hinübergerudert und weggelaufen wäre, hätte sie das Boot aber auf der anderen Seite lassen müssen.«

Vanger hielt einen vierten Finger in die Höhe.

»Damit bleibt nur eine einzige logische Möglichkeit: Harriet verschwand gegen ihren Willen. Jemand hat ihr etwas angetan und ihren Körper verschwinden lassen.«

Lisbeth Salander verbrachte den Weihnachtsmorgen mit der Lektüre von Mikael Blomkvists kontroversem Buch über Wirtschaftsjournalismus. Es hatte zweihundertzehn Seiten, trug den Titel *Die Tempelritter* und den Untertitel *Strafaufgabe für Wirtschaftsjournalisten*. Auf dem von Christer Malm trendy gestalteten Cover war die Stockholmer Börse abgebildet. Er hatte das Motiv mit Photoshop bearbeitet, und erst nach längerem Hinsehen fiel dem Betrachter auf, dass das Gebäude in der Luft schwebte. Es gab keinen festen Boden. Man konnte sich schwerlich ein Cover vorstellen, das besser angedeutet hätte, was im Buch folgen würde.

Salander stellte fest, dass Blomkvist ein ausgezeichneter Stilist war. Das Buch war geradlinig und interessant geschrieben, sodass auch Leute ohne Einblick in die Irrwege des Wirtschaftsjournalismus es mit Gewinn lesen konnten. Der Ton war bissig und sarkastisch, aber vor allem überzeugend.

Das erste Kapitel war eine Art Kriegserklärung, bei der Blomkvist kein Blatt vor den Mund nahm. Das Problem war, dass die schwedischen Wirtschaftsjournalisten seiner Meinung nach in den letzten zwanzig Jahren zu einem Trupp unfähiger Laufburschen verkommen waren, die sich an ihrer eigenen Wichtigkeit berauschten, der Fähigkeit zum kritischen Denken jedoch völlig entbehrten. Letztere Schlussfolgerung zog er, weil so viele von ihnen sich stets damit begnügten, widerspruchslos zu wiederholen, was ihnen von Unternehmensleitern und Börsenspekulanten vorgekaut wurde – auch wenn diese Aussagen offensichtlich irreführend oder schlichtweg falsch waren. Solche Journalisten waren also entweder so naiv oder so leicht hinters Licht zu führen, dass man sie von ihren Aufgaben entbinden sollte, oder – umso schlimmer – sie waren Menschen, die ganz bewusst ihre journalistische Sorgfaltspflicht vernachlässigten. Blomkvist behauptete, er schäme sich oftmals dafür, als Wirtschaftsjournalist bezeichnet zu werden, weil er dadurch Gefahr liefe, mit irgendwelchen Typen in einen Topf geworfen zu werden, die er gar nicht als Journalisten betrachtete.

Blomkvist verglich die Tätigkeit der Wirtschaftsjournalisten mit der Arbeitsweise der Polizeireporter und Auslandskorrespondenten. Er wies darauf hin, was für ein Aufschrei durch die Reihen ginge, würde sich der Gerichtsreporter einer großen Tageszeitung in einem Mordprozess unkritisch die Argumente des Staatsanwalts zu Eigen machen, ohne diejenigen der Verteidigung zu prüfen oder die Familie des Opfers zu interviewen, um sich eine eigene Meinung bilden zu können.

Der Rest des Buches war die Beweiskette, die das einführende Plädoyer untermauern sollte. Ein langes Kapitel widmete sich der Berichterstattung sechs führender Tageszeitungen über ein bekanntes Dotcom-Unternehmen. Er zitierte und fasste zusammen, was die Reporter gesagt und geschrieben hatten, bevor er es mit der tatsächlichen Situation verglich. Als er die Entwicklung des Unternehmens beschrieb, warf er immer wieder einfache Fragen auf, die ein »seriöser Journalist« hätte stellen müssen, die aber keiner aus der ganzen Schar gestellt hatte. Ein hübscher Kunstgriff.

Ein anderes Kapitel behandelte den Telia-Börsengang – dies war der spöttischste und ironischste Abschnitt, in dem einige namentlich genannte Schreiber förmlich niedergemacht wurden, darunter auch ein gewisser William Borg, auf den Mikael besonders wütend zu sein schien. Ein weiteres Kapitel am Ende des Buches verglich das Kompetenzniveau schwedischer und ausländischer Wirtschaftsjournalisten. Blomkvist beschrieb, wie »seriöse Journalisten« der *Financial Times*, des *Economist* und einiger deutscher Wirtschaftsmagazine das entsprechende Thema in ihren Ländern behandelt hatten. Der Vergleich fiel nicht zum Vorteil der schwedischen Kollegen aus. Im Schlusskapitel skizzierte er ein paar Vorschläge, wie man die bedauerliche Situation beheben könnte. Die Schlussworte seines Buches knüpften wieder an die Einleitung an:

Wenn ein Reichstagsreporter unkritisch jeden verab-
schiedeten Beschluss guthieße, oder wenn ein politischer
Berichterstatter einen entsprechenden Mangel an Urteils-
vermögen an den Tag legte – dann würde er gefeuert oder
zumindest in eine Abteilung versetzt, in der er weniger
Schaden anrichten kann. In der Welt der Wirtschaftsjour-
nalisten ignoriert man den normalen journalistischen
Auftrag, alle Angaben kritisch zu prüfen und dem Leser
sachlich zu berichten. Hier huldigt man vielmehr dem
erfolgreichsten Schwindler. Hier wird das Schweden der
Zukunft geschmiedet, und hier wird das letzte Vertrauen
in die Journalisten als Berufsstand untergraben.

Der Ton in diesem Buch war schonungslos, und Salander konnte nur zu gut die aufgeregten Diskussionen verstehen, die im Branchenblatt *Der Journalist*, in manchen Wirtschaftsmagazinen und auf den Wirtschafts- und Titelseiten einiger Tageszeitungen entbrannten. Auch wenn nur wenige Wirtschaftsjournalisten namentlich im Buch Erwähnung fanden – Lisbeth Salander schätzte die Branche hinreichend klein ein, sodass jeder wusste, wer gemeint war, wenn bestimmte Zeitungen zitiert wurden. Blomkvist hatte sich bittere Feinde geschaffen, was sich in schadenfrohen Kommentaren zum Urteil in der Wennerström-Affäre widerspiegelte.

Sie klappte das Buch zu und betrachtete das Autorenfoto auf der Rückseite. Mikael Blomkvist war im Profil fotografiert worden. Der dunkelblonde Pony fiel ihm nachlässig in die Stirn, als wäre er von einem Windstoß erfasst worden, kurz bevor der Fotograf auf den Auslöser drückte. Wahrscheinlicher war jedoch, dass ihn der Fotograf Christer Malm so gestylt hatte. Er guckte mit ironischem Lächeln und einem gewollt jungenhaften und charmanten Blick in die Kamera. *Ein ziemlich gut aussehender Mann. Auf dem Weg zu drei Monaten Gefängnis.*

»Hallo, Kalle Blomkvist«, sagte sie laut zu sich selbst. »Du bist ganz schön selbstsicher, was?«

Gegen Mittag fuhr Lisbeth Salander ihr iBook hoch und öffnete das Mailprogramm Eudora. Sie formulierte die Nachricht in einer einzigen, prägnanten Zeile:

[Hast du Zeit?]

Sie unterschrieb mit »Wasp« und schickte die Mail an »plague_xyz_666@hotmail.com«. Zur Sicherheit kodierte sie die einfache Nachricht mit dem Verschlüsselungsprogramm PGP.

Dann zog sie sich eine schwarze Jeans, feste Winterschuhe, einen Rollkragenpullover und eine dunkle Seglerjacke an, dazu passende blassgelbe Fingerhandschuhe, Mütze und Halstuch. Sie nahm die Piercingringe aus den Augenbrauen und dem Nasenflügel, legte einen zartrosa Lippenstift auf und musterte sich im Badezimmerspiegel. Sie sah aus wie jeder andere Sonntagsspaziergänger auch und betrachtete ihre Kleidung als anständige Tarnkluft für eine Expedition hinter die feindlichen Linien. Sie nahm die U-Bahn von Zinkensdamm bis zum Östermalmstorg und ging dann in Richtung Strandvägen. Während sie den Fußweg in der Mitte der Allee entlangspazierte, las sie die Hausnummern. Als sie fast bei der Djurgårds-Brücke angekommen war, blieb sie stehen und sah sich den Eingang an, den sie gesucht hatte. Sie überquerte die Straße und wartete ein paar Meter vom Eingang entfernt.

Wie sie feststellte, gingen die meisten Menschen, die im kühlen Weihnachtswetter einen Spaziergang machten, auf dem Kai; nur wenige benutzten den Bürgersteig an der Häuserseite. Sie musste fast fünfundzwanzig Minuten geduldig warten, bis sich schließlich eine ältere Frau mit Spazierstock vom Djurgården her näherte. Sie blieb stehen und musterte

Salander misstrauisch. Lisbeth nickte ihr freundlich zu. Die Dame mit dem Spazierstock grüßte zurück und schien nachzudenken, woher sie das junge Mädchen nur kannte. Salander drehte ihr den Rücken zu und ging ein paar Schritte in die andere Richtung, als würde sie ungeduldig auf jemand warten. Als sie wieder kehrtmachte, stand die alte Dame an der Haustür und tippte umständlich den Zahlencode ein. Salander konnte problemlos die Kombination 1260 erkennen.

Sie wartete fünf Minuten, bis sie zur Tür ging und überprüfte, ob sie sich auch nicht getäuscht hatte. Als sie die Zahl eingab, klickte das Schloss. Sie öffnete die Tür und sah sich im Treppenhaus um. Kurz hinter dem Eingang war eine Überwachungskamera angebracht, auf die sie einen kurzen Blick warf, um sie dann zu ignorieren – die Kamera gehörte zu den Modellen, die Milton Security vertrieb, und wurde erst aktiviert, wenn im Haus ein Einbruchs- oder Überfallsalarm losging. Weiter links, neben einem antiken Aufzug, befand sich eine Tür mit einem weiteren Nummernschloss. Sie machte einen Test und stellte fest, dass Eingangstür, Kellergeschoss und der Raum mit den Mülltonnen dieselbe Zahlenkombination hatten. *Nachlässig, sehr nachlässig.* Sie verbrachte drei Minuten mit der Untersuchung des Kellers, in dem sie eine unverschlossene Waschküche und einen Putzraum fand. Anschließend öffnete sie mit Hilfe der Dietriche, die sie sich bei Miltons Schließanlagenexperten »ausgeliehen« hatte, eine abgesperrte Tür, die höchstwahrscheinlich zum Versammlungsraum für die Eigentümergemeinschaft führte. Ganz hinten gab es noch einen Hobbyraum. Zu guter Letzt fand sie, wonach sie gesucht hatte: ein kleines Kabuff, in dem die elektrischen Sicherheits- und Kontrollvorrichtungen untergebracht waren. Sie sah sich Zähler und Sicherungskästen genau an und zückte dann eine Canon-Digitalkamera in der Größe einer Zigarettenschachtel. Sie machte drei Aufnahmen.

Auf dem Rückweg warf sie einen sekundenschnellen Blick auf die Namensschilder neben dem Aufzug und las den Namen der obersten Wohnung: *Wennerström*.

Dann verließ sie das Haus und eilte zum Nationalmuseum, wo sie die Cafeteria aufsuchte, um sich aufzuwärmen und einen Kaffee zu trinken. Nach ungefähr einer halben Stunde fuhr sie wieder nach Söder zurück und ging in ihre Wohnung.

Sie fand eine Antwort von »plague_xyz_666@hotmail. com« in ihrer Mailbox. Nachdem sie sie per PGP entschlüsselt hatte, bestand die Antwort kurz und bündig aus der Zahl 20.

6. Kapitel
Donnerstag, 26. Dezember

Mikael Blomkvists Zeitlimit von dreißig Minuten war bereits deutlich überschritten. Es war halb fünf, und an den Nachmittagszug war gar nicht mehr zu denken. Es bestand jedoch immer noch die Möglichkeit, den Abendzug um 21.30 Uhr zu erwischen. Er stand am Fenster und massierte sich den Nacken, während er die erleuchtete Kirchenfassade auf der anderen Seite der Brücke betrachtete. Henrik Vanger hatte ihm ein Album mit Zeitungsausschnitten aus den lokalen und den überregionalen Zeitungen gezeigt, die sich mit dem Ereignis befassten. Es hatte eine Zeit lang ein ziemlich großes Medieninteresse gegeben – *Mädchen aus Industriellenfamilie spurlos verschwunden.* Aber da keine Leiche gefunden wurde und es keinen Durchbruch in den Ermittlungen gab, war das Verschwinden Harriet Vangers siebenunddreißig Jahre später eine vergessene Geschichte. Die vorherrschende Theorie in den Artikeln aus den späten sechziger Jahren war die, dass das Mädchen ertrunken und aufs Meer hinausgespült worden war – eine Tragödie, die jede Familie treffen könne.

Mikael hatte sich wider besseres Wissen von der Erzählung faszinieren lassen, doch als Henrik Vanger um eine Pause bat, hatte er seine Skepsis zurückgewonnen. Aber der alte Mann war noch nicht fertig, und Mikael hatte ihm schließlich doch versprochen, sich die ganze Geschichte anzuhören.

»Was glauben Sie selbst, was mit ihr passiert ist?«, fragte Mikael, als Vanger wieder ins Zimmer kam.

»Normalerweise haben hier ungefähr fünfundzwanzig Personen ihren festen Wohnsitz, aber aufgrund des Familientreffens waren an jenem Tag zirka sechzig auf der Insel. Von diesen können zwanzig bis fünfundzwanzig Personen mehr oder weniger ausgeschlossen werden. Ich glaube, dass einer von den übrigen – und zwar mit großer Wahrscheinlichkeit jemand aus der Familie – Harriet getötet und die Leiche versteckt hat.«

»Ich habe Dutzende von Einwänden.«

»Lassen Sie hören.«

»Natürlich würde ich als Erstes einwenden, dass, sollte tatsächlich jemand ihre Leiche versteckt haben, man sie gefunden hätte, wenn wirklich so akribisch gesucht wurde, wie Sie es geschildert haben.«

»Um der Wahrheit die Ehre zu geben, die Suche war noch gründlicher, als ich erzählt habe. Ich begann erst dann an einen Mord zu denken, als mir aufging, wie ihre Leiche verschwunden sein könnte. Ich kann es nicht beweisen, aber es liegt auf jeden Fall im Bereich des Denkbaren.«

»Okay, schießen Sie los.«

»Harriet verschwand irgendwann gegen 15 Uhr. Um circa 14.55 Uhr wurde sie vom Pastor Otto Falk gesehen, der zum Unfallort unterwegs war. Ungefähr zur selben Zeit traf ein Fotograf der Lokalzeitung ein, der im Laufe der nächsten Stunde jede Menge Bilder des Dramas schoss. Wir – die Polizei – haben uns die Aufnahmen genau angesehen und konnten feststellen, dass Harriet auf keinem der Bilder auftaucht. Alle anderen, die in der Stadt waren, tauchen hingegen sehr wohl auf, wenn vielleicht auch nur am Bildrand – abgesehen einmal von den ganz kleinen Kindern.«

Henrik Vanger holte ein neues Fotoalbum und legte es vor Michael auf den Tisch.

»Das hier sind Bilder von jenem Tag. Das erste wurde beim Festumzug in Hedestad gemacht. Das Bild wurde ungefähr um 13.15 Uhr vom selben Fotografen aufgenommen, und Harriet ist darauf tatsächlich zu sehen.«

Das Bild war aus dem zweiten Stock eines Hauses geschossen worden und zeigte eine Straße, auf der gerade Umzugswagen mit Clowns und Mädchen in Badeanzügen vorbeifuhren. Auf dem Bürgersteig drängten sich die Zuschauer. Henrik Vanger deutete auf eine Person in der Menge.

»Das ist Harriet, ungefähr zwei Stunden vor ihrem Verschwinden. Sie war mit ein paar Klassenkameraden in der Stadt. Das ist das letzte Bild von ihr. Aber es gibt noch ein weiteres interessantes Foto.«

Henrik Vanger blätterte weiter. Der Rest des Albums enthielt gut hundertachtzig Bilder – sechs Filme – von der Katastrophe auf der Brücke. Blomkvist hatte beinahe Skrupel, sich die scharfen Schwarzweißfotos anzusehen. Der Fotograf verstand sein Handwerk und hatte das ganze Chaos jenes Unfalls eingefangen. Viele Bilder konzentrierten sich auf die Aktivitäten rund um den umgestürzten Tanklaster. Mikael erkannte problemlos einen gestikulierenden, heizölverschmierten sechsundvierzigjährigen Henrik Vanger.

»Das hier ist mein Bruder Harald.« Der Alte deutete auf einen Mann, der noch sein feines Sakko anhatte und in gebeugter Haltung auf irgendetwas in dem Autowrack zeigte, in dem Aronsson eingeklemmt war. »Harald ist ein unangenehmer Mensch, aber ich glaube, dass man ihn von der Liste der Verdächtigen streichen kann. Abgesehen von einer kurzen Zeitspanne, in der er zurück zum Hof laufen musste, um sich andere Schuhe anzuziehen, war er die ganze Zeit auf der Brücke.«

Henrik Vanger blätterte weiter. Ein Bild folgte dem anderen. Fokus auf den Tanklaster. Fokus auf die Schaulustigen am

Ufer. Fokus auf Aronssons Auto. Totalaufnahmen. Indiskrete Fotos mit dem Teleobjektiv.

»Das hier ist ein interessantes Bild«, sagte Henrik Vanger. »Soweit wir feststellen konnten, wurde es ungefähr zwischen 15.40 Uhr und 15.45 Uhr aufgenommen, also knapp fünfundvierzig Minuten nachdem Harriet Pastor Falk begegnet war. Achten Sie auf unser Haus, das Fenster Mitte zweiter Stock. Das ist Harriets Zimmer. Auf dem vorherigen Bild ist das Fenster geschlossen, hier ist es offen.«

»Jemand war zu diesem Zeitpunkt in Harriets Zimmer.«

»Ich habe alle gefragt, keiner hat zugegeben, das Fenster geöffnet zu haben.«

»Was bedeutet, dass es entweder Harriet selbst war, die zu diesem Zeitpunkt noch lebte, oder dass Sie jemand angelogen hat. Aber warum sollte ein Mörder in ihr Zimmer gehen und das Fenster aufmachen? Und warum sollte Sie jemand anlügen?«

Henrik Vanger schüttelte den Kopf. Es gab keine Antwort.

»Harriet verschwand irgendwann gegen 15 Uhr oder unmittelbar danach. Diese Bilder vermitteln eine ungefähre Vorstellung davon, wer sich wo aufhielt in diesem Zeitraum. Deswegen kann ich bestimmte Personen von der Liste der Verdächtigen streichen. Aus demselben Grund kann ich eine gewisse Zahl von Personen ausmachen, die sich zu dieser Zeit nicht auf den Bildern finden und daher zu den Verdächtigen gerechnet werden müssen.«

»Sie haben die Frage nicht beantwortet, wie die Leiche Ihrer Meinung nach verschwand.«

»Es gibt mehrere realistische Möglichkeiten. Irgendwann gegen 15 Uhr schlägt der Mörder zu. Er oder sie hat vermutlich keine Waffe verwendet – sonst hätten wir vielleicht Blutspuren entdeckt. Ich tippe darauf, dass Harriet erwürgt wurde, und ich tippe darauf, dass es genau hier geschah, hinter der Hofmauer – eine Stelle, die der Fotograf nicht sehen konnte und die, vom Haus betrachtet, im toten Winkel liegt. Es gibt einen kleinen Schleichweg, der vom Pfarrhaus – wo sie ja zum letzten Mal gesehen wurde – zu meinem Haus führt. Heute ist dort eine bepflanzte Fläche und Rasen, aber in den sechziger Jahren war es ein Kieshof, der als Parkplatz diente. Der Mörder musste einfach nur einen Kofferraum öffnen und Harriet hineinlegen. Als wir am nächsten Tag die Umgebung absuchten, dachte keiner an ein Verbrechen – wir konzentrierten uns auf die Strände, die Gebäude und das Waldstück in der Nähe der Siedlung.«

»Niemand hat also bei den Autos den Kofferraum kontrolliert.«

»Und am Abend des nächsten Tages hatte der Mörder freie Bahn, konnte mit seinem Auto die Brücke überqueren und die Leiche irgendwo anders verstecken.«

Mikael nickte. »Unter den Augen aller, die nach dem verschwundenen Mädchen suchten. Wenn es sich so zugetragen hat, handelt es sich um einen äußerst kaltblütigen Scheißkerl.«

Henrik Vanger lachte bitter. »Sie haben soeben eine treffende Beschreibung für eine Menge Mitglieder der Familie Vanger geliefert.«

Sie setzten ihr Gespräch während des Abendessens um sechs Uhr fort. Anna hatte Hasenbraten mit Johannisbeergelee und Kartoffeln aufgetragen. Henrik Vanger kredenzte einen üppigen Rotwein. Mikael konnte später noch den letzten Zug erwischen. Es war an der Zeit, den Besuch abzurunden, fand er.

»Ich gebe zu, dass Sie mir da eine faszinierende Geschichte erzählt haben. Aber ich habe nicht ganz verstanden, warum Sie es taten.«

»Das habe ich Ihnen doch schon gesagt. Ich will den Schweinehund überführen, der die Enkelin meines Bruders ermordet hat. Und dazu will ich Sie engagieren.«

»Wie stellen Sie sich das vor?«

Henrik Vanger legte Messer und Gabel ab. »Mikael, siebenunddreißig Jahre lang habe ich mir den Kopf zermartert, was mit Harriet passiert ist.«

Er verstummte, nahm die Brille ab und betrachtete einen unsichtbaren Schmierfleck auf dem Glas. Dann hob er den Blick und musterte Mikael.

»Wenn ich ganz ehrlich sein soll, war Harriets Verschwinden der Grund, warum ich allmählich das Ruder in der Unternehmensleitung aus der Hand gab. Ich verlor die Lust. Ich wusste, dass es in meiner Umgebung einen Mörder gab, und die Grübeleien und die Suche nach der Wahrheit gingen zu Lasten meiner Arbeit. Das Schlimmste ist, dass die Bürde mit den Jahren nicht leichter wurde – im Gegenteil. Um 1970 herum hatte ich eine Phase, da wollte ich meinen Frieden haben. Damals war Martin in die Geschäftsführung eingestiegen und konnte mir mehr und mehr abnehmen. 1976 trat ich zurück, und Martin wurde Geschäftsführer. Ich hatte immer noch einen Platz im Vorstand, aber nach meinem fünfzigsten Geburtstag ließ ich es langsamer angehen. In den letzten sechsunddreißig Jahren gab es keinen Tag, an dem ich nicht über Harriets Verschwinden nachgedacht hätte. Sie finden vielleicht, dass ich davon besessen bin – zumindest finden das die meisten meiner Verwandten. Und wahrscheinlich stimmt das auch.«

»Es war ein schreckliches Ereignis.«

»Mehr als das. Es hat mein Leben zerstört. Je mehr Zeit verging, umso stärker wurde mir diese Tatsache bewusst. Glauben Sie, sich selbst gut zu kennen?«

»Na ja, natürlich denke ich das.«

»Ich auch. Ich werde diese Geschichte einfach nicht los. Aber meine Motive haben sich im Laufe der Jahre geändert. Am Anfang war es Trauer. Ich wollte sie finden, um sie zumindest begraben zu können. Es ging mir darum, Harriet Gerechtigkeit widerfahren zu lassen.«

»Inwiefern hat sich das geändert?«

»Heute geht es mir vor allem darum, diesen kaltblütigen Scheißkerl zu finden. Und je älter ich werde, desto mehr Zeit nimmt dieses Hobby in Anspruch.«

»Hobby?«

»Ja, ich würde es tatsächlich so nennen. Als die polizeilichen Ermittlungen im Sande verliefen, machte ich weiter. Ich habe mich bemüht, systematisch und wissenschaftlich zu Werke zu gehen. Ich habe jegliche Art von Informationen gesammelt – diese Fotos, den Untersuchungsbericht der Polizei ... und wenn mir Leute erzählten, was sie an jenem Tag gemacht hatten, habe ich alles sorgfältig notiert. Ich habe also mein halbes Leben damit zugebracht, Informationen über einen einzigen Tag zu sammeln.«

»Ist Ihnen klar, dass der Mörder nach sechsunddreißig Jahren vielleicht selbst schon tot und begraben ist?«

»Das glaube ich nicht.«

Mikael hob die Augenbrauen bei dieser entschiedenen Antwort.

»Lassen Sie uns fertig essen, dann gehen wir wieder hoch. Ein Detail fehlt noch, dann ist meine Erzählung komplett. Es ist von allen Details das verwirrendste.«

Lisbeth Salander parkte den Corolla Automatik beim Pendlerbahnhof in Sundbyberg. Sie hatte den Toyota aus dem Fuhrpark von Milton Security ausgeliehen. Zwar hatte sie nicht wirklich um Erlaubnis gefragt, doch andererseits hatte Armanskij ihr auch nicht ausdrücklich verboten, eines von Miltons Autos zu benutzen. Früher oder später muss ich mir ein eigenes Fahrzeug anschaffen, dachte sie. Sie hatte kein Auto, dafür aber ein Motorrad – eine gebrauchte Kawasaki mit 125 Kubik, die sie im Sommer benutzte. Im Winter stand die Maschine in ihrem Kellerabteil.

Sie spazierte zum Högklintavägen und klingelte um Punkt

18 Uhr an der Sprechanlage. Nach ein paar Sekunden klickte das Schloss, sie ging zwei Stockwerke hoch und klingelte an der Tür mit dem bescheidenen Namen Svensson. Sie hatte keine Ahnung, wer Svensson war oder ob es in der Wohnung überhaupt eine Person dieses Namens gab.

»Hallo, Plague«, sagte sie zur Begrüßung.

»Wasp. Du besuchst mich auch bloß, wenn du was brauchst.«

Er war 1 Meter 89 groß und wog 152 Kilo – ein stark übergewichtiger Mann, drei Jahre älter als Lisbeth Salander. Sie selbst war 1 Meter 54 groß bei einem Gewicht von 42 Kilo und hatte sich neben Plague stets wie ein Zwerg gefühlt. In seiner Wohnung war es wie immer dunkel. Der Lichtschein der einzigen eingeschalteten Lampe sickerte aus seinem Schlafzimmer, das ihm auch als Arbeitszimmer diente, auf den Korridor. Es roch dumpf und muffig.

»Weil du dich nie wäschst, Plague, und weil es hier drin nach Affenhaus riecht. Für den Fall, dass du mal vor die Tür gehen solltest, kann ich dir eine Seife empfehlen. Gibt's im Supermarkt.«

Er lächelte dünn, gab aber keine Antwort und bedeutete ihr, mit in die Küche zu kommen. Er setzte sich an den Küchentisch, ohne Licht anzumachen. Die Beleuchtung kam hauptsächlich von der Straßenlaterne vor dem Küchenfenster.

»Ich meine, ich bin ja auch nicht gerade der Champ, wenn's ums Aufräumen geht, aber wenn die alten Milchkartons nach Verwesung stinken, dann pack ich das Zeug und schmeiß es weg.«

»Ich bin Frührentner aus Krankheitsgründen«, sagte er. »Ich bin sozial inkompetent.«

»Deswegen hat der Staat dir also eine Wohnung gegeben und dich vergessen. Hast du keine Angst, dass sich die Nachbarn irgendwann mal beklagen könnten und das Sozialamt nachgucken kommt? Dann landest du am Ende noch im Irrenhaus.«

»Hast du was für mich?«

Sie öffnete den Reißverschluss ihrer Jackentasche und holte 5000 Kronen heraus.

»Mehr kann ich mir nicht leisten. Es ist mein eigenes Geld, und ich kann dich ja schlecht mit den Spesen verrechnen.«

»Was willst du?«

»Die Manschette, von der du vor zwei Monaten erzählt hast? Hast du sie hingekriegt?«

Er lächelte und legte einen Gegenstand vor ihr auf den Tisch.

»Erklär mir, wie sie funktioniert.«

In der folgenden Stunde hörte sie aufmerksam zu. Dann probierte sie die Manschette aus. Plague war vielleicht sozial inkompetent. Aber er war zweifellos ein Genie.

Henrik Vanger blieb vor seinem Schreibtisch stehen und wartete, bis er wieder Mikaels volle Aufmerksamkeit hatte. Mikael sah auf seine Armbanduhr. »Sie sprachen von einem verwirrenden Detail?«

Vanger nickte. »Ich habe am 1. November Geburtstag. Als Harriet acht Jahre alt war, gab sie mir ein Geburtstagsgeschenk, ein Bild. Eine gepresste Blume in einem schlichten Rahmen.«

Vanger ging um den Schreibtisch herum und zeigte auf die erste Blume, eine Glockenblume. Sie war amateurhaft und ungeschickt aufgeklebt worden.

»Das erste Bild. Ich habe es 1958 bekommen.«

Er wies auf das nächste Bild.

»1959: Scharfer Hahnenfuß. 1960: Margerite. Es wurde eine Tradition. Sie bastelte mir das Bild im Sommer und hob es bis zu meinem Geburtstag auf. Ich habe es immer an dieser Wand hier aufgehängt. 1966 verschwand sie, und die Tradition wurde unterbrochen.«

Henrik Vanger verstummte und deutete auf eine Lücke in der Bilderreihe. Mikael spürte, wie sich ihm plötzlich die Nackenhaare aufstellten. Die ganze Wand war voll mit gepressten Blumen.

»1967, ein Jahr nachdem sie verschwunden war, bekam ich an meinem Geburtstag diese Blume. Es ist ein Veilchen.«

»Wie haben Sie die Blume bekommen?«, fragte Mikael leise.

»Mit der Post, in Geschenkpapier verpackt und in einem wattierten Umschlag. In Stockholm abgeschickt. Kein Absender. Keine Nachricht.«

»Sie wollen damit sagen, dass …« Mikael wedelte mit der Hand.

»Genau. Jedes verdammte Jahr an meinem Geburtstag. Können Sie sich vorstellen, was für ein Gefühl das ist? Das ist gegen mich gerichtet, als ob der Täter mich quälen wollte. Wieder und wieder habe ich mich gefragt, ob Harriet beseitigt wurde, weil jemand eigentlich mich treffen wollte. Es war kein Geheimnis, dass Harriet und ich ein besonderes Verhältnis hatten und dass ich sie als meine eigene Tochter betrachtete.«

»Was soll ich für Sie tun?«, fragte Mikael entschieden.

Nachdem Lisbeth Salander den Corolla in der Tiefgarage von Milton Security abgestellt hatte, nutzte sie die Gelegenheit, die Bürotoilette zu benutzen. Sie öffnete die Tür mit ihrer Magnetkarte und fuhr direkt in den dritten Stock, um nicht durch den Haupteingang im zweiten Stock gehen zu müssen, wo die Nachtwache saß. Sie suchte die Toilette auf und holte sich eine Tasse Kaffee von der Espressomaschine, die Dragan Armanskij angeschafft hatte, nachdem ihm klar geworden war, dass sie niemals Kaffee kochen würde, nur weil es von ihr erwartet wurde. Anschließend ging sie in ihr Büro und hängte ihre Lederjacke über einen Stuhl.

Ihr Büro war ein zwei mal drei Meter großer Raum, der sich vor einer Glaswand befand. Er war mit einem Schreibtisch und einem älteren Dell PC ausgestattet, einem Bürostuhl, einem Papierkorb, einem Telefon und einem Bücherregal. Im

Bücherregal lagen ein Satz Telefonbücher und drei leere Notizblöcke. Die beiden Schreibtischschubladen enthielten ein paar ausgediente Kugelschreiber, Büroklammern und einen Notizblock. Auf dem Fensterbrett stand eine tote Blume mit braunen verwelkten Blättern. Lisbeth Salander musterte sie einen Moment lang nachdenklich, bevor sie die Blume entschlossen in den Papierkorb warf.

Sie hatte selten etwas in ihrem Büro zu erledigen und besuchte es vielleicht ein halbes Dutzend Mal pro Jahr, hauptsächlich, wenn sie einen Bericht kurz vor der Abgabe noch einmal ungestört überarbeiten wollte. Dragan Armanskij hatte darauf bestanden, dass sie einen eigenen Platz bekam. Sein Hintergedanke war, dass sie sich als ein Teil des Unternehmens fühlen sollte, auch wenn sie nur auf freier Basis arbeitete. Sie selbst hatte Armanskij im Verdacht, dass er hoffte, auf diese Art ein wachsames Auge auf sie haben zu können und sich in ihre Privatangelegenheiten zu mischen. Anfangs hatte sie sich ein größeres Zimmer mit einem Kollegen teilen sollen. Aber da sie nie dort war, hatte Armanskij ihr schließlich den freien Verschlag zugewiesen.

Lisbeth Salander holte die Manschette hervor, die sie von Plague bekommen hatte. Sie legte sie vor sich auf den Tisch und betrachtete sie nachdenklich, während sie an ihrer Unterlippe knabberte und überlegte.

Es war nach elf Uhr abends, und sie war alleine auf der Etage.

Sie stand auf, ging zum Büro am Ende des Flurs und drückte versuchsweise die Klinke zu Dragan Armanskijs Büro herunter. Abgeschlossen. Sie sah sich um.

Die Wahrscheinlichkeit, dass am 26. Dezember gegen Mitternacht jemand auf dem Korridor auftauchen würde, ging gegen null. Sie öffnete die Tür mit einem heimlich angefertigten Duplikat des Generalschlüssels, das sie sich vor ein paar Jahren besorgt hatte.

Armanskijs geräumiges Zimmer enthielt einen Schreibtisch, Besucherstühle und einen kleinen Konferenztisch in der Ecke, der acht Personen Platz bot. Es war tadellos aufgeräumt. Sie hatte lange nicht mehr bei ihm herumgeschnüffelt, doch wenn sie jetzt schon einmal hier war ... Sie verbrachte eine Stunde an seinem Schreibtisch und brachte sich in diversen Angelegenheiten auf den neuesten Stand: wie die Suche nach einem mutmaßlichen Unternehmensspion voranging, welche Personen in ein Unternehmen eingeschleust wurden, in dem eine organisierte Diebesbande ihr Unwesen trieb, und welche Maßnahmen ergriffen worden waren, um eine Klientin zu schützen, die befürchtete, dass ihre Kinder von ihrem Vater entführt werden könnten.

Zum Schluss legte sie alle Papiere wieder so zurück, wie sie sie vorgefunden hatte, schloss die Tür von Armanskijs Büro ab und ging nach Hause in die Lundagata. Sie war zufrieden mit diesem Tag.

Mikael Blomkvist schüttelte abermals den Kopf. Henrik Vanger hatte hinter seinem Schreibtisch Platz genommen und sah Mikael ruhig an, als wäre er schon auf alle Einwände vorbereitet.

»Ich weiß nicht, ob wir jemals die Wahrheit erfahren, aber ich will nicht sterben, ohne einen letzten Versuch unternommen zu haben«, sagte der alte Mann. »Ich möchte Sie beauftragen, sämtliches Beweismaterial noch ein letztes Mal durchzugehen.«

»Das ist doch verrückt«, sagte Mikael.

»Warum sollte das verrückt sein?«

»Ich habe genug gehört, Henrik. Ich verstehe Ihre Trauer, aber ich möchte auch ehrlich zu Ihnen sein. Was Sie von mir wollen, ist nichts als Verschwendung von Zeit und Geld. Sie bitten mich, die Lösung eines Mysteriums herbeizuführen, an dem Kriminalpolizisten und professionelle Ermittler über die

Jahre gescheitert sind, obwohl sie auf viel mehr Erfahrung und bessere Hilfsmittel zurückgreifen konnten als ich. Sie bitten mich, ein Verbrechen aufzuklären, das vor fast vierzig Jahren begangen wurde. Wie soll ich das denn anstellen?«

»Wir haben noch nicht über Ihr Honorar gesprochen«, gab Henrik Vanger zurück.

»Das ist auch gar nicht nötig.«

»Wenn Sie Nein sagen, kann ich Sie nicht zwingen. Aber hören Sie sich an, was ich Ihnen anbieten möchte. Dirch Frode hat bereits einen Vertrag aufgesetzt. Einzelheiten können wir noch verhandeln, aber der Vertrag ist einfach, es fehlt nur noch Ihre Unterschrift.«

»Es ist zwecklos, Henrik. Ich kann das Rätsel von Harriets Verschwinden nicht lösen.«

»Das brauchen Sie auch gar nicht. Alles, was ich will, ist, dass Sie Ihr Bestes tun. Wenn es Ihnen nicht gelingt, ist es Gottes Wille oder – falls Sie nicht an Gott glauben – eben Schicksal.«

Mikael seufzte. Ihm wurde immer unbehaglicher zumute und er wollte seinen Besuch in Hedeby gerne beenden, doch schließlich gab er nach.

»Erklären Sie mir, was Sie wollen.«

»Ich will, dass Sie ein Jahr lang hier in Hedeby wohnen und arbeiten. Ich will, dass Sie den ganzen Untersuchungsbericht zu Harriets Verschwinden durchgehen, Seite für Seite. Ich will, dass Sie alles mit unvoreingenommenen Augen untersuchen. Ich will, dass Sie alle alten Schlussfolgerungen infrage stellen, wie es sich für einen Journalisten gehört, wenn er Recherchen betreibt. Ich will, dass Sie Details nachsehen, die ich und die Polizei und andere Ermittler möglicherweise übersehen haben.«

»Sie bitten mich, für ein Jahr mein ganzes Leben und meine Karriere aufzugeben, um etwas zu tun, das auf völlige Zeit-verschwendung hinausläuft?«

Plötzlich lächelte Henrik Vanger.

»Was Ihre Karriere angeht, sind wir uns wohl einig, dass sie momentan doch ziemlich auf Eis liegt.«

Darauf konnte Mikael nichts entgegnen.

»Ich will Ihnen ein Jahr Ihres Lebens abkaufen. Für einen Job. Der Lohn ist besser als für jedes andere Angebot, das Sie jemals kriegen könnten. Ich bezahle Ihnen 200 000 Kronen im Monat, also 2,4 Millionen Kronen, wenn Sie einwilligen und ein ganzes Jahr bleiben.«

Mikael saß stumm in seinem Sessel.

»Ich mache mir keine Illusionen. Ich weiß, dass Ihre Erfolgschancen minimal sind. Aber wenn Sie das Rätsel wider Erwarten doch lösen sollten, verdoppele ich Ihr Honorar auf 4,8 Millionen Kronen. Ach, seien wir großzügig – runden wir's auf 5 Millionen auf.«

Henrik Vanger lehnte sich zurück und legte den Kopf schief. »Ich kann das Geld auf jedes beliebige Bankkonto in der Welt einzahlen. Oder Sie bekommen das Geld bar in einer Reisetasche, dann können Sie selbst entscheiden, ob Sie es versteuern wollen.«

»Das ist doch ... krank«, stotterte Mikael.

»Warum?«, fragte Henrik Vanger ruhig. »Ich bin über achtzig und immer noch im Vollbesitz meiner geistigen Kräfte. Ich habe ein großes Privatvermögen, über das ich verfügen kann, wie ich will. Ich habe keine Kinder und verspüre nicht die geringste Lust, mein Geld meinen verhassten Verwandten zu schenken. Ich habe mein Testament gemacht: Den Großteil meines Geldes vermache ich dem WWF. Ein paar wenige Personen, die mir nahestehen, bekommen eine ordentliche Summe – zum Beispiel Anna.«

Mikael Blomkvist schüttelte den Kopf.

»Versuchen Sie, mich zu verstehen. Ich bin alt und werde bald sterben. Ich wünsche mir nur eines auf der Welt – eine Antwort auf die Frage, die mich fast vier Jahrzehnte lang gequält hat. Ich glaube nicht, dass ich die Antwort bekommen werde, aber ich habe ausreichend private Mittel, um einen letzten Versuch zu unternehmen. Warum sollte es unsinnig sein, einen Teil meines Vermögens für diesen Zweck zu verwenden? Das bin ich Harriet schuldig. Und ich bin es mir selbst schuldig.«

»Sie bezahlen ein paar Millionen Kronen für nichts und wieder nichts. Alles, was ich tun muss, ist also diesen Vertrag zu unterzeichnen und dann ein Jahr lang Däumchen zu drehen.«

»Das werden Sie nicht tun. Im Gegenteil – Sie werden härter arbeiten als je zuvor in Ihrem Leben.«

»Wie wollen Sie sich da so sicher sein?«

»Weil ich Ihnen einen weiteren Anreiz bieten kann – etwas, das Sie nicht für Geld kaufen können, sich aber mehr wünschen als alles andere auf dieser Welt.«

»Was sollte das sein?«

Henrik Vangers Augen verengten sich.

»Ich kann Ihnen Hans-Erik Wennerström ausliefern. Ich kann beweisen, dass er ein Betrüger ist. Er hat seine Karriere nämlich vor fünfunddreißig Jahren bei mir begonnen, und ich werde Ihnen seinen Kopf auf dem Silbertablett liefern. Lösen Sie das Rätsel, und Sie können Ihre Niederlage vor Gericht zur Reportage des Jahres ummünzen.«

7. Kapitel
Freitag, 3. Januar

Erika stellte die Kaffeekanne auf dem Tisch ab und drehte Mikael den Rücken zu. Sie stand am Fenster seiner Wohnung und blickte über die Altstadt. Es war der 3. Januar, 9 Uhr vormittags. Der Schnee war über Neujahr vom Regen fortgespült worden.

»Ich habe diesen Ausblick immer geliebt«, sagte sie. »Für eine Wohnung wie diese könnte ich glatt Saltsjöbaden aufgeben.«

»Du kannst gerne dein High-Society-Reservat verlassen und hier einziehen. Du hast ja die Schlüssel.« Er machte seinen Koffer zu und stellte ihn in den Flur. Erika drehte sich um und sah ihn zweifelnd an.

»Das kann doch nicht dein Ernst sein«, sagte sie. »Wir stecken in der allergrößten Krise, und du packst einfach zwei Koffer, um dich am Ende der Welt niederzulassen.«

»In Hedestad. Ein paar Stunden mit dem Zug. Und es ist doch nicht für immer.«

»Du könntest genauso gut nach Ulan Bator fahren. Begreifst du nicht, dass es so aussieht, als würdest du mit eingezogenem Schwanz das Feld räumen?«

»Das tu ich ja auch. Außerdem muss ich dieses Jahr noch eine Gefängnisstrafe absitzen.«

Christer Malm saß auf Mikaels Sofa. Er fühlte sich unwohl. Zum ersten Mal seit der Gründung von *Millennium* erlebte er, wie Mikael und Erika vollkommen gegensätzliche Ansichten vertraten. In all den Jahren waren die beiden unzertrennlich gewesen. Sie hatten zwar heftige Meinungsverschiedenheiten ausgetragen, aber dabei war es immer um Sachfragen gegangen, die meist rasch geklärt wurden, bevor sich die beiden umarmten und zusammen in die nächste Kneipe gingen. Oder ins Bett. Christer Malm fragte sich, ob er gerade den Anfang des Endes von *Millennium* miterlebte.

»Ich habe keine Wahl«, sagte Mikael. »*Wir* haben keine Wahl.«

Er goss sich Kaffee ein und setzte sich an den Küchentisch. Erika schüttelte den Kopf und setzte sich ihm gegenüber.

»Wie denkst *du* darüber, Christer?«, fragte sie.

Christer Malm hob hilflos die Hände. Diese Frage hatte er erwartet und den Augenblick gefürchtet, in dem er Stellung beziehen musste. Er war der dritte Teilhaber, aber alle drei wussten, dass Mikael und Erika *Millennium* waren. Sie fragten ihn immer nur dann um Rat, wenn sie sich überhaupt nicht einigen konnten.

»Ehrlich gesagt«, antwortete Christer, »wisst ihr beide ganz genau, dass es egal ist, was ich darüber denke.«

Er schwieg. Er liebte es, Bilder zu kreieren. Er liebte seine Arbeit im grafischen Bereich. Er hatte sich nie als Künstler betrachtet, aber er wusste, dass er ein begnadeter Designer war. Wenn es allerdings um Intrigen oder politisches Taktieren im Geschäftsleben ging, war er ein richtiger Dilettant.

Erika und Mikael blickten sich an. Sie voll kühler Wut. Er nachdenklich.

Das ist kein Streit, dachte Christer Malm. Das ist eine Scheidung. Mikael brach schließlich das Schweigen.

»Okay, lasst es mich ein letztes Mal erklären.« Er sah Erika tief in die Augen. »Das hier bedeutet *nicht*, dass ich

Millennium aufgegeben habe. Dafür haben wir viel zu hart gearbeitet.«

»Aber du wirst nicht mehr in der Redaktion sein – Christer und ich müssen die ganze Last tragen. Begreifst du denn nicht, dass du dich selbst ins Exil schickst?«

»Damit sind wir bei Punkt zwei. Ich brauche eine Pause, Erika. Ich funktioniere nicht mehr. Ich bin völlig fertig. Ein bezahlter Urlaub in Hedeby ist jetzt vielleicht genau das, was ich nötig habe.«

»Die ganze Sache ist doch total krank, Mikael. Du könntest genauso gut auf einem UFO arbeiten.«

»Ich weiß. Aber ich kriege 2,4 Millionen dafür, dass ich ein Jahr lang auf meinem Hintern sitze, und ich habe nicht vor, die Hände in den Schoß zu legen. Das ist Punkt drei – die erste Runde gegen Wennerström ist vorbei, er hat durch k. o. gewonnen. Die zweite Runde läuft bereits. Er wird versuchen, *Millennium* endgültig zu vernichten, denn er weiß, solange unser Magazin existiert, wird es auch eine Redaktion geben, die weiß, was für ein Mensch er wirklich ist.«

»Ich weiß. Ich habe es an den monatlichen Anzeigeneinnahmen fürs letzte halbe Jahr gesehen.«

»Genau. Darum *muss* ich aus der Redaktion verschwinden. Ich bin ein rotes Tuch für ihn. Ich glaube, er ist geradezu paranoid, wenn es um mich geht. Solange ich noch hier bin, wird er seinen Feldzug fortsetzen. Wir müssen uns auf die dritte Runde vorbereiten. Wenn wir auch nur die geringste Chance gegen ihn haben wollen, sollten wir uns ein bisschen zurückziehen und uns eine neue Strategie zurechtlegen. Wir müssen einen richtigen Hammer finden. Das wird nächstes Jahr mein Job sein.«

»Ich verstehe das ja alles«, antwortete Erika. »Nimm dir Urlaub. Fahr ins Ausland und leg dich einen Monat an den Strand. Recherchier das Liebesleben der spanischen Frauen. Entspann dich. Setz dich in Sandhamn an den Strand und sieh den Wellen zu.«

»Und wenn ich zurückkomme, ist alles wie vorher. Wenner-ström wird *Millennium* zermalmen. Das weißt du. Und wir können ihn nur daran hindern, wenn wir etwas finden, das wir gegen ihn verwenden können.«

»Und du glaubst, das findest du in Hedestad.«

»Ich habe die Artikel noch mal durchgesehen. Wenner-ström hat von 1969 bis 1972 bei Vanger gearbeitet. Er saß im Führungsstab des Konzerns und war für strategische Anlagen verantwortlich. Er hat sehr überstürzt seinen Hut genommen. Wir dürfen die Möglichkeit nicht außer Acht lassen, dass Hen-rik Vanger tatsächlich etwas gegen ihn in der Hand hat.«

»Aber wenn er vor dreißig Jahren etwas gemacht hat, kön-nen wir das heute kaum noch beweisen.«

»Henrik Vanger hat versprochen, sich für ein Interview zur Verfügung zu stellen und zu erzählen, was er weiß. Er ist wie be-sessen von dem Verschwinden seiner Großnichte – das ist an-scheinend das Einzige, was ihn noch interessiert, und wenn er Wennerström ans Messer liefern muss, dann wird er es höchst-wahrscheinlich tun. Wir dürfen uns diese Gelegenheit nicht ent-gehen lassen – er ist der Erste, der bereit wäre, öffentlich eine Aussage über diesen ganzen Wennerström-Filz zu machen.«

»Wir könnten das nicht gegen ihn verwenden. Nicht mal, wenn du Beweise bringen könntest, dass Wennerström das Mädchen eigenhändig erwürgt hat. Nicht nach so langer Zeit. Er würde uns vor Gericht massakrieren.«

»An Erwürgen hatte ich auch schon gedacht. Doch leider war er an der Wirtschaftshochschule und hatte keinerlei Ver-bindung zum Vanger-Konzern, als sie verschwand.« Mikael legte eine Pause ein. »Erika, ich werde *Millennium* nicht ver-lassen, aber es muss so aussehen, als ob. Du und Christer, ihr müsst mit dem Magazin weitermachen. Wenn ihr … wenn ihr die Chance habt, ein Friedensabkommen mit Wennerström zu schließen, dann müsst ihr es tun. Und das könnt ihr nicht, so-lange ich in der Redaktion sitze.«

»Okay, die Lage ist schlimm, aber ich glaube, du klammerst dich da an einen Strohhalm mit deiner Hedestad-Reise.«

»Hast du etwa eine bessere Idee?«

Erika zuckte mit den Achseln. »Wir sollten uns lieber auf die Jagd nach verlässlichen Informanten machen. Die Story von vorne aufziehen. Aber diesmal richtig.«

»Ricky – die Story ist toter als tot.«

Erika legte resigniert den Kopf in ihre Hände. Sie wollte Mikael zuerst nicht in die Augen sehen, als sie anfing zu sprechen.

»Ich bin so sauwütend auf dich. Nicht, weil du eine falsche Story geschrieben hast – ich habe mich ja genauso drauf gestürzt. Und auch nicht, weil du deinen Posten als verantwortlicher Herausgeber abgibst – das ist in dieser Situation ein weiser Entschluss. Ich kann akzeptieren, dass wir es wie ein Zerwürfnis oder einen Machtkampf zwischen dir und mir aussehen lassen. Ich verstehe, warum es klug ist, Wennerström glauben zu lassen, ich wäre die harmlose dumme Blondine und du die eigentliche Bedrohung für ihn.«

Sie hielt inne und sah ihm verbissen in die Augen.

»Aber ich glaube, dass du dich täuschst. Wennerström wird auf den Bluff nicht reinfallen. Er wird weiterhin versuchen, *Millennium* zu ruinieren. Der einzige Unterschied wird darin liegen, dass ich ab jetzt alleine mit ihm kämpfen muss. Du weißt genau, dass wir dich in der Redaktion jetzt mehr brauchen als je zuvor. Den Kampf gegen Wennerström nehme ich gerne an, aber was mich so sauer macht, ist, dass du einfach das sinkende Schiff verlässt. Du kneifst im brenzligsten Augenblick.«

Mikael streckte seine Hand aus und strich ihr über das Haar.

»Du bist nicht allein. Du hast Christer und die restliche Redaktion hinter dir.«

»Janne Dahlman nicht. Ich glaube übrigens, es war ein Fehler, ihn einzustellen. Er ist fähig, aber er schadet uns mehr, als dass er uns nützt. Ich traue ihm nicht. Er hat sich den ganzen Herbst seine Schadenfreude anmerken lassen. Ich weiß nicht, ob er auf deinen Platz spekuliert oder ob zwischen ihm und dem Rest der Redaktion ganz einfach die Chemie nicht stimmt.«

»Ich fürchte, du hast recht«, antwortete Mikael.

»Und, was soll ich machen? Ihn rauswerfen?«

»Erika, du bist Chefredakteurin und hast die meisten Anteile bei *Millennium*. Wenn du ihn rauswerfen willst, dann tu's.«

»Wir haben noch nie jemand rausgeworfen, Micke. Und jetzt schiebst du diese Entscheidung auch noch mir zu. Es macht keinen großen Spaß mehr, morgens in die Redaktion zu gehen.«

In diesem Moment stand Christer Malm überraschend auf. »Wenn du den Zug erwischen willst, dann müssen wir uns jetzt ein bisschen beeilen.« Erika wollte protestieren, aber er hob die Hand. »Warte, Erika, du hast mich doch gefragt, wie ich über die ganze Geschichte denke. Ich finde die Situation grauenvoll. Aber wenn Mikael wirklich an seine Belastungsgrenze stößt, wie er sagt, dann muss er fahren, um seiner selbst willen. Das sind wir ihm schuldig.«

Mikael und Erika sahen ihren Partner verblüfft an. Der schielte verlegen zu Mikael.

»Ihr wisst, dass ihr beide *Millennium* seid. Ihr habt nie krumme Spielchen mit mir gemacht, und ich liebe dieses Magazin und alles, aber ihr könntet mich ohne Weiteres gegen jeden x-beliebigen Art Director austauschen. Doch ihr habt mich nach meiner Meinung gefragt. Was Janne Dahlman angeht, gebe ich euch recht. Und wenn du ihn rauswerfen möchtest, Erika, dann kann ich das für dich machen. Wir brauchen nur einen triftigen Grund.«

Er legte eine kurze Pause ein, bevor er fortfuhr: »Ich finde ja auch, dass es ungut ist, wenn Mikael ausgerechnet jetzt verschwindet. Aber ich glaube, wir haben keine andere Wahl.« Er blickte zu Mikael. »Ich fahre dich zum Bahnhof. Erika und ich halten die Stellung, bis du zurück bist.«

Mikael nickte langsam.

»Ich habe Angst, dass Mikael nicht zurückkommt«, sagte Erika leise.

Dragan Armanskij weckte Lisbeth Salander, als er sie nachmittags um halb zwei anrief.

»Was ist?«, fragte sie schlaftrunken. Sie hatte einen Teergeschmack im Mund.

»Es geht um Blomkvist. Ich habe gerade mit Frode, unserem Auftraggeber, gesprochen.«

»Und?«

»Er hat angerufen und mir mitgeteilt, dass wir die Untersuchung zu Wennerström fallen lassen können.«

»Fallen lassen? Ich hab doch gerade erst angefangen.«

»Okay, aber Frode hat kein Interesse mehr.«

»Einfach so?«

»Er trifft die Entscheidungen. Wenn er nicht mehr will, dann will er nicht mehr.«

»Wir haben ein festes Honorar vereinbart.«

»Wie viel Zeit haben Sie denn investiert?«

Lisbeth Salander dachte nach.

»Gut drei Tage.«

»Wir hatten 40 000 Kronen als oberstes Limit vereinbart. Ich stelle eine Rechnung über 10 000 Kronen aus. Sie bekommen die Hälfte, das ist in Ordnung für drei Tage vergeudete Zeit. Das muss er dafür bezahlen, dass er das Ganze angeleiert hat.«

»Was soll ich mit dem Material machen, das ich bereits recherchiert habe?«

»Ist was Dramatisches dabei?«

Sie überlegte nochmals. »Nein.«

»Frode hat keinen Bericht erbeten. Aber behalten Sie das Material eine Weile in Ihrer Ablage, für den Fall, dass er es sich anders überlegt. Ansonsten können Sie es wegwerfen. Ich habe nächste Woche einen neuen Job für Sie.«

Lisbeth Salander behielt den Telefonhörer noch einen Augenblick in der Hand, nachdem Armanskij aufgelegt hatte. Sie ging zu ihrem Arbeitsplatz im Wohnzimmer und sah sich die Notizen an, die sie an die Wand geheftet hatte, sowie die Papiere, die sich auf dem Schreibtisch türmten. Was sie bis jetzt gefunden hatte, waren vor allem Zeitungsausschnitte und Texte aus dem Internet. Sie ließ sämtliche Unterlagen in einer Schreibtischschublade verschwinden.

Sie runzelte die Brauen. Blomkvists seltsames Benehmen im Gerichtssaal hatte nach einer interessanten Herausforderung ausgesehen, und wenn Lisbeth Salander erst einmal etwas angefangen hatte, brach sie es ungern ab. *Jeder Mensch hat Geheimnisse. Man muss nur herausfinden, welche.*

Teil II

Konsequenzanalyse

3. Januar bis 17. März

46 % aller schwedischen Frauen über fünfzehn sind schon
einmal Opfer männlicher Gewalt geworden.

8. Kapitel
Freitag, 3. Januar – Sonntag, 5. Januar

Als Mikael Blomkvist zum zweiten Mal in Hedestad aus dem Zug stieg, war der Himmel pastellblau und die Luft eiskalt. Ein Thermometer an der Außenwand des Bahnhofsgebäudes zeigte 18 Grad minus an. Er trug immer noch ungeeignete, dünne Schuhe. Im Gegensatz zum vorigen Besuch wartete diesmal aber kein Rechtsanwalt Frode mit einem warmen Auto auf ihn. Mikael hatte nur angekündigt, an welchem Tag er kommen würde, aber nicht, mit welchem Zug. Er nahm an, dass irgendein Bus nach Hedeby fuhr, hatte jedoch keine Lust, auf der Suche nach der Haltestelle zwei schwere Koffer und eine Schultertasche durch die Gegend zu schleppen. Stattdessen ging er zum Taxistand auf der anderen Seite des Bahnhofsplatzes.

In der Zwischenzeit hatte es an der Küste von Norrland heftig geschneit. Den Spuren der Räumfahrzeuge und den aufgehäuften Schneebergen nach zu urteilen, hatte der Winterdienst in Hedestad auf Hochtouren gearbeitet. Der Taxifahrer, der laut Ausweis an der Windschutzscheibe Hussein hieß, schüttelte den Kopf, als Mikael fragte, ob das Wetter sehr hart gewesen sei. Er erklärte in breitestem Norrland-Dialekt, es sei der schwerste Schneesturm seit Jahrzehnten gewesen, und er bereue es bitter, über Weihnachten nicht in Griechenland Urlaub gemacht zu haben.

Mikael dirigierte das Taxi zu Henrik Vangers frisch geräumter Auffahrt, wo er die Koffer auf dem Treppenabsatz abstellte und dem Auto hinterhersah, als es wieder Richtung Hedestad verschwand. Plötzlich fühlte er sich einsam und verunsichert. Vielleicht hatte Erika recht gehabt, als sie das ganze Projekt als verrückt bezeichnete.

Er hörte, wie die Tür hinter ihm aufging, und drehte sich um. Henrik Vanger war in einen dicken Ledermantel gehüllt, trug solide Stiefel und eine Mütze mit Ohrenklappen. Mikael stand in Jeans und einer dünnen Lederjacke vor ihm.

»Wenn Sie hier wohnen, müssen Sie lernen, sich in dieser Jahreszeit besser anzuziehen.« Sie gaben sich die Hand. »Sind Sie sicher, dass Sie nicht im großen Haus wohnen wollen? Nein? Dann fangen wir wohl am besten damit an, dass Sie sich in Ihrer neuen Wohnung einrichten, denke ich.«

Mikael nickte. Eine seiner Forderungen in den Verhandlungen mit Vanger und Frode war gewesen, dass er seinen eigenen Haushalt führte und nach Belieben kommen und gehen konnte. Vanger führte Mikael wieder auf die Straße und bog durch ein Tor auf einen frisch geräumten Hof mit einem Holzhäuschen, das sich unmittelbar neben der Brücke befand. Es war unverschlossen, und der alte Mann hielt ihm die Tür auf. Sie traten in einen kleinen Vorraum, wo Mikael mit einem Seufzer der Erleichterung seine Koffer abstellte.

»Das ist unser sogenanntes Gästehäuschen, hier quartieren wir Leute ein, die etwas länger bleiben. Hier haben Sie 1963 mit Ihren Eltern gewohnt. Es ist tatsächlich eines der ältesten Häuser am Ort, aber es ist modernisiert worden. Ich habe Gunnar Nilsson – das ist mein Hausmeister – heute Morgen einheizen lassen.«

Das ganze Haus bestand aus einer großen Küche und zwei kleineren Zimmern, insgesamt ungefähr 50 Quadratmeter. Die Küche beanspruchte die Hälfte der Fläche und war modern ausgestattet: Elektroherd, kleiner Kühlschrank und fließend Wasser. Auf dem Flur stand aber auch noch ein alter gusseiserner Ofen, mit dem tagsüber eingeheizt worden war.

»Diesen Ofen brauchen Sie nicht zu benutzen, außer wenn es wirklich eiskalt ist. Der Holzkasten steht draußen im Vorraum, und hinterm Haus ist noch ein Holzschuppen. Das Häuschen steht seit dem Herbst leer. Wir haben heute Morgen Feuer gemacht, um einmal richtig durchzuheizen. Aber für den täglichen Gebrauch reicht der Elektro-Radiator. Sie dürfen bloß keine Kleidung drauflegen, die kann anfangen zu brennen.«

Mikael nickte und sah sich um. Die Fenster gingen in drei Richtungen; vom Küchentisch aus hatte man die ungefähr dreißig Meter entfernte Brücke im Blick. Ansonsten war die Küche mit ein paar großen Schränken, Küchenstühlen, einem alten Küchensofa und einem Regal mit Zeitungen möbliert. Ganz obenauf lag eine alte Zeitschrift von 1967. In der Ecke stand ein Abstelltisch, der als Schreibtisch herhalten konnte.

Die Küchentür befand sich auf der einen Seite des gusseisernen Ofens. Auf der anderen Seite führten zwei schmale Türen in die kleinen Zimmer. Das rechte, das näher an der Außenwand war und als Arbeitszimmer diente, war eher eine Kammer, möbliert mit einem kleinen Schreibtisch, einem Stuhl und einem Regal, die hintereinander an der Längswand standen. Das andere Zimmer, zwischen dem Eingangsflur und Arbeitszimmer gelegen, war eine ziemlich kleine Schlafkammer. Die Möblierung bestand aus einem schmalen Doppelbett, einem Nachttischchen und einem Kleiderschrank. An den Wänden hingen ein paar Bilder mit Naturmotiven. Die Möbel und Tapeten im ganzen Haus waren alt und ausgeblichen, aber es roch sauber und angenehm. Irgendjemand hatte sich mit einer ordentlichen Portion Schmierseife über den Boden hergemacht. In der Schlafkammer gab es noch eine seitliche Tür, die in den Vorraum zurückführte, wo eine alte Abstellkammer zu einer Toilette mit kleiner Dusche umgebaut worden war.

»Mit dem Wasser kann es manchmal Probleme geben«, erklärte Henrik Vanger. »Wir haben heute Morgen überprüft, ob es funktioniert, aber die Rohre liegen zu nah an der Oberfläche, und wenn sich die Kälte länger hält, können sie zufrieren. Draußen steht ein Eimer. Wenn nötig, können Sie hochkommen und bei uns Wasser holen.«

»Ich werde ein Telefon brauchen«, sagte Mikael.

»Habe ich schon angefordert. Sie kommen morgen vorbei und installieren alles. Na, was sagen Sie? Wenn Sie Ihre Meinung ändern, können Sie immer noch ins große Haus ziehen.«

»Es ist ganz wunderbar hier«, antwortete Mikael. Er war jedoch längst nicht überzeugt, dass die Situation, in die er sich gebracht hatte, vernünftig war.

»Gut. Es ist noch eine Stunde hell. Wenn wir noch eine Runde gehen, können Sie sich mit der Stadt vertraut machen. Aber ich schlage vor, Sie ziehen sich Stiefel und warme Socken an. Sie finden alles im Schrank, draußen im Vorraum.«

Mikael folgte Vangers Rat und beschloss, sich schon morgen lange Unterhosen und ein Paar vernünftige Winterschuhe zu besorgen.

Der alte Mann erklärte Mikael zu Beginn ihres Rundgangs, dass schräg gegenüber von Mikael Gunnar Nilsson wohnte, der Gehilfe, den Henrik Vanger hartnäckig als »Hausknecht« bezeichnete, obwohl er, wie Mikael bald begriff, eher Hausmeister sämtlicher Gebäude auf der Hedeby-Insel und zusätzlich als Verwalter für ein paar Häuser in Hedestad verantwortlich war.

»Sein Vater war Magnus Nilsson, der in den sechziger Jahren mein Hausknecht war. Er gehörte bei dem Unfall auf der Brücke zu den Helfern. Magnus lebt noch, aber er ist schon pensioniert und wohnt in Hedestad. In diesem Haus hier wohnt Gunnar mit seiner Frau, Helen heißt sie. Ihr Kind ist schon weggezogen.«

Henrik Vanger machte eine Pause und überlegte kurz, bevor er weitersprach.

»Mikael, die offizielle Erklärung für Ihren Aufenthalt ist übrigens, dass Sie mir bei meiner Autobiografie helfen. Das verschafft Ihnen einen Vorwand, in allen möglichen dunklen Ecken zu stöbern und den Leuten Fragen zu stellen. Ihr wahrer Auftrag ist eine Angelegenheit zwischen Ihnen und mir und Dirch Frode. Wir drei sind die Einzigen, die davon Kenntnis haben.«

»Verstehe. Aber ich möchte noch einmal wiederholen, was ich Ihnen bereits gesagt habe: Es ist Zeitverschwendung. Ich werde das Rätsel auch nicht lösen können.«

»Alles, was ich will, ist, dass Sie es versuchen. Aber wir müssen aufpassen, was wir sagen, wenn Leute in der Nähe sind.«

»Okay.«

»Gunnar ist sechsundfünfzig, war also neunzehn Jahre alt, als Harriet verschwand. Auf eine Frage habe ich niemals eine Antwort erhalten – Harriet und Gunnar waren gute Freunde, und ich glaube, es gab da so eine Art kindliche Romanze zwischen den beiden. Jedenfalls war er sehr interessiert an Harriet. An dem Tag, an dem sie verschwand, hielt er sich jedoch in Hedestad auf und blieb auf der Festlandseite hängen, als die Brücke blockiert war. Aufgrund ihres Verhältnisses wurde er natürlich besonders sorgfältig unter die Lupe genommen, nachdem Harriet verschwunden war. Es war ziemlich unangenehm für ihn, doch sein Alibi war hieb- und stichfest. Er war den ganzen Tag mit Freunden zusammen und kam erst spätabends wieder hierher zurück.«

»Ich schätze, Sie haben ein komplettes Verzeichnis, welche Personen auf der Insel waren und wer wann was getan hat.«

»Richtig. Wollen wir weitergehen?«

An der Kreuzung auf der Anhöhe vor seinem Haus blieb Henrik Vanger erneut stehen und zeigte hinunter zum alten Fischerhafen.

»Der gesamte Grund und Boden auf der Hedeby-Insel gehört der Familie Vanger, genauer gesagt, mir. Der Hof von Östergården und ein paar Häuser sind die einzigen Ausnahmen. Die Häuschen da unten am Fischerhafen gehören auch nicht mir, aber das sind Sommerhäuser, die im Winter größtenteils unbewohnt sind. Außer der Baracke ganz hinten – wie Sie sehen, raucht dort der Schornstein.«

Mikael nickte. Er fror bereits bis ins Mark.

»Das ist eine elende, zugige Bruchbude, die das ganze Jahr über bewohnt wird. Dort wohnt Eugen Norman, ein siebenundsiebzigjähriger Maler. Ich finde seine Bilder kitschig, aber er ist ein ziemlich bekannter Naturmaler – gewissermaßen der obligatorische Sonderling der Stadt. Wenn Sie ihn treffen, werden Sie verstehen, was ich meine.«

Henrik Vanger führte ihn die Straße entlang bis zur Landzunge und sagte ihm etwas zu jedem Haus. Die Siedlung bestand aus sechs Häusern auf der westlichen und vier auf der östlichen Seite der Straße. Das erste Haus, das Mikaels Häuschen und Vangers Anwesen am nächsten lag, gehörte Henrik Vangers Bruder Harald. Es war ein viereckiges, zweistöckiges Steinhaus, das auf den ersten Blick verlassen aussah: Die Vorhänge vor den Fenstern waren zugezogen, der Weg zur Tür war nicht geräumt und lag unter einem halben Meter Schnee begraben. Auf den zweiten Blick verrieten Fußabdrücke, dass jemand zwischen Straße und Haustür durch den Schnee gestapft war.

»Harald ist ein Einzelgänger. Wir haben uns nie verstanden. Abgesehen von Streitereien wegen des Unternehmens – er ist ja Teilhaber – haben wir fast sechzig Jahre kaum miteinander gesprochen. Er ist älter als ich, zweiundneunzig, und der Einzige meiner fünf Brüder, der noch lebt. Ich erzähle Ihnen später die Details. Er hat Medizin studiert und dann vor allem in Uppsala gearbeitet. Als er siebzig wurde, ist er nach Hedeby zurück gezogen.«

»Sie mögen sich also nicht. Trotzdem wohnen Sie in unmittelbarer Nachbarschaft.«

»Ich kann ihn nicht ausstehen und hätte es lieber gehabt, wenn er in Uppsala geblieben wäre, aber das Haus gehört ihm. Höre ich mich an wie ein Schuft?«

»Sie hören sich so an wie jemand, der seinen Bruder nicht mag.«

»Ich habe die ersten fünfundzwanzig, dreißig Jahre meines Lebens damit verbracht, solche Menschen wie Harald zu entschuldigen und ihnen zu verzeihen, weil sie nun mal zur Verwandtschaft gehörten. Dann ging mir auf, dass Verwandtschaft kein Garant für Liebe ist und ich sehr wenig Gründe hatte, Harald in Schutz zu nehmen.«

Das nächste Haus gehörte Isabella, Harriet Vangers Mutter.

»Sie wird dieses Jahr fünfundsiebzig und ist immer noch schick und eitel. Außerdem ist sie die Einzige in der Stadt, die mit Harald spricht und ihn ab und zu besucht, aber besonders viel gemeinsam haben sie nicht.«

»Wie war das Verhältnis zwischen Harriet und ihr?«

»Richtiger Gedanke. Auch dieses Weib gehört zum Kreis der Verdächtigen. Ich habe Ihnen ja erzählt, dass sie verantwortungslos war und die Kinder oft sich selbst überließ. Ich weiß nicht recht, ich glaube, dass sie eigentlich guten Willens war, aber die Verantwortung nicht tragen konnte. Harriet und sie standen sich nicht sonderlich nahe, aber auch nicht feindlich gegenüber. Isabella kann schon schwierig sein, manchmal ist sie ein bisschen seltsam. Wenn Sie ihr begegnen, werden Sie verstehen, was ich meine.«

Isabellas Nachbarin war eine Cecilia Vanger, die Tochter von Harald Vanger.

»Sie war früher in Hedestad verheiratet, hat sich aber vor knapp zwanzig Jahren getrennt. Das Haus gehört mir, und ich habe ihr angeboten, dort einzuziehen. Cecilia ist Lehrerin und in vieler Hinsicht das komplette Gegenteil ihres Vaters. Eines der wenigen Mitglieder des Vangerschen Familienkreises, das ich wirklich mag. Ich kann Ihnen noch verraten, dass sie und ihr Vater auch nicht mehr als notwendig miteinander sprechen.«

»Wie alt ist sie?«

»Jahrgang 1946. Sie war also zwanzig, als Harriet verschwand. Und ja, sie war an jenem Tag auch unter den Gästen auf der Insel.«

Er überlegte einen Moment.

»Cecilia kann ziemlich fahrig wirken, aber eigentlich ist sie hochintelligent. Unterschätzen Sie sie nicht. Wenn jemand dahinterkommt, womit Sie sich hier wirklich beschäftigen, dann sie. Ich würde sagen, sie ist eine der Verwandten, die ich am meisten schätze.«

»Heißt das, Sie verdächtigen sie nicht?«

»Das würde ich nicht sagen. Ich möchte, dass Sie die Sache vorbehaltlos untersuchen, unabhängig von dem, was ich sage oder glaube.«

Das Haus neben Cecilias gehörte Henrik Vanger, war aber an ein älteres Paar vermietet, das früher leitende Positionen im Konzern gehabt hatte. Sie waren in den achtziger Jahren auf die Hedeby-Insel gezogen und hatten mit Harriets Verschwinden nichts zu tun. Das nächste Haus gehörte Birger Vanger, dem Bruder von Cecilia. Das Haus stand seit mehreren Jahren leer, da Birger sich in einem modernen Einfamilienhaus in Hedestad niedergelassen hatte.

Die meisten Häuser an der Straße waren solide Steinbauten, die zu Beginn des zwanzigsten Jahrhunderts gebaut worden waren. Das letzte Haus unterschied sich im Charakter von ihnen: Es war ein modernes, architektonisch ambitioniertes Einfamilienhaus aus weißem Backstein mit dunklen Fensterrahmen. Es war schön gelegen, und Mikael konnte erkennen, dass die Sicht aus dem Obergeschoss grandios sein musste, aufs Meer im Osten und auf Hedestad im Norden.

»Hier wohnt Martin Vanger, Harriets Bruder und Geschäftsführer des Konzerns. Früher stand auf diesem Grundstück Otto Falks Pfarrhaus, aber das Gebäude wurde bei
einem Brand in den siebziger Jahren teilweise zerstört. Martin
baute sich dieses Haus 1978, als er die Geschäftsführung
übernahm.«

Am östlichsten Ende der Straße wohnten Gerda Vanger, die
Witwe eines Bruders von Henrik, und ihr Sohn Alexander.

»Gerda ist kränklich, sie leidet unter Rheumatismus. Alexander hat einen kleinen Anteil am Vanger-Konzern, betreibt
aber ein paar eigene Unternehmen, Restaurants unter anderem. Er verbringt jedes Jahr ein paar Monate auf den Westindischen Inseln, auf Barbados, wo er einiges an Geld in die Tou-
ristikbranche gesteckt hat.«

Zwischen Gerdas und Henriks Haus befand sich ein Grundstück mit zwei kleineren Gebäuden, die leer standen und als Gästehäuschen dienten, wenn Familienmitglieder zu Besuch kamen. Auf der anderen Seite von Henriks Anwesen stand ein Haus, das von einem weiteren pensionierten Angestellten des Unternehmens gekauft worden war. Er bewohnte es mit seiner Frau; es stand jedoch leer, wenn das Paar den Winter in Spanien verbrachte.

Sie waren wieder an der Kreuzung angekommen, damit war ihr Rundgang abgeschlossen. Es begann schon zu dämmern. Mikael ergriff die Initiative.

»Ich kann immer nur wiederholen, Henrik: Diese ganze Geschichte hier wird sich nicht lohnen. Aber ich werde tun, wofür Sie mich eingestellt haben. Ich werde behaupten, dass ich Ihre Biografie schreibe, und werde Ihrem Wunsch entsprechend das gesamte Material über Harriet so sorgfältig und kritisch durchlesen, wie ich nur kann. Ich möchte nur, dass Sie sich darüber im Klaren sind, dass ich kein Privatdetektiv bin. Setzen Sie also keine überhöhten Erwartungen in mich.«

»Ich erwarte gar nichts. Ich will nur einen letzten Versuch unternehmen, die Wahrheit herauszufinden.«

»Gut.«

»Ich bin ein Nachtmensch«, erklärte Vanger, »und werde immer ab Mittag für Sie erreichbar sein. Ich lasse Ihnen ein Arbeitszimmer hier oben einrichten, über das Sie frei verfügen können.«

»Nein, danke. Ich habe schon ein Arbeitszimmer im Gästehaus, und dort werde ich auch arbeiten.«

»Wie Sie wollen.«

»Unsere Gespräche könnten wir in Ihrem Arbeitszimmer führen. Aber heute Abend werde ich Sie noch nicht mit Fragen bestürmen.«

»Ich verstehe.« Der alte Mann wirkte verräterisch schüchtern.

»Es wird ein paar Wochen dauern, das ganze Material zu sichten. Wir arbeiten an zwei Fronten. Ich schlage vor, wir treffen uns täglich für ein paar Stunden, in denen ich Sie interviewe und Material für Ihre Biografie sammle. Wenn Fragen zu Harriet auftauchen, werde ich sie mit Ihnen besprechen.«

»Das klingt vernünftig.«

»Ich werde sehr frei arbeiten und keine festen Arbeitszeiten einhalten.«

»Sie arbeiten ganz nach Ihren Vorstellungen.«

»Sie wissen ja, dass ich in ein paar Monaten ins Gefängnis muss. Ich weiß nicht, wann das aktuell wird, aber ich werde keine Berufung einlegen. Das heißt, dass es wahrscheinlich irgendwann im Laufe des Jahres so weit sein wird.«

Henrik Vanger runzelte die Stirn.

»Das passt schlecht. Das Problem müssen wir lösen, wenn es so weit ist. Sie können Aufschub beantragen.«

»Wenn ich bis dahin genügend Material beisammen habe, kann ich im Gefängnis an dem Buch über Ihre Familie weiterarbeiten. Aber darum kümmern wir uns, wenn die Zeit gekommen ist. Noch etwas: Ich bin immer noch Teilhaber bei *Millennium*, und das Magazin steckt in der Krise. Wenn irgendetwas vorfällt, das meine Anwesenheit in Stockholm nötig macht, werde ich die Arbeit hier unterbrechen müssen und hinfahren.«

»Ich habe Sie nicht als Leibeigenen eingestellt. Ich will, dass Sie konsequent und beständig an Ihrem Auftrag arbeiten, aber Sie können selbstverständlich Ihre eigenen Arbeitsgewohnheiten beibehalten und nach Ihren Vorstellungen vorgehen. Wenn Sie frei brauchen, gerne, aber sollte ich merken, dass Sie Ihren Job vernachlässigen, werde ich das als Vertragsbruch betrachten.«

Mikael nickte. Henrik Vanger sah zur Brücke hinüber. Er war mager, und Mikael fand, dass er aussah wie eine unglückliche Vogelscheuche.

»In Sachen *Millennium* sollten wir uns vielleicht mal darüber unterhalten, wie die Krise aussieht und ob ich irgendwie behilflich sein kann.«

»Die beste Art, wie Sie mir behilflich sein könnten, wäre, mir Wennerströms Kopf schon heute auf dem Silbertablett zu servieren.«

»Oh nein, das habe ich nicht vor.« Der Alte sah Mikael scharf an. »Sie haben diesen Auftrag doch nur deswegen angenommen, weil ich Ihnen versprochen habe, Wennerström hochgehen zu lassen. Wenn ich Ihnen den Gefallen jetzt schon tue, könnten Sie diesen Job schleifen lassen. Sie bekommen die Information in einem Jahr.«

»Entschuldigen Sie, wenn ich das sage, Henrik, aber ich bin nicht mal sicher, ob Sie nächstes Jahr noch leben.«

Henrik Vanger seufzte und blickte gedankenverloren zum Fischerhafen hinunter.

»Ich verstehe. Ich werde mit Dirch Frode sprechen; mal sehen, was uns da einfällt. Aber mit *Millennium* kann ich Ihnen vielleicht auf eine andere Art helfen. Ich weiß, dass sich Ihre Anzeigenkunden zurückziehen.«

Mikael nickte langsam.

»Die Anzeigenkunden sind das unmittelbar sichtbare Problem, aber die Krise geht noch tiefer. Wir haben ein Glaubwürdigkeitsdefizit. Es ist egal, wie viele Anzeigenkunden wir haben, wenn die Leute die Zeitschrift nicht mehr kaufen wollen.«

»Verstehe. Ich bin immer noch Vorstandsmitglied eines ziemlich großen Konzerns, wenn auch ein passives. Auch wir müssen irgendwo werben. Lassen Sie uns später darüber reden. Wenn Sie zu Abend essen möchten ...«

»Nein, danke. Ich will mich erst mal einrichten, einkaufen und mich ein bisschen umsehen. Morgen fahre ich nach Hedestad und kaufe Winterkleidung.«

»Gute Idee.«

»Ich hätte gerne, dass Sie das Archiv über Harriet zu mir schaffen.«

»Bitte seien Sie …«

»… ganz vorsichtig damit – schon kapiert.«

Mikael ging wieder zum Gästehaus und klapperte mit den Zähnen, als er vor der Eingangstür stand. Er warf einen Blick auf das Thermometer vor dem Fenster. Es zeigte 15 Grad unter null, und er konnte sich nicht erinnern, jemals in seinem Leben derart durchgefroren gewesen zu sein wie nach diesem knapp zwanzig Minuten dauernden Spaziergang.

Die nächste Stunde verbrachte er damit, sich in den Räumen einzurichten, die für das nächste Jahr sein Zuhause sein würden. Seine Kleider aus der einen Tasche hängte er in den Kleiderschrank in der Schlafkammer. Die Toilettenartikel räumte er in das Minibad. Dann nahm er sich den Koffer mit den Rollen vor. Aus ihm nahm er Bücher, CDs, einen CD-Player, Notizbücher, ein kleines Diktiergerät von Sanyo, einen kleinen Scanner von Microtek, einen tragbaren Tintenstrahldrucker, eine Minolta-Digitalkamera und andere Utensilien, die er für ein Jahr im Exil als unerlässlich betrachtete.

Er stellte die Bücher und die CDs ins Bücherregal im Arbeitszimmer, neben zwei Ordner mit Recherchematerial zu Hans-Erik Wennerström. Das Material war wertlos, aber er konnte es nicht zurücklassen. Diese zwei Ordner mussten irgendwie zu Bausteinen für seine weitere Karriere werden.

Schließlich öffnete er seine Schultertasche und stellte sein iBook 600 auf den Schreibtisch. Dann hielt er inne und sah sich mit schafsdummem Gesichtsausdruck um. *The benefits of living in the countryside.* Plötzlich ging ihm auf, dass er keine Breitbandverbindung hatte. Es gab nicht einmal eine Telefonbuchse, in die man ein altes Modem hätte einstecken können.

Mikael ging zurück in die Küche und rief von seinem Handy aus bei der Telefongesellschaft Telia an. Nach ein bisschen Hin und Her suchte ihm ein Mitarbeiter die Bestellung heraus, die Henrik Vanger für das Gästehäuschen aufgegeben hatte. Er erkundigte sich, ob die Leitungsqualität für ADSL ausreiche, und erfuhr, dass sich das über einen Router in Hedeby bewerkstelligen ließe. Es würde ein paar Tage dauern.

Es war kurz nach vier Uhr am Nachmittag, als Mikael endlich fertig war. Er schlüpfte wieder in die dicken Socken und Stiefel und zog einen Extrapullover an. An der Tür hielt er inne – er hatte keine Hausschlüssel bekommen, und seine Stockholm-Instinkte schlugen Alarm bei dem Gedanken, man könne Haustüren unverschlossen lassen. Er ging zurück in die Küche und öffnete die Schubladen. Schließlich fand er die Schlüssel an einem Nagel in der Speisekammer.

Die Temperatur war auf minus 17 Grad gefallen. Mikael überquerte schnell die Brücke und ging über den Hügel bei der Kirche. Der Supermarkt lag in bequemer Entfernung, ungefähr dreihundert Meter weiter. Er füllte zwei Papiertüten bis zum Rand mit den wichtigsten Artikeln, die er zuerst heimbrachte, bevor er nochmals die Brücke überquerte. Diesmal ging er in Susannes Brücken-Café. Die Frau hinter dem Tresen war in den Fünfzigern. Er fragte, ob sie Susanne sei, und stellte sich vor, indem er erklärte, dass er in Zukunft wohl Stammkunde in ihrem Café werden würde. Er war der einzige Gast, und Susanne gab ihm einen Kaffee aus, als er ein belegtes Brötchen bestellte und noch Brot und einen Hefezopf dazu kaufte. Er nahm sich einen *Hedestads-Kurir* aus dem Zeitungsständer und setzte sich an einen Tisch mit Aussicht auf die Brücke und die beleuchtete Kirche. In der Dunkelheit sah das Ganze aus wie eine Weihnachtskarte. Er brauchte ungefähr vier Minuten, um die Zeitung durchzulesen. Die einzig interessante Nachricht war ein kurzer Artikel, der davon handelte, dass ein

Kommunalpolitiker namens Birger Vanger sich für *IT TECH-Cent* einsetzen wollte – ein Technisches Entwicklungszentrum in Hedestad. Er blieb noch eine halbe Stunde sitzen, bis das Café um sechs Uhr schloss.

Abends um halb acht rief Mikael Erika an und bekam zu hören, dass der Teilnehmer vorübergehend nicht erreichbar sei. Er setzte sich aufs Küchensofa und versuchte einen Roman zu lesen, den der Klappentext als das sensationelle Debüt einer Feministin im Teenie-Alter bezeichnete. Der Roman handelte vom Versuch der Autorin, auf einer Reise nach Paris ihr Sexleben in Ordnung zu bringen, und Mikael fragte sich, ob man ihn wohl einen Feministen nennen würde, wenn er in gymnasialem Ton einen Roman über sein eigenes Sexleben schriebe. Vermutlich nicht. Mikael hatte das Buch vor allem gekauft, weil der Verlag sie als eine »neue Carina Rydberg« anpries. Er stellte bald fest, dass dies nicht den Tatsachen entsprach, weder in stilistischer noch in inhaltlicher Hinsicht. Er legte das Buch beiseite und las stattdessen eine Western-Novelle über Hopalong Cassidy in einer alten Zeitschrift aus den fünfziger Jahren.

Alle halbe Stunde war ein einzelner kurzer, gedämpfter Ton von der Kirchenglocke zu hören. Die Fenster bei Hausmeister Gunnar Nilsson auf der anderen Straßenseite waren erleuchtet, aber Mikael konnte niemanden im Haus sehen. In Harald Vangers Haus war es dunkel. Gegen neun fuhr ein Auto über die Brücke und verschwand in Richtung Landzunge. Um Mitternacht wurde die Beleuchtung der Kirchenfassade ausgeschaltet. So sahen in Hedeby wohl unterm Strich die Vergnügungen an einem Freitagabend Anfang Januar aus. Es war erstaunlich still.

Er unternahm einen neuen Versuch, Erika anzurufen. Diesmal war der Anrufbeantworter dran, und er wurde gebeten, eine Nachricht zu hinterlassen. Das tat er, dann machte er das

Licht aus und legte sich schlafen. Sein letzter Gedanke vor dem Einschlafen war, dass unmittelbare Gefahr bestand, in Hedeby einen Koller zu bekommen.

Es war seltsam, bei absoluter Stille zu erwachen. Mikael, der gerade noch tief geschlafen hatte, war innerhalb von Sekundenbruchteilen hellwach. Er blieb liegen und horchte. Im Zimmer war es kalt. Er drehte den Kopf und sah auf die Armbanduhr, die er auf einen Hocker neben dem Bett gelegt hatte. Es war acht Minuten nach sieben – er war noch nie ein Morgenmensch gewesen und wurde normalerweise nur schwer wach, wenn er nicht mindestens zwei Wecker stellte. Nun war er von selbst aufgewacht und fühlte sich obendrein auch noch ausgeruht.

Er setzte Kaffee auf, bevor er sich unter die Dusche stellte und plötzlich das lustvolle Gefühl erlebte, sich selbst zu beobachten. *Kalle Blomkvist – Forschungsreisender in der Wildnis.*

Bei der geringsten Berührung des Boilers wechselte die Wassertemperatur von brühheiß zu eiskalt. Auf dem Küchentisch lag keine Morgenzeitung. Die Butter war tiefgefroren. In der Besteckschublade lag kein Käsehobel. Draußen war es immer noch pechschwarz. Das Thermometer zeigte 21 Grad minus. Es war Samstag.

Die Bushaltestelle lag dem Supermarkt genau gegenüber, und Mikael begann sein Leben im Exil damit, seine Shoppingpläne in die Tat umzusetzen. Er stieg am Bahnhof aus dem Bus und ging einmal quer durch die Innenstadt. Er kaufte dick gefütterte Winterstiefel, zwei Paar lange Unterhosen, einige warme Flanellhemden, eine ordentliche halblange wattierte Winterjacke, eine warme Mütze und gefütterte Handschuhe. Im Elektrogeschäft fand er einen kleinen tragbaren Fernseher mit Teleskopantenne. Der Verkäufer versicherte ihm, dass er auch im entlegenen Hedeby zumindest das staatliche Schwedische Fernsehen empfangen könne, und Mikael kündigte an, sein Geld zurückzuverlangen, falls das nicht stimmte.

Er machte halt bei der Bibliothek, legte sich einen Mitgliedsausweis zu und lieh sich zwei Krimis von Elizabeth George aus. In einem Schreibwarenladen besorgte er sich Kugelschreiber und Notizblöcke.

Zum Schluss kaufte er noch eine Schachtel Zigaretten. Er hatte vor zehn Jahren mit dem Rauchen aufgehört, doch ab und zu erlitt er Rückfälle und verspürte plötzlich unglaubliche Lust auf Nikotin. Die Schachtel steckte er ungeöffnet in seine Jackentasche. Sein letzter Besuch galt einem Optiker, bei dem er Reinigungsflüssigkeit kaufte und sich neue Kontaktlinsen bestellte.

Gegen zwei Uhr war er zurück in Hedeby und entfernte gerade die Preisschilder von seinen neuen Kleidern, als er die Tür gehen hörte. Eine blonde Frau um die fünfzig klopfte an den Türrahmen und trat gleichzeitig über die Schwelle. Sie hatte einen Napfkuchen auf einer Kuchenplatte dabei.

»Hallo, ich wollte Sie nur willkommen heißen. Ich heiße Helen Nilsson und wohne auf der anderen Straßenseite. Wir sind quasi Nachbarn.«

Mikael gab ihr die Hand und stellte sich vor.

»Ach ja, ich habe Sie im Fernsehen gesehen. Wie schön, dass hier abends Licht im Gästehaus brennt.«

Mikael setzte Kaffee auf – sie protestierte zwar, setzte sich aber doch an den Küchentisch und warf einen kurzen Blick aus dem Fenster.

»Da kommen Henrik und mein Mann. Sieht so aus, als brächten sie Ihnen ein paar Kartons vorbei.«

Henrik Vanger und Gunnar Nilsson blieben mit ihrem Karren draußen stehen, und Mikael ging hinaus, um ihnen die Hand zu schütteln und Gunnar beim Reintragen der vier Umzugskartons zu helfen. Der Hausmeister schien nicht zu wissen, was in den Kartons war. Dann stellten sie den Karren neben dem eisernen Ofen ab, Mikael deckte den Kaffeetisch und schnitt Helens Kuchen an.

Gunnar und Helen Nilsson waren nette Menschen. Sie schienen nicht sonderlich neugierig darauf zu sein, warum Mikael sich in Hedestad aufhielt – dass er für Henrik Vanger arbeitete, schien ihnen Erklärung genug. Mikael beobachtete, wie die Nilssons und Henrik Vanger miteinander umgingen, und stellte fest, dass sie sich ungezwungen verhielten und es keine sichtbare hierarchische Rollenverteilung gab. Sie unterhielten sich über die Stadt und darüber, wer das Gästehaus gebaut hatte, in dem Mikael wohnte. Das Ehepaar Nilsson korrigierte Vanger, als er sich falsch erinnerte, und er erzählte im Gegenzug eine witzige Geschichte, wie Gunnar Nilsson einmal nach Hause gekommen war und beobachtet hatte, wie eine der ortsansässigen Intelligenzbestien von der anderen Seite der Brücke versuchte, durchs Fenster ins Gästehaus einzusteigen. Er war hinübergegangen und hatte den zurückgebliebenen Einbrecher gefragt, warum er nicht die unverschlossene Haustür benutze. Dann musterte Gunnar Nilsson skeptisch den kleinen Fernseher und bot Mikael an, abends zu ihnen rüberzukommen, wenn es irgendeine Sendung gab, die er sehen wolle. Sie hatten eine Parabolantenne.

Nachdem die Nilssons gegangen waren, blieb Henrik Vanger noch ein wenig. Der alte Mann hielt es für das Beste, wenn Mikael das Archiv selbst sortierte. Falls er ein Problem habe, könne er zu ihm kommen und fragen. Mikael bedankte sich und meinte, es werde sich schon alles finden.

Als Mikael wieder allein war, trug er die Umzugskartons ins Arbeitszimmer und fing an, den Inhalt zu begutachten.

Henrik Vangers private Nachforschungen zum Verschwinden seiner Großnichte erstreckten sich über sechsunddreißig Jahre. Mikael konnte nur schwer beurteilen, ob das Interesse eine ungesunde Besessenheit war oder ein intellektuelles Spiel. Nicht zu übersehen war jedoch, dass der alte Patriarch sich mit dem systematischen Ansatz eines Hobbyarchäologen ans Werk gemacht hatte. Die Ergebnisse füllten an die sieben Regalmeter.

Der Kern des Materials bestand aus den sechsundzwanzig Ordnern mit dem polizeilichen Untersuchungsbericht zu Harriets Verschwinden. Mikael konnte sich nur schwerlich vorstellen, dass eine normale Vermisstenmeldung zu derart umfangreichen Ermittlungen führte, aber auf der anderen Seite hatte Vanger mit allergrößter Wahrscheinlichkeit den nötigen Einfluss besessen, die Polizei von Hedestad mit der Untersuchung aller möglichen und unmöglichen Spuren auf Trab zu halten.

Neben dem Bericht der Polizei gab es noch Bücher mit Zeitungsausschnitten, Fotoalben, Karten, Erinnerungsstücke, Informationsmaterial über Hedestad und den Vanger-Konzern, Harriets Tagebuch (das jedoch nicht besonders umfangreich war), Schulbücher, Gesundheitszeugnisse und anderes. Außerdem nicht weniger als sechzehn gebundene A4-Notizbücher mit jeweils hundert Seiten, die man quasi als Henrik Vangers persönliches Logbuch der Ermittlungen bezeichnen konnte. In diese Bücher hatte der Patriarch mit säuberlicher Handschrift seine eigenen Überlegungen, Einfälle, falsche Spuren und Beobachtungen eingetragen. Mikael blätterte aufs Geratewohl ein wenig darin herum. Der Text hatte Prosa-Charakter, und Mikael hatte den Eindruck, dass diese Bände die Reinschrift von Dutzenden älterer Notizbücher enthielten. Schließlich gab es noch zirka zehn Ordner mit Material über verschiedene Mitglieder der Familie Vanger. Hier waren die Seiten maschinengeschrieben und offenbar über einen langen Zeitraum hinweg entstanden.

Henrik Vanger hatte gegen seine eigene Familie ermittelt.

Gegen sieben hörte Mikael ein energisches Miauen und öffnete die Tür. Eine rotbraune Katze flitzte blitzschnell an ihm vorbei ins Warme.

»Ich kann dich verstehen«, sagte Mikael.

Die Katze drehte schnuppernd eine Runde durchs Haus. Mikael goss ein bisschen Milch auf einen Teller, die von seinem Gast aufgeschleckt wurde. Danach sprang die Katze aufs Küchensofa, rollte sich zusammen und wollte diesen Platz offenbar so schnell nicht mehr verlassen.

Es war schon nach zehn Uhr abends, als Mikael das Material einigermaßen gesichtet und alles in einer sinnvollen Ordnung in den Regalen verteilt hatte. Er ging in die Küche, setzte eine Kanne Kaffee auf, strich sich zwei Brote und spendierte der Katze ein bisschen Wurst und Leberpastete. Er hatte den ganzen Tag nichts Ordentliches gegessen, aber seltsamerweise kaum Hunger. Nachdem er Kaffee getrunken hatte, holte er die Zigaretten aus der Tasche und öffnete die Schachtel.

Er hörte die Mailbox seines Handys ab. Erika hatte nicht angerufen, und als er versuchte, sie zu erreichen, sprang wieder nur ihr Anrufbeantworter an.

Als einen der ersten Schritte bei seinen privaten Ermittlungen scannte Mikael die Karte der Hedeby-Insel ein, die ihm Henrik Vanger geliehen hatte. Da er sämtliche Namen von ihrem Rundgang noch in frischer Erinnerung hatte, trug er ein, wer in welchem Haus wohnte. Ihm wurde schnell klar, dass der Vanger-Clan eine so umfassende Personengalerie abgab, dass er eine Weile brauchen würde, sich zu orientieren.

Kurz vor Mitternacht zog er warme Kleidung und seine neuen Schuhe an und machte einen Spaziergang über die Brücke. Er bog auf die Straße ab, die unterhalb der Kirche seitlich am Sund entlanglief. Das Eis bedeckte den Sund und auch den alten Hafen, aber etwas weiter draußen sah er einen dunklen Streifen offenes Wasser. Während er dort stand, erlosch die Fassadenbeleuchtung der Kirche, und um ihn herum wurde es dunkel. Es war kalt und sternenklar.

Mit einem Mal fühlte Mikael sich zutiefst niedergeschlagen. Er konnte beim besten Willen nicht verstehen, wie er sich von Henrik Vanger hatte überzeugen lassen können, diesen wahnwitzigen Auftrag anzunehmen. Erika hatte völlig recht, wenn sie den Job als heillose Zeitverschwendung bezeichnete. Eigentlich sollte er in Stockholm sein – beispielsweise mit ihr im Bett – und seinen Krieg gegen Hans-Erik Wennerström planen. Aber auch in dieser Beziehung fühlte er sich lustlos, und er hatte keinen blassen Schimmer, was er dagegen tun könnte.

Früher am Tag wäre er zu Henrik Vanger gegangen, hätte den Vertrag aufgelöst und die Heimfahrt angetreten. Aber vom Hügel bei der Kirche konnte er sehen, dass das vangersche Haus schon still und dunkel dalag. Von der Kirche aus konnte er die gesamte Bebauung am Saum der Insel sehen. Harald Vangers Haus lag ebenfalls im Dunkeln, doch bei Cecilia Vanger, bei Martin Vanger draußen auf der Landzunge sowie in dem vermieteten Haus war es noch hell. Auch bei Eugen Norman, dem Maler, der neben dem Bootshafen in seinem zugigen Häuschen wohnte, brannte noch Licht, und aus dem Schornstein stob heftiger Funkenregen. Das Obergeschoss des Cafés war gleichfalls erleuchtet, und Mikael fragte sich, ob dort Susanne wohnte, und wenn ja, ob sie allein war.

Am Sonntagmorgen schlief Mikael lange und erwachte dann panisch, als das Gästehaus plötzlich von einem unwirklichen Dröhnen erfüllt wurde. Er brauchte eine Sekunde, bis er sich wieder orientiert hatte, und begriff, dass er die Kirchenglocken hörte, die zum Gottesdienst riefen, und dass es also kurz vor elf sein musste. Er fühlte sich lustlos und blieb noch eine Weile liegen. Als er das fordernde Miauen an der Tür hörte, stand er auf und ließ die Katze hinaus.

Gegen zwölf hatte er geduscht und gefrühstückt. Entschlossen ging er ins Arbeitszimmer und holte den ersten Ordner des Untersuchungsberichts hervor. Dann zögerte er. Durchs Fenster sah er das Reklameschild von Susannes Brücken-Café, packte den Ordner in seine Umhängetasche und zog sich an. Als er zum Café kam, stellte er fest, dass es völlig überfüllt war, und wusste auf einmal die Antwort auf die Frage, die er die ganze Zeit im Hinterkopf gehabt hatte: Wie kann ein Café in einem Loch wie Hedeby nur überleben? Susanne hatte sich auf Kirchgänger spezialisiert, und nach Begräbnissen oder anderen Anlässen ging man zu ihr zum Kaffeetrinken.

Stattdessen ging er spazieren. Der Supermarkt hatte sonntags geschlossen, und so schlenderte er noch ein paar hundert Meter weiter auf der Straße nach Hedestad, wo er an einer Tankstelle Zeitungen kaufte. Er streifte eine Stunde durch Hedeby und machte sich mit der Umgebung auf der Festlandseite vertraut. Das Gebiet um die Kirche und beim Supermarkt bildete den Kern mit älterer Bebauung: zweigeschossige Steinhäuser, die nach Mikaels Schätzung wohl zu Beginn des zwanzigsten Jahrhunderts errichtet worden waren und eine Art kurze Hauptstraße bildeten. Nördlich der Straße, die in die Ortschaft hineinführte, standen gepflegte Mietshäuser. Am Wasser entlang und südlich der Kirche lagen hauptsächlich Einfamilienhäuser. Hedeby war zweifellos eine bevorzugte Wohngegend.

Als er zur Brücke zurückkam, hatte der Ansturm auf Susannes Café nachgelassen, aber Susanne war immer noch damit beschäftigt, das Geschirr von den Tischen abzuräumen.

»Der übliche Sonntagstrubel?«, fragte er.

Sie nickte und strich sich eine Haarsträhne hinters Ohr. »Hallo, Mikael.«

»Du weißt also noch, wie ich heiße.«

»Kaum zu vermeiden«, antwortete sie. »Ich hab dich bei der Gerichtsverhandlung vor Weihnachten im Fernsehen gesehen.«

Mikael genierte sich plötzlich. »Irgendetwas müssen sie ja bringen, um ihre Sendezeit zu füllen«, murmelte er und zog ab zum Ecktisch mit der Aussicht auf die Brücke. Als er Susannes Blick begegnete, lächelte sie.

Um drei Uhr nachmittags verkündete Susanne, dass das Café jetzt für den Rest des Tages schloss. Als der Ansturm nach dem Gottesdienst vorüber war, waren nur noch vereinzelt Gäste gekommen. Mikael hatte knapp ein Fünftel der ersten Akte mit dem Untersuchungsbericht zu Harriets Verschwinden gelesen. Er klappte den Ordner zu, steckte sein Notizbuch in die Tasche und ging schnell über die Brücke nach Hause.

Die Katze wartete schon auf der Treppe. Mikael sah sich um und fragte sich, wem sie wohl gehörte. Er ließ sie ins Haus, weil sie zumindest eine Art Gesellschaft für ihn war.

Er versuchte abermals, Erika anzurufen, erreichte jedoch immer nur ihre Mailbox. Sie war offenbar ziemlich wütend auf ihn. Er hätte sie direkt auf ihrem Apparat im Büro oder zu Hause anrufen können, beschloss aber trotzig, es nicht zu tun. Er hatte ihr bereits genug Nachrichten hinterlassen. Stattdessen kochte er Kaffee, schob die Katze auf dem Küchensofa zur Seite und schlug den Ordner auf.

Er las konzentriert und langsam, damit ihm kein Detail entging. Bald hatte er mehrere Seiten in seinem Notizbuch vollgeschrieben – stichwortartige Notizen und Fragen, auf die er in den folgenden Ordnern Antwort zu finden hoffte. Das Material war chronologisch geordnet, aber er war sich nicht sicher, ob Henrik Vanger es so sortiert hatte oder ob es sich um das System der Polizei aus den sechziger Jahren handelte.

Das allererste Blatt war die Kopie eines handgeschriebenen Meldeformulars von der Notrufzentrale Hedestad. Der Polizist, der den Anruf entgegennahm, hatte mit W Ryttinger unterschrieben, was Mikael als wachhabender Polizist interpretierte. Als Anrufer war Henrik Vanger angegeben, seine Adresse und Telefonnummer waren notiert worden. Der Bericht war datiert vom 23. September 1966, 11:14 Uhr am Sonntagmorgen. Der Text war kurz und trocken:

Anruf v. Henrik Vanger meld. Nichte (?) Harriet Ulrika
VANGER, geb. 15. Jan. 1950 (16 Jahre) verschwunden
von zu Hause auf Hedeby-Insel seit Samstagnachm.
Anr. sehr beunruhigt.

Um 11:20 Uhr eine Anmerkung, die besagte, dass P-014 Befehl zum Ausrücken erhalten hatte.

Um 11:35 Uhr war in einer anderen, schwerer zu entziffernden Handschrift als Ryttingers angefügt worden:

Magnusson meld. Brücke nach Hedeby-Insel immer noch
gesp. Transp. m. Boot.

Am Rand eine unleserliche Unterschrift.

Um 12:14 Uhr wieder Ryttinger:

Tel. gespr. Magnusson in H-by meld., dass 16-jährige
Harriet Vanger seit dem frühen Samstagnachm. vermisst.
Fam. sehr beunruhigt. Scheint nachts nicht in ihrem Bett
geschlafen zu haben. Kann Insel wg. Unfall a. d. Brücke
nicht verlassen haben. Keines der befr. Familienmitgl.
kennt HVs Aufenthaltsort.

Um 12:19 Uhr:

G. M. telefon. v. Vorfall inform.

Die letzte Anmerkung war um 13:42 Uhr gemacht worden:

G. M. vor Ort in H-by; übernimmt Fall.

Schon das nächste Blatt verriet, dass hinter den kryptischen Initialen G. M. ein Kommissar namens Gustav Morell steckte, der mit dem Boot auf die Hedeby-Insel gekommen war, die Ermittlungen übernommen und eine offizielle Vermisstenanzeige zu Harriet Vanger aufgenommen hatte. Im Gegensatz zu den Notizen auf der ersten Seite waren Morells Berichte maschinengeschrieben und in leicht verständlicher Sprache abgefasst. Auf den folgenden Seiten wurden die ergriffenen Maßnahmen mit einer Sachlichkeit und Detailliertheit beschrieben, die Mikael überraschte.

Morell war systematisch zu Werke gegangen. Er hatte zuerst Henrik Vanger zusammen mit Isabella Vanger, Harriets Mutter, vernommen. Danach hatte er der Reihe nach mit einer Ulrika Vanger, Harald Vanger, einem Greger Vanger, Harriets Bruder Martin Vanger und einer Anita Vanger gesprochen.

Ulrika war Henrik Vangers Mutter und schien den Status einer Königinwitwe zu genießen. Sie wohnte auf dem Vangerschen Hof und konnte keinerlei Auskünfte geben. Sie hatte sich am Abend zuvor frühzeitig schlafen gelegt und Harriet seit mehreren Tagen nicht mehr gesehen. Anscheinend hatte sie nur darauf bestanden, Kriminalkommissar Morell zu sprechen, um ihrer Ansicht Ausdruck zu verleihen, dass die Polizei umgehend handeln müsse.

Harald Vanger rangierte auf Platz zwei der einflussreichen Familienmitglieder. Er erklärte, er habe Harriet nur kurz zu Gesicht bekommen, als sie vom Festumzug in Hedestad zurückkam, aber er habe sie *seit dem Unfall auf der Brücke nicht mehr gesehen und kenne ihren derzeitigen Aufenthaltsort nicht.*

Greger Vanger, Henriks und Haralds Bruder, gab an, er habe die verschwundene Sechzehnjährige nach ihrem Besuch in Hedestad gesehen, als sie in Henriks Arbeitszimmer kam und ihn um ein Gespräch bat. Greger erklärte, dass er selbst, abgesehen von einem kurzen Gruß, nicht mit ihr geredet habe.

Er wusste nicht, wo sie sich möglicherweise aufhalten könnte, äußerte jedoch die Vermutung, sie sei wahrscheinlich nur zu einer Schulfreundin gefahren – gedankenloserweise ohne jemand Bescheid zu geben – und werde sicher bald wieder auftauchen. Auf die Frage, wie sie in diesem Fall die Insel verlassen haben sollte, wusste er keine Antwort.

Martin Vanger wurde am kürzesten vernommen. Er absolvierte gerade sein letztes Jahr am Gymnasium in Uppsala, wo er bei Harald Vanger untergebracht war. Da in Haralds Auto kein Platz mehr für ihn gewesen war, hatte er den Zug nach Hedeby genommen und war so spät angekommen, dass er auf Grund des Unfalls auf der falschen Seite der Brücke hängen blieb. Er hatte erst spätabends mit dem Boot übersetzen können. Man vernahm ihn in der Hoffnung, seine Schwester könnte sich mit ihm verständigt und ihm einen Hinweis gegeben haben, wohin sie ausreißen wollte. Die Frage löste Proteste bei Harriets Mutter aus, aber Kommissar Morell war zu jenem Zeitpunkt der Meinung, dass es die hoffnungsvollere Variante sei, wenn Harriet nur fortgelaufen wäre. Martin hatte jedoch seit den Sommerferien nicht mehr mit seiner Schwester gesprochen und konnte keine nützlichen Angaben machen.

Anita war Harald Vangers Tochter, wurde aber irrtümlich als Kusine von Harriet aufgelistet – sie war eigentlich eine Kusine zweiten Grades. Sie studierte im ersten Jahr an der Universität Stockholm und hatte den Sommer in Hedeby verbracht. Sie und Harriet waren fast gleichaltrig und sehr enge Freundinnen geworden. Sie gab an, dass sie am Samstag gemeinsam mit ihrem Vater auf die Insel gekommen war und sich darauf gefreut hatte, Harriet zu treffen. Sie erklärte, sie sei beunruhigt, denn es sehe Harriet nicht ähnlich, irgendwohin zu verschwinden, ohne der Familie Bescheid zu sagen. Dieser Aussage schlossen sich Henrik und Isabella Vanger an.

Kommissar Morell hatte während der Vernehmungen der Familienmitglieder auch gleich die Beamten Magnusson und Bergman – Patrouille 014 – beauftragt, eine erste Suchmannschaft zu organisieren, solange es noch hell war. Wegen der immer noch gesperrten Brücke war es schwierig, Verstärkung vom Festland anzufordern. Die erste Suchmannschaft bestand aus ungefähr dreißig Personen verschiedenen Alters und Geschlechts. Folgendes Gebiet wurde am Nachmittag abgesucht: die leer stehenden Häuser am Fischerhafen, die Strände an der Landzunge und den Sund entlang, das Waldstück bei der Siedlung sowie der sogenannte Söderberg oberhalb des Fischerhafens. Letzterer wurde untersucht, weil jemand die Theorie aufgestellt hatte, Harriet könnte dorthin gegangen sein, um sich aus sicherem Abstand einen Überblick über den Unfallort zu verschaffen. Man schickte sogar Streifen nach Östergård und zu Gottfrieds Haus auf der anderen Seite der Insel.

Die Suche blieb jedoch ergebnislos und wurde erst lange nach Einbruch der Dunkelheit gegen zehn Uhr abends abgebrochen. Die Temperatur fiel nachts auf ungefähr null Grad.

Im Laufe des Nachmittags hatte Kommissar Morell sein Hauptquartier in einem Zimmer im Erdgeschoss des vangerschen Hofes eingerichtet, das Henrik Vanger ihm zur Verfügung gestellt hatte. Er hatte eine Menge Maßnahmen ergriffen.

Zusammen mit Isabella Vanger hatte er Harriets Zimmer in Augenschein genommen und herauszufinden versucht, ob etwas fehlte, was darauf hindeuten würde, dass Harriet von zu Hause fortgelaufen war. Isabella war ihm keine sonderlich große Hilfe und schien nicht allzu gut über die Garderobe ihrer Tochter Bescheid zu wissen. *Sie hatte oft Jeans an, aber die sehen ja alle gleich aus.* Harriets Handtasche wurde auf ihrem Schreibtisch gefunden. Darin befanden sich ihr Ausweis, eine Brieftasche mit neun Kronen und fünfzig Öre, ein

Kamm, ein Handspiegel und ein Taschentuch. Nach dieser Durchsuchung war Harriets Zimmer versiegelt worden.

Morell hatte mehrere Personen zur Vernehmung bestellt, sowohl Familienmitglieder als auch Angestellte. Alle Gespräche waren sorgfältig aufgezeichnet worden.

Als die Teilnehmer der ersten Suchmannschaft schließlich mit entmutigenden Nachrichten zurückgekommen waren, entschied der Kommissar, die Suche systematischer aufzuziehen. Er forderte abends und nachts Verstärkung an. Unter anderem wandte er sich an den Vorsitzenden des Hedestader Vereins für Orientierungsläufe und bat ihn, sämtliche Mitglieder telefonisch für die Suchaktion einzuberufen. Gegen Mitternacht teilte man ihm mit, dass sich dreiundfünfzig aktive Mitglieder am nächsten Morgen um 7 Uhr auf dem Hof der Vangers einfinden würden. Henrik Vanger leistete seinen Beitrag, indem er einen Teil der Frühschichtarbeiter aus der Vangerschen Papierfabrik abstellte. Er organisierte sogar Essen und Getränke.

Mikael Blomkvist konnte sich die Szenen lebhaft vorstellen, die sich in diesen dramatischen Stunden auf dem Hof der Vangers abgespielt haben mussten. Der Unfall auf der Brücke hatte in den ersten Stunden zur allgemeinen Verwirrung beigetragen: Es war sehr schwierig, Verstärkung vom Festland zu bekommen, zum anderen dachten alle, dass zwei dramatische Ereignisse doch irgendwie miteinander in Verbindung stehen mussten. Als der Tanklaster entfernt wurde, war Kommissar Morell sogar zur Brücke gegangen, um sich davon zu überzeugen, dass Harriet Vanger nicht auf irgendeine unwahrscheinliche Art und Weise unter dem Wrack gelandet war. Das war die einzige irrationale Handlung, die Mikael im Vorgehen des Kommissars entdeckte, denn das Mädchen war nach dem Unfall ja nachweislich auf der Insel gesehen worden.

Während der ersten chaotischen vierundzwanzig Stunden schwanden die Hoffnungen, dass die Geschichte ein baldiges und glückliches Ende nehmen könnte. Trotz aller offensichtlichen Schwierigkeiten, die Insel unbemerkt zu verlassen, wollte Morell die Möglichkeit nicht ausschließen, dass Harriet von zu Hause weggelaufen sein könnte. Er beschloss, eine Fahndung einzuleiten, und wies die Streifenpolizisten in Hedestad an, die Augen offen zu halten. Er beauftragte sogar einen Kollegen von der Kriminalabteilung, Busfahrer und Bahnhofspersonal zu vernehmen, ob irgendjemand sie gesehen hätte.

Mit jedem negativen Bescheid wuchs die Wahrscheinlichkeit, dass Harriet Vanger einem Unfall zum Opfer gefallen war. Diese Theorie dominierte in den nächsten Tagen die Gestaltung der Ermittlungen.

Die große Suchaktion zwei Tage nach ihrem Verschwinden war – soweit Mikael Blomkvist dies beurteilen konnte – äußerst kompetent aufgezogen worden. Polizei und Feuerwehrleute mit entsprechender Erfahrung hatten die Suche organisiert. Auf der Insel gab es zwar ein paar Gebiete, die nicht ohne Weiteres zugänglich waren, aber die Fläche war eben doch begrenzt, und die Insel konnte innerhalb eines Tages komplett durchkämmt werden. Ein Polizeiboot und zwei Freiwillige mit ihren Pettersson-Booten durchsuchten das Wasser rund um die Insel.

Am nächsten Tag wurde die Suche mit einer verkleinerten Mannschaft fortgesetzt. Diesmal wurden Patrouillen in besonders unübersichtlichen Gebieten erneut auf die Suche geschickt, auch in ein Gebiet, das »die Befestigung« genannt wurde – ein verlassenes Bunkersystem, das von den Truppen im Zweiten Weltkrieg zur Verteidigung der Küste angelegt worden war. An jenem Tag kontrollierte man im Ort jeden kleinen Unterschlupf, Brunnen und Schuppen, jedes Erdloch und jede Dachkammer.

In den Aufzeichnungen war eine gewisse Frustration zu erkennen, als die Suche am dritten Tag nach Harriets Verschwinden abgebrochen wurde. Harriet Vanger schien sich in Luft aufgelöst zu haben, und damit begann Henrik Vangers fast vierzig Jahre währende Qual.

9. Kapitel
Montag, 6. Januar – Mittwoch, 8. Januar

Mikael hatte bis weit in die frühen Morgenstunden weiter-
gelesen und war am 6. Januar spät aufgestanden. Ein mari-
neblauer Volvo parkte genau vorm Eingang zu Henrik Vangers Haus. In dem Moment, als Mikael die Hand auf die
Klinke legte, wurde die Tür von einem etwa fünfzigjährigen
Mann geöffnet, der das Haus gerade verlassen wollte. Die
beiden stießen fast zusammen. Der Mann wirkte gehetzt.

»Ja? Kann ich Ihnen helfen?«

»Ich möchte zu Henrik Vanger«, antwortete Mikael.

Die Miene des Mannes hellte sich auf. Er lächelte und
streckte ihm die Hand entgegen.

»Sie müssen wohl Mikael Blomkvist sein, der Henrik bei
seiner Familienchronik hilft?«

Mikael nickte und gab ihm die Hand. Henrik Vanger hatte
offensichtlich angefangen, die *cover story* zu verbreiten, die
Mikaels Aufenthalt in Hedestad erklären sollte. Der Mann
hatte Übergewicht – das Ergebnis vieler Jahre zäher Verhandlungen in Büros und Sitzungsräumen –, aber Mikael erkannte
sofort die Ähnlichkeit mit den Gesichtszügen auf Harriet Vangers Foto.

»Ich heiße Martin Vanger«, bestätigte er. »Willkommen in
Hedestad.«

»Danke.«

»Ich habe Sie vor einiger Zeit im Fernsehen gesehen.«

»Hier haben mich anscheinend alle im Fernsehen gesehen.«

»Wennerström ist … nicht grade besonders populär in diesem Haus.«

»Henrik hat es schon erwähnt. Ich warte auf den Rest der Geschichte.«

»Er hat mir erzählt, dass er Sie vor ein paar Tagen engagiert hat.« Martin Vanger lachte plötzlich. »Er meinte, wahrscheinlich hätten Sie den Job hier oben wegen Wennerström angenommen.«

Mikael zögerte kurz, bevor er sich entschloss, die Wahrheit zu sagen.

»Das war ein wichtiger Grund. Aber ehrlich gesagt, musste ich einfach raus aus Stockholm, und da kam mir Hedestad gerade recht. Glaube ich. Ich kann auch nicht so tun, als hätte es diesen Prozess nicht gegeben. Ich muss ins Gefängnis.«

Martin Vanger nickte und war plötzlich ganz ernst.

»Können Sie Berufung einlegen?«

»Das hilft in diesem Fall nicht sonderlich viel.«

Martin Vanger sah auf seine Armbanduhr.

»Ich muss heute Abend in Stockholm sein und mich beeilen. In ein paar Tagen bin ich wieder zurück. Kommen Sie doch mal zum Abendessen zu mir rüber. Ich würde furchtbar gerne hören, was bei dieser Verhandlung wirklich passiert ist.«

Sie schüttelten sich die Hände, dann ging Martin Vanger an Mikael vorbei und öffnete die Tür seines Volvo. Er dreht sich noch einmal um und rief Mikael zu: »Henrik ist oben. Gehen Sie einfach die Treppe hoch.«

Henrik Vanger saß auf dem Sofa in seinem Arbeitszimmer. Eine Reihe Zeitungen lag vor ihm auf dem Tisch.

»Ich bin gerade Martin begegnet.«

»Da hetzt er davon, das Imperium zu retten«, sagte Henrik Vanger und hob die Thermoskanne. »Kaffee?«

»Danke, gern«, antwortete Mikael. Er nahm Platz und fragte sich, warum Henrik Vanger so amüsiert aussah.

»Wie ich sehe, beschäftigen sich die Zeitungen wieder mit Ihnen.«

Henrik Vanger schob ihm eine der Abendzeitungen zu, die bei der Überschrift »Medialer Kurzschluss« aufgeschlagen war. Der Artikel stammte von einem Kolumnisten mit gestreiftem Sakko, der früher für das Wirtschaftsmagazin *Monopol* gearbeitet hatte und sich den Ruf eines Experten erworben hatte, indem er in spöttischem Ton über alle herzog, die sich für etwas engagierten. Nun hatte er sich offensichtlich auf Medienkritik verlegt. Ein paar Wochen nach dem Prozess in der Wennerström-Affäre konzentrierte er all seine Energie auf Mikael Blomkvist, der namentlich als Vollidiot hingestellt wurde. Erika Berger hingegen ließ er aussehen wie eine dumme Blondine:

> *Es geht das Gerücht, dass* Millennium *auf den Ruin zusteuert, obwohl die Chefredakteurin eine Minirock tragende Feministin ist und ständig ihr Schmollmündchen in die Fernsehkameras hält. Das Magazin hat mehrere Jahre mit Hilfe des Images überlebt, das die Redaktion in der Öffentlichkeit erfolgreich aufgebaut hatte – junge Journalisten, die Enthüllungsjournalismus betreiben und die Bösewichte der Geschäftswelt enttarnen. Dieser Werbetrick funktioniert vielleicht bei ahnungslosen jungen Leuten, die diese Art Message hören wollen, beim Amtsgericht funktioniert er jedoch nicht – wie Kalle Blomkvist kürzlich selbst erfahren musste.*

Mikael schaltete sein Handy ein und sah nach, ob er einen Anruf von Erika erhalten hatte, aber das war nicht der Fall.

Henrik Vanger wartete wortlos, bis Mikael begriff, dass der alte Mann es ihm selbst überlassen wollte, das Schweigen zu brechen.

»Ein Idiot ist das.«

Vanger lachte, kommentierte jedoch völlig unsentimental: »Kann schon sein. Aber er ist nicht vom Amtsgericht verurteilt worden.«

»Stimmt. Und das wird er auch nie werden. Er ist Experte darin, selbst nie etwas Kontroverses zu äußern, dafür andere umso ausgiebiger mit Schmutz zu bewerfen.«

»Solche habe ich zu meiner Zeit viele gesehen. Ein guter Rat – falls Sie einen von mir annehmen: Ignorieren Sie sein Gezeter, vergessen Sie nichts, und zahlen Sie es ihm zurück, sobald Sie die Gelegenheit dazu haben. Aber nicht jetzt, wo er die Oberhand hat.«

Mikael sah ihn fragend an.

»Ich habe im Laufe der Jahre viele Feinde gehabt. Eines habe ich dabei gelernt, nämlich niemals zu kämpfen, wenn man nur verlieren kann. Trotzdem darf man einem Menschen seine Beleidigungen nicht durchgehen lassen. Man muss den richtigen Augenblick abwarten und zurückschlagen, sobald man selbst am längeren Hebel sitzt – auch wenn man dann nicht mehr zurückzuschlagen brauchte.«

»Danke für die Lehrstunde. Jetzt hätte ich gerne, dass Sie mir von Ihrer Familie erzählen.« Mikael stellte ein Tonbandgerät auf den Tisch und drückte die Aufnahmetaste.

»Was wollen Sie wissen?«

»Ich habe die erste Akte gelesen, über Harriets Verschwinden und die Suche in den ersten Tagen. Aber es tauchen so unendlich viele Vangers in den Texten auf, dass ich sie nicht mehr auseinanderhalten kann.«

Lisbeth Salander stand regungslos im leeren Treppenhaus und fixierte das Messingschild mit der Aufschrift *Rechtsanwalt*

N. E. Bjurman, bevor sie schließlich klingelte. Das Türschloss klickte.

Es war Dienstag, es war die zweite Sitzung, und sie hatte böse Vorahnungen.

Sie hatte keine Angst vor Anwalt Bjurman – Lisbeth Salander hatte fast vor nichts und niemand Angst. Der neue Betreuer hingegen flößte ihr äußerstes Unbehagen ein. Sein Vorgänger, der Anwalt Holger Palmgren, war aus ganz anderem Holz geschnitzt gewesen, korrekt, höflich und freundlich. Ihre Zusammenarbeit war vor drei Monaten beendet worden, als Palmgren einen Schlaganfall erlitt und Nils Erik Bjurman sie einer ihr unbekannten bürokratischen Hackordnung gemäß »geerbt« hatte.

In den knapp zwölf Jahren, in denen Lisbeth Salander in sozialer und psychiatrischer Betreuung gewesen war, darunter zwei Jahre in einer Kinderklinik, hatte sie niemals – nicht bei einer einzigen Gelegenheit – auch nur auf die einfache Frage »Wie geht es dir denn heute?« geantwortet.

Als sie dreizehn wurde, hatte das Gericht auf Grundlage des Gesetzes über die Fürsorge Minderjähriger entschieden, dass sie auf der geschlossenen Station in der Kinderpsychiatrie der St.-Stefans-Klinik in Uppsala untergebracht werden sollte. Die Entscheidung gründete darauf, dass sie als psychisch gestört eingestuft wurde und wegen ihrer Gewalttätigkeit als Gefahr für ihre Klassenkameraden und vielleicht sogar für sich selbst galt.

Diese Annahme gründete eher auf empirischen Erkenntnissen als auf einer sorgfältig abwägenden Analyse. Jeder Arzt und jeder Vertreter einer Behörde, der versuchte, mit ihr ein Gespräch über ihre Gefühle, ihr Seelenleben oder ihren Gesundheitszustand zu führen, stieß auf mürrisches Schweigen. Sie starrte intensiv Boden, Decke und Wände an, hielt die Arme konsequent vor der Brust verschränkt und weigerte sich, psychologische Tests zu absolvieren. Ihr totaler Widerstand gegen jeglichen Versuch, sie zu messen, wiegen, untersuchen, analysieren und zu erziehen, erstreckte sich auch auf den schulischen Bereich – die Behörden konnten sie wohl in ein Klassenzimmer transportieren und sie am Tisch festketten, aber das hielt sie nicht davon ab, die Ohren auf Durchzug zu schalten und sich zu weigern, einen Füller in die Hand zu nehmen. Sie verließ die Schule ohne ein Abschlusszeugnis.

Kurz und gut, Lisbeth Salander war alles andere als leicht zu handhaben.

Als sie dreizehn war, wurde ein Betreuer bestellt, der ihre Interessen wahrnehmen und ihr Vermögen verwalten sollte, bis sie die Volljährigkeit erreichte. Dieser Betreuer wurde Holger Palmgren, der trotz eines ziemlich komplizierten Starts tatsächlich Erfolg hatte, wo Psychiater und Ärzte gescheitert waren: Er hatte nicht nur ein gewisses Vertrauen erworben, das störrische Mädchen hatte ihm sogar spärlich dosierte Wärme entgegengebracht.

Als sie fünfzehn wurde, waren sich die Ärzte mehr oder weniger einig, dass sie zumindest nicht gemeingefährlich oder eine unmittelbare Gefahr für sich selbst war. Da ihre Familie als dysfunktional definiert worden war und sie keine Verwandten hatte, die für ihr Wohlergehen hätten sorgen können, hatte man beschlossen, Lisbeth Salander aus der Kinderpsychiatrie von St. Stefan in Uppsala zu entlassen und sie mittels einer Pflegefamilie wieder in die Gesellschaft einzugliedern.

Der Weg war nicht einfach gewesen. Von der ersten Pflegefamilie riss sie schon nach zwei Wochen aus. Pflegefamilie Nummer zwei und drei waren auch schnell abgehakt. Danach hatte Palmgren ein ernstes Gespräch mit ihr geführt und ihr rundheraus erklärt, wenn sie weitermache wie bisher, würde sie zweifellos wieder in irgendeine Anstalt eingewiesen werden. Die versteckte Drohung hatte zur Folge, dass sie Pflegefamilie Nummer vier akzeptierte – ein älteres Paar im Vorort Midsommarkransen.

Das bedeutete aber noch lange nicht, dass sie sich jetzt besser aufgeführt hätte. Als Siebzehnjährige wurde sie viermal von der Polizei aufgegriffen, zweimal so schwer betrunken, dass sie in die Intensivstation eingeliefert werden musste, und einmal offensichtlich im Drogenrausch. Bei einer dieser Gelegenheiten hatte man sie sternhagelvoll und mit ungeordneter Kleidung auf dem Rücksitz eines Autos gefunden, das am Söder Mälarstand parkte. Sie hatte sich in Gesellschaft eines ebenso betrunkenen und wesentlich älteren Mannes befunden.

Das letzte Mal wurde sie aufgegriffen, als sie am Durchgang zur U-Bahn-Station Gamla Stan, drei Wochen vor ihrem achtzehnten Geburtstag, in nüchternem Zustand einem männlichen Passanten Fußtritte gegen den Kopf versetzt hatte. Der Vorfall endete damit, dass sie wegen Körperverletzung festgenommen wurde. Salander hatte sich damit gerechtfertigt, dass der Mann sie befummelt hätte, und da sie nach Statur und Aussehen eher für zwölf als für achtzehn Jahre durchging, war sie der Meinung, der Mann habe pädophile Neigungen. Ihre Aussage gegenüber den Polizisten, die sie verhörten, bestand zunächst aus zwei Sätzen: »*Er hat mich begrapscht. Beschissener Lustgreis.*« Die Aussage wurde jedoch von Zeugen gestützt, sodass der Staatsanwalt die Sache fallen ließ.

Insgesamt war ihr Hintergrund aber solcherart, dass das Gericht eine psychiatrische Untersuchung anordnete. Da sie sich wie gewohnt weigerte, Fragen zu beantworten oder sich an den Untersuchungen zu beteiligen, fällten die vom Gesundheits- und Sozialamt konsultierten Ärzte schließlich ein Gutachten, das auf der »Beobachtung der Patientin« basierte. Was genau man an einer jungen Frau beobachten konnte, die mit verschränkten Armen und vorgeschobener Unterlippe auf einem Stuhl saß, blieb unklar. Das rechtsmedizinische Gutachten plädierte für Betreuung in einer geschlossenen psychiatrischen Anstalt. Dieser Expertenmeinung schloss sich auch der stellvertretende Chef des Sozialausschusses in seinem Gutachten an.

Mit Verweis auf ihren Lebenslauf stellte das Gutachten fest, dass eine *große Gefahr des Alkohol- oder Drogenmissbrauchs* bestehe und sie offenbar *keine Einsicht in ihr eigenes Handeln* habe. Ihre Krankengeschichte war zu diesem Zeitpunkt voller belastender Formulierungen wie *introvertiert, sozial gehemmt, Mangel an Empathie, egoistisch, psychopathisches und asoziales Verhalten, Schwierigkeiten bei der sozialen Zusammenarbeit* und *Lernunfähigkeit*. Außerdem wurde ihr vorgehalten, dass Streetworker sie mehrmals mit verschiedenen Männern in der Gegend um Mariatorget gesehen hätten. Man nahm an, dass Lisbeth Salander sich möglicherweise prostituierte oder in absehbarer Zeit Gefahr lief, dies zu tun.

Als das Gericht zusammentrat, um die Entscheidung zu fällen, schien der Ausgang von vornherein klar. Sie war ein Problemkind, und es war unwahrscheinlich, dass das Gericht von der Empfehlung der rechtspsychiatrischen und sozialen Gutachten abweichen würde.

Am Morgen, bevor das Gericht zusammentreten sollte, wurde Lisbeth Salander aus der Kinderpsychiatrie abgeholt, in der sie seit dem Vorfall in Gamla Stan eingesperrt gewesen war. Der Erste, den sie im Gerichtssaal erblickte, war Holger Palmgren, und es dauerte einen Moment, bis sie begriff, dass er an jenem Tag nicht in seiner Eigenschaft als Vormund auftrat, sondern als ihr Anwalt und juristischer Vertreter. Sie bekam eine ganz neue Seite an ihm zu sehen.

Zu ihrer Verwunderung hatte Palmgren sich eindeutig auf ihre Seite geschlagen und vehement dem Vorschlag widersprochen, sie in eine Anstalt zu überführen. Sie hatte ihre Überraschung nicht einmal durch eine hochgezogene Augenbraue kundgetan, aber sie hörte jedem Wort mit gespanntester Aufmerksamkeit zu. Palmgren glänzte mit einem zweistündigen Kreuzverhör des Arztes, eines Dr. Jesper H. Löderman, der seinen Namen unter die Empfehlung gesetzt hatte, dass man Salander in eine Anstalt sperren sollte. Jedes Detail des Gutachtens wurde streng überprüft und der Arzt gebeten, den wissenschaftlichen Grund jeder Behauptung zu erläutern. Schließlich trat offen zutage, dass die Schlussfolgerungen der Ärzte nicht auf wissenschaftlichen Erkenntnissen, sondern auf Vermutungen basierten, da die Patientin sich geweigert hatte, auch nur einen einzigen Test zu absolvieren.

Am Ende der Verhandlung hatte Palmgren darauf hingewiesen, dass eine Zwangseinweisung nicht nur mit großer Wahrscheinlichkeit gegen einen Reichstagsbeschluss über derartige Fälle verstieß, sondern sogar politische und mediale Repressalien nach sich ziehen könnte. Es liege also im Interesse aller Beteiligten, eine passende Alternative zu finden. Die Wortwahl war ungewöhnlich für Verhandlungen dieser Art, und die Mitglieder des Gerichts wanden sich unruhig auf ihren Stühlen.

Die Lösung war ein Kompromiss. Das Gericht konstatierte, dass Lisbeth Salander psychisch krank, eine Einweisung in eine Anstalt jedoch nicht nötig sei. Allerdings folgte man der Empfehlung des Sozialausschusses, einen umfassenden Betreuer einzusetzen. Woraufhin sich der Vorsitzende mit giftigem Lächeln an Holger Palmgren wandte, der bis dahin nur ihr Teilbetreuer gewesen war, und ihn fragte, ob er willens sei, diese Aufgabe zu übernehmen. Es war offensichtlich, dass der Vorsitzende geglaubt hatte, Palmgren würde einen Rückzieher machen und versuchen, die Verantwortung jemand anders zuzuschieben. Aber der Anwalt hatte erklärt, dass er mit Vergnügen die Aufgabe übernehmen würde, Frau Salander als umfassender Betreuer zu dienen – unter einer Bedingung.

»Das setzt natürlich voraus, dass Frau Salander Vertrauen zu mir hat und mich als ihren umfassenden Betreuer akzeptiert.«

Er hatte sich direkt an sie gewandt. Lisbeth Salander war ein wenig verwirrt von dem Schlagabtausch, dem sie den ganzen Tag über gelauscht hatte. Bis zu diesem Moment hatte sie keiner nach ihrer Meinung gefragt. Sie sah Holger Palmgren lange an und nickte dann einmal.

Palmgren war eine bemerkenswerte Mischung aus Jurist und Sozialarbeiter der alten Schule. Früher war er politischer Abgeordneter im Sozialausschuss gewesen und hatte fast sein gesamtes Leben der Arbeit mit schwierigen Jugendlichen gewidmet. Zwischen dem Rechtsanwalt und seinem mit Abstand schwierigsten Schützling war ein verquerer Respekt entstanden, der fast schon an Freundschaft grenzte.

Ihr Verhältnis währte insgesamt elf Jahre, von ihrem dreizehnten Geburtstag bis zu jenem Tag, ein paar Wochen vor Weihnachten, als sie Palmgren zu Hause aufsuchte, weil er zu einem ihrer monatlichen Treffen nicht erschienen war. Als er nicht aufmachte, obwohl sie Geräusche aus der Wohnung hörte, stieg sie bei ihm ein, indem sie die Regenrinne bis zum Balkon im dritten Stock hochkletterte. Sie hatte ihn im Flur liegend gefunden, bei Bewusstsein zwar, aber nach einem schweren Schlaganfall unfähig zu sprechen oder sich zu bewegen. Er war erst vierundsechzig Jahre alt. Sie hatte einen Krankenwagen gerufen und war mit ins Söder-Krankenhaus gefahren, während ihr die wachsende Panik den Hals zuschnürte. Knapp drei Tage hatte sie den Flur der Intensivstation kaum verlassen. Wie ein treuer Wachhund hatte sie jeden Schritt der Ärzte und Krankenschwestern überwacht. Zu guter Letzt hatte ein Arzt, dessen Namen sie nie erfuhr, sie in ein Zimmer mitgenommen und ihr den Ernst der Situation auseinandergesetzt. Holger Palmgrens Zustand war nach einer schweren Gehirnblutung sehr kritisch. Man glaubte nicht, dass er wieder aufwachen würde. Sie hatte weder geweint noch eine Miene verzogen. Sie war aufgestanden, hatte das Krankenhaus verlassen und war nie wieder zurückgekommen.

Fünf Wochen später hatte das Vormundschaftsgericht Lisbeth Salander zum ersten Treffen mit ihrem neuen Betreuer bestellt. Sie wollte die Einladung einfach ignorieren, doch Holger Palmgren hatte ihr eingetrichtert, dass jede Handlung Konsequenzen hat. Zu jenem Zeitpunkt hatte sie bereits gelernt, diese Konsequenzen zu analysieren, bevor sie handelte. Nach genauerem Nachdenken war sie zu dem Schluss gekommen, dass der einzige Ausweg aus dem Dilemma darin lag, so zu handeln, als würde sie die Autorität des Vormundschaftsgerichts anerkennen.

Also hatte sie sich im Dezember brav in Bjurmans Kontor am St.-Eriks-Platz eingefunden, wo eine ältere Dame im Namen des Vormundschaftsgerichts Salanders umfassende Mappe an Rechtsanwalt Bjurman übergeben hatte. Die Dame hatte sie freundlich gefragt, wie es ihr ginge, und schien Lisbeths dumpfes Schweigen als zufriedenstellende Antwort zu akzeptieren. Nach ungefähr einer halben Stunde hatte sie Salander in Bjurmans Obhut zurückgelassen.

Fünf Sekunden nach ihrem ersten Händeschütteln hatte Lisbeth Salander eine Abneigung gegen Anwalt Bjurman gefasst.

Sie beobachtete ihn, während er ihre Akte durchging. Alter fünfzig aufwärts. Durchtrainierter Körper, dienstags und freitags Tennis. Blond. Dünnes Haar. Leichtes Grübchen am Kinn. Riecht nach Boss. Blauer Anzug. Roter Schlips mit goldener Nadel und geckenhafte Manschettenknöpfe mit den Buchstaben NEB. Brille mit Stahlrahmen. Graue Augen. Nach den Zeitschriften auf einem Beistelltischchen zu urteilen, interessierte er sich für Jagd und Schießen.

Während des Jahrzehnts, als sie sich mit Palmgren traf, hatte er ihr immer Kaffee angeboten und sich mit ihr unterhalten. Nicht einmal ihre Fluchten von ihren Pflegefamilien oder ihr systematisches Schuleschwänzen hatten ihn aus der Fassung bringen können. Palmgren war nur ein einziges Mal aus der Haut gefahren: als der schleimige Typ in Gamla Stan sie begrapscht hatte und sie wegen Körperverletzung festgenommen wurde.

Bjurman hatte nicht viel für Small Talk übrig. Er hatte sofort festgestellt, dass zwischen Palmgrens Verpflichtungen und der Tatsache, dass er es Lisbeth Salander anscheinend selbst überlassen hatte, sich um ihren Haushalt und ihre Finanzen zu kümmern, eine große Diskrepanz herrschte. Er hatte sie nach Strich und Faden verhört: *Wie viel verdienen Sie? Ich möchte Kopien ihrer Buchführung. Mit was für Leuten treffen Sie sich? Bezahlen Sie Ihre Miete rechtzeitig? Trinken Sie Alkohol? Fand Palmgren diese Ringe in Ordnung, die Sie da im Gesicht tragen? Können Sie sich selbst um Ihre Hygiene kümmern?*

Fuck you.

Palmgren hatte darauf bestanden, sie mindestens einmal im Monat zu treffen, manchmal öfter. Seit sie in die Lundagatan zurück gezogen war, waren sie außerdem fast Nachbarn gewesen. Er wohnte in der Hornsgata nur ein paar Blöcke weiter, und in regelmäßigen Abständen waren sie sich zufällig über den Weg gelaufen und hatten einen Kaffee zusammen getrunken. Palmgren hatte sich nie aufgedrängt, sie jedoch an ihrem Geburtstag einmal mit einem kleinen Geschenk überrascht. Er hatte sie eingeladen, ihn jederzeit zu besuchen, ein Privileg, das sie selten nutzte, aber seit sie nach Söder gezogen war, hatte sie Heiligabend nach dem Besuch bei ihrer Mutter immer bei ihm gefeiert. Sie aßen dann Weihnachtsschinken und spielten Schach. Sie interessierte sich nicht im Geringsten für dieses Spiel, doch sobald sie die Regeln gelernt hatte, verlor sie nicht eine einzige Partie. Er war Witwer, und Lisbeth hatte es als ihre Pflicht betrachtet, sich an solch einsamen Feiertagen seiner anzunehmen.

Sie fand, das war sie ihm schuldig. Und ihre Rechnungen pflegte sie zu bezahlen.

Palmgren hatte die Wohnung ihrer Mutter in der Lundagata für sie vermietet, bis Lisbeth eine eigene Wohnung brauchte. Die 49 m² große Wohnung war lange nicht mehr renoviert worden und ziemlich heruntergekommen, aber sie bedeutete erst einmal ein Dach über dem Kopf.

Jetzt war Palmgren fort, und eine weitere Verbindung zur etablierten Gesellschaft war gekappt worden. Nils Bjurman war ein ganz anderer Typ Mensch. Sie hatte nicht vor, ihren Heiligabend bei ihm zu verbringen. Seine erste Maßnahme bestand darin, neue Regeln für den Umgang mit ihrem Gehaltskonto bei der Handelsbank einzuführen. Palmgren hatte das Gesetz großzügig ausgelegt und es ihr unbekümmert überlassen, sich um ihre Finanzen zu kümmern. Sie bezahlte ihre Rechnungen also selbst und konnte über ihr Sparguthaben verfügen, wie sie wollte.

Bei dem Treffen mit Bjurman in der Woche vor Weihnachten hatte sie ihm ganz vernünftig zu erklären versucht, dass sein Vorgänger ihr vertraut und keinen Anlass gehabt hatte, an ihr zu zweifeln. Dass Palmgren sie ihr Leben selbst hatte regeln lassen, ohne sich in ihre Privatsphäre einzumischen.

»Das ist eines der Probleme«, entgegnete Bjurman und klopfte auf ihre Akte. Er hielt eine längere Rede über die Vorschriften und staatlichen Verordnungen, die für einen rechtlichen Betreuer galten, und verkündete dann, dass er neue Spielregeln einführen werde.

»Er hat Sie an der langen Leine laufen lassen, wenn ich das richtig verstehe. Ich frage mich, wie er damit davonkommen konnte.«

»Ich bin kein Kind mehr«, sagte Lisbeth Salander, als wäre das eine ausreichende Erklärung.

»Nein, Sie sind kein Kind. Aber ich bin zum Betreuer für Sie bestellt worden, und solange ich das bin, bin ich auch juristisch und finanziell für Sie in der Verantwortung.«

Als Erstes eröffnete er ein neues Konto in ihrem Namen, das sie Milton als Gehaltskonto melden sollte und von dem zukünftig ihre laufenden Ausgaben bestritten werden würden. In Zukunft würde Bjurman ihre Rechnungen begleichen und ihr monatlich eine gewisse Summe als Taschengeld auszahlen. Er erwartete von ihr, dass sie über ihre Ausgaben Buch führte und ihm ihre Belege ablieferte. Er setzte fest, dass sie 1400 Kronen pro Woche bekommen sollte – »für Essen, Kleidung, Kinobesuche und solche Dinge«.

Je nachdem, wie viel Arbeit sie annahm, verdiente Lisbeth Salander bis zu 160 000 Kronen im Jahr. Sie hätte den Betrag leicht verdoppeln können, indem sie sich Vollzeit bezahlen ließ und alle Aufträge annahm, die Dragan Armanskij ihr anbot. Aber sie hatte wenig feste Kosten und gab ansonsten nicht viel Geld aus. Die Kosten für die Wohnung lagen bei 2000 Kronen pro Monat, und trotz bescheidener Einkünfte hatte sie 90 000 Kronen auf ihrem Sparkonto – auf das sie allerdings keinen Zugriff mehr hatte.

»Weil ich für Ihr Geld verantwortlich bin«, erklärte er ihr. »Sie müssen Geld für die Zukunft beiseitelegen. Aber keine Sorge, ich kümmere mich um alles.«

Ich hab mich um mich selbst gekümmert, seit ich zehn bin, du beschissener Saftsack!

»Sie funktionieren sozial so weit, dass Sie in keine Anstalt eingewiesen werden müssen, aber die Gesellschaft ist für Sie verantwortlich.«

Er hatte sie gründlich ausgefragt, worin ihre Aufgaben bei Milton Security bestanden. Instinktiv hatte sie ihn über ihre Beschäftigung belogen. Die Antwort, die sie ihm gab, war eine Beschreibung ihrer ersten Wochen bei Milton. Anwalt Bjurman musste also glauben, dass sie Kaffee kochte und die Post sortierte – die passende Beschäftigung für eine Person, die nicht alle Tassen im Schrank hatte. Er schien mit ihrer Antwort zufrieden zu sein.

Sie wusste nicht, warum sie ihn belogen hatte, war aber überzeugt, dass es eine kluge Entscheidung war. Hätte Anwalt Bjurman auf einer Liste vom Aussterben bedrohter Insektenarten gestanden, hätte sie ihn bedenkenlos mit ihrem Absatz zerquetscht.

Mikael Blomkvist hatte fünf Stunden in Henrik Vangers Gesellschaft verbracht und verwendete den Großteil der Nacht und den gesamten Dienstag darauf, seine Notizen ins Reine zu schreiben und die Genealogie der Vangers in eine verständliche Übersicht zu bringen. Die Familiengeschichte, die sich im Gespräch mit Henrik Vanger herauskristallisierte, unterschied sich dramatisch von der offiziellen Version. Mikael wusste, dass jede Familie eine Leiche im Keller hat. Aber die Familie Vanger hatte einen ganzen Friedhof.

Mikael musste sich selbst immer wieder daran erinnern, dass sein Auftrag eigentlich nicht darin bestand, die Biografie der Familie Vanger zu schreiben, sondern herauszufinden, was mit Harriet Vanger passiert war. Er hatte den Job in dem sicheren Glauben angenommen, dass er dabei praktisch auf seinen vier Buchstaben sitzen und ein Jahr vergeuden würde, dass die Recherchen, die er für Henrik Vanger betrieb, eigentlich herzlich sinnlos waren. Nach einem Jahr würde er sein wahnwitziges Honorar einstreichen – der Vertrag, den Dirch Frode aufgesetzt hatte, war unterzeichnet. Sein eigentlicher Lohn, so hoffte er, würde in der Information über Hans-Erik Wennerström bestehen, die Henrik Vanger angeblich besaß.

Nachdem er Vanger zugehört hatte, dämmerte ihm, dass er das Jahr keineswegs vergeudete. Ein Buch über die Familie Vanger hatte auch seinen Wert – es war ganz einfach eine gute Story.

Dass er Harriets Mörder finden würde, daran glaubte er nicht. Mikael teilte Henriks Meinung, dass die Wahrscheinlichkeit gegen null ging, dass ein sechzehnjähriges Mädchen aus eigenem Antrieb verschwinden und sich dann allen bürokratischen Überwachungssystemen zum Trotz sechsunddreißig Jahre versteckt halten konnte. Er wollte jedoch nicht ausschließen, dass Harriet davongelaufen war. Auf dem Weg nach Stockholm konnte ihr etwas zugestoßen sein – Drogen, Prostitution, ein Überfall oder vielleicht schlicht und einfach ein Unfall.

Henrik Vanger war hingegen überzeugt, dass sie von einem Familienmitglied ermordet worden war – eventuell mit Beihilfe eines anderen.

Erika hatte recht gehabt, als sie sagte, dass sein Auftrag jedem gesunden Menschenverstand spottete, wenn er denn wirklich einen ungelösten Mordfall aufklären sollte. Mikael Blomkvist begriff jedoch langsam, dass Harriets Schicksal in den vergangenen sechsunddreißig Jahren eine zentrale Rolle für die gesamte Familie gespielt hatte. Ob er nun recht hatte oder nicht, Henrik Vangers Beschuldigung seiner Verwandtschaft hatte die Familiengeschichte geprägt. Diese mehr als dreißig Jahre offen ausgesprochenen Anschuldigungen hatten zu einer Frontenbildung geführt, die den Konzern destabilisierte. Einer Studie über Harriets Verschwinden würde somit die Funktion eines ganz eigenen Kapitels zukommen. Ob Harriets Verschwinden sein vorrangiger Auftrag war, oder ob er sich damit begnügte, eine Familienchronik zu schreiben, nahe liegender Ausgangspunkt für beides war eine Bestandsaufnahme der beteiligten Personen. Darum hatte sich sein Gespräch mit Henrik Vanger gedreht.

Die Familie Vanger bestand aus zirka hundert Personen, Vettern dritten Grades und die Nachkommenschaft sämtlicher Kusinen mit eingerechnet. Die Personengalerie war so umfangreich, dass Mikael sich eine Datenbank in seinem iBook einrichten musste.

Die Herkunft der Familie konnte mit Sicherheit bis ins frühe 16. Jahrhundert zurückverfolgt werden, damals lautete ihr Name noch Vangeersad. Laut Henrik Vanger stammte der Name möglicherweise vom holländischen »van Geerstad«. Falls das stimmen sollte, konnte das Geschlecht bis ins 12. Jahrhundert nachgewiesen werden.

In modernerer Zeit stammte die Familie aus Nordfrankreich und war Anfang des 19. Jahrhunderts mit Jean Baptiste Bernadotte nach Schweden gekommen. Alexandre Vangeersad hatte einen Posten beim Militär innegehabt und war nicht persönlich mit dem König bekannt. Er hatte sich jedoch als tüchtiger Garnisonschef hervorgetan und bekam 1818 den Hedeby-Hof zum Dank für seine Verdienste. Alexandre Vangeersad besaß auch eigenes Geld und hatte damit beträchtliche Waldgebiete in Norrland gekauft. Sein Sohn Adrian war in Frankreich zur Welt gekommen, zog aber auf Bitten seines Vaters in das entlegene Nest Hedeby, weit weg von den Salons in Paris, um sich um die Verwaltung des Hofes zu kümmern. Er betrieb Land- und Forstwirtschaft mit neuen Methoden, die er vom Kontinent mitgebracht hatte, und gründete die Papierfabrik, um die herum sich später Hedestad gebildet hatte.

Alexandres Enkel hieß Henrik und hatte seinen Namen zu Vanger abgekürzt. Er begann mit Russland Handel zu treiben und gründete eine kleine Handelsflotte, die Mitte des 19. Jahrhunderts Schoner ins Baltikum, nach Deutschland und das für seine Stahlindustrie bekannte England schickte. Henrik Vanger (der Ältere) baute das Familienunternehmen aus und begann in kleinem Rahmen mit dem Bergbau und den ersten Metall verarbeitenden Betrieben in Norrland. Er hinterließ zwei Söhne, Birger und Gottfried, und diese beiden machten Vanger zum Finanzimperium.

»Kennen Sie sich mit altem Erbrecht aus?«, fragte Henrik Vanger.

»Darauf bin ich nicht unbedingt spezialisiert.«

»Verstehe ich. Ich komme damit auch durcheinander. Birger und Gottfried waren entsprechend unserer Familientradition wie Hund und Katz – legendäre Konkurrenten um Macht und Einfluss im Familienunternehmen. Der Machtkampf wuchs sich in vielerlei Hinsicht zur Belastung aus, die das Überleben des Unternehmens gefährdete. Daher beschloss ihr Vater – kurz vor seinem Tod – ein System, in dem alle Familienmitglieder einen Erbteil – einen Anteil – an der Firma bekommen sollten. Der Gedanke war sicher richtig, aber er führte eine Situation herbei, in der wir unsere Unternehmensspitze aus den Familienmitgliedern rekrutierten, die ein paar Prozent Stimmanteile hielten, anstatt fähige Leute und eventuell Partner von außen in die Firma zu holen.«

»Diese Regelung gilt heute noch?«

»Ja. Wenn ein Familienmitglied seinen Anteil verkaufen will, muss er das innerhalb der Familie tun. Auf der jährlichen Eigentümerversammlung kommen derzeit ungefähr fünfzig Familienmitglieder zusammen. Martin hält knapp zehn Prozent der Aktien, ich fünf, weil ich unter anderem an Martin verkauft habe. Mein Bruder Harald hat sieben Prozent, aber die meisten Teilnehmer der Versammlung haben nur ein oder ein halbes Prozent.«

»Davon wusste ich tatsächlich nichts. Klingt irgendwie mittelalterlich.«

»Es ist der reinste Irrwitz. Wenn Martin eine gewisse Geschäftspolitik verfolgen will, dann muss er zuerst einmal Lobbyarbeit betreiben, um sich die Unterstützung von mindestens zwanzig bis fünfundzwanzig Prozent der Teilhaber zu sichern. Das Ganze ist ein einziger Flickenteppich aus Allianzen, Fraktionen und Intrigen.«

Henrik Vanger fuhr fort: »Gottfried Vanger starb 1901, kinderlos. Oh, entschuldigen Sie, er hatte natürlich vier Töchter, aber in dieser Zeit zählten die Frauen quasi nicht. Sie hatten Firmenanteile, aber die Männer in der Familie nahmen ihre Interessen wahr. Erst als Anfang des 20. Jahrhunderts das Wahlrecht eingeführt wurde, erhielten die Frauen Zutritt zu den Eigentümerversammlungen.«

»Wie liberal.«

»Seien Sie nicht ironisch. Es war eine andere Zeit. Wie auch immer, sein Bruder Birger Vanger bekam drei Söhne – Johan, Fredrik und Gideon Vanger –, die alle Ende des 19. Jahrhunderts geboren wurden. Gideon Vanger können wir beiseitelassen, der verkaufte seinen Anteil und ging nach Amerika, wo wir immer noch einen Familienzweig haben. Aber Johan und Fredrik Vanger machten aus dem Unternehmen den modernen Vanger-Konzern.«

Henrik Vanger holte ein Fotoalbum hervor. Die Fotos vom Anfang des vorigen Jahrhunderts zeigten zwei Männer mit kräftigem Kinn und mit Wasser gekämmtem Haar, die ohne die geringste Andeutung eines Lächelns in die Kamera starrten.

Johan Vanger war das Genie der Familie: Er wurde Ingenieur und brachte die Maschinenbauindustrie durch mehrere Erfindungen voran, die er sich patentieren ließ. Stahl und Eisen wurden das Fundament des Konzerns, aber das Unternehmen weitete sich auch auf andere Bereiche aus, Textil zum Beispiel. Johan Vanger starb 1956 und hatte zu diesem Zeitpunkt drei Töchter – Sofia, Märit und Ingrid –, die ersten Frauen, die automatisch an den Eigentümerversammlungen des Konzerns teilnahmen.

»Der andere Bruder, Fredrik Vanger, war mein Vater. Er war Geschäftsmann und Industrieller, der aus Johans Erfindungen Kapital schlug. Mein Vater starb 1964. Er war bis zu seinem Tod in der Geschäftsleitung aktiv, obwohl er mir bereits in den fünfziger Jahren das Tagesgeschäft überließ.

Es war genau wie bei der vorigen Generation. Johan Vanger bekam nur Töchter.«

Henrik Vanger zeigte Fotos von Frauen mit stattlichen Büsten und ausladenden Hüten. »Fredrik, mein Vater, bekam nur Söhne. Wir waren insgesamt fünf Brüder. Und zwar Richard, Harald, Greger, Gustav und ich.«

Um die Familienmitglieder überhaupt auseinanderhalten zu können, zeichnete Mikael einen Familienstammbaum auf ein paar zusammengeklebte A4-Blätter. Er druckte die Namen derjenigen fett, die beim Familientreffen 1966 auf der Insel gewesen waren und somit zumindest theoretisch etwas mit Harriets Verschwinden zu tun haben konnten.

Mikael ließ Kinder unter zwölf Jahren außer Acht – was auch immer geschehen sein mochte, er wollte sich auf Lösungsansätze beschränken, die im Bereich des Plausiblen lagen. Nach kurzer Überlegung strich er auch Henrik Vanger – wenn der Patriarch etwas mit dem Verschwinden seiner Großnichte zu tun gehabt hätte, wäre sein Verhalten während der letzten sechsunddreißig Jahre als psychopathisch zu werten. Auch Henrik Vangers Mutter, die 1966 stolze einundachtzig Jahre alt gewesen war, konnte er getrost vernachlässigen. Blieben dreiundzwanzig Familienmitglieder, die laut Henrik Vanger zur Gruppe der »Verdächtigen« gerechnet werden mussten. Sieben von ihnen waren mittlerweile gestorben, einige andere hatten ein respektables Alter erreicht.

Mikael war jedoch nicht ohne Weiteres bereit, zu glauben, dass ein Mitglied der Familie hinter Harriets Verschwinden steckte. Man musste der Liste der Verdächtigen vielmehr eine Reihe anderer Personen hinzufügen.

Dirch Frode hatte 1962 begonnen, als Rechtsanwalt für Henrik Vanger zu arbeiten. Und wer gehörte zum Personal, als Harriet verschwand? Hausmeister Gunnar Nilsson – Alibi hin oder her – war damals neunzehn, und sein Vater Magnus Nilsson hatte sich ebenso auf der Insel befunden wie der

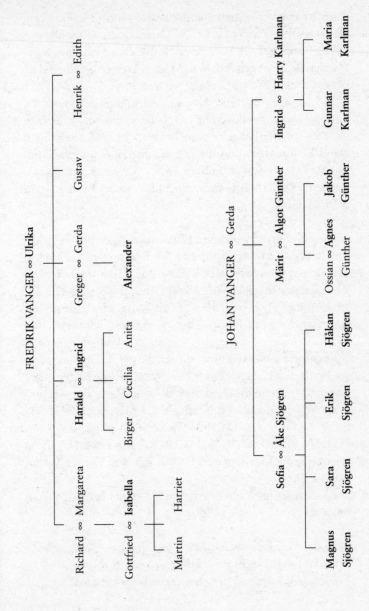

FREDRIK VANGER ∞ Ulrika

Richard ∞ Margareta

Harald ∞ Ingrid

Greger ∞ Gerda

Gustav

Henrik ∞ Edith

Birger   Cecilia   Anita

Alexander

Gottfried ∞ Isabella

Martin   Harriet

JOHAN VANGER ∞ Gerda

Sofia ∞ Åke Sjögren

Märit ∞ Algot Günther

Ingrid ∞ Harry Karlman

Magnus
Sjögren

Sara
Sjögren

Erik
Sjögren

Håkan
Sjögren

Ossian ∞ Agnes
Günther

Jakob
Günther

Gunnar
Karlman

Maria
Karlman

Künstler Eugen Norman und der Pastor Otto Falk. War Falk verheiratet? Auch der Bauer auf Östergården und sein Sohn Jerker waren auf der Insel gewesen. Welches Verhältnis hatte Harriet zu ihnen gehabt? War Martin Aronsson verheiratet? Gab es noch weitere Bewohner auf dem Hof?

Mikael fing an, alle Namen aufzuschreiben, und die Gruppe wuchs auf ungefähr vierzig Personen an. Schließlich warf er frustriert den Filzstift beiseite. Es war schon halb vier Uhr morgens, und das Thermometer zeigte weiterhin 21 Grad minus. Schien wohl eine etwas längere Kältewelle zu werden. Er sehnte sich nach seinem Bett in der Bellmansgata in Stockholm.

Mikael Blomkvist wurde am Mittwochmorgen um 9 Uhr geweckt, als ein Mitarbeiter der Firma Telia an der Tür klopfte und eine Telefondose und ein ADSL-Modem installierte. Um 11 Uhr hatte er seinen Anschluss. Dennoch schwieg sein Telefon immer noch beharrlich. Erika hatte seine Anrufe seit einer Woche nicht beantwortet. Sie musste wirklich sauer sein.

Er öffnete seine Mailbox und sah die gut dreihundertfünfzig Mails durch, die im Laufe der letzten Woche eingegangen waren. Die erste Mail, die er öffnete, kam von »demokrat88@yahoo.com« und enthielt die Message HOFFENTLICH LASSEN SIE DICH IM KNAST SCHWÄNZE LUTSCHEN VERDAMMTES KOMMUNISTENSCHWEIN. Mikael speicherte die Mail in einem Ordner mit dem Namen *Intelligente Kritik*.

Er schrieb eine kurze Nachricht an »erika.berger@millennium.se«.

Hallo, Ricky, ich nehme an, du bist stinksauer auf mich, weil du so gar nicht zurückrufst. Ich wollte dir nur mitteilen, dass ich jetzt Internetanschluss habe und per

Mail erreichbar bin, für den Fall, dass du mir verzeihen
willst. Hedeby ist übrigens ein nettes Fleckchen, das
durchaus einen Besuch wert ist.
M.

Gegen Mittag packte er sein iBook ein und ging in Susannes Café, wo er sich an seinem angestammten Ecktisch niederließ. Als Susanne ihm Kaffee und ein belegtes Brötchen brachte, musterte sie neugierig den Laptop und fragte ihn, woran er arbeite. Mikael brachte zum ersten Mal seine *cover story* an und erklärte ihr, dass er von Henrik Vanger angeheuert worden war, ihm beim Verfassen seiner Biografie zu helfen. Sie tauschten Höflichkeiten aus. Susanne forderte Mikael auf, sich mit ihr zusammenzusetzen, wenn er an echten Enthüllungen interessiert sei.

»Ich habe die Vangers fünfunddreißig Jahre lang bedient und kenne die meisten Gerüchte über die Familie«, sagte sie, bevor sie mit ihrem wiegenden Gang in der Küche verschwand.

Der Stammbaum, den Mikael gezeichnet hatte, zeigte, dass die Familie Vanger ein fruchtbares Geschlecht war. Mit allen Kindern, Enkeln und Urenkeln – die er erst gar nicht eingezeichnet hatte – kamen die Brüder Fredrik und Johan Vanger auf ungefähr fünfzig Nachfahren. Mikael stellte auch fest, dass die Familienmitglieder tendenziell sehr alt wurden. Fredrik Vanger war achtundsiebzig Jahre alt geworden, sein Bruder Johan zweiundsiebzig. Ulrika Vanger war mit vierundachtzig Jahren gestorben. Von den zwei noch lebenden Brüdern war Harald Vanger zweiundneunzig Jahre alt und Henrik Vanger zweiundachtzig.

Die einzige Ausnahme war Henrik Vangers Bruder Gustav, der im Alter von siebenunddreißig Jahren an einer Lungenkrankheit verstorben war. Henrik Vanger erklärte, dass Gustav immer gekränkelt habe und seine eigenen Wege gegangen sei, ein bisschen abseits vom Rest der Familie. Er war unverheiratet und kinderlos geblieben.

Mikael bemerkte noch zwei andere Besonderheiten im Familienstammbaum. Zum Ersten, dass die Ehen auf Lebenszeit geschlossen wurden – anscheinend hatte sich keiner aus dem Geschlecht der Vangers jemals scheiden lassen oder ein zweites Mal geheiratet, wenn der Partner etwa in jungen Jahren verstorben war. Cecilia Vanger hatte sich vor mehreren Jahren von ihrem Mann getrennt, war aber immer noch verheiratet, soweit Mikael das nachvollziehen konnte.

Die andere Besonderheit lag darin, dass die Familie sich geografisch in einen »männlichen« und einen »weiblichen« Teil aufspaltete. Fredrik Vangers Zweig der Familie, zu dem auch Henrik Vanger gehörte, hatte traditionell eine führende Rolle im Unternehmen gespielt und war hauptsächlich in und um Hedestad ansässig. Johan Vangers Zweig, der nur weibliche Erben hervorgebracht hatte, war durch Heirat in andere Landesteile verschlagen worden. Die Erbinnen wohnten hauptsächlich in Stockholm, Malmö und Göteborg oder im Ausland und kamen nur in den Sommerferien oder für wichtige Versammlungen des Konzerns nach Hedestad. Einzige Ausnahme war Ingrid Vanger, deren Sohn Gunnar Karlman in Hedestad lebte. Er war Chefredakteur der Lokalzeitung *Hedestads-Kuriren*.

Henrik nahm an, das »zugrunde liegende Motiv für den Mord an Harriet« sei vielleicht in der Unternehmensstruktur zu suchen. Da war die Tatsache, dass Henrik Harriet schon frühzeitig als etwas ganz Besonderes herausgestellt hatte. Vielleicht hatte man durch Harriets Verschwinden ihm einen Schlag versetzen wollen. Oder Harriet hatte irgendwelche Informationen besessen, die den Konzern betrafen und damit eine Drohung für jemand darstellten. Das alles war nichts als vage Spekulation, gleichwohl hatte er auf diese Art einen Kreis von dreizehn Personen herausgearbeitet, die er als »besonders interessant« einstufte.

Das gestrige Gespräch mit Henrik Vanger war in einem anderen Punkt sehr aufschlussreich gewesen. Vom ersten Moment an, schon bei ihrem Treffen am 26. Dezember, hatte der alte Mann so verächtlich und abschätzig über seine Familie geredet, dass Mikael sich gefragt hatte, ob der Verdacht gegen seine Familie, Harriets Verschwinden betreffend, das Urteilsvermögen des Patriarchen getrübt haben mochte. Aber nun ging ihm langsam auf, dass Henrik Vanger die Dinge tatsächlich verblüffend nüchtern beurteilte.

Das Bild, das sich herauskristallisierte, zeigte eine Familie, die sozial und finanziell erfolgreich dastand, in alltäglichen Belangen jedoch völlig versagte.

Henrik Vangers Vater war ein kalter und gefühlloser Mensch, der seine Kinder zeugte und seiner Frau dann die Sorge um ihre Erziehung und ihr Wohlbefinden überließ. Bis die Kinder fünfzehn, sechzehn Jahre alt waren, begegneten sie ihrem Vater hauptsächlich bei besonderen Familienveranstaltungen, bei denen sie gefälligst anwesend und gleichzeitig unsichtbar zu sein hatten. Henrik Vanger konnte sich nicht erinnern, dass sein Vater jemals auch nur mit der kleinsten Geste seine Liebe ausgedrückt hätte. Umso öfter war er Zielscheibe dessen vernichtender Kritik gewesen. Körperliche Züchtigungen waren selten vorgekommen, sie waren nicht nötig. Er hatte sich den Respekt seines Vaters erst erworben, als er sich später um den Vanger-Konzern verdient machte.

Henriks ältester Bruder hingegen, Richard Vanger, hatte aufbegehrt. Nach einem Streit, dessen Grund in der Familie hartnäckig verschwiegen wurde, war Richard zum Studium nach Uppsala gezogen.

Dort hatte er die Nazi-Karriere eingeschlagen, von der Henrik Vanger bereits berichtet hatte und die ihn Schritt für

Schritt in die Schützengräben des finnischen Winterkrieges führten.

Was der alte Mann vorher nicht erzählt hatte, war, dass zwei weitere Brüder eine ähnliche Karriere gemacht hatten.

Sowohl Harald als auch Greger waren dem großen Bruder 1930 nach Uppsala gefolgt, aber Henrik Vanger konnte nicht genau sagen, in welchem Maße sie mit Richard Umgang gepflegt hatten. Es stand jedoch fest, dass die Brüder sich Per Engdahls faschistischer Bewegung *Das neue Schweden* anschlossen. Harald Vanger war Per Engdahl über die Jahre loyal gefolgt, erst zum *Schwedischen Nationalverband SNF*, danach zur *Schwedischen Opposition* und zum Schluss zur *Neuschwedischen Bewegung*, die nach Kriegsende gegründet wurde. Er blieb Mitglied bis zu Per Engdahls Tod in den neunziger Jahren. Zeitweise war er einer der wichtigsten Geldgeber für den überwinternden schwedischen Faschismus.

Harald Vanger hatte Medizin in Uppsala studiert und sich bald den Kreisen angeschlossen, die für Rassenhygiene und Rassenbiologie schwärmten. Er arbeitete eine Weile am *Schwedischen Institut für Rassenbiologie* und wurde als Arzt einer der Hauptverfechter für die Sterilisierung unerwünschter Elemente in der Bevölkerung.

Zitat Henrik Vanger, Band 2, 02950:
Harald ging noch weiter. 1937 war er unter Pseudonym Co-Autor eines Buches mit dem Titel Ein neues völkisches Europa. *Ich erfuhr davon erst in den siebziger Jahren. Es ist wahrscheinlich eines der widerlichsten Bücher, die jemals auf Schwedisch erschienen sind. Harald argumentierte nicht nur für die Sterilisierung, sondern sogar für Euthanasie – aktive Sterbehilfe für Menschen, die sein ästhetisches Empfinden störten und nicht in sein Bild vom perfekten schwedischen Volksstamm passten. Er plädierte also für Massenmord, und das in einem Text, der in tadel-*

loser akademischer Prosa abgefasst war und alle notwendigen medizinischen Argumente enthielt. Beseitigt alle Behinderten. Erlaubt der samischen Bevölkerung nicht, sich auszubreiten; sie sind von mongolischer Seite beeinflusst. Psychisch Kranke werden den Tod als Befreiung erleben. Er spricht von losen Frauenzimmern, Zigeunern und Juden. In den Fantasien meines Bruders hätte Auschwitz in unserer Provinz Dalarna liegen können.

Greger Vanger wurde nach dem Krieg Gymnasiallehrer und später Rektor des Gymnasiums in Hedestad. Henrik hatte zunächst geglaubt, dass er seit dem Krieg parteilos war und den Nazismus aufgegeben hatte. Er starb 1974, und erst als Henrik seine Hinterlassenschaft durchging, erfuhr er durch Briefe, dass sein Bruder sich in den fünfziger Jahren der politisch bedeutungslosen, aber restlos unzurechnungsfähigen Sekte der *Nordischen Reichspartei*, NRP, angeschlossen hatte.

Zitat Henrik Vanger, Band 2, 04167: *Drei meiner Brüder waren also politisch geisteskrank. Wie krank waren sie in anderer Hinsicht?*

Der einzige seiner Brüder, der vor Henrik Vangers Augen ein wenig Gnade fand, war der kränkliche Gustav, der 1955 an seiner Lungenkrankheit gestorben war. Gustav hatte sich nie für Politik interessiert und schien eher eine weltfremde Künstlerseele gewesen zu sein, die nicht im Geringsten an Geschäften oder einer Arbeit im Vanger-Konzern interessiert war.

Mikael fragte Henrik Vanger: »Heute leben nur noch Sie und Harald. Wann ist er nach Hedeby zurück gezogen?«

»Er kam 1979 zurück, kurz vor seinem siebzigsten Geburtstag. Das Haus gehört ihm.«

»Es muss sich doch merkwürdig anfühlen, in so direkter Nähe zu einem Bruder zu wohnen, den Sie hassen.«

Henrik Vanger sah Mikael verwundert an.

»Sie haben mich missverstanden. Ich hasse meinen Bruder nicht. Ich empfinde vielleicht Mitleid für ihn. Er ist ein Vollidiot, und er hasst mich.«

»Er hasst Sie?«

»Ganz genau. Ich glaube, dass er deswegen zurück gezogen ist. Um seine letzten Jahre damit verbringen zu können, mich aus nächster Nähe zu hassen.«

»Warum hasst er Sie?«

»Weil ich geheiratet habe.«

»Ich glaube, das müssen Sie mir näher erklären.«

Henrik Vanger hatte schon früh den Kontakt zu seinen älteren Brüdern verloren. Er war der Einzige von ihnen, der einen gewissen Geschäftssinn an den Tag legte – die letzte Hoffnung seines Vaters. Er interessierte sich nicht für Politik und mied Uppsala. Stattdessen entschied er sich für ein Wirtschaftsstudium in Stockholm. Seit seinem achtzehnten Geburtstag hatte er alle Ferien und jeden Sommerurlaub als Praktikant in einem der vielen Büros des Vanger-Konzerns verbracht.

Am 10. Juni 1941 – während des Zweiten Weltkriegs – wurde Henrik für sechs Wochen zu einem Besuch des Hamburger Handelsbüros nach Deutschland geschickt. Er war damals erst einundzwanzig Jahre alt, und man stellte ihm den deutschen Agenten des Unternehmens, einen alternden Firmenveteran namens Hermann Lobach, als Aufpasser und Mentor zur Seite.

»Ich will Sie nicht mit all den Details langweilen, aber als ich kam, waren Hitler und Stalin noch gute Freunde, und es gab keine Ostfront. Alle hielten Hitler immer noch für unbesiegbar. Das war so ein Gefühl von … Optimismus und Verzweiflung sind vielleicht die richtigen Worte, denke ich. Mehr als ein halbes Jahrhundert danach ist es immer noch schwer, die Stimmung zu beschreiben. Missverstehen Sie mich nicht, ich war nie ein Nazi, und Hitler wirkte in meinen Augen wie eine lächerliche Operettenfigur. Aber es war schwierig, sich nicht von dem allgemeinen Optimismus anstecken zu lassen, der in Hamburg unter den ganz normalen Leuten herrschte. Obwohl der Krieg immer näher rückte und während meines Aufenthalts mehrere Bombenangriffe auf Hamburg geflogen wurden, glaubten die meisten Menschen weiterhin, dass bald der Frieden kommen und Hitler sein neues Europa errichten würde.«

Henrik Vanger schlug eines seiner vielen Fotoalben auf.

»Das ist Hermann Lobach. Er verschwand 1944, ist vermutlich bei irgendeinem Bombenangriff umgekommen und unter den Trümmern begraben worden. Wir haben nie erfahren, was mit ihm geschah. Während meiner Wochen in Hamburg freundeten wir uns an. Ich war bei ihm und seiner Familie untergebracht, in einer vornehmen Wohnung in einem Hamburger Nobelviertel. Wir hatten täglich miteinander zu tun. Er war genauso wenig ein Nazi wie ich, aber er war aus Bequemlichkeit Mitglied in der Partei. Der Mitgliedsausweis öffnete Türen und erleichterte es ihm, Geschäfte für den Vanger-Konzern zu machen – und Geschäfte machten wir, oh ja. Wir bauten Güterwagen für ihre Züge. Ich habe mich immer gefragt, ob unsere Waggons nach Polen gingen. Wir verkauften Stoff für ihre Uniformen und Röhren für ihre Radios, obwohl wir ja offiziell nicht wussten, wofür sie unsere Produkte verwendeten. Und Hermann Lobach wusste, wie man einen Vertrag an Land zieht, er war unterhaltsam und gesellig. Der perfekte Nazi. Im Nachhinein dämmerte mir, dass er auch ein Mann war, der verzweifelt versuchte, ein Geheimnis zu verbergen.

In der Nacht zum 22. Juni 1941 klopfte Hermann Lobach plötzlich an die Tür meines Schlafzimmers. Mein Raum lag direkt neben dem Schlafzimmer seiner Frau, und er bedeutete mir, leise zu sein, mich anzuziehen und ihm zu folgen. Wir gingen ein Stockwerk tiefer und setzten uns in den Rauchsalon. Offensichtlich war Lobach die ganze Nacht auf gewesen. Das Radio lief, und ich begriff, dass irgendetwas Dramatisches passiert sein musste. Das ›Unternehmen Barbarossa‹ hatte begonnen. Deutschland hatte in der Mittsommernacht die Sowjetunion überfallen.«

Henrik Vanger machte eine resignierte Handbewegung.

»Hermann Lobach holte zwei Gläser und goss uns einen ordentlichen Schnaps ein. Er war sichtlich erschüttert. Als ich ihn fragte, was das bedeutete, antwortete er mit großem Weitblick, dies sei das Ende für Deutschland und den Nationalsozialismus. Ich glaubte es ihm nur halbwegs – Hitler schien schließlich unbesiegbar –, aber Lobach prostete mir zu: auf Deutschlands Untergang. Dann wandte er sich den praktischen Dingen zu.«

Mikael nickte, um zu signalisieren, dass er aufmerksam zuhörte.

»Zum einen hatte er keine Möglichkeit, mit meinem Vater Kontakt aufzunehmen. So beschloss er auf eigene Verantwortung, meinen Besuch in Deutschland abzubrechen und mich bei der ersten Gelegenheit wieder heimzuschicken. Zum anderen wollte er mich um einen Gefallen bitten.«

Henrik Vanger zeigte auf ein vergilbtes, abgestoßenes Foto von einer dunkelhaarigen Frau im Halbprofil.

»Hermann Lobach war seit vierzig Jahren verheiratet, aber 1919 begegnete er einer umwerfend schönen Frau, in die er sich unsterblich verliebte. Sie war eine einfache, arme Schneiderin und nur halb so alt wie er. Lobach machte ihr den Hof, und wie so viele andere wohlhabende Männer konnte er es sich leisten, sie in einer Wohnung in bequemem Abstand zu seinem Büro unterzubringen. Sie wurde seine Geliebte. 1921 gebar sie ihm eine Tochter, die auf den Namen Edith getauft wurde.«

»Älterer reicher Mann, junge arme Frau und ein Kind der Liebe – das dürfte nicht mal in den vierziger Jahren wirklich zum Skandal gereicht haben«, kommentierte Mikael.

»Das stimmt schon. Aber da war noch etwas. Die Frau war Jüdin und Lobach damit Vater einer jüdischen Tochter mitten in Nazideutschland. Er hatte praktisch seine Rasse verraten.«

»Oh, das verändert die Situation zweifellos. Was geschah weiter?«

»Ediths Mutter wurde 1939 verhaftet. Sie verschwand, und wir können nur mutmaßen, wie ihr Schicksal aussah. Es war bekannt, dass sie eine Tochter hatte, die noch auf keiner Deportationsliste stand und nun von der Abteilung der Gestapo gesucht wurde, die flüchtige Juden verfolgte. Im Sommer 1941, in derselben Woche, als ich in Hamburg ankam, war Ediths Mutter mit Hermann Lobach in Verbindung gebracht worden, und man bestellte ihn zum Verhör. Er gab das Verhältnis und seine Vaterschaft zu, behauptete aber, er habe keine Ahnung, wo sich seine Tochter aufhalte. Er habe zehn Jahre keinen Kontakt mit ihr gehabt.«

»Und wo war seine Tochter?«

»Ich bin ihr jeden Tag in Lobachs Wohnung begegnet. Ein nettes, stilles zwanzigjähriges Mädchen, das mein Zimmer sauber machte und beim Auftragen des Abendessens half. 1937 war die Judenverfolgung schon ein paar Jahre im Gange, und Ediths Mutter hatte Lobach um Hilfe angefleht. Und er hatte ihr tatsächlich geholfen – Lobach liebte seine uneheliche Tochter genauso wie seine ehelichen Kinder. Er hatte sie an der unwahrscheinlichsten Stelle überhaupt versteckt, indem er sie seiner Umgebung direkt vor die Nase setzte. Er hatte ihr falsche Papiere verschafft und sie als Haushälterin angestellt.«

»Wusste seine Frau davon?«

»Nein, sie hatte keine Ahnung von diesem Arrangement.«

»Was passierte dann?«

»Vier Jahre lang ging es gut, aber Lobach merkte, wie die

Schlinge sich langsam zuzog. Es war nur eine Frage der Zeit, bis die Gestapo an seine Tür klopfen würde. All das erzählte er mir in dieser Nacht, nur eine Woche vor meiner Heimfahrt nach Schweden. Dann holte er seine Tochter und stellte uns einander vor. Sie war still und blass und wagte mir kaum in die Augen zu sehen. Lobach flehte mich an, ihr Leben zu retten.«

»Wie?«

»Er hatte alles vorbereitet. Eigentlich sollte ich noch drei Wochen bleiben, dann mit dem Nachtzug nach Kopenhagen fahren und die Fähre über den Sund nehmen – auch in Kriegszeiten eine relativ ungefährliche Reise. Doch zwei Tage nach unserer Unterredung sollte ein Frachtschiff des Vanger-Konzerns aus Hamburg Richtung Schweden ablegen. Lobach wollte mich nun mit diesem Schiff schicken, auf direktem Weg hinaus aus Deutschland. Die Änderungen der Reisepläne mussten vom Sicherheitsdienst abgesegnet werden, eine bürokratische Maßnahme, aber kein Problem. Lobach wollte jedenfalls, dass ich mit dem Schiff fuhr.«

»Zusammen mit Edith, nehme ich an.«

»Edith wurde in einer von dreihundert Kisten mit Maschinenteilen an Bord geschmuggelt. Für den Fall, dass sie entdeckt werden sollte, während wir uns noch in deutschen Hoheitsgewässern befanden, sollte ich sie beschützen und den Kapitän davon abhalten, Dummheiten zu machen. Ansonsten sollte ich warten, bis wir ein gutes Stück von Deutschland entfernt waren, und sie dann aus ihrem Versteck befreien.«

»Ich verstehe.«

»Es klang einfach, aber die Reise geriet zum Alptraum. Der Kapitän hieß Oskar Granath, und er war alles andere als begeistert davon, die Verantwortung für einen Erben seines Arbeitgebers übernehmen zu müssen. Wir legten eines Abends Ende Juni gegen neun Uhr ab und waren gerade auf dem Weg aus dem Binnenhafen, da begannen die Sirenen zu heulen: Bombenalarm. Ein englischer Bombenangriff, der heftigste, den ich erlebt hatte, und der Hafen war natürlich ein bevorzugtes Ziel. Ich übertreibe nicht, wenn ich Ihnen erzähle, dass ich mir fast in die Hosen machte, als die Detonationen immer näher kamen. Aber irgendwie schafften wir es, und nach einem Motorschaden und einer wüsten Sturmnacht in minenverseuchtem Gewässer liefen wir am nächsten Tag in Karlskrona ein. Jetzt wollen Sie von mir wissen, was mit dem Mädchen geschah.«

»Ich glaube, ich weiß es schon.«

»Mein Vater tobte natürlich vor Wut. Ich hatte durch mein idiotisches Unterfangen alles aufs Spiel gesetzt. Und das Mädchen konnte jederzeit deportiert werden – vergessen Sie nicht, wir schrieben das Jahr 1941. Aber zu diesem Zeitpunkt hatte ich mich bereits unsterblich in sie verliebt, wie Lobach in ihre Mutter. Ich fragte sie, ob sie meine Frau werden wollte, und stellte meinem Vater ein Ultimatum – entweder er akzeptierte die Ehe, oder er musste sich anderweitig nach Nachwuchs fürs Familienunternehmen umsehen. Er gab nach.«

»Sie starb?«

»Ja, viel zu jung. 1958 schon. Wir hatten knapp sechzehn Jahre miteinander. Sie hatte einen angeborenen Herzfehler. Und es stellte sich heraus, dass sie keine Kinder bekommen konnte. Deswegen hasst mich mein Bruder.«

»Weil Sie sie geheiratet haben.«

»Weil ich – um seine Terminologie zu verwenden – eine dreckige Judenhure geheiratet habe. Für ihn war das Verrat an der Rasse, dem Volksstamm, der Moral und eben all dem, wofür er stand.«

»Das ist doch verrückt.«

»Ich selbst könnte es nicht besser ausdrücken.«

10. Kapitel

Donnerstag, 9. Januar – Freitag, 31. Januar

Wenn man dem Hedestads-Kuriren glaubte, dann war Mikaels erster Monat in der Einöde der kälteste seit Menschengedenken oder (wie Henrik Vanger ihn aufklärte) zumindest seit dem Kriegswinter 1942. Bereits nach einer Woche in Hedeby hatte er alles über lange Unterhosen, dicke Socken und doppelte Unterhemden gelernt.

Er erlebte ein paar grauenvolle Tage, als die Temperatur Mitte Januar auf unfassbare 37 Grad minus fiel. Eines Morgens war die Wasserleitung eingefroren. Gunnar Nilsson hatte ihm zwei große Plastikeimer gegeben, damit er Essen kochen und sich waschen konnte, aber die Kälte war einfach lähmend. An der Innenseite der Fensterscheiben hatten sich Eisblumen gebildet, und so viel er auch heizte, er fühlte sich permanent durchgefroren. Jeden Tag verbrachte er ein gutes Weilchen damit, hinter dem Schuppen Brennholz zu hacken.

Manchmal war er den Tränen nahe und spielte mit dem Gedanken, ein Taxi in die Stadt zu nehmen und dort den ersten Zug in Richtung Süden zu besteigen. Stattdessen zog er sich einen zusätzlichen Pullover an und wickelte sich in eine Decke, während er Kaffee trinkend am Küchentisch saß und alte Polizeiprotokolle las.

Allmählich stieg die Temperatur auf behagliche 10 Grad minus.

Langsam lernte Mikael auch Leute in Hedeby kennen. Martin Vanger hatte sein Versprechen gehalten und ihn zu einem eigenhändig zubereiteten Abendessen eingeladen – Elchsteak mit italienischem Rotwein. Er war unverheiratet, aber mit einer Frau namens Eva Hassel befreundet, die ihnen beim Abendessen Gesellschaft leistete. Eva war warmherzig und unterhaltsam und gehörte zu dem Typ Frau, den Mikael als außerordentlich attraktiv betrachtete. Sie war Zahnärztin und wohnte in Hedestad, verbrachte die Wochenenden aber bei Martin Vanger. Mikael erfuhr später, dass die beiden sich schon seit vielen Jahren kannten, aber sie waren sich erst mit der Zeit nähergekommen und hatten keine Veranlassung gesehen zu heiraten.

»Sie ist schließlich meine Zahnärztin«, lachte Martin Vanger.

»Und in diesen verrückten Clan einzuheiraten, ist nicht so wirklich mein Ding«, sagte Eva und tätschelte Martin liebevoll das Knie.

Martins Haus war ein von einem Architekten entworfener Junggesellentraum mit Möbeln in Schwarz, Weiß und Chrom. Die Einrichtung bestand aus ausgesuchten Stücken, die den Designfan Christer Malm fasziniert hätten. Die Küche war ausgestattet wie für einen Berufskoch. Im Wohnzimmer befand sich eine erstklassige Stereoanlage sowie eine großartige Jazzsammlung auf Vinyl, die von Tommy Dorsey bis zu Johnny Coltrane reichte. Martin Vanger hatte Geld, und sein Zuhause war kostspielig und funktionell, aber auch ziemlich unpersönlich. Mikael bemerkte, dass die Bilder an den Wänden einfache Reproduktionen und Poster waren, wie man sie auch bei IKEA finden konnte – hübsch, aber keine Renommierstücke. Die Bücherregale, zumindest in dem Teil des Hauses, den Mikael zu sehen bekam, waren nur dünn bestückt, unter anderem mit einem mehrbändigen Lexikon und ein paar Büchern von der Sorte, wie Leute sie zu Weihnachten verschenken, wenn ihnen nichts Besseres einfällt. Mikael konnte zwei Interessen in Martin Vangers Leben ausmachen: Musik und Kochen. Das erste Interessengebiet manifestierte sich in schätzungsweise dreitausend LPs. Das andere zeichnete sich in der Rundung über Martins Gürtel ab.

Die Person Martin Vanger war eine eigenartige Mischung aus Einfalt, Strenge und Liebenswürdigkeit. Man musste über keine besonderen analytischen Fähigkeiten verfügen, um zu dem Schluss zu kommen, dass er ein Mensch mit Problemen war. Während *A Night in Tunisia* lief, kreiste das Gespräch um den Vanger-Konzern, und Martin Vanger machte kein Geheimnis daraus, dass er um den Erhalt der Firma kämpfte. Mikael wunderte sich über diese Themenwahl, denn Martin Vanger war sich durchaus bewusst, dass er einen Wirtschaftsjournalisten zu Gast hatte, den er nur oberflächlich kannte. Dennoch diskutierte er die internen Probleme seiner Firma so offenherzig mit ihm, dass es schon an Fahrlässigkeit grenzte. Er schien davon auszugehen, dass Mikael zur Familie gehörte, da er für Henrik Vanger arbeitete, und er stimmte mit seinem Großonkel darin überein, dass die Familie sich selbst die Schuld geben musste an der Verfassung, in der sich das Unternehmen befand. Er war jedoch frei von Henriks Bitterkeit und dessen unversöhnlicher Verachtung für die Familie. Martin Vanger schien sich über die unverbesserliche Verrücktheit des Vanger-Clans eher zu amüsieren. Eva Hassel nickte, gab aber keine Kommentare ab. Sie kannte das Thema offenbar zur Genüge.

Martin Vanger schien zu billigen, dass Mikael beauftragt worden war, eine Familienchronik zu schreiben, und er fragte, wie die Arbeit voranginge. Mikael antwortete lächelnd, er tue sich schon schwer, die Namen aller Verwandten zu lernen, und bat um Erlaubnis, für ein Interview wiederkommen zu dürfen, sobald es Martin passte. Mehrmals erwog er, das Gespräch auf Henriks Besessenheit von Harriets Verschwinden zu lenken. Er nahm an, dass Henrik Vanger Harriets Bruder bei verschiedensten Gelegenheiten mit seinen Theorien gequält hatte. Außerdem musste Martin klar sein, dass Mikael beim Schreiben einer Familienchronik bemerken musste, dass ein Familienmitglied spurlos verschwunden war. Aber Martin machte keine Anstalten, das Thema aufzugreifen, und Mikael ließ die Sache auf sich beruhen. Sie würden noch früh genug Grund haben, über Harriet zu reden.

Nach ein paar Runden Wodka brach er gegen zwei Uhr morgens auf. Mikael war ziemlich betrunken, als er die dreihundert Meter zu sich nach Hause torkelte. Im Großen und Ganzen war es ein angenehmer Abend gewesen.

Eines Nachmittags, es war bereits Mikaels zweite Woche in Hedeby, klopfte es an seiner Haustür. Er legte den Ordner mit dem Polizeibericht beiseite und schloss die Tür zu seinem Arbeitszimmer, bevor er die Haustür öffnete. Vor ihm stand eine in warme Kleider gehüllte blonde Frau, die ungefähr Mitte fünfzig sein mochte.

»Hallo. Ich wollte nur mal guten Tag sagen. Ich heiße Cecilia Vanger.«

Sie gaben sich die Hand, und Mikael bot ihr einen Kaffee an. Cecilia Vanger, die Tochter des Nazi-Anhängers Harald Vanger, schien eine offene und in vielerlei Hinsicht sehr einnehmende Frau zu sein. Mikael erinnerte sich, dass Henrik Vanger mit Respekt über sie gesprochen und erwähnt hatte, dass sie keinen Umgang mit ihrem Vater pflegte, obwohl sie neben ihm wohnte. Sie plauderten eine Weile, bis sie auf ihr Anliegen zu sprechen kam.

»Ich habe gehört, dass Sie ein Buch über die Familie schreiben. Ich bin mir nicht sicher, ob mir dieser Gedanke gefällt«, sagte sie. »Deshalb wollte ich mir zumindest mal ansehen, was Sie für einer sind.«

»Das ist richtig, Henrik Vanger hat mich damit beauftragt. Es ist also sozusagen seine Story.«

»Der gute Henrik ist ja nicht gerade neutral, was die Einstellung zu seiner Familie betrifft.«

Mikael musterte sie. Er wusste nicht recht, was sie eigentlich sagen wollte.

»Sind Sie dagegen, dass ein Buch über die Familie Vanger geschrieben wird?«

»Das habe ich nicht gesagt. Und was ich denke, spielt sowieso keine Rolle. Aber ich glaube, dass Sie vielleicht schon dahintergekommen sind, dass es nicht immer so leicht gewesen ist, Mitglied dieser Familie zu sein.«

Mikael hatte keine Ahnung, was Henrik gesagt hatte oder wie viel Cecilia über seinen Auftrag wusste. Er zuckte mit den Achseln.

»Ich habe mit Henrik vereinbart, dass ich eine Familienchronik schreiben werde. Er hat in der Tat sehr eigene Ansichten über manche Familienmitglieder, aber ich werde mich an das halten, was ich auch dokumentieren kann.«

Cecilia lächelte kühl.

»Ich will nur wissen, ob ich ins Exil gehen und emigrieren muss, wenn das Buch rauskommt?«

»Das glaube ich nicht«, erwiderte Mikael. »Die Leute werden sich schon ein differenziertes Urteil bilden können.«

»Zum Beispiel über meinen Vater.«

»Ihren Vater, den Nazi?«, fragte Mikael. Cecilia Vanger verdrehte die Augen.

»Mein Vater ist verrückt. Ich treffe ihn nur ein paarmal im Jahr, obwohl wir quasi Wand an Wand wohnen.«

»Warum wollen Sie ihn nicht treffen?«

»Warten Sie, bevor Sie mir jede Menge Fragen stellen – haben Sie vor, mich zu zitieren? Oder kann ich ein normales Gespräch mit Ihnen führen, ohne eine öffentliche Blamage befürchten zu müssen?«

Mikael zögerte und überlegte, wie er seine Antwort am besten formulieren sollte.

»Ich habe den Auftrag, ein Buch zu schreiben, das mit Alexandre Vangeersad beginnt und bis in die Gegenwart reicht. Es wird das Familienimperium über mehrere Jahrzehnte darstellen, aber auch behandeln, warum sich dieses Imperium in der Krise befindet und was für Differenzen es innerhalb der Familie gibt. Es wird unvermeidbar sein, dass dabei auch unangenehme Dinge zur Sprache kommen. Aber das heißt nicht, dass ich ein einseitiges oder hassverzerrtes Bild der Familie entwerfen werde. Ich habe zum Beispiel Martin Vanger als sympathischen Menschen kennengelernt, und so werde ich ihn auch beschreiben.«

Cecilia Vanger schwieg.

»Was ich über Sie weiß, ist, dass Sie Lehrerin sind …«

»Es ist sogar noch schlimmer: Ich bin Rektorin am Gymnasium von Hedestad.«

»Verzeihung. Ich weiß, dass Henrik Vanger Sie mag, dass Sie verheiratet sind, aber in Trennung leben … und das war's dann auch schon. Sie können mit mir reden, ohne fürchten zu müssen, zitiert oder blamiert zu werden. Aber ich werde sicher eines Tages an Ihre Tür klopfen und Sie um ein richtiges Interview bitten. Dann können Sie sich aussuchen, auf welche Fragen Sie antworten wollen und auf welche nicht.«

»Ich kann also … *off the record* mit Ihnen reden, wie Sie das nennen.«

»Ja, natürlich.«

»Und das hier ist gerade *off the record*?«

»Sie sind nur eine Nachbarin, die rübergekommen ist, um Hallo zu sagen und eine Tasse Kaffee zu trinken, weiter nichts.«

»Okay. Dann darf ich Sie jetzt mal was fragen?«

»Nur zu.«

»Inwieweit wird dieses Buch von Harriet Vanger handeln?«

Mikael biss sich auf die Unterlippe und zögerte. Er schlug einen ungezwungenen Ton an.

»Ehrlich gesagt, ich habe keine Ahnung. Natürlich kann das leicht ein ganzes Kapitel einnehmen. Es ist ja unbestreitbar ein dramatisches Ereignis.«

»Aber Sie sind nicht hier, um ihr Verschwinden zu untersuchen?«

»Wie kommen Sie darauf?«

»Weil Gunnar Nilsson vier Umzugskartons hier reingeschleppt hat. Das müsste so ungefähr Henriks Sammlung privater Ermittlungsergebnisse entsprechen. Und als ich einen kurzen Blick in Harriets Zimmer warf, wo Henrik die Akten normalerweise verwahrt, waren sie verschwunden.«

Cecilia Vanger war nicht auf den Kopf gefallen.

»Das müssen Sie wirklich mit Henrik besprechen, nicht mit mir«, sagte Mikael. »Aber Henrik hat mir natürlich so einiges über Harriets Verschwinden erzählt, und ich finde es interessant, das Material zu lesen.«

Cecilia Vanger lächelte freudlos.

»Manchmal frage ich mich, wer verrückter ist, mein Vater oder mein Onkel. Ich habe Harriets Verschwinden wohl tausend Mal mit ihm durchdiskutiert.«

»Was glauben Sie, was mit ihr passiert ist?«

»Ist das eine Interviewfrage?«

»Nein«, lachte Mikael. »Reine Neugier.«

»Und ich bin neugierig zu erfahren, ob auch Sie ein Dummkopf sind. Ob Sie Henrik seine Argumentation abgekauft haben oder ob Sie ihn an der Nase herumführen.«

»Sie halten Henrik für einen Dummkopf?«

»Missverstehen Sie mich nicht. Henrik ist einer der warmherzigsten und fürsorglichsten Menschen, die ich kenne. Ich mag ihn sehr gern. Aber in dieser einen Sache ist er wie besessen.«

»Die Besessenheit hat doch einen realen Grund. Harriet ist wirklich verschwunden.«

»Ich habe die ganze Geschichte nur so wahnsinnig satt. Sie

hat unser Leben über viele Jahre hinweg vergiftet, und sie nimmt niemals ein Ende.« Sie stand plötzlich auf und schlüpfte in ihre Pelzjacke. »Ich muss gehen. Sie machen einen netten Eindruck. Das findet Martin übrigens auch, aber auf sein Urteil ist nicht unbedingt immer Verlass. Wenn Sie Lust haben, können Sie gerne einmal zu mir auf einen Kaffee vorbeikommen. Abends bin ich fast immer zu Hause.«

»Danke«, sagte Mikael. Als sie zur Haustür ging, rief er ihr nach: »Sie haben mir nicht auf die Frage geantwortet, die keine Interviewfrage war.«

Sie zögerte eine Sekunde an der Tür und antwortete dann, ohne ihn anzusehen: »Ich habe keine Ahnung, was mit Harriet passiert ist. Aber ich glaube, dass es ein Unfall war, der sich so einfach und banal erklären lässt, dass wir völlig verblüfft sein werden, wenn wir irgendwann einmal die Antwort erfahren sollten.«

Sie drehte sich um und lächelte ihn an, zum ersten Mal mit einer gewissen Wärme. Dann winkte sie ihm zu und verschwand. Mikael saß reglos am Küchentisch und dachte darüber nach, dass auch Cecilias Namen in Fettdruck auf seiner Darstellung der Familienmitglieder stand, sie sich also auch auf der Insel befunden hatte, als Harriet verschwand.

War Cecilia Vanger im Großen und Ganzen eine angenehme Bekanntschaft zu nennen, so galt das nicht für Isabella Vanger. Harriets Mutter war fünfundsiebzig Jahre alt und, wie Henrik Vanger ihn gewarnt hatte, eine ungeheuer elegante Frau, die entfernt an eine alternde Lauren Bacall erinnerte. Sie war zierlich, trug einen schwarzen Persianer sowie eine schwarze Pelzmütze und stützte sich auf einen schwarzen Stock, als Mikael ihr eines Morgens über den Weg lief. Er hatte gerade sein Haus verlassen wollen, um in Susannes Café zu gehen. Sie sah aus wie ein alternder Vamp, immer noch bildschön, aber die reinste Giftschlange. Isabella Vanger kehrte anscheinend gerade von einem Spaziergang zurück und rief von der Kreuzung aus nach ihm.

»Hallo, Sie, junger Mann! Kommen Sie doch mal her!«

Der Befehlston war unmissverständlich. Mikael sah sich um und folgerte, dass er gemeint war. Er ging zu ihr.

»Ich bin Isabella Vanger«, verkündete sie.

»Hallo, ich heiße Mikael Blomkvist.« Er streckte ihr die Hand hin, die sie ignorierte.

»Sind Sie dieser Mensch, der in unseren Familienangelegenheiten herumschnüffelt?«

»Na ja, ich bin der Mensch, den Henrik Vanger engagiert hat, um ihm bei der Biografie der Familie Vanger behilflich zu sein.«

»Damit haben Sie nichts zu schaffen.«

»Stört es Sie, dass Henrik mich engagiert hat oder dass ich Ja gesagt habe? Im ersteren Fall meine ich, dass es Henriks Sache ist, und im letzteren, dass die Entscheidung bei mir liegt.«

»Sie wissen genau, was ich meine. Ich mag keine Leute, die in meinem Leben herumschnüffeln.«

»In Ordnung, ich werde nicht in Ihrem Leben herumschnüffeln. Den Rest müssen Sie mit Henrik Vanger besprechen.«

Isabella Vanger hob plötzlich ihren Gehstock und stieß Mikael mit dem Handgriff vor die Brust. Der Schlag war nicht nennenswert, aber er trat verblüfft einen Schritt zurück.

»Halten Sie sich von mir fern.«

Isabella Vanger drehte sich auf dem Absatz um und ging zu ihrem Haus. Mikael blieb mit einem verdutzten Gesichtsausdruck stehen. Als er den Blick hob, sah er plötzlich Henrik Vanger am Fenster seines Arbeitszimmers stehen. Er hatte eine Kaffeetasse in der Hand, mit der er ihm ironisch zuprostete. Mikael zuckte resigniert mit den Achseln, schüttelte den Kopf und ging zu Susannes Café.

Die einzige Reise, die Mikael während des ersten Monats unternahm, war ein Tagesausflug zu einer Bucht des Siljan-Sees. Er lieh sich Dirch Frodes Mercedes aus und fuhr durch die Schneelandschaft, um einen Nachmittag mit Kommissar Gustav Morell zu verbringen.

Mikael hatte versucht, sich mittels des polizeilichen Untersuchungsberichts ein Bild von Morell zu machen. Als er vor ihm stand, fand er sich einem sehnigen Mann gegenüber, der sich langsam bewegte und noch langsamer sprach.

Mikael hatte sich zehn Fragen notiert, die ihm während der Lektüre des Untersuchungsberichts gekommen waren. Morell antwortete wie ein Pädagoge auf jede Frage. Zum Schluss legte Mikael seine Notizen beiseite und erklärte Morell, seine Fragen seien nur ein Vorwand gewesen, um hierherzukommen und den pensionierten Kommissar zu treffen. Eigentlich habe er mit ihm plaudern und die einzige wesentliche Frage stellen wollen: »Gibt es irgendetwas in den Ermittlungen, das Sie nicht auf Papier festgehalten haben – eine Idee oder eine Überlegung oder ein intuitives Gefühl, das Sie mir mitteilen könnten?«

Da Morell sechsunddreißig Jahre damit zugebracht hatte, über das Mysterium von Harriets Verschwinden nachzudenken, hatte Mikael erwartet, auf einen gewissen Widerstand zu stoßen. Schließlich war er der Neue, der hier aufkreuzte und in dem Dickicht herumstocherte, in dem sich Morell verirrt hatte. Aber da war nicht einmal der Ansatz eines Vorbehalts. Morell stopfte sich sorgfältig seine Pfeife und riss ein Streichholz an, bevor er antwortete.

»Doch, natürlich habe ich gewisse Gedanken. Aber die sind derart vage und flüchtig, dass ich sie nicht so recht formulieren kann.«

»Was glauben Sie, was mit Harriet passiert ist?«

»Ich glaube, dass sie ermordet wurde. Darin bin ich mir mit Henrik einig. Es ist die einzig logische Erklärung. Aber das Motiv ist uns nie klar geworden. Ich glaube, dass sie aus einem ganz bestimmten Grund ermordet wurde – keine Wahnsinnstat oder Vergewaltigung oder so etwas. Würden wir das Motiv kennen, wüssten wir auch, wer sie umgebracht hat.«

Morell überlegte kurz.

»Der Mord kann spontan begangen worden sein. Damit meine ich, dass jemand im Chaos nach dem Unfall die Gelegenheit beim Schopf ergriff. Der Mörder versteckte die Leiche und schaffte sie später fort, während wir die Gegend nach ihr absuchten.«

»Sie sprechen von einem eiskalten Menschen.«

»Es gibt da noch ein Detail. Harriet kam in Henriks Zimmer und wollte mit ihm reden. Im Nachhinein sieht mir das bemerkenswert aus. Sie wusste sehr gut, dass er alle Hände voll zu tun hatte mit all den Verwandten, die sich auf dem Hof befanden. Ich glaube, Harriet stellte für irgendjemand eine Bedrohung dar. Sie wollte Henrik etwas erzählen, und dem Mörder war klar, dass sie … tja, dass sie etwas ausplaudern würde.«

»Henrik war mit ein paar Familienmitgliedern beschäftigt …«

»Außer Henrik waren noch vier Personen im Zimmer: sein Bruder Greger, der Sohn einer Kusine namens Magnus Sjögren sowie Harald Vangers Kinder, Birger und Cecilia. Aber das hat nichts zu sagen. Nehmen wir mal an, Harriet hätte entdeckt, dass jemand Firmengelder veruntreut hat, dann kann sie das monatelang gewusst und sogar mit dem Betreffenden darüber gesprochen haben. Vielleicht hat sie versucht, ihn zu erpressen, oder sie hat Mitleid mit ihm gehabt und den Entschluss hinausgezögert, ihn auffliegen zu lassen. Möglicherweise hat sie damit gedroht, worauf der Täter sie in seiner Verzweiflung erschlug.«

»Sie gehen von einem männlichen Täter aus?«

»Rein statistisch gesehen sind die meisten Mörder Männer. Aber natürlich, in der Familie Vanger gibt es ein paar Weiber, das sind die reinsten Besen.«

»Ich habe Isabella kennengelernt.«

»Sie ist eine von ihnen. Aber es gibt noch mehr. Cecilia Vanger kann richtig knallhart sein. Und sind Sie Sara Sjögren schon begegnet?«

Mikael schüttelte den Kopf.

»Sie ist die Tochter von Sofia Vanger, einer von Henriks Kusinen. Eine richtig unangenehme und rücksichtslose Frau. Aber sie wohnte in Malmö und hatte kein Motiv, Harriet zu töten, soviel ich herausfinden konnte.«

»Okay.«

»Doch wie wir das Ganze auch drehen und wenden, wir sind nie so richtig hinter das Motiv gekommen.«

»Sie haben intensiv an diesem Fall gearbeitet. Gibt es irgendetwas, das Sie nicht weiterverfolgt haben?«

»Nein, Mikael. Ich habe diesem Fall unendlich viel Zeit gewidmet, und ich wüsste nicht, was ich nicht so weit verfolgt hätte, wie es nur irgend ging. Auch als ich befördert wurde und aus Hedestad wegzog.«

»Wegzog?«

»Ja, ich bin ursprünglich nicht aus Hedestad. Ich arbeitete dort von 1963 bis 1968. Danach wurde ich Kommissar und ging nach Gävle, wo ich den Rest meiner Karriere blieb. Aber auch in Gävle stellte ich noch weitere Untersuchungen im Fall Harriet an.«

»Henrik Vanger ließ nicht locker, nehme ich an.«

»Das stimmt. Aber es war nicht deswegen. Das Rätsel um Harriet fasziniert mich noch heute. Ich meine … Sie müssen das so sehen: Jeder Polizist hat sein eigenes ungelöstes Rätsel. Ich erinnere mich an meine Zeit in Hedestad, als die älteren Kollegen im Pausenraum immer über den Fall Rebecka sprachen. Besonders ein Polizist, Torstensson – er ist seit vielen Jahren tot –, kehrte Jahr für Jahr immer wieder zu diesem Fall zurück. In seiner Freizeit und im Urlaub. Wenn auf dem Revier in Hedestad mal Flaute herrschte, zog er stets die Ordner wieder hervor und grübelte.«

»Ging es auch um ein verschwundenes Mädchen?«

Kommissar Morell sah einen Moment lang völlig verblüfft aus. Dann lächelte er, als er begriff, dass Mikael irgendeine Verbindung zwischen den beiden Fällen suchte.

»Oh, ich habe das nicht aus diesem Grund aufs Tapet gebracht. Ich spreche von der *Seele* eines Polizisten. Der Fall Rebecka ereignete sich, bevor Harriet Vanger auf der Welt war, und ist schon lange verjährt. Irgendwann in den vierziger Jahren wurde eine Frau in Hedestad überfallen, vergewaltigt und umgebracht. Das ist nichts Ungewöhnliches. Jeder Polizist muss irgendwann in seiner Laufbahn in so einem Fall ermitteln. Ich will damit sagen, dass es oft einen Fall gibt, der die Ermittler nicht loslässt und ihnen unter die Haut geht. Das Mädchen wurde auf brutalste Weise ermordet. Der Mörder hatte sie gefesselt und ihren Kopf auf die glimmenden Kohlen eines offenen Kamins gelegt. Ich weiß nicht, wie lange es gedauert haben mag, bis das arme Mädchen starb, und welche Qualen sie durchgemacht hat.«

»Oh, verdammt.«

»Der arme Torstensson war als Erster vor Ort, als sie gefunden wurde. Der Mord blieb ungelöst, obwohl Experten aus Stockholm zu Hilfe kamen. Torstensson konnte den Fall nie wieder vergessen.«

»Ich verstehe.«

»Harriet ist also mein Rebecka-Fall. Bei ihr weiß ich nicht einmal, wie sie gestorben ist. Technisch gesehen können wir ja nicht beweisen, dass ein Mord geschehen ist. Aber ich kriege diesen Fall einfach nicht aus dem Kopf.«

Er überlegte eine Weile.

»In einem Mord zu ermitteln ist manchmal die einsamste Angelegenheit der Welt. Die Freunde des Opfers sind aufgewühlt und verzweifelt, aber früher oder später – nach ein paar Wochen oder Monaten – kehrt der Alltag wieder ins Leben zurück. Bei den nächsten Verwandten dauert es länger, doch sogar sie kommen über ihre Trauer und Verzweiflung hinweg. Das Leben geht weiter. Nur die ungelösten Morde lassen einen nicht los. Zum Schluss ist bloß noch einer übrig, der an das Opfer denkt und ihm Gerechtigkeit widerfahren lassen will – das ist der Polizist, der mit den Ermittlungen betraut ist.«

Es wohnten noch drei weitere Personen der Familie Vanger auf der Hedeby-Insel, aber Mikael kam nicht näher in Kontakt mit ihnen. Alexander Vanger, geboren 1946 und Sohn des dritten Bruders, Greger, wohnte in einem renovierten Holzhaus aus dem frühen 20. Jahrhundert. Mikael erfuhr von Henrik, dass Alexander sich derzeit auf den Westindischen Inseln aufhielt, wo er sich seiner Lieblingsbeschäftigung widmete – segeln und sich die Zeit vertreiben, ohne einen Finger krumm machen zu müssen. Henrik redete so negativ über seinen Bruder, dass Mikael daraus schloss, Alexander Vanger müsse Gegenstand gewisser Kontroversen gewesen sein. Er begnügte sich zunächst mit der Feststellung, dass Alexander zwanzig Jahre alt gewesen war, als Harriet verschwand, und dass er zum Kreis der Familienmitglieder gehörte, die vor Ort gewesen waren.

Alexander wohnte mit seiner achtzigjährigen Mutter Gerda zusammen, der Witwe von Greger Vanger. Mikael begegnete ihr nie. Sie kränkelte und lag hauptsächlich im Bett.

Das dritte Familienmitglied war natürlich Harald Vanger, doch in den ersten Monaten war es Mikael nicht gelungen, auch nur den kleinsten Blick auf den alten Rassenbiologen zu erhaschen. Harald Vangers Haus, das direkt neben Mikaels Gästehaus stand, sah mit seinen dunklen, stets vorgezogenen Vorhängen düster und Unheil verkündend aus. Mikael hatte ein paarmal zu sehen geglaubt, dass sich die Vorhänge leicht bewegten, als er vorbeiging, und eines Nachts, als er spät schlafen gehen wollte, hatte er plötzlich einen Lichtschein im Obergeschoss bemerkt. Ein Vorhang stand einen Spalt offen. Über zwanzig Minuten hatte er fasziniert an seinem dunklen

Küchenfenster gestanden und das Licht betrachtet, bevor er es gut sein ließ und fröstelnd zu Bett ging. Am Morgen war der Vorhang wieder an seinem Platz.

Harald Vanger schien wie ein unsichtbarer, stets anwesender Geist, der einen Teil des Stadtlebens durch seine Gegenwart prägte. In Mikaels Fantasie nahm er immer mehr die Form eines tückischen Gollum an, der hinter seinen Vorhängen die Umgebung ausspionierte und in seiner verrammelten Höhle geheimnisvolle Dinge trieb.

Er wurde einmal am Tag vom Heimpflegedienst besucht, einer älteren Frau von der anderen Seite der Brücke, die mit den Essensbehältern durch die Schneewehen zu seiner Tür stapfte, weil er sich weigerte, den Schnee in der Hofeinfahrt räumen zu lassen. Gunnar Nilsson schüttelte den Kopf, als Mikael ihn darauf ansprach. Er erklärte, dass er sich erboten hatte, Schnee zu schippen, Harald Vanger jedoch offensichtlich nicht wollte, dass irgendeine Menschenseele den Fuß auf sein Grundstück setzte. Ein einziges Mal war Gunnar Nilsson automatisch mit dem Schneeräumfahrzeug bei ihm vorgefahren. Es endete damit, dass Harald Vanger aus dem Haus geschossen kam und so lange krakeelte, bis Nilsson sich wieder entfernt hatte.

Leider konnte Nilsson bei Mikael nicht räumen, weil das Tor zu schmal für sein Fahrzeug war. Da waren weiterhin Schneeschippe und Muskelkraft gefragt.

Mitte Januar beauftragte Mikael seinen Anwalt damit, herauszufinden, wann er seine dreimonatige Gefängnisstrafe absitzen musste. Er wollte die Sache so schnell wie möglich geklärt haben. Ins Gefängnis zu kommen, stellte sich als einfacher heraus, als er sich vorgestellt hatte. Nach mehrwöchigem Hin und Her wurde beschlossen, dass Mikael sich am 17. März in der Rulläker Vollzugsanstalt bei Östersund einfinden sollte, einer offenen Anstalt für Kleinkriminelle. Mi-

kaels Anwalt teilte ihm mit, dass er mit größter Wahrscheinlichkeit vorzeitig entlassen werden würde.

»Prima«, sagte Mikael ohne allzu großen Enthusiasmus.

Er saß am Küchentisch und streichelte die braun gesprenkelte Katze, die es sich mittlerweile zur Gewohnheit gemacht
hatte, in mehrtägigem Abstand aufzutauchen und die Nacht
bei Mikael zu verbringen. Von Helen Nilsson erfuhr er, dass
die Katze Tjorven hieß und niemandem so richtig gehörte,
sondern vielmehr in allen Häusern die Runde machte.

Mikael traf seinen Auftraggeber fast jeden Nachmittag.
Manchmal fiel das Gespräch kürzer aus, manchmal saßen sie
Stunden zusammen und redeten über Harriets Verschwinden und verschiedene Details in Vangers privaten Nachforschungen.

Nicht selten verlief das Gespräch so, dass Mikael eine Theorie formulierte, die Vanger sogleich verwarf. Mikael versuchte,
die Distanz zu seinem Auftrag zu wahren, doch gleichzeitig
merkte er, dass es Momente gab, in denen er selbst hoffnungslos fasziniert von diesem Puzzle war.

Mikael hatte Erika versprochen, eine Strategie für den
neuen Feldzug gegen Hans-Erik Wennerström zu entwerfen,
aber nach einem Monat hatte er die alten Ordner, die ihn vor
Gericht gebracht hatten, noch nicht einmal aufgeschlagen. Im
Gegenteil, er schob das Problem von sich weg. Jedes Mal,
wenn er über Wennerström und seine eigene Situation nachzudenken begann, verfiel er in tiefste Niedergeschlagenheit
und Apathie. In klareren Momenten fragte er sich, ob er langsam verrückt wurde wie der alte Mann. Seine Karriere war in
sich zusammengestürzt wie ein Kartenhaus, und er versteckte
sich in einem kleinen Ort auf dem Land, wo er Gespenstern
nachjagte. Außerdem vermisste er Erika.

Henrik Vanger betrachtete seinen Co-Ermittler mit gedämpfter Besorgnis. Er ahnte, dass Mikael Blomkvist unter Gemüts-

schwankungen litt. Ende Januar fasste der Alte einen Entschluss, der ihn selbst überraschte. Er griff zum Telefonhörer und rief in Stockholm an. Das Gespräch dauerte zwanzig Minuten und drehte sich zum Großteil um Mikael Blomkvist.

Es hatte fast einen Monat gedauert, bis sich Erikas Zorn gelegt hatte. Eines Abends Ende Januar um halb neun rief sie ihn an.

»Du hast also tatsächlich vor, dort oben zu bleiben«, lautete ihre Begrüßung.

Der Anruf kam so überraschend, dass er zunächst um eine Antwort verlegen war. Dann zog er lächelnd die Wolldecke enger um sich.

»Hallo, Ricky. Das solltest du auch mal ausprobieren.«

»Warum? Hat es irgendeinen besonderen Charme, in Tjottahejti zu wohnen?«

»Ich habe mir gerade die Zähne mit Eiswasser geputzt. Das zieht vielleicht in den Plomben.«

»Selber schuld. Aber hier unten in Stockholm ist es auch schweinekalt.«

»Erzähl.«

»Wir haben zwei Drittel unserer festen Anzeigenkunden eingebüßt. Keiner will es direkt aussprechen, aber …«

»Ich weiß. Mach eine Liste von denen, die abspringen. Eines Tages werden wir sie in einer passenden Reportage erwähnen.«

»Micke … ich habe nachgerechnet. Wenn wir keine neuen Anzeigenkunden gewinnen, sind wir im Herbst pleite. So einfach ist das.«

»Das Blatt wird sich wenden.«

Sie lachte müde am anderen Ende der Leitung.

»Du hast gut reden da oben in deiner Lappen-Hölle.«

»Mach mal halblang – es sind mindestens fünfhundert Kilometer bis zur nächsten Lappensiedlung.«

Erika schwieg.

»Erika, ich bin ...«

»Ich weiß. A man's gotta do what a man's gotta do and all that crap. Du brauchst mir nichts zu erzählen. Tut mir leid, dass ich so eine Zicke war und nicht rangegangen bin, wenn du angerufen hast. Können wir noch mal von vorne anfangen? Soll ich mich trauen und dich da oben besuchen?«

»Wann immer du willst.«

»Muss ich eine Schrotflinte für die Wölfe mitbringen?«

»Nein. Wir mieten uns ein paar Lappen mit Hundeschlitten. Wann kommst du?«

»Freitagabend. Okay?«

Das Leben schien Mikael plötzlich unendlich viel heller.

Abgesehen von der schmalen geräumten Schneise bis zu seiner Tür lagen ungefähr neunzig Zentimeter Schnee auf dem Grundstück. Mikael musterte eine Weile die Schneeschippe und ging dann zu Gunnar Nilsson, um zu fragen, ob Erika ihren BMW während ihres Besuches bei ihnen parken konnte. Sie hatten genügend Platz in ihrer Doppelgarage und konnten außerdem noch ihren Motorwärmer anbieten.

Erika fuhr am Nachmittag los und kam gegen sechs Uhr abends. Sie sahen sich ein paar Sekunden lang abwartend an und lagen sich dann bedeutend länger in den Armen.

Im Abenddunkel gab es außer der erleuchteten Kirche nicht viel zu sehen. Der Supermarkt und Susannes Brücken-Café schlossen gerade. Sie zogen sich also schnell ins Haus zurück. Mikael kochte Abendessen, während Erika in seinem Haus herumstöberte, die alten Nummern des *Rekordmagasinet* aus den fünfziger Jahren kommentierte und sich in seine Ordner im Arbeitszimmer vertiefte. Sie aßen Lammkoteletts mit Salzkartoffeln und Sahnesauce – viel zu viele Kalorien – und tranken Rotwein. Mikael versuchte, den Faden ihres Telefongesprächs wieder aufzunehmen, aber Erika war nicht recht in

Stimmung, über *Millennium* zu reden. Stattdessen redeten sie zwei Stunden über Mikaels Situation und ihre Gefühle. Danach testeten sie, ob das Bett breit genug für sie beide war.

Das dritte Treffen mit Nils Bjurman war anberaumt, verschoben und zum Schluss auf fünf Uhr am selben Freitag gelegt worden. Bei früheren Treffen war Lisbeth Salander stets von einer zirka fünfundfünfzigjährigen Dame in Empfang genommen worden, die nach Moschus roch und als Sekretärin in der Kanzlei arbeitete. Diesmal hatte sie schon Feierabend gemacht und Bjurman eine leichte Alkoholfahne. Er bedeutete Salander mit einer wedelnden Geste, auf einem Besucherstuhl Platz zu nehmen, und blätterte geistesabwesend in irgendwelchen Papieren, bis er sich plötzlich ihrer Gegenwart wieder bewusst zu werden schien.

Abermals war sie regelrecht verhört worden. Diesmal hatte er Lisbeth Salander zu ihrem Sexleben ausgefragt – was ihrer Ansicht nach zu ihrer Privatsphäre gehörte und ihn überhaupt nichts anging.

Nach ihrem Besuch wusste sie, dass sie es falsch angepackt hatte. Sie war zunächst still sitzen geblieben und hatte ihm ausweichende Antworten gegeben. Er hatte das vermutlich so interpretiert, als sei sie schüchtern oder geistig zurückgeblieben oder hätte etwas zu verbergen. Salander sah ein, dass er sie nicht in Ruhe lassen würde, bevor er seine Antworten bekommen hatte, und fing an, ihm knappe und harmlose Antworten zu geben, wie sie höchstwahrscheinlich in ihr psychologisches Profil passten. Sie erwähnte Magnus – in ihrer Beschreibung ein gleichaltriger Computerfreak, der sie wie ein Gentleman behandelte, sie ins Kino einlud und zwischendurch mit ihr ins Bett ging. Magnus war reine Fiktion – sie erfand ihn, während sie von ihm erzählte –, aber Bjurman hatte die Neuigkeit zum Anlass genommen, während der nächsten Stunde eingehend ihr Sexleben auszuforschen. *Wie oft haben Sie Sex?* Ab und zu. *Wer ergreift die Initiative – Sie oder er?* Ich. *Verwenden Sie Kondome?* Natürlich – sie habe schon mal von Aids gehört. *Welche Stellung mögen Sie am liebsten?* Na ja, meistens auf dem Rücken. *Mögen Sie Oralsex?* Ääääh, Moment ... *Haben Sie schon einmal Analsex gehabt?*

»Nein, ich steh nicht drauf, in den Arsch gefickt zu werden, aber was zum Teufel geht Sie das eigentlich an?«

Das war das einzige Mal, dass Sie vor Bjurman die Beherrschung verloren hatte. Sie wusste, wie man ihren Blick deuten konnte, und hatte auf den Boden gesehen, damit ihre Augen nicht ihre Gefühle verrieten. Als sie ihn wieder anschaute, blinzelte er von der anderen Seite des Schreibtisches herüber. Lisbeth Salander wusste mit einem Mal, dass ihr Leben eine dramatische Wende nehmen würde. Sie verließ Bjurman mit einem Gefühl des Ekels. Auf so etwas war sie nicht vorbereitet gewesen. Palmgren wäre niemals auf den Gedanken gekommen, ihr solche Fragen zu stellen. Er war immer zugänglich gewesen, wenn sie mit ihm über irgendetwas reden wollte. Eine Möglichkeit, die sie selten genutzt hatte.

Bjurman war ein *serious pain in the ass* oder – wie ihr dämmerte – auf dem besten Wege, sich zu einem *major problem* zu entwickeln.

11. Kapitel
Samstag, 1. Februar – Dienstag, 18. Februar

In den wenigen Stunden, die es am Samstag hell war, gingen
Mikael und Erika am kleinen Hafen vorbei und schlugen den
Weg nach Östergården ein. Obwohl Mikael seit einem Monat
auf der Insel wohnte, war er bis jetzt noch nie weiter ins Insel-
innere vorgedrungen. Kälte und Schneestürme hatten ihn
davon abgehalten. Aber am Samstag war es sonnig und angenehm, als hätte Erika einen Hauch von Frühlingswetter mitgebracht. Es waren nur fünf Grad unter null. Rechts und links
der Straße hatten die Räumfahrzeuge meterhohe Schneeberge
hinterlassen. Sobald sie die Siedlung verlassen hatten, waren
sie mitten in dichtem Tannenwald, und Mikael stellte überrascht fest, dass der Söderberg oberhalb der Häuser wesentlich höher und unzugänglicher war, als er vom Ort aus wirkte.
Er überlegte kurz, wie oft Harriet hier wohl als Kind gespielt
hatte, verscheuchte dann aber den Gedanken an sie. Nach ein
paar Kilometern endete der Wald jäh an einem Zaun, hinter
dem der Hof Östergården begann, von dem sie ein weißes
Holzhaus und einen großen, roten Viehstall sehen konnten.
Sie gingen nicht in Richtung Hof weiter, sondern spazierten
denselben Weg nach Hedeby zurück.

Als sie an der Auffahrt zum Vangerschen Haus vorbeikamen, klopfte Henrik Vanger kräftig von innen ans Fenster im

Obergeschoss und winkte sie energisch heran. Mikael und Erika sahen sich an.

»Möchtest du gerne einen Großindustriellen kennenlernen?«, fragte Mikael.

»Beißt er?«

»Samstags nie.«

Henrik Vanger empfing sie an der Tür zu seinem Arbeitszimmer und schüttelte ihnen die Hand.

»Ich habe Sie gleich erkannt. Sie müssen Frau Berger sein«, begrüßte er sie. »Mikael hat mit keinem Wort erwähnt, dass Sie nach Hedeby kommen wollten.«

Eine von Erikas hervorstechendsten Eigenschaften war ihre Fähigkeit, sofort freundschaftliche Bande zu den unterschiedlichsten Individuen zu knüpfen. Mikael hatte zugesehen, wie sie mit ihrem Charme fünfjährige Jungen um den Finger wickelte, die innerhalb von zehn Minuten bereit gewesen wären, ihre Mütter zu verlassen. Männer über achtzig machten da keine Ausnahme. Erikas Grübchen schienen ihnen Appetit zu machen. Nach zwei Minuten ignorierte er Mikael vollkommen und plauderte mit ihr, als würden sie sich von Kindesbeinen an kennen – na ja, aufgrund des Altersunterschiedes kamen nur Erikas Kindesbeine infrage.

Erika beschwerte sich zunächst ungeniert darüber, dass er ihren verantwortlichen Herausgeber in die Wildnis gelockt hatte. Der alte Mann gab zurück, sie hätte ihn den Pressemitteilungen zufolge ja bereits vor die Tür gesetzt, und wenn sie es noch nicht getan hätte, dann wäre es vielleicht höchste Zeit, den Ballast aus der Redaktion loszuwerden. Erika tat so, als musterte sie Mikael mit kritischem Blick. Und in diesem Fall, fuhr Henrik fort, könne ein Weilchen robustes Landleben dem jungen Herrn Blomkvist nur guttun. Da pflichtete Erika ihm bei.

Fünf Minuten lang diskutierten sie in provokantem Ton seine Unzulänglichkeiten. Mikael lehnte sich zurück und tat beleidigt, aber er hob die Augenbrauen, als Erika ein paar doppelbödige Bemerkungen machte, die eventuell auf seine Mängel als Journalist anspielten, genauso gut aber auf mangelnde sexuelle Fähigkeiten gemünzt sein konnten. Henrik Vanger legte den Kopf in den Nacken und lachte lauthals.

Mikael staunte. Die Kommentare waren lustig, aber so locker und entspannt hatte er Henrik Vanger noch nie erlebt. Er sah plötzlich vor sich, wie ein fünfzig Jahre – nein, dreißig Jahre – jüngerer Henrik Vanger als charmanter Verführer und attraktiver Frauenheld ausgesehen haben musste. Er hatte nie wieder geheiratet. Ihm mussten noch andere Frauen begegnet sein, aber er war ein knappes halbes Jahrhundert Junggeselle geblieben.

Mikael nahm einen Schluck Kaffee und spitzte plötzlich die Ohren, als er merkte, dass das Gespräch in ernste Bahnen gekommen war und sich nun um *Millennium* drehte.

»Ich habe von Mikael erfahren, dass Sie ein Problem mit dem Magazin haben.« Erika warf Mikael einen verstohlenen Blick zu. »Nein, nein, er hat keine internen Angelegenheiten mit mir besprochen, aber man müsste taub und blind sein, um nicht zu begreifen, dass es mit Ihrer Zeitschrift, genau wie mit dem Unternehmen Vanger, bergab geht.«

»Wir werden das Ganze schon wieder in Ordnung bringen«, entgegnete Erika vorsichtig.

»Das bezweifle ich«, gab Henrik Vanger zurück.

»Warum?«

»Schauen wir doch mal – wie viele Angestellte haben Sie, sechs? Eine Auflage von 21 000 pro Monat, Druck, Vertrieb, Büroräume … Sie brauchen einen Jahresumsatz von, über den Daumen gepeilt, zehn Millionen. Ungefähr die Hälfte davon muss über die Anzeigeneinnahmen reinkommen.«

»Und?«

»Hans-Erik Wennerström ist ein nachtragender und kleinlicher Mistkerl, der Sie so schnell nicht vergessen dürfte. Wie viele Anzeigenkunden haben Sie in den letzten Monaten verloren?«

Erika betrachtete Henrik Vanger abwartend. Mikael hielt die Luft an. Wann immer er und der alte Mann über das Thema *Millennium* gesprochen hatten, waren entweder spöttische Kommentare gekommen, oder es ging darum, inwiefern die Situation seiner Zeitschrift Mikael erlaubte, einen vollwertigen Job in Hedestad zu leisten.

»Dürfte ich noch ein bisschen Kaffee haben?«, fragte Erika. Vanger schenkte ihr sofort nach.

»Okay, Sie haben Ihre Hausaufgaben gemacht. Wir sind in Schwierigkeiten. Und wennschon.«

»Wie ernst ist die Lage?«

»Ein halbes Jahr können wir uns noch irgendwie über Wasser halten. Maximal acht bis zehn Monate. Aber wir haben einfach nicht genug Eigenkapital, um es länger zu schaffen.«

Die Miene des alten Mannes war unergründlich, als er aus dem Fenster sah. Die Kirche stand immer noch da.

»Wussten Sie, dass mir einmal einige Zeitungen gehörten?«

Mikael und Erika schüttelten den Kopf.

Vanger lachte plötzlich.

»Uns gehörten sechs Tageszeitungen in Norrland. Das war in den fünfziger und sechziger Jahren. Es war die Idee meines Vaters gewesen. Er meinte, es könnte einen politischen Vorteil bedeuten, wenn man die Medien hinter sich hat. Wir sind sogar immer noch einer der Teilhaber des *Hedestads-Kuriren*, und Birger ist Vorsitzender des Aufsichtsrats. Das ist Haralds Sohn«, fügte er an Mikael gewandt hinzu.

»Und außerdem Kommunalpolitiker«, stellte Mikael fest.

»Martin sitzt auch im Aufsichtsrat. Er hat ein Auge auf Birger.«

»Warum haben Sie die Zeitungen aufgegeben?«, fragte Mikael.

»Das lag an den Umstrukturierungen und Rationalisierungen in den sechziger Jahren. Zeitungen verlegen war irgendwie mehr ein Hobby als ein echtes Interesse. Als wir das Budget kürzen mussten, haben wir zuerst die Zeitungen abgestoßen. Aber ich weiß, was es bedeutet, eine Zeitschrift herauszugeben ... Darf ich Ihnen eine persönliche Frage stellen?«

Die Frage war an Erika gerichtet, die eine Augenbraue hob und Vanger ein Zeichen gab fortzufahren.

»Ich habe Mikael nicht danach gefragt, und wenn Sie nicht antworten wollen, brauchen Sie nichts dazu zu sagen. Ich will wissen, wie Sie in diesen Schlamassel geraten sind. Hatten Sie eine Story oder nicht?«

Mikael und Erika tauschten einen Blick. Nun war es an Mikael, eine unergründliche Miene aufzusetzen. Erika zögerte einen Moment, bevor sie anfing zu sprechen.

»Wir hatten eine Story. Aber das war eigentlich eine ganz andere Story.«

Henrik Vanger nickte.

»Ich will nicht darüber reden«, schnitt Mikael die Diskussion ab. »Ich habe recherchiert und den Artikel geschrieben. Ich hatte alle Quellen, die ich brauchte. Dann ging alles in die Binsen.«

»Aber Sie hatten Quellen für alles, was Sie geschrieben haben?«

Mikael nickte.

Henrik Vangers Stimme wurde plötzlich scharf.

»Ich will nicht so tun, als wüsste ich, wie Sie auf diese Mine treten konnten. Mir fällt keine ähnliche Geschichte ein, außer vielleicht der Lundahl-Affäre im *Expressen* in den sechziger Jahren, aber das war lange vor Ihrer Zeit.« Er schüttelte den Kopf und wandte sich mit leiser Stimme an Erika. »Ich bin Zeitungsherausgeber gewesen und kann es wieder werden. Was würden Sie dazu sagen, wenn Sie einen weiteren Teilhaber bekämen?«

Die Frage kam wie ein Blitz aus heiterem Himmel, aber Erika schien nicht im Geringsten überrascht zu sein.

»Wie meinen Sie das?«, fragte sie.

Henrik Vanger wich der Frage mit einer Gegenfrage aus. »Wie lange bleiben Sie hier in Hedestad?«

»Ich fahre morgen nach Hause.«

»Könnten Sie sich vorstellen – Sie und Mikael, meine ich natürlich –, einem alten Mann eine Freude zu machen und heute Abend zu mir zum Essen zu kommen? Um sieben Uhr?«

»Das passt prima. Wir kommen gerne. Aber Sie sind meiner Frage ausgewichen. Warum sollten Sie Teilhaber bei *Millennium* werden wollen?«

»Ich bin der Frage nicht ausgewichen. Ich dachte nur, dass wir bei einem kleinen Essen darüber reden sollten. Ich muss mit Dirch Frode, meinem Anwalt, sprechen, bevor ich konkret werden kann. Aber um es einfach auszudrücken: Ich habe Geld, das ich investieren kann. Wenn's nicht funktioniert – tja, ich habe in meinem Leben schon bedeutend größere Verluste gemacht.«

Mikael wollte gerade den Mund aufmachen, als Erika ihm die Hand aufs Knie legte.

»Mikael und ich haben hart darum gekämpft, völlig unabhängig zu sein.«

»Unsinn. Kein Mensch ist völlig unabhängig. Aber ich bin gar nicht darauf aus, die Zeitschrift an mich zu reißen, und der Inhalt ist mir völlig egal. Dieser verdammte Stenbeck hat sich Pluspunkte geholt, als er *Moderna Tider* herausgab, da kann ich ja wohl hinter *Millennium* stehen. Das obendrein noch eine gute Zeitschrift ist.«

»Hat das etwas mit Wennerström zu tun?«, fragte Mikael plötzlich.

Henrik Vanger lächelte.

»Mikael, ich bin über achtzig Jahre alt. Ich habe es bereut, so manches versäumt und einigen Mistkerlen das Leben nicht saurer gemacht zu haben. Doch apropos« – er wandte sich wieder an Erika – »eine solche Investition ist mit mindestens einer Bedingung verbunden.«

»Schießen Sie los«, sagte Erika.

»Herr Blomkvist muss wieder den Posten des verantwortlichen Herausgebers übernehmen.«

»Das geht nicht!«, widersprach Mikael sofort.

»Doch!«, gab Henrik Vanger ebenso entschieden zurück. »Wennerström kriegt einen Schlaganfall, wenn wir mit der Pressemitteilung rausgehen, dass der Vanger-Konzern *Millennium* unter die Arme greift und Sie gleichzeitig als verantwortlicher Herausgeber zurückkommen. Deutlicher können wir nicht signalisieren, dass dies keine Machtübernahme ist und die Politik der Redaktion feststeht. Und allein das wird die Anzeigenkunden, die sich jetzt zurückziehen wollen, noch einmal zum Nachdenken zwingen. Wennerström ist nicht allmächtig. Er hat auch Feinde, und es wird Firmen geben, die Inserate schalten wollen.«

»Was zum Teufel sollte das denn bedeuten?«, fragte Mikael, sobald Erika die Haustür schloss.

»Ich glaube, das nennt man vorbereitende Erkundigungen vor einem Geschäftsabschluss«, antwortete sie. »Du hattest mir ja gar nicht erzählt, dass Henrik Vanger so ein Schatz ist.«

Mikael baute sich vor ihr auf. »Ricky, du weißt genau, wovon dieses Gespräch handeln sollte.«

»Ach, komm schon. Es ist erst drei Uhr, und ich will mich vor diesem Abendessen noch ein bisschen amüsieren.«

Mikael Blomkvist kochte vor Wut. Aber er hatte Erika noch nie lange böse sein können.

Erika trug ein schwarzes Kleid, eine taillenkurze Jacke und Pumps, die sie rein zufällig in ihre kleine Reisetasche gesteckt hatte. Sie bestand darauf, dass auch Mikael sich in Schale warf. Er zog eine schwarze Hose an, ein graues Hemd, einen dunklen Schlips und ein graues Sakko. Als sie pünktlich bei Henrik Vanger erschienen, stellte sich heraus, dass auch Dirch Frode und Martin Vanger zu den Gästen gehörten. Alle trugen Schlips und Sakko, bis auf Henrik, der mit Fliege und brauner Strickjacke herumlief.

»Achtzig Jahre alt zu sein hat den Vorteil, dass keiner mehr beanstanden kann, wie man sich anzieht«, stellte er fest.

Erika war den ganzen Abend strahlender Laune.

Erst als sie es sich später in einem Salon mit offenem Kamin bequem machten und sich einen Cognac eingossen, kam ein ernsthaftes Gespräch in Gang. Sie redeten fast zwei Stunden, bis sie den Entwurf eines Vertrages auf dem Tisch hatten.

Frode sollte ein Unternehmen gründen, das zu 100 Prozent Henrik Vanger gehörte und dessen Leitung aus ihm, Frode und Martin Vanger bestehen sollte. Diese Firma würde über vier Jahre hinweg einen Betrag investieren, der *Millenniums* Defizit ausglich. Das Geld kam aus Henrik Vangers Privatvermögen. Im Gegenzug würde Henrik Vanger einen sichtbaren Posten im Vorstand erhalten. Diese Vereinbarung sollte vier Jahre gelten, konnte aber nach zwei Jahren von *Millennium* aufgekündigt werden. Eine solche vorzeitige Kündigung würde jedoch kostspielig werden, denn Henrik würde mit derselben Summe ausbezahlt werden müssen, die er eingezahlt hatte.

Im Falle seines plötzlichen Todes würde Martin Vanger für die restliche Zeit seinen Posten übernehmen. Wenn Martin sein Engagement über diese Zeit hinaus fortsetzen wollte, musste er zum gegebenen Zeitpunkt selbst dazu Stellung nehmen. Auch Martin Vanger schien erfreut über die Möglichkeit, es Hans-Erik Wennerström heimzuzahlen, und Mikael fragte sich, welche Differenzen er wohl mit Wennerström haben mochte.

Nachdem sie eine vorläufige Einigung erzielt hatten, schenkte Martin Vanger noch einmal Cognac nach. Henrik Vanger ergriff die Gelegenheit, um Mikael zuzuflüstern, dass dieser Vertrag ihre alte Vereinbarung in keiner Weise beeinträchtige.

Um in den Medien die größtmögliche Aufmerksamkeit zu erzielen, beschloss man außerdem, die neuen Eigentumsverhältnisse am selben Tag zu veröffentlichen, an dem Mikael sich Mitte März ins Gefängnis begab. Ein so negatives Ereignis mit der Bekanntmachung der neuen Strukturen zu verbinden, war rein PR-technisch so verkehrt, dass es Mikaels Verleumder verblüffen und Henrik Vangers Beitritt das maximale Rampenlicht verschaffen musste. Aber allen war die Logik dieses Plans klar – es war ein Signal, dass die Pestflagge, die derzeit über der *Millennium*-Redaktion wehte, wieder eingeholt wurde. Ab jetzt wurde mit harten Bandagen gekämpft.

Das Unternehmen Vanger steckte in einer Krise, aber es war immer noch ein gewichtiger Industriekonzern, der, wenn nötig, offensiv agieren konnte.

Das ganze Gespräch verlief in Form einer Diskussion zwischen Erika auf der einen Seite und Henrik und Martin auf der anderen. Keiner hatte Mikael gefragt, was er von der Sache hielt.

Spätnachts lag Mikael mit dem Kopf auf Erikas Brust und sah ihr in die Augen.

»Wie lange diskutiert ihr schon über diese Vereinbarung, du und Henrik Vanger?«, fragte er.

»Ungefähr seit einer Woche«, antwortete sie lächelnd.

»Ist Christer einverstanden?«

»Natürlich.«

»Warum durfte ich nichts davon erfahren?«

»Warum hätte ich das mit dir besprechen sollen? Du bist als verantwortlicher Herausgeber ausgeschieden, hast die Redaktion und die Verlagsleitung verlassen und dich mitten im Wald angesiedelt.«

Mikael dachte ein Weilchen darüber nach.

»Du meinst, ich verdiene es, wie ein Idiot behandelt zu werden?«

»Oh ja!«, sagte sie mit Nachdruck.

»Du warst wirklich sauer auf mich.«

»Ich habe mich noch nie so verraten und verkauft gefühlt wie in dem Moment, als du aus der Redaktion spaziert bist. Ich war noch nie so böse auf dich.« Sie griff ihm fest in die Haare und schob seinen Kopf weiter nach unten.

Als Erika Hedeby am Sonntag verließ, war Mikael so wütend auf Henrik Vanger, dass er nicht riskieren wollte, ihm oder einem anderen Mitglied der Familie über den Weg zu laufen. Stattdessen fuhr er nach Hedestad und verbrachte den Nachmittag damit, durch die Stadt zu bummeln, die Bibliothek zu besuchen und in einer Konditorei Kaffee zu trinken. Am Abend ging er ins Kino und sah sich *Herr der Ringe* an, den er in all dem Premierentrubel vor einem Jahr verpasst hatte. Plötzlich fand er, dass die Orks im Vergleich zu den Menschen doch einfache, unkomplizierte Wesen waren.

Er rundete den Abend bei McDonald's in Hedestad ab und fuhr gegen Mitternacht mit dem letzten Bus auf die Insel zurück. Er machte Kaffee, setzte sich an den Küchentisch und holte einen Ordner hervor. Er las bis vier Uhr morgens.

Die Ermittlungen im Fall Harriet Vanger hatten einige Fragen aufgeworfen. Sie traten umso deutlicher hervor, je länger Mikael sich in den Bericht einarbeitete. Es waren keine sensationellen Entdeckungen, die er da machte, sondern altbekannte Probleme, die Gustav Morell lange Zeit beschäftigt hatten, sogar in seiner Freizeit.

Im letzten Jahr ihres Lebens hatte Harriet sich verändert. In gewisser Weise konnte man die Veränderung als die Metamorphose interpretieren, die alle Jugendlichen in ihrer Teenagerzeit in der einen oder anderen Form erleben. Harriet wurde langsam erwachsen, aber in ihrem Fall hatten Klassenkameraden, Lehrer und mehrere Familienmitglieder bezeugt, dass sie reserviert und verschlossen geworden war.

Zwei Jahre zuvor noch ein ganz normaler, ausgelassener Teenie, war sie auf einmal sichtbar auf Distanz zu ihrer Umgebung gegangen. In der Schule war Harriet immer noch mit ihren Mitschülern zusammen, doch plötzlich auf eine Weise, die eine ihrer Freundinnen als »unpersönlich« beschrieb. Das Wort, das die Freundin verwendete, war so außergewöhnlich, dass Morell es notierte und weitere Fragen dazu stellte. Sie erklärte ihm, dass Harriet aufgehört hatte, über sich selbst zu sprechen, zu tratschen oder über vertrauliche Dinge zu reden.

Harriet war auf kindliche Art christlich gewesen, während sie heranwuchs – Sonntagsschule, Abendgebet und Konfirmation. Im letzten Jahr schien sie jedoch richtiggehend religiös geworden zu sein. Sie las in der Bibel und ging regelmäßig in die Kirche. Sie hatte sich allerdings nicht Pastor Falk angeschlossen, der ein Freund der Familie Vanger war, sondern sich im Frühling eine Pfingstgemeinde in Hedestad gesucht. Dieses Engagement in der Pfingstgemeinde dauerte aber nicht lange. Schon nach zwei Monaten hatte sie die Gemeinde wieder verlassen und stattdessen begonnen, Bücher über den Katholizismus zu lesen.

Teeniehafte religiöse Schwärmerei? Vielleicht, aber in der Familie war sonst niemand in nennenswertem Ausmaß religiös, und es war schwer herauszufinden, welche Impulse ihre Gedanken lenkten. Eine Erklärung für ihr Interesse an Gott konnte freilich sein, dass ihr Vater zwei Jahre zuvor bei einem Unfall ertrunken war. Morell mutmaßte, dass in Harriets

Leben irgendetwas geschehen sein musste, das sie bedrückte oder sonstwie beeinflusste. Ebenso wie Henrik Vanger hatte Morell viel Zeit darauf verwendet, mit Harriets Freunden zu sprechen, um jemand zu finden, dem sie sich vielleicht anvertraut hatte.

Man setzte eine gewisse Hoffnung in die zwei Jahre ältere Anita Vanger, Haralds Tochter, die den Sommer 1969 auf der Hedeby-Insel verbracht und sich nach eigener Aussage intensiv mit Harriet angefreundet hatte. Aber auch Anita Vanger konnte keine richtigen Auskünfte geben. Sie waren den Sommer über viel zusammen gewesen, waren baden gegangen, hatten Spaziergänge unternommen und über Filme, Popbands und Bücher geredet. Harriet war oft mitgekommen, wenn Anita Übungsfahrten für ihren Führerschein machte. Einmal tranken sie sich einen kleinen Schwips mit einer Flasche Wein an, die sie aus den Vorräten im Haus gemopst hatten. Außerdem wohnten sie mehrere Wochen zusammen in »Gottfrieds Hütte«, einem entlegenen kleinen Häuschen, das Harriets Vater Anfang der fünfziger Jahre errichtet hatte.

Die Fragen nach Harriets privaten Gedanken und Gefühlen blieben unbeantwortet. Mikael fiel jedoch eine Diskrepanz in den Beschreibungen auf: Die Angaben zu Harriets zurückgezogenen Wesen stammten zum Großteil von Mitschülern und Familienmitgliedern, während Anita Vanger sie überhaupt nicht als verschlossen empfunden hatte. Er wollte bei Gelegenheit mit Henrik Vanger darüber sprechen.

Ein konkreteres Fragezeichen, dem Morell bedeutend mehr Interesse zugewandt hatte, war eine rätselhafte Seite in Harriets Kalender, einem schön eingebundenen Weihnachtsgeschenk, das sie im Jahr vor ihrem Verschwinden bekommen hatte. Die erste Hälfte des Kalenders enthielt einen Zeitplan, in dem Harriet jeden Tag Treffen, Prüfungstermine am Gymnasium, Hausaufgaben und anderes notiert hatte. Der Kalender ließ viel Platz für Tagebuchaufzeichnungen, allerdings führte Harriet nur sehr sporadisch Tagebuch. Sie begann im Januar noch recht ehrgeizig, mit kurzen Anmerkungen, wen sie in den Weihnachtsferien getroffen hatte, und mit Kommentaren zu Filmen, die sie gesehen hatte. Danach schrieb sie nichts Persönliches mehr auf. Nur eine kurze Notiz deutete darauf hin, dass ihr ein nicht namentlich genannter Junge auf der Schulabschlussfeier ganz gut gefallen hatte.

Aber die Seiten mit den Telefonnummern enthielten das wahre Geheimnis. Säuberlich waren dort in alphabetischer Reihenfolge Familienmitglieder, Klassenkameraden, gewisse Lehrer, ein paar Mitglieder der Pfingstgemeinde und andere leicht zu identifizierende Personen ihrer Umgebung aufgeführt. Auf der allerletzten Seite, die ganz weiß war und eigentlich schon außerhalb des alphabetischen Registers lag, standen fünf Namen und ebenso viele Telefonnummern. Es waren drei Frauennamen und zwei Namen in Initialen.

$$Magda - 32016$$
$$Sara - 32109$$
$$RJ - 32027$$
$$RL - 30112$$
$$Mari - 32018$$

Die fünfstelligen Telefonnummern, die mit 32 anfingen, waren in den sechziger Jahren die Nummern in Hedestad. Die davon abweichende 30er-Nummer führte nach Norrby außerhalb von Hedestad. Allerdings wusste keiner, wer diese Personen waren, als Kommissar Morell in Harriets Bekanntenkreis nachfragte.

Die erste Nummer, die von »Magda«, schien vielversprechend. Die Nummer gehörte zu einem Stoff- und Kurzwarengeschäft in der Parkgata 12. Der Anschluss war auf eine Margot Lundmark zugelassen, deren Mutter tatsächlich Magda hieß und stundenweise im Laden aushalf. Magda war jedoch neunundsechzig Jahre alt und hatte keine Ahnung, wer Harriet Vanger war. Es gab auch keinerlei Hinweise, dass Harriet jemals in diesem Geschäft gewesen wäre oder dort etwas gekauft hätte. Handarbeiten gehörte nicht zu ihren Freizeitbeschäftigungen.

Die andere Nummer gehörte zu einer Familie Toresson in Väststan, auf der anderen Seite der Eisenbahnlinie. Die Familie bestand aus Anders und Monica sowie ihren Kindern Jonas und Peter, die im Vorschulalter waren. Eine Sara gab es nicht in der Familie, und man wusste nicht mehr über Harriet Vanger, als dass sie in den Massenmedien als vermisst gemeldet worden war. Die einzige vage Verbindung zwischen Harriet und den Toressons war, dass Anders, ein Dachdecker, im Jahr zuvor ein paar Wochen lang das Dach der Schule gedeckt hatte, in der Harriet die erste Gymnasialklasse besuchte. Es bestand also theoretisch die Möglichkeit, dass sie sich getroffen haben könnten, obwohl das als äußerst unwahrscheinlich betrachtet werden musste.

Die restlichen drei Telefonnummern führten in ähnliche Sackgassen. Bei »RL«, Nummer 32027, hatte tatsächlich eine Rosmarie Larsson gewohnt. Leider war sie schon vor ein paar Jahren verstorben.

Angesichts dieses Rätsels konzentrierten sich Morells Ermittlungen im Winter 1966/67 auf die Frage, warum Harriet diese Namen und Nummern notiert haben mochte.

Nicht allzu überraschend tippte er zunächst darauf, dass die Nummern mit einer Art persönlichem Code verschlüsselt waren – Morell versuchte also, sich vorzustellen, wie ein Teenie gedacht haben könnte. Da die 32er-Serie offensichtlich für Hedestad stand, versuchte er es mit einem Umstellen der letzten drei Ziffern. Doch weder 32601 noch 32160 führten zu einer Magda. Während Morell mit seiner Zahlenmystik weitermachte, war er guten Mutes, dass er früher oder später eine Verbindung zu Harriet finden würde, wenn er nur genügend Ziffern vertauschte. Wenn er zum Beispiel die letzten drei Stellen von 32016 erhöhte, bekam er 32127 – und das war die Nummer von Dirch Frodes Kanzlei in Hedestad. Dummerweise brachte ihn das auch nicht weiter.

Außerdem fand er keinen Code, der alle fünf Nummern zugleich erklärt hätte.

Konnten die Ziffern etwas anderes bedeuten? Die Nummernschilder der Autos trugen in den sechziger Jahren Buchstaben, die die Provinz bezeichneten, und fünf Ziffern – eine Sackgasse.

Da gab der Kommissar die Zahlen auf und konzentrierte sich auf die Namen. Er besorgte sich eine Liste aller Personen in Hedestad, die Mari, Magda oder Sara hießen oder die Initialen RL beziehungsweise RJ hatten. Er kam auf ein Verzeichnis von insgesamt dreihundertsieben Personen. Unter ihnen befanden sich ganze neunundzwanzig, die irgendwie in Beziehung zu Harriet standen. Ein ehemaliger Mitschüler hieß zum Beispiel Roland Jacobsson, RJ. Die beiden waren jedoch nur oberflächlich miteinander bekannt gewesen und hatten keinen Kontakt mehr gehabt, seit Harriet aufs Gymnasium ging. Und außerdem gab es natürlich keine Verbindung zu der entsprechenden Telefonnummer.

Das Telefonnummern-Rätsel blieb ungelöst.

Das vierte Treffen mit Rechtsanwalt Bjurman war keiner ihrer offiziell vereinbarten Termine. Sie war gezwungen gewesen, Kontakt mit ihm aufzunehmen.

In der zweiten Februarwoche ging Lisbeth Salanders Laptop bei einem Unfall zu Bruch, der so absurd war, dass sie, frustriert, Mordgelüste gegen den Verursacher hegte. Sie war zu einer Besprechung bei Milton Security gefahren, hatte das

Fahrrad hinter einen Pfeiler der Tiefgarage geschoben und den Rucksack auf den Boden gestellt, um das Rad abschließen zu können. Im nächsten Moment parkte ein dunkelroter Saab rückwärts aus. Sie stand mit dem Rücken zu ihm und hörte nur das Knacken in ihrem Rucksack. Der Autofahrer hatte nichts bemerkt und war unbekümmert durch die Ausfahrt verschwunden.

Der Rucksack enthielt ihr weißes Apple-iBook 600 mit einer 25-Gigabyte-Festplatte und 420 MB RAM, hergestellt im Januar 2002 und ausgestattet mit einem 14-Zoll-Bildschirm. Als sie ihn kaufte, war dieser Laptop das Neueste vom Neuesten. Computerzubehör war im Großen und Ganzen der einzige extravagante Posten in ihren Ausgaben.

Als sie den Rucksack aufmachte, konnte sie sehen, dass der Deckel des Laptops zerbrochen war. Sie steckte den Netzstecker ein und versuchte, den Computer zu starten, aber er gab nicht einmal eine letzte Zuckung von sich. Sie brachte die Überreste zu Timmys *MacJesus Shop*, in der Hoffnung, dass zumindest die Festplatte gerettet werden könnte. Timmy fummelte nur ein wenig daran herum, dann schüttelte er den Kopf.

»Sorry. Keine Hoffnung«, sagte er. »Bereite ihm ein schönes Begräbnis.«

Der Verlust des Computers war deprimierend, aber keine Katastrophe. Lisbeth Salander war in dem einen Jahr, in dem sie ihn gehabt hatte, bestens mit ihm zurechtgekommen. Sie besaß Sicherheitskopien von allen Dokumenten und zu Hause einen älteren Mac G3 sowie einen fünf Jahre alten Toshiba PC Laptop, den sie auch noch benutzen konnte. Aber – verflucht! – sie brauchte eine schnelle und moderne Kiste.

Es war wohl nicht sonderlich überraschend, dass sie auf die denkbar beste Alternative verfiel: das neu herausgekommene Apple PowerBook G4/1.0 GHz mit Aluminiumgehäuse, mit einem PowerPC 7451 Prozessor mit AltiVec Velocity Engine,

960 Mb RAM und einer 60 Gigabyte-Festplatte, inklusive BlueTooth sowie einem CD- und DVD-Brenner.

Vor allem hatte er als erster Laptop einen 17-Zoll-Bildschirm mit NVIDIA-Grafik und einer Auflösung von 1440 x 900 Pixel, was eingefleischte PC-Fürsprecher schockierte und alles andere auf dem Markt in den Schatten stellte.

Das war der Rolls-Royce unter den Laptops, aber was Lisbeth Salanders Will-haben-Reflex wirklich in Gang setzte, war die simple Finesse, dass die Tastatur mit Hintergrundbeleuchtung ausgestattet war, sodass sie die Tasten auch im Dunkeln sehen konnte. Warum hatte früher keiner an so etwas gedacht?

Es war Liebe auf den ersten Blick.

Er kostete 38 000 Kronen zuzüglich Mehrwertsteuer.

Das war ein Problem.

Sie gab eine Bestellung bei MacJesus auf, von dem sie ihren gesamten Computerkram kaufte und der ihr daher einen ordentlichen Rabatt einräumte. Ein paar Tage später rechnete Lisbeth Salander ihre Ausgaben zusammen. Die Versicherung ihres verunglückten Laptops würde den Neukauf weitgehend abdecken, aber mit der Selbstbeteiligung und der Preisdifferenz zu ihrem Neuerwerb hatte sie immer noch knapp 18 000 Kronen zu wenig. In einer Kaffeedose zu Hause hatte sie noch 10 000 Kronen versteckt, um immer ein bisschen Bargeld zur Hand zu haben, aber das reichte nicht. Sie verfluchte Bjurman in Gedanken, biss dann aber in den sauren Apfel, rief ihren Vormund an und erklärte ihm, dass sie Geld für eine unerwartete Ausgabe benötigte. Bjurman entgegnete, dass er heute keine Zeit mehr habe. Salander erwiderte, es würde ihn zwanzig Sekunden kosten, einen Scheck über 10 000 Kronen auszuschreiben. Er erklärte, er könne einen solchen Betrag nicht einfach aufs Geratewohl herausgeben, lenkte dann jedoch ein und bat sie nach einer kurzen Bedenkzeit zu einem Treffen außerhalb der Bürozeiten, um halb acht Uhr abends.

Mikael musste zugeben, dass ihm die Kompetenz fehlte, die Qualität der polizeilichen Ermittlungen zu beurteilen. Kommissar Morell war äußerst gewissenhaft vorgegangen und hatte jeden Stein umgedreht, was in mancher Hinsicht weit über seine dienstlichen Pflichten hinausging. Nachdem Mikael den polizeilichen Untersuchungsbericht aus der Hand gelegt hatte, tauchte Morell immer noch in Henriks privaten Aufzeichnungen auf. Zwischen den beiden Männern waren freundschaftliche Bande entstanden, und Mikael fragte sich, ob sich in Morells Kopf dieselbe fixe Idee festgesetzt hatte wie bei Henrik Vanger. Er kam aber zu dem Schluss, dass Morell kaum etwas entgangen sein konnte. Die Lösung für das Rätsel Harriet Vanger würde keine polizeiliche Ermittlung ans Tageslicht bringen, und sei sie auch so gut wie perfekt. Alle denkbaren Fragen waren bereits gestellt und alle Spuren verfolgt worden, sogar die augenscheinlich unsinnigen.

Er hatte noch nicht den ganzen Untersuchungsbericht gelesen, aber je weiter er vorankam, umso obskurer wurden die Spuren und Tipps, denen man nachgegangen war. Er erwartete nicht, etwas zu finden, was sein Vorgänger übersehen hatte, und er war unschlüssig, wie er selbst das Problem angehen sollte. Schließlich war eine Überzeugung in ihm herangereift: Für ihn lag der einzig vernünftige Weg im Versuch, die Beweggründe der beteiligten Personen zu erforschen.

Das größte Fragezeichen stand hinter Harriet selbst. Wer war sie eigentlich?

Vom Fenster seines Hauses aus hatte Mikael gesehen, dass das Licht im ersten Stock bei Cecilia Vanger um fünf Uhr nachmittags anging. Er klopfte um halb acht an ihre Tür, als gerade das Logo der Nachrichtensendung eingeblendet wurde. Als sie ihm aufmachte, trug sie einen Bademantel und hatte ihr nasses Haar mit einem gelben Frotteehandtuch bedeckt. Mikael entschuldigte sich für die Störung und wollte sofort wieder kehrtmachen, aber sie winkte ihn in die Küche. Sie setzte Kaffee auf und verschwand für ein paar Minuten ins Obergeschoss. Als sie wieder herunterkam, hatte sie sich Jeans und ein kariertes Flanellhemd angezogen.

»Ich dachte schon, Sie trauen sich nicht, mich mal zu besuchen.«

»Ich hätte vorher anrufen sollen, aber ich habe das Licht brennen sehen und dachte spontan, ich komme mal rüber.«

»Ich habe gesehen, dass bei Ihnen manchmal die ganze Nacht das Licht brennt. Und Sie gehen oft nach Mitternacht draußen spazieren. Nachteule, was?«

Michael zuckte mit den Schultern. »Das hat sich so ergeben.« Er sah einen Stapel Schulbücher auf dem Küchentisch liegen. »Unterrichten Sie immer noch, Frau Direktor?«

»Nein, als Rektorin fehlt mir die Zeit dazu. Aber ich war Lehrerin für Geschichte, Religion und Sozialkunde. Und ich habe ja noch ein paar Jahre vor mir.«

»Ein paar Jahre?«

Sie lächelte. »Ich bin sechsundfünfzig und gehe auf die Rente zu.«

»Sie sehen nicht älter aus als fünfzig, eher Ende vierzig.«

»Danke für die Blumen. Wie alt sind Sie?«

»Über vierzig«, lächelte Mikael.

»Und vor Kurzem waren Sie noch zwanzig, nicht wahr. Wie schnell es geht. Das Leben, meine ich.«

Cecilia Vanger goss Kaffee ein und fragte Mikael, ob er Hunger habe. Er antwortete, er habe schon gegessen, was der Wahrheit entsprach. Er nahm es nicht allzu genau mit den Mahlzeiten und aß stattdessen belegte Brote. Hunger hatte er aber nicht.

»Sind Sie gekommen, um mir Fragen zu stellen?«

»Nein, ich wollte einfach mal vorbeischauen.«

Cecilia Vanger lächelte plötzlich.

»Sie sind zu einer Gefängnisstrafe verurteilt worden, Sie ziehen nach Hedeby, gucken sich das Material zu Henriks Lieblingshobby durch, schlafen nachts nicht, machen lange Nachtspaziergänge bei Eiseskälte … hab ich was vergessen?«

»Dass mein Leben vor die Hunde geht, vielleicht.« Mikael lächelte zurück.

»Wer war die Frau, die Sie am Wochenende besucht hat?«

»Erika … sie ist Chefredakteurin bei *Millennium*.«

»Ihre Freundin?«

»Wie man's nimmt. Sie ist verheiratet. Ich bin mehr ein guter Freund und *occasional lover*.«

Cecilia Vanger lachte laut.

»Was ist daran so lustig?«

»Wie Sie das sagen. *Occasional lover*. Der Ausdruck gefällt mir.«

Mikael lachte auch. Auf einmal mochte er Cecilia Vanger.

»Ich könnte auch einen *occasional lover* brauchen«, sagte sie.

Sie kickte ihre Pantoffeln weg und stellte ihm einen Fuß aufs Knie. Mikael legte ihr automatisch seine Hand auf den Fuß und berührte ihre Haut. Einen Moment zögerte er – er spürte, dass er sich in unerwartetes und unbekanntes Fahrwasser begab. Vorsichtig begann er, ihre Fußsohle mit dem Daumen zu massieren.

»Ich bin auch verheiratet«, sagte Cecilia Vanger.

»Ich weiß. Im Vanger-Clan lässt man sich nicht scheiden.«

»Ich habe meinen Mann seit fast zwanzig Jahren nicht mehr gesehen.«

»Was ist passiert?«

»Das geht Sie nichts an. Ich habe seit … hmm, seit mittlerweile drei Jahren keinen Sex mehr gehabt.«

»Das erstaunt mich.«

»Wieso? Das ist eine Frage von Angebot und Nachfrage. Ich will absolut keinen Freund oder Ehemann oder Lebensgefährten. Ich fühle mich allein ganz gut. Mit wem sollte ich also Sex haben? Mit einem meiner Kollegen? Lieber nicht. Mit einem der Schüler? Das wäre ein gefundenes Fressen für die Klatschtanten im Ort. Sie haben ein wachsames Auge auf alle Leute, die Vanger heißen. Und hier auf der Insel wohnen nur Verwandte oder Verheiratete.«

Sie lehnte sich vor und küsste ihn auf den Hals.

»Schockiere ich Sie?«

»Nein. Aber ich weiß nicht recht, ob das hier so eine gute Idee ist. Ich arbeite für Ihren Onkel.«

»Ich wäre die Letzte, die plaudern würde. Und um ehrlich zu sein, Henrik hätte vermutlich nichts dagegen.«

Sie setzte sich rittlings auf ihn und küsste ihn auf den Mund. Ihr Haar war immer noch nass, und sie duftete nach Shampoo. Plötzlich fummelte er an den Knöpfen ihres Flanellhemds und zog es ihr über die Schultern herunter. Sie hatte sich nicht die Mühe gemacht, einen BH anzuziehen. Sie presste sich an ihn, als er ihre Brüste küsste.

Rechtsanwalt Bjurman kam hinter seinem Schreibtisch hervor und zeigte ihr die Bilanz ihres Kontos, das ihr bis auf die letzte Öre bekannt war, über das sie aber nicht mehr selbst verfügen konnte. Er stand hinter ihr. Plötzlich fing er an, ihr den Nacken zu massieren, und ließ eine Hand über ihre linke Schulter quer zu ihrer Brust gleiten. Er legte die Hand auf ihre rechte Brust und ließ sie dort liegen. Als sie nicht zu protestieren schien, drückte er die Brust. Lisbeth Salander war zur Salzsäule erstarrt. Sie spürte seinen Atem im Nacken. Eingehend musterte sie den spitzen Brieföffner auf seinem Schreibtisch – mit ihrer freien Hand konnte sie ihn bequem erreichen.

Aber sie unternahm nichts. Wenn Holger Palmgren ihr irgendetwas beigebracht hatte in all den Jahren, dann war es die Erkenntnis, dass impulsive Handlungen meist Schwierigkeiten herbeiführten, und Schwierigkeiten konnten weitere unangenehme Konsequenzen bedeuten. Sie unternahm nie etwas, ohne zuerst über die Konsequenzen nachzudenken.

Der erste sexuelle Übergriff – der in juristischer Terminologie als sexuelle Belästigung und Ausnutzung einer Person in einem Abhängigkeitsverhältnis definiert wurde und Bjurman theoretisch bis zu zwei Jahre Gefängnis einbringen konnte – dauerte nur ein paar Sekunden. Das reichte aus, um eine Grenze unwiderruflich zu überschreiten. Für Lisbeth Salander kam es der militärischen Machtdemonstration einer feindlichen Truppe gleich – ein Zeichen, dass sie jenseits ihrer wohldefinierten juristischen Beziehung seiner Willkür ausgeliefert war. Als sich ihre Augen für ein paar Sekunden trafen, war sein Mund halb geöffnet, und sie konnte die Lust in seinem Gesicht lesen. Ihr Gesicht war ausdruckslos.

Bjurman ging hinter seinen Schreibtisch zurück und setzte sich in seinen bequemen Ledersessel.

»Ich kann dir nicht einfach so einen Scheck ausschreiben«, sagte er plötzlich. »Warum brauchst du überhaupt so einen teuren Computer? Für Computerspiele gibt es wesentlich billigere Geräte.«

»Ich möchte wieder selbst über mein Geld verfügen können, so wie früher.«

Bjurman bedachte sie mit einem mitleidigen Blick.

»Schauen wir einfach mal, was die Zeit bringt. Zuerst musst du lernen, dich sozial zu verhalten und dich anderen Leuten anzupassen.«

Bjurmans Lächeln wäre vielleicht ein bisschen schwächer ausgefallen, hätte er die Gedanken hinter ihren ausdruckslosen Augen lesen können.

»Ich glaube, wir werden richtig gute Freunde«, sagte Bjurman. »Wir müssen uns aufeinander verlassen können.«

Als sie keine Antwort gab, wurde er deutlicher.

»Du bist jetzt eine erwachsene Frau, Lisbeth.«

Sie nickte.

»Komm her«, sagte er und streckte ihr eine Hand entgegen. Lisbeth Salander heftete ihren Blick ein paar Sekunden auf den Brieföffner, bevor sie aufstand und zu ihm ging. *Konsequenzen*. Er nahm ihre Hand und drückte sie sich gegen den Schritt. Sie konnte sein Geschlecht durch den festen Stoff seiner dunklen Hose fühlen.

»Wenn du nett zu mir bist, werde ich auch nett zu dir sein«, sagte er.

Sie war stocksteif, als er seine andere Hand um ihren Nacken legte und sie herunterzog, bis sie vor ihm kniete, das Gesicht vor seinem Schritt.

»Das hast du doch früher auch schon gemacht, oder?«, sagte er, als er seinen Hosenschlitz öffnete. Er roch, als hätte er sich kurz zuvor mit Wasser und Seife gewaschen.

Lisbeth Salander drehte den Kopf zur Seite und versuchte aufzustehen, aber er hielt sie mit festem Griff an ihrem Platz. Rein physisch konnte sie es nicht mit ihm aufnehmen: Sie wog knapp vierzig Kilo, er fünfundneunzig. Er nahm ihren Kopf in beide Hände und drehte ihr Gesicht herum, sodass sich ihre Blicke trafen.

»Wenn du nett zu mir bist, werde ich auch nett zu dir sein«, wiederholte er. »Aber wenn du Zicken machst, kann ich dich für den Rest deines Lebens ins Irrenhaus bringen. Würde dir das gefallen?«

Sie antwortete nicht.

»Würde dir das gefallen?«, wiederholte er.

Sie schüttelte den Kopf.

Er wartete, bis sie die Augen niederschlug, was er als eine Unterwerfungsgeste deutete. Dann zog er sie näher zu sich heran. Lisbeth Salander öffnete die Lippen und nahm ihn in den Mund. Er hielt sie die ganze Zeit im Nacken fest und zog sie mit Gewalt weiter zu sich heran. Während der zehn Minuten, die er seinen Schwanz in ihren Mund hinein- und hinausfahren ließ, spürte sie ununterbrochenen Brechreiz. Als er endlich kam, hielt er sie so fest umklammert, dass sie kaum noch atmen konnte.

Er ließ sie eine kleine Toilette in seinem Büro benutzen. Lisbeth Salander zitterte, als sie ihr Gesicht wusch und versuchte, die Flecken von ihrem Pullover zu reiben. Sie aß ein bisschen von seiner Zahnpasta, um den Geschmack loszuwerden. Als sie wieder in sein Büro kam, saß er ungerührt an seinem Schreibtisch und blätterte in den Papieren.

»Setz dich, Lisbeth«, forderte er sie auf, ohne sie anzusehen. Sie setzte sich. Schließlich sah er sie an und lächelte.

»Du bist jetzt doch erwachsen, oder, Lisbeth?«

Sie nickte.

»Dann musst du auch Erwachsenenspiele spielen können«, sagte er. Er sprach, als redete er mit einem Kind. Sie antwortete nicht. Auf seiner Stirn bildete sich eine kleine Falte.

»Ich glaube, es wäre keine gute Idee, wenn du irgendjemand von unseren Spielen erzählen würdest. Denk doch mal nach – wer würde dir schon glauben? Ich habe es schwarz auf weiß, dass du nicht zurechnungsfähig bist.« Als sie nicht antwortete, fuhr er fort: »Dein Wort würde gegen meines stehen. Was glaubst du, wessen Wort wiegt schwerer?«

Er seufzte, als sie immer noch schwieg. Plötzlich irritierte ihn ihr hartnäckiges Schweigen, aber er beherrschte sich.

»Wir werden gute Freunde werden, wir zwei«, sagte er. »Ich finde, dass es klug von dir war, dich heute an mich zu wenden. Du kannst immer zu mir kommen.«

»Ich brauche 10 000 für meinen Computer«, sagte sie auf einmal leise, ganz so, als würde sie das Gespräch fortführen, das sie vorhin unterbrochen hatten.

Rechtsanwalt Bjurman hob die Brauen. *Hartgesottenes Miststück. Verdammt, die ist ja wirklich so was von zurückgeblieben.* Er reichte ihr den Scheck, den er ausgestellt hatte, während sie auf der Toilette gewesen war. *Das ist besser als mit einer Hure – sie wird von ihrem eigenen Geld bezahlt.* Er lächelte jovial.

Lisbeth Salander nahm den Scheck und ging.

12. Kapitel

Mittwoch, 19. Februar

Wäre Lisbeth Salander eine normale Bürgerin gewesen, hätte sie mit größter Wahrscheinlichkeit die Polizei angerufen und die Vergewaltigung angezeigt, und zwar unmittelbar nachdem sie seine Kanzlei verlassen hatte. Die blauen Flecke an Nacken und Hals sowie die DNA-Unterschrift seines Spermas auf ihrem Körper und ihren Kleidern hätten einen schwer wiegenden Beweis abgegeben. Obwohl Bjurman sicher behaupten würde: *Sie hat doch mitgemacht* oder *Sie hat mich verführt* oder *Sie wollte mir einen blasen*, wie Vergewaltiger dies immer tun, hatte er sich doch schon so vieler Vergehen gegen das Vormundschaftsgesetz schuldig gemacht, dass man ihm umgehend die rechtliche Betreuung für Lisbeth Salander entzogen hätte. Eine Anzeige würde wahrscheinlich dazu führen, dass Lisbeth Salander einen richtigen Rechtsanwalt bekam, der mit sexuellen Übergriffen gegen Frauen vertraut war, und das hätte wiederum zu einer Diskussion über den Kern des Problems geführt – die Feststellung ihres Betreuungsbedarfs.

Lisbeth Salander war ein für alle Mal anders als normale Menschen. Sie hatte nur rudimentäre juristische Kenntnisse – das war ein Gebiet, in das sie sich nie vertieft hatte –, und ihr Vertrauen in die Polizei ging gegen null. Für sie war die Polizei eine undefinierbare feindliche Streitmacht, deren praktische Einsätze in all den Jahren darin bestanden hatten, sie festzunehmen und zu erniedrigen. Das letzte Mal, dass sie mit der Polizei zu tun gehabt hatte, war an einem Nachmittag im Mai gewesen, als sie auf dem Weg zu Milton Security durch die Götgata ging und plötzlich Auge in Auge einem Bereitschaftspolizisten mit Helm und Visier gegenüberstand, der ihr ohne jeden Grund einen Stockschlag auf die Schulter verpasste. Ihr spontaner Impuls war, mit der Colaflasche, die sie zufällig in der Hand hielt, zum Gegenangriff überzugehen. Glücklicherweise war der Polizist auf dem Absatz umgedreht und weitergelaufen, bevor sie reagieren konnte. Erst später erfuhr sie, dass ein Stückchen weiter die Straße entlang eine Demonstration stattgefunden hatte.

Der Gedanke, Nils Bjurman anzuzeigen, kam ihr gar nicht. Und im Übrigen – was sollte sie eigentlich anzeigen? Dass Bjurman ihr an die Brust gefasst hatte. Jeder Polizist musste nur einen Blick auf ihre Miniknöspchen werfen, um zu erkennen, dass das ziemlich unwahrscheinlich war, und wenn es denn tatsächlich passiert sein sollte, müsste sie eher stolz darauf sein, dass sich überhaupt jemand die Mühe gemacht hatte. Und das mit dem Blow-job – da stand ihr Wort gegen seines, und für gewöhnlich wog das Wort anderer stets schwerer als ihr eigenes. *Nein, die Polizei war keine Alternative.*

Nachdem sie Bjurmans Kanzlei verlassen hatte, war sie also nach Hause gefahren, hatte geduscht, zwei Brote mit Käse und Salzgurken gegessen und sich zum Nachdenken auf das zerschlissene, fusselige Wohnzimmersofa gesetzt.

Ein normaler Mensch hätte ihr die scheinbare Gleichgültigkeit zum Nachteil angerechnet – es wäre ein weiterer Beweis dafür gewesen, wie unnormal sie war, wenn nicht einmal eine Vergewaltigung eine befriedigende emotionale Reaktion hervorrufen konnte.

Ihr Bekanntenkreis war nicht groß und stammte auch nicht aus der wohlbehüteten Mittelklasse der bürgerlichen Vororte, doch schon mit achtzehn hatte Lisbeth Salander kein einziges Mädchen gekannt, das nicht zumindest einmal gegen seinen Willen irgendeine sexuelle Handlung hatte ausführen müssen.

In Lisbeth Salanders Welt war das ein natürlicher Zustand. Als Mädchen war sie Freiwild, vor allem, wenn sie eine abgetragene schwarze Lederjacke trug, eine gepiercte Augenbraue, Tattoos und null sozialen Status hatte.

Das war kein Grund zum Heulen.

Doch das hieß noch lange nicht, dass Anwalt Bjurman sie *ungestraft* zwingen konnte, ihm einen zu blasen. Einmal zugefügtes Unrecht vergaß Lisbeth Salander nie, und sie war von Natur aus alles andere als nachsichtig.

Soweit sie zurückdenken konnte, hatte sie immer als schwierig und grundlos gewalttätig gegolten. Die Regeln für den sozialen Umgang in der Schule hatten sie immer verwirrt. Sie kümmerte sich nur um sich und nicht um das, was die Leute um sie herum trieben. Und trotzdem war da immer einer, der sie nicht in Frieden lassen wollte.

Später war sie mehrmals nach Hause geschickt worden, nachdem sie in gewalttätige Auseinandersetzungen mit Klassenkameraden geraten war. Wesentlich kräftigere Jungen in ihrer Klasse lernten schnell, dass es unangenehm werden konnte, wenn man sich mit dem schmächtigen Mädchen anlegte – im Gegensatz zu den anderen Mädchen in der Klasse kniff sie nie, sondern zögerte keine Sekunde, sich mit Fäusten oder Waffen zur Wehr zu setzen. Sie ließ keinen Zweifel daran, dass sie sich eher totschlagen lassen würde, als klein beizugeben.

Außerdem rächte sie sich.

Als Lisbeth Salander in die sechste Klasse ging, war sie mit einem wesentlich größeren und stärkeren Jungen in Streit geraten. Rein körperlich konnte sie es nicht mit ihm aufnehmen.

Er hatte sich einen Spaß daraus gemacht, sie herumzuschubsen, und als sie zum Gegenangriff übergehen wollte, hatte er ihr ein paar Ohrfeigen verpasst. Es half jedoch nichts, so überlegen er ihr auch war, das dumme Ding ging immer wieder auf ihn los. Zum Schluss fanden sogar die Klassenkameraden, dass es zu weit ging. Sie war so offensichtlich unterlegen, dass es schon peinlich war. Zu guter Letzt hatte ihr der Junge einen so kräftigen Fausthieb versetzt, dass ihr die Lippe platzte und sie Sternchen sah. Sie ließen sie auf dem Boden hinter der Turnhalle liegen. Sie blieb zwei Tage zu Hause. Am Morgen des dritten Tages erwartete sie ihren Peiniger mit einem Baseballschläger, den sie ihm übers Ohr zog. Dafür wurde sie zum Direktor bestellt, der beschloss, Anzeige wegen Körperverletzung gegen sie zu erstatten.

Ihre Klassenkameraden hielten sie für verrückt und behandelten sie entsprechend. Bei ihren Lehrern, die sie manchmal als echte Plage empfanden, weckte sie ebenso wenig Sympathie. Ein ungeliebtes Mädchen mit eigenartigem Verhalten.

Dann geschah All Das Böse, an das sie nicht denken wollte, gerade als sie an der Schwelle zum Teenageralter stand. Der letzte Ausbruch, der das Muster vervollständigte. Und dann wurde ihre Akte hervorgeholt, die zu ihren Ungunsten sprach. Seitdem wurde sie juristisch als … na ja, als verrückt betrachtet. *Ein Freak*. Lisbeth Salander hatte noch nie ein Papier gebraucht, um zu wissen, dass sie anders war. Und andererseits hatte es sie auch nicht wirklich gestört, solange Holger Palmgren ihr Betreuer war.

Mit Bjurmans Auftritt drohte die Anordnung der umfassenden Betreuung eine dramatische Belastung in ihrem Leben zu werden. An wen sie sich auch wenden mochte, überall würden sich potenzielle Fallgruben auftun, und was geschah, wenn sie den Kampf verlor? Würde sie in eine Anstalt eingewiesen werden? In ein Irrenhaus? *Das war wirklich keine Alternative.*

Später in der Nacht, als Cecilia und Mikael eng umschlungen im Bett lagen, sah sie zu ihm hoch.

»Danke. Das ist schon lange her gewesen. Du bist wirklich nicht schlecht im Bett.«

Mikael lächelte. Sexuelle Schmeicheleien machten ihn immer auf eine kindliche Weise glücklich.

»Es hat mir Spaß gemacht«, sagte er.

»Wir können das jederzeit wieder machen«, sagte Cecilia Vanger. »Wenn du Lust hast.«

Mikael sah sie an.

»Willst du dir etwa einen Liebhaber zulegen?«

»Einen *occasional lover*«, sagte Cecilia Vanger. »Aber ich will, dass du gehst, bevor du einschläfst. Ich will nicht morgen früh aufwachen und dich hier haben, bevor ich mein Gesicht in Ordnung gebracht habe. Und dann wäre es auch schön, wenn du nicht der ganzen Stadt erzählst, dass wir hier was laufen haben.«

»Kein Problem, denke ich«, sagte Mikael.

»Vor allem möchte ich nicht, dass Isabella davon erfährt, die alte Hexe.«

»Deine nächste Nachbarin ... ich bin ihr schon begegnet.«

»Glücklicherweise kann sie meine Haustür von ihrem Fenster aus nicht sehen. Sei bitte diskret, Mikael.«

»Ich werde diskret sein.«

»Danke. Trinkst du Alkohol?«

»Manchmal.«

»Ich hab furchtbar Lust auf was Fruchtiges mit Gin drin. Willst du auch was?«

»Gerne.«

Sie raffte sich ein Laken um den Körper und verschwand ins Erdgeschoss. Mikael nutzte die Gelegenheit, um zur Toilette zu gehen und sich ein bisschen zu waschen. Er stand nackt vor ihrem Bücherregal, als sie mit einer Karaffe Eiswasser und zwei Gin and Lime zurückkam. Sie prosteten sich zu.

»Warum bist du zu mir gekommen?«, fragte sie.

»Einfach so …«

»Zuerst hast du Henriks Bericht gelesen. Und dann bist du direkt zu mir gekommen. Man muss nicht besonders schlau sein, um zwei und zwei zusammenzuzählen.«

»Hast du den Bericht gelesen?«

»Teilweise. Ich habe mein ganzes Erwachsenenleben mit diesem Bericht verbracht. Man kann keinen Kontakt mit Henrik haben, ohne auch mit dem Rätsel Harriet in Berührung zu kommen.«

»Es ist aber auch wirklich ein faszinierender Fall. Ich meine, diese Insel ist wie ein geschlossenes System. Und nichts in den Ermittlungen scheint normaler Logik zu folgen. Alle Fragen bleiben unbeantwortet, jede Spur führt in eine Sackgasse.«

»Mmmh, von so was können Menschen besessen sein.«

»Du warst an dem Tag auch auf der Insel.«

»Ja, ich war hier und hab das ganze Trara mitbekommen. Eigentlich wohnte und studierte ich in Stockholm. Ich wünschte, ich wäre an dem Wochenende zu Hause geblieben.«

»Wie war sie eigentlich? Die Leute scheinen sie ganz unterschiedlich wahrgenommen zu haben.«

»Ist das hier jetzt *off the record*, oder …«

»Es ist *off the record*.«

»Ich habe keinen Schimmer, was in Harriets kleinem Kopf vorging. Du hebst natürlich auf das letzte Jahr ab. Mal war sie auf einem völlig durchgedrehten religiösen Trip. Dann legte sie wieder Make-up auf wie eine Nutte und ging mit dem engsten Pullover in die Schule, den sie im Schrank hatte. Man muss kein Psychologe sein, um zu verstehen, dass sie zutiefst unglücklich war. Aber wie gesagt, ich habe nicht hier gewohnt und kenne bloß das Gerede.«

»Was hat die Probleme denn ausgelöst?«

»Ich denke, es war die verrückte Ehe ihrer Eltern. Entweder machten sie zusammen einen drauf oder sie bekämpften einander. Nicht körperlich – Gottfried war nicht gewalttätig und hatte außerdem Angst vor Isabella. Sie hatte schreckliche Launen. Irgendwann Anfang der sechziger Jahre zog er mehr oder weniger dauerhaft in sein Haus am anderen Ende der Insel, wo Isabella niemals hinging. Phasenweise tauchte er völlig verlottert in der Stadt auf. Dann war er wieder nüchtern und zog sich ordentlich an und versuchte, seine Arbeit zu machen.«

»Gab es niemanden, der versucht hätte, Harriet zu helfen?«

»Henrik natürlich. Sie zog ja zum Schluss in sein Haus. Aber du darfst nicht vergessen, dass er auch damit beschäftigt war, die Rolle des Großindustriellen zu spielen. Er war meist irgendwo unterwegs und hatte keine Zeit, auf die Kinder aufzupassen. Ich habe vieles nicht mitbekommen, weil ich zuerst in Uppsala wohnte und danach in Stockholm. Ich hatte es auch nicht leicht mit Harald als Vater, das kann ich dir versichern. Aber das Hauptproblem lag darin, dass Harriet sich nie jemandem anvertraute. Im Gegenteil, sie versuchte immer, den Schein zu wahren und so zu tun, als wären sie eine glückliche Familie.«

»Einfach alles verdrängen?«

»Klar. Aber sie veränderte sich, als ihr Vater ertrank. Da konnte sie nicht mehr so tun, als wäre alles in Ordnung. Von da an war sie – ich weiß nicht, wie ich es erklären soll – hochbegabt und frühreif, aber gleichzeitig ein ganz normaler Teenager. Auch im letzten Jahr hatte sie brillante Schulnoten, aber es kam einem so vor, als hätte sie keine eigene Seele.«

»Wie ist ihr Vater ertrunken?«

»Gottfried? Prosaischer geht's kaum. Er fiel beim Bootssteg vor seinem Häuschen aus seinem Ruderboot. Er hatte den Hosenschlitz offen und einen extrem hohen Blutalkoholgehalt, du kannst dir also vorstellen, was passiert ist. Martin hat ihn gefunden.«

»Das wusste ich nicht.«

»Das ist schon lustig. Martin ist zu einem richtig guten Kerl herangewachsen. Hättest du mich vor fünfunddreißig Jahren gefragt, hätte ich gesagt, dass er derjenige ist, der in dieser Familie einen Psychologen braucht.«

»Wieso denn das?«

»Harriet war nicht die Einzige, die unter der Situation litt. Martin war jahrelang so still und verschlossen, dass man ihn fast schon als menschenscheu bezeichnen konnte. Beide Kinder hatten es schwer. Ich meine, schwer hatten wir es alle. Ich nehme an, dir ist schon aufgegangen, dass mein Vater völlig verrückt ist. Meine Schwester Anita hatte dieselben Probleme mit ihm, genauso Alexander, mein Cousin. Es war ganz schön hart, Kind in der Familie Vanger zu sein.«

»Was geschah mit deiner Schwester?«

»Anita wohnt in London. Sie ist in den siebziger Jahren dorthin gegangen, um in einem schwedischen Reisebüro zu arbeiten und ist geblieben. Sie hat irgendeinen Typen geheiratet, den sie der Familie nie vorgestellt hat und von dem sie sich mittlerweile getrennt hat. Heute ist sie leitende Angestellte bei British Airways. Wir verstehen uns gut, haben aber nur sehr losen Kontakt und treffen uns alle zwei Jahre oder so. Sie kommt nie nach Hedestad.«

»Warum nicht?«

»Weil unser Vater verrückt ist. Reicht das nicht als Erklärung?«

»Aber du bist hiergeblieben.«

»Ich und Birger, mein Bruder.«

»Der Politiker.«

»Genau. Birger ist älter als Anita und ich. Wir haben nie besonders guten Kontakt gehabt. Er hält sich tatsächlich für einen bedeutenden Politiker mit einer Zukunft im Reichstag, vielleicht sogar als Minister, wenn die Konservativen gewinnen sollten. In Wirklichkeit ist er ein mäßig talentierter Kommunalpolitiker in einem Provinzkaff, und das dürfte dann

wohl auch schon der Höhepunkt und zugleich der Schluss-
punkt seiner Karriere gewesen sein.«

»Eine Sache, die mich an der Familie Vanger fasziniert, ist,
dass alle schlecht voneinander denken.«

»Das stimmt nicht ganz. Ich mag Martin und Henrik furchtbar gern. Und ich habe mich immer gut mit meiner Schwester
verstanden, obwohl wir uns nur sehr selten treffen. Ich hasse
Isabella und habe nicht sonderlich viel für Alexander übrig. Allerdings spreche ich nicht mit meinem Vater. Birger ist … hmm,
eher ein aufgeblasener Trottel als ein schlechter Mensch. Aber
ich verstehe schon, was du meinst. Sieh es mal so: Wenn man
zur Familie Vanger gehört, lernt man sehr früh, die Dinge beim
Namen zu nennen. Wir sagen, was wir denken.«

»Ja, ich habe schon gemerkt, dass ihr keine großen Umstände macht.« Mikael streckte die Hand aus und berührte
ihre Brust. »Ich war gerade mal eine Viertelstunde hier, als du
mich überfallen hast.«

»Ehrlich gesagt, habe ich von Anfang an darüber nachgedacht, wie du wohl im Bett bist. Und es war absolut kein Fehler, es auszuprobieren.«

Zum ersten Mal in ihrem Leben empfand Lisbeth Salander ein
dringendes Bedürfnis, jemanden um Rat zu bitten. Das Problem war allerdings, wenn sie jemanden um Rat fragen wollte,
musste sie sich ihm wohl auch anvertrauen, und das wiederum
bedeutete, dass sie sich jemandem ausliefern und ihre Geheimnisse preisgeben musste. Wem sollte sie sie erzählen? Was
Kontakte zu anderen Menschen anging, war sie einfach hoffnungslos untalentiert.

Lisbeth Salander hatte sorgfältig nachgezählt, als sie ihr
Adressbuch im Kopf durchging, und kam auf zehn Personen,
die man irgendwie zu ihrem Bekanntenkreis rechnen konnte.
Sie selbst wusste am besten, dass das noch großzügig angesetzt
war.

Sie konnte mit Plague reden, der eine einigermaßen feste Größe in ihrem Leben war. Aber er war absolut kein Freund und der Letzte, der etwas zur Lösung ihres Problems hätte beitragen können. *Das war auch keine Alternative.*

Lisbeth Salanders Sexleben war nicht ganz so bescheiden, wie sie Bjurman gegenüber behauptet hatte. Doch Sex hatte immer (oder jedenfalls ziemlich oft) zu ihren Bedingungen und auf ihre Initiative hin stattgefunden.

Wenn sie nachrechnete, hatte sie seit ihrem fünfzehnten Lebensjahr ungefähr fünfzig Partner gehabt. Das bedeutete zirka fünf Sexpartner pro Jahr, was ganz okay war für einen weiblichen Single, der im Laufe der Jahre begonnen hatte, Sex als vergnüglichen Zeitvertreib zu betrachten.

Die meisten dieser zufälligen Partner hatte sie jedoch in einer knapp zweijährigen Phase gehabt, was die monatliche Statistik für diese Zeit beträchtlich nach oben korrigierte. Das war in der turbulenten Endphase ihrer Teenagerzeit gewesen, als sie eigentlich volljährig hätte werden *sollen*. Eine Weile hatte Lisbeth Salander vor einem Scheideweg gestanden und ihr Leben nicht so recht unter Kontrolle gehabt. Doch seit sie zwanzig geworden war und bei Milton Security arbeitete, hatte sie sich deutlich beruhigt und – wie sie selbst fand – ihr Leben in den Griff gekriegt.

Sie fühlte sich nicht länger verpflichtet, jemandem zu Willen zu sein, der sie in der Kneipe auf drei Bier eingeladen hatte, und sie empfand es nicht mehr als Akt der Selbstverwirklichung, einen Betrunkenen nach Hause zu begleiten, dessen Namen sie kaum kannte. Im letzten Jahr hatte sie einen einzigen regelmäßigen Sexpartner gehabt und konnte schwerlich promiskuitiv genannt werden, wie es die Eintragungen in ihrer Akte andeuteten.

Sex hatte sie meistens mit jemandem aus der losen Clique gehabt, zu der sie eigentlich nicht gehörte, in der sie aber akzeptiert wurde, weil sie Cilla Norén kennengelernt hatte. Sie traf Cilla am Ende ihrer Teenagerzeit, als sie – auf Palmgrens beharrliches Drängen – versucht hatte, ihre fehlenden Schulabschlüsse in der Abendschule nachzuholen. Cilla hatte pflaumenfarbenes Haar mit schwarzen Strähnchen, trug schwarze Lederhosen, einen Ring in der Nase und genauso viele Nieten im Gürtel wie Lisbeth. In der ersten Stunde hatten sie sich misstrauisch beäugt.

Aus irgendeinem Grund, der Lisbeth nicht ganz klar wurde, hatten sie sich angefreundet. Lisbeth war nicht gerade der unkomplizierteste Mensch, mit dem man sich anfreunden konnte – in jenen Jahren erst recht nicht –, aber Cilla hatte ihr mürrisches Schweigen ignoriert und sie mit in die Kneipe geschleift. Durch sie war Lisbeth Mitglied der *Evil Fingers* geworden, eigentlich eine aus vier Enskeder Teenagermädchen bestehende Vorstadt-Band, die Hardrock liebten, zehn Jahre später jedoch eine größere Clique bildeten, die sich am Dienstagabend in der *Mühle* traf, um über Typen, Feminismus, Pentagramme, Musik und Politik zu quatschen und dabei große Mengen Bier zu trinken. Sie trugen ihren Namen auch nicht zu Unrecht.

Lisbeth lief am Rande der Gang mit und trug selten etwas zum Gespräch bei, aber sie wurde so akzeptiert, wie sie war, konnte kommen und gehen, wie es ihr passte, oder auch den ganzen Abend schweigend vor ihrem Bier sitzen. Sie wurde auch zu Geburtstags- und Weihnachtspartys nach Hause eingeladen, obwohl sie fast nie kam.

In den fünf Jahren, die sie mit den *Evil Fingers* zusammen war, hatten sich die Mädchen verändert. Die Haarfarben waren normaler geworden, und ihre Klamotten stammten immer öfter von H & M statt aus irgendwelchen Secondhandläden. Sie studierten oder arbeiteten, und eines der Mädchen war Mutter geworden. Lisbeth fühlte sich, als sei sie die Einzige, die sich nicht im Geringsten verändert hatte, was freilich auch heißen konnte, dass sie auf der Stelle trat.

Sie hatten aber immer noch Spaß, wenn sie sich trafen. Wenn sie je ein Gemeinschaftsgefühl erlebte, dann war es in Gesellschaft der *Evil Fingers*, und als Verlängerung quasi mit den Typen aus dem Bekanntenkreis der Mädchen.

Die *Evil Fingers* würden zuhören. Sie würden ihr auch helfen. Aber sie wussten nicht, dass Lisbeth Salander per Gerichtsbeschluss für geschäftsunfähig erklärt worden war. Sie wollte nicht, dass sie sie noch schiefer anschauten, als sie es sowieso schon taten. *Auch das war keine Alternative.*

Ansonsten hatte sie keinen einzigen ehemaligen Mitschüler in ihrem Adressbuch. Sie hatte nicht das geringste Kontaktnetz. An wen sollte sie sich also wenden, um von ihrem Problem mit Rechtsanwalt Bjurman zu erzählen?

Einer war da vielleicht. Sie überlegte lange und gründlich, ob sie sich Dragan Armanskij anvertrauen, bei ihm klopfen und ihre missliche Lage erklären sollte. Er hatte gesagt, sie solle nicht zögern, sich an ihn zu wenden, wenn sie einmal Hilfe brauche. Sie war überzeugt, dass er es ernst gemeint hatte.

Auch Armanskij hatte sie einmal begrabscht, aber es war ein freundliches Grabschen ohne böse Hintergedanken gewesen und keine Machtdemonstration. Dennoch widerstrebte es ihr, ihn um Hilfe zu bitten. Er war ihr Chef, und sie würde ihm dadurch etwas schuldig sein. Sie fragte sich, wie ihr Leben aussehen würde, wenn Armanskij ihr Betreuer wäre und nicht Bjurman. Sie lächelte plötzlich. Der Gedanke war nicht unangenehm, aber Armanskij würde seinen Auftrag wahrscheinlich so ernst nehmen, dass er sie mit seiner Fürsorge fast ersticken würde. Das war ... hmm, *vielleicht eine Alternative.*

Obwohl sie sehr gut wusste, wofür es Frauenhäuser gab, fiel es ihr gar nicht ein, sich an so eine Einrichtung zu wenden. Frauenhäuser waren in ihren Augen etwas für *Opfer*, und als solches hatte sie sich noch nie gesehen. Ihre einzige verbliebene Alternative bestand also darin, das zu tun, was sie schon immer getan hatte – die Sache selbst in die Hand zu nehmen und ihre Probleme eigenhändig zu lösen. *Das war definitiv eine Alternative.*

Und das bedeutete nichts Gutes für Rechtsanwalt Bjurman.

13. Kapitel
Donnerstag, 20. Februar – Freitag, 7. März

Im Februar war Lisbeth Salander zwei Wochen lang ihre eigene Auftraggeberin und erhob Nils Erik Bjurman, geboren 1950, zum Spezialprojekt Nummer eins. Sie arbeitete ungefähr sechzehn Stunden am Tag und recherchierte genauer als je zuvor. Sie nutzte alle Archive und öffentlichen Dokumente, zu denen sie Zugang hatte. Sie kundschaftete seinen nächsten Familien- und Freundeskreis aus.

Das Resultat war niederschmetternd.

Er war Jurist, Mitglied in der Anwaltskammer und Autor einer beeindruckend eloquenten, aber ausnehmend langweiligen Abhandlung über Handelsrecht. Sein Ruf war untadelig. Er war nie abgemahnt worden. Einmal war er der Anwaltskammer gemeldet worden, weil er vor knapp zehn Jahren verdächtigt wurde, in einem illegalen Immobiliengeschäft vermittelt zu haben, konnte seine Unschuld aber beweisen. Das Verfahren war eingestellt worden. Seine Finanzen waren in Ordnung; Rechtsanwalt Bjurman hatte ein Vermögen von ungefähr zehn Millionen Kronen. Er bezahlte mehr Steuern, als er musste, war Mitglied bei Greenpeace und Amnesty und unterstützte den Herz- und Lungen-Fonds mit Spenden. Er tauchte selten in den Massenmedien auf, war jedoch mehrmals bei öffentlichen Aufrufen zur Befreiung politischer Gefangener in der Dritten Welt in Erscheinung getreten. Er wohnte in einer Fünfzimmerwohnung in der Nähe des Oden-Platzes und war Schriftführer der Eigentümerversammlung. Er war geschieden und kinderlos.

Lisbeth Salander konzentrierte sich auf seine Exfrau, die Elena hieß und aus Polen stammte, aber ihr ganzes Leben in Schweden gewohnt hatte. Sie arbeitete im Bereich der Reha-Pflege und war mit einem Kollegen von Bjurman anscheinend glücklich wieder verheiratet. Da war wohl nichts zu holen. Die Ehe hatte vierzehn Jahre gehalten, und die Scheidung war reibungslos über die Bühne gegangen.

Rechtsanwalt Bjurman war regelmäßig als Bewährungshelfer für Jugendliche tätig, die mit dem Gesetz in Konflikt geraten waren. Er war Teilbetreuer für vier Jugendliche gewesen, bevor er umfassender Betreuer für Lisbeth Salander wurde. In all diesen Fällen war es um Minderjährige gegangen, deren Betreuung per Gerichtsbeschluss beendet wurde, sobald seine Schützlinge die Volljährigkeit erreicht hatten. Einer von ihnen hatte Bjurman als Rechtsanwalt behalten, auch dort schien es also keine Differenzen gegeben zu haben. Sollte Bjurman seine Schützlinge systematisch ausnutzen, so war davon zumindest nichts an die Oberfläche gedrungen. Wie tief Lisbeth auch grub, sie fand keine Anzeichen, dass hier irgendetwas faul war. Alle vier hatten ein geordnetes Leben mit Freunden und festen Partnern, inklusive Anstellung, Wohnung und Kundenkarte beim Supermarkt.

Sie hatte jeden der vier angerufen und sich als Sozialarbeiterin vorgestellt, die an einer Untersuchung über Kinder arbeite, die früher einmal einer Teilbetreuung unterlagen. Sie wolle wissen, wie sie im Vergleich zu anderen Kindern mit ihrem Leben zurechtkämen. Selbstverständlich würden alle Aussagen anonym bleiben. Sie hatte einen Fragebogen mit zehn Fragen zusammengestellt, die sie ihnen am Telefon stellte. Mehrere dieser Fragen waren so formuliert, dass die Befragten erklären mussten, wie die Betreuung ihrer Meinung nach funktioniert habe. Sie war sich sicher, hätten sie etwas Negatives über Bjurman zu sagen gehabt, hätte zumindest einer der vier etwas erwähnt. Aber niemand konnte Nachteiliges über ihn berichten.

Als Lisbeth Salander ihre Untersuchung abgeschlossen hatte, sammelte sie alle Unterlagen in einen Karton und stellte ihn neben die zwanzig anderen Kartons auf den Flur. Rein äußerlich war Bjurman untadelig. Es gab einfach nichts in seiner Vergangenheit, womit Lisbeth ihn hätte aushebeln können. Sie wusste zweifelsfrei, dass er ein Wurm und ein Ekel war – aber sie konnte nichts tun.

Es wurde Zeit, sich andere Alternativen zu überlegen. Als alle Analysen fertig waren, wurde eine letzte Alternative zunehmend attraktiver. Die Einfachste wäre, wenn Bjurman einfach aus ihrem Leben verschwinden würde. Ein plötzlicher Herzinfarkt. *End of problem.* Der Haken war nur, dass Menschen keinen Herzinfarkt auf Bestellung bekommen, nicht einmal eklige fünfundfünfzigjährige Männer.

Aber vielleicht konnte man da ein wenig nachhelfen.

Mikael Blomkvist behandelte seine Affäre mit Cecilia Vanger mit allergrößter Diskretion. Sie hatte drei Regeln aufgestellt: Niemand durfte bemerken, dass sie sich trafen. Mikael durfte sie nur besuchen, wenn sie ihn anrief und in Stimmung war. Und er durfte nicht bei ihr übernachten.

Ihre Leidenschaft überrumpelte und verblüffte Mikael. Wenn er sie in Susannes Brücken-Café traf, war sie freundlich, aber kühl und distanziert. Doch sobald sie in ihrem Schlafzimmer waren, kannte ihre Leidenschaft keine Grenzen.

Mikael wollte eigentlich nicht in ihrem Privatleben herumschnüffeln, aber er war ja buchstäblich dafür angestellt worden, im Privatleben aller Familienmitglieder herumzuschnüffeln. Er war unsicher und neugierig zugleich. Einmal fragte er

Henrik, mit wem sie verheiratet gewesen war. Er stellte diese Frage im Zusammenhang mit Recherchen zu Alexanders und Birgers Hintergrund und zu anderen Mitgliedern der Familie Vanger, die auf der Hedeby-Insel gewesen waren, als Harriet verschwand.

»Cecilia? Ich glaube nicht, dass sie etwas mit Harriets Verschwinden zu tun hat.«

»Erzählen Sie mir etwas über ihren Hintergrund.«

»Sie zog nach ihrem Studium hierher zurück und begann als Lehrerin zu arbeiten. Sie lernte einen Mann namens Jerry Karlsson kennen, der unglücklicherweise in unserem Konzern arbeitete. Sie heirateten. Ich dachte, die Ehe sei glücklich – zumindest anfangs. Aber nach ein paar Jahren erkannte ich langsam, dass die Dinge nicht zum Besten standen. Er misshandelte sie. Die übliche Geschichte – er verprügelte sie, und sie verteidigte ihn loyal. Schließlich hat er sie einmal zu viel geschlagen. Sie wurde schwer verletzt ins Krankenhaus eingeliefert. Ich sprach mit ihr und bot ihr meine Hilfe an. Sie zog hierher auf die Insel und hat sich seitdem geweigert, ihren Mann noch einmal zu sehen. Ich habe dafür gesorgt, dass er gefeuert wurde.«

»Aber sie ist immer noch mit ihm verheiratet.«

»Das ist eine Frage der Definition, würde ich sagen. Ich weiß wirklich nicht, warum sie nicht die Scheidung eingereicht hat. Aber sie hat nie wieder heiraten wollen, also ist das einfach nicht aktuell geworden.«

»Dieser Jerry Karlsson, hatte er etwas ...«

»... mit Harriet zu tun? Nein, er wohnte 1966 nicht in Hedestad und hatte noch nicht angefangen, für den Konzern zu arbeiten.«

»Okay.«

»Ich mag Cecilia. Sie kann schwierig sein, aber sie ist zweifellos einer der guten Menschen in meiner Familie.«

Lisbeth Salander verbrachte eine Woche damit, Nils Bjurmans Hinscheiden mit der Sachlichkeit eines Bürokraten zu planen. Sie erwog – und verwarf – verschiedene Methoden, bis sie ein paar realistische Szenarien zur Auswahl hatte. Keine Affekthandlungen. Zuerst hatte sie daran gedacht, einen Unfall zu arrangieren, dann jedoch erkannt, dass es eigentlich keine Rolle spielte, wenn alles auf einen Mord hindeutete.

Nur eine einzige Bedingung musste erfüllt sein: Rechtsanwalt Bjurman musste so sterben, dass sie niemals damit in Verbindung gebracht werden konnte. Dass sie zum Gegenstand polizeilicher Ermittlungen werden würde, hielt sie für unvermeidlich. Ihr Name würde früher oder später auftauchen, sobald man Bjurmans Aktivitäten unter die Lupe nahm. Aber sie war nur eine aus einem ganzen Universum von derzeitigen und früheren Mandanten. Sie hatte ihn nur wenige Male getroffen, und wenn Bjurman nicht selbst in seinem Kalender verzeichnet hatte, dass er sie zu einem Blow-job gezwungen hatte – was sie als unwahrscheinlich einstufte –, dann gab es auch kein Motiv für sie, ihn umzubringen. Es würde nicht den geringsten Hinweis geben, dass sein Tod mit einem seiner Mandanten zusammenhinge; es existierten schließlich Exfreundinnen, Verwandte, Zufallsbekanntschaften, Kollegen und andere. Es gab sogar den sogenannten Fall der *random violence*, in dem Täter und Opfer sich nicht kannten.

Sie würde in jedem Fall das hilflose, unmündige Mädchen spielen, das schwarz auf weiß nachweisen konnte, dass es geistig zurückgeblieben war. Es wäre also von Vorteil, wenn Bjurman unter so komplizierten Umständen ums Leben käme, dass ein geistig zurückgebliebenes Mädchen als Täterin nicht sonderlich wahrscheinlich schien.

Den Gedanken an eine Schusswaffe verwarf sie sofort. Die Anschaffung selbst war dabei nicht das Problem, aber die

Waffe konnte ihr bei den polizeilichen Ermittlungen zum Verhängnis werden.

Sie zog ein Messer in Erwägung, das man im Eisenwarenladen um die Ecke kaufen konnte, aber auch diese Idee verwarf sie. Selbst wenn sie ohne Vorwarnung auftauchte und ihm das Messer in den Rücken rammte, gab es keine Garantie dafür, dass er unmittelbar und lautlos starb oder dass er überhaupt starb. Außerdem konnte es dabei möglicherweise zu einem Gerangel kommen, das Aufmerksamkeit erregen würde, und Blut an ihrer Kleidung wäre ein erdrückender Beweis.

Sie dachte an eine Bombe, aber das war zu kompliziert. Die Herstellung der Bombe wäre sicher machbar – im Internet wimmelte es von Anleitungen, wie man sich die tödlichsten Dinger zusammenbasteln konnte. Es war jedoch schwierig, die Bombe so zu platzieren, dass kein Unschuldiger verletzt wurde. Außerdem gab es abermals keine Garantie dafür, dass Bjurman wirklich starb.

Das Telefon klingelte.

»Hallo, Lisbeth, hier ist Dragan. Ich habe einen Job für Sie.«

»Ich habe keine Zeit.«

»Es ist wichtig.«

»Ich bin beschäftigt.«

Sie legte auf.

Zu guter Letzt verfiel sie auf eine unerwartete Alternative – Gift. Die Wahl überraschte sie selbst. Bei näherer Betrachtung war es einfach perfekt.

Lisbeth Salander verbrachte ein paar Tage damit, das Internet nach einem passenden Gift zu durchkämmen. Es gab jede Menge Alternativen. Zum Beispiel eines der absolut tödlichsten Gifte, das der Wissenschaft bekannt war – Cyanwasserstoff, besser bekannt als Blausäure.

Cyanwasserstoff fand als Komponente in gewissen chemischen Industrien Verwendung, unter anderem bei der Herstellung von Farbstoffen. Ein paar Milligramm reichten aus, um einen Menschen zu töten, ein Liter in einem Wasserreservoir, um eine mittelgroße Stadt zu verseuchen.

Aus verständlichen Gründen unterlag ein so tödlicher Stoff rigorosen Sicherheitskontrollen. Doch obwohl ein politischer Fanatiker nicht einfach in die nächste Apotheke gehen und zehn Milliliter Cyanwasserstoff kaufen konnte, war der Stoff in jeder gewöhnlichen Küche in nahezu unbegrenzter Menge herstellbar. Alles, was man dazu brauchte, war eine bescheidene Laborausrüstung, die man sich mit einem Chemiebaukasten für Kinder für ein paar hundert Kronen beschaffen konnte, sowie ein paar Zutaten, die sich aus ganz alltäglichen Haushaltswaren gewinnen ließen. Die Anleitung für die Herstellung war im Internet zu finden.

Ein anderer Stoff war Nikotin. Davon konnte sie aus einer Stange Zigaretten genügend Milligramm extrahieren und zu einem dünnen Sirup einkochen. Eine noch bessere Alternative, allerdings ein bisschen umständlicher in der Herstellung, war Nikotinsulfat, das von der Haut absorbiert wurde – da würde es schon reichen, sich Gummihandschuhe anzuziehen, eine Wasserpistole zu füllen und auf Bjurmans Gesicht zu schießen. Innerhalb von zwanzig Sekunden würde er das Bewusstsein verlieren und nach ein paar Minuten mausetot sein.

Lisbeth Salander hatte bis dahin nicht einmal geahnt, dass so viele gewöhnliche Haushaltswaren aus dem Drogeriemarkt um die Ecke in tödliche Waffen verwandelt werden konnten. Nachdem sie sich ein paar Tage lang in das Thema vertieft hatte, war sie sicher, dass es nicht das geringste technische Problem bereiten würde, kurzen Prozess mit ihrem Betreuer zu machen.

Doch zwei Tatsachen blieben bestehen: Bjurmans Tod würde ihr nicht die Kontrolle über ihr Leben wiedergeben, und es gab keine Garantie dafür, dass sein Nachfolger nicht zehnmal so schlimm sein würde. *Konsequenzanalyse.*

Was sie brauchte, war eine Möglichkeit, ihren Betreuer und damit ihre eigene Situation zu *kontrollieren*. Sie saß einen ganzen Abend unbeweglich auf dem zerschlissenen Sofa im Wohnzimmer und ging die Situation noch einmal durch. Als der Abend vergangen war, hatte sie ihre Giftmordpläne fallen lassen und einen neuen Gedanken gefasst.

Dieser Plan war zwar nicht sehr verlockend und erforderte, dass sie Bjurman abermals an sich heranließ, doch am Ende würde sie Erfolg haben.

Glaubte sie.

Ende Februar geriet Mikael in einen Trott, der den Aufenthalt in Hedeby in Routine verwandelte. Er stand jeden Morgen um neun Uhr auf, frühstückte und arbeitete bis zwölf. In dieser Zeit las er sich in neues Material ein. Danach ging er, unabhängig vom Wetter, eine Stunde spazieren. Am Nachmittag machte er weiter, zu Hause oder in Susannes Café, indem er entweder sein Pensum vom Vormittag bearbeitete oder Teile von Henriks Autobiografie schrieb. Zwischen drei und sechs Uhr hatte er immer frei. Dann kaufte er ein, wusch ab oder fuhr nach Hedestad und erledigte Besorgungen. Gegen sieben ging er zu Henrik Vanger hinüber und besprach mit ihm die offenen Fragen, die während des Tages aufgetaucht waren. Gegen zehn war er wieder zu Hause und las bis ein oder zwei Uhr nachts. Systematisch ackerte er Henriks Dokumentensammlung durch.

Zu seiner Überraschung stellte er fest, dass die Arbeit an Henriks Autobiografie wie am Schnürchen lief. Er hatte bereits einen Abriss der Familienchronik von fast 120 Seiten fertig – er umfasste den Zeitraum von Jean Baptiste Bernadottes Ankunft in Schweden bis hinein in die zwanziger Jahre des zwanzigsten Jahrhunderts. Danach musste er langsamer vorangehen und seine Worte sorgfältiger abwägen. In der Bibliothek in Hedestad hatte er Bücher bestellt, die den schwedischen Nazismus jener Zeit behandelten, unter anderem Helene Lööws Doktorarbeit *Hakenkreuz und Wasa-Garbe*. Er hatte einen weiteren vierzigseitigen Entwurf über Henrik und seine Brüder geschrieben, in dem Henrik im Mittelpunkt stand und die Erzählung zusammenhielt. Bevor er wusste, wie das Unternehmen damals aussah und arbeitete, musste er noch eine ganze Reihe von Dingen recherchieren. Außerdem entdeckte er, dass die Familie Vanger tief ins Wirtschaftsimperium des Großindustriellen Ivar Kreuger verstrickt war – noch eine Nebenhandlung der Familiengeschichte, die es galt, sich in Erinnerung zu rufen. Insgesamt rechnete er damit, dass er noch dreihundert bis dreihundertfünfzig Seiten zu schreiben hatte. Sein Zeitplan war so konzipiert, dass er Henrik Vanger am 1. September einen ersten Entwurf vorlegen konnte. Dann konnte er den Herbst mit der Umarbeitung des Textes verbringen.

Bei den Untersuchungen zu Harriet Vanger kam Mikael hingegen keinen Millimeter voran. Soviel er auch las und über die Details des umfangreichen Materials nachgrübelte, er fand keine einzige Anregung, die auf die vorliegende Ermittlung ein neues Licht geworfen hätte.

Eines Samstagabends Ende Februar hatte er ein langes Gespräch mit Henrik Vanger, in dem er die Gründe für seine minimalen Fortschritte erläuterte. Der Alte hörte ihm geduldig zu, während Mikael all die Sackgassen aufzählte, in denen er gelandet war.

»Um es kurz zu machen, Henrik – ich finde nichts in den Ermittlungen, dem man nicht bereits restlos auf den Grund gegangen wäre.«

»Ich verstehe, was Sie meinen. Ich habe mir selbst jahrzehntelang den Kopf zerbrochen. Aber gleichzeitig bin ich ganz sicher, dass wir etwas übersehen haben. Kein Verbrechen ist absolut perfekt.«

»Wir können ja nicht mal herausfinden, ob wirklich ein Verbrechen begangen wurde.«

Vanger seufzte und zuckte resigniert mit den Schultern.

»Machen Sie weiter«, bat er. »Führen Sie Ihren Auftrag zu Ende.«

»Das ist sinnlos.«

»Vielleicht. Aber geben Sie nicht auf.«

Mikael seufzte.

»Die Telefonnummern«, sagte er schließlich.

»Ja.«

»Sie müssen etwas zu bedeuten haben.«

»Ja.«

»Sie sind mit Absicht notiert worden.«

»Ja.«

»Aber wir können sie nicht deuten.«

»Nein.«

»Oder wir missdeuten sie.«

»Genau.«

»Vielleicht sind es gar keine Telefonnummern. Vielleicht bedeuten sie etwas ganz anderes.«

»Ja, vielleicht.«

Mikael seufzte nochmals und ging nach Hause, um weiterzulesen.

Rechtsanwalt Nils Bjurman war erleichtert, als Lisbeth Salander ihn erneut anrief und sagte, sie brauche mehr Geld. Ihrem letzten offiziellen Treffen war sie mit der Entschuldigung ferngeblieben, sie müsse arbeiten. Er war beunruhigt gewesen, da er fürchtete, Lisbeth Salander wolle ihm Scherereien machen. Aber da sie nicht zum Treffen erschienen war, hatte sie auch kein Taschengeld bekommen, und früher oder später würde sie sich an ihn wenden müssen. Außerdem machte er sich Sorgen, dass sie einem Außenstehenden von seinem Verhalten erzählt haben könnte.

Ihr kurzes Gespräch, in dem sie ihm mitteilte, dass sie Geld brauchte, bestätigte ihm jedoch, dass die Situation unter Kontrolle war. Aber sie musste gebändigt werden, beschloss Nils Bjurman. Sie musste lernen, wer hier das Sagen hatte, erst dann konnten sie eine konstruktivere Beziehung aufbauen. Deswegen gab er ihr diesmal Anweisungen, ihn in seiner Wohnung am Oden-Platz zu treffen, nicht im Büro. Als er diesen Wunsch äußerte, hatte Lisbeth Salander am anderen Ende der Leitung ein Weilchen geschwiegen – *verdammte, begriffsstutzige Fotze* –, bevor sie schließlich einwilligte.

Nach ihrem Plan hätten sie sich in seinem Büro treffen müssen, genau wie letztes Mal. Jetzt war sie gezwungen, ihn auf unbekanntem Territorium zu treffen. Das Treffen wurde für Freitagabend angesetzt. Sie hatte den Zahlencode für die Tür bekommen und klingelte um halb neun bei ihm, eine halbe Stunde später als verabredet. Das war die Zeit, die sie im Dunkel des Treppenhauses benötigte, um ihren Plan ein letztes Mal durchzugehen, die Alternativen abzuwägen, ihre ganze Kraft zu sammeln und den nötigen Mut zu mobilisieren.

Gegen acht Uhr abends schaltete Mikael seinen Computer aus und zog sich Jacke und Schuhe an. Das Licht im Arbeitszimmer ließ er brennen. Draußen war es sternenklar, die Temperatur lag bei null Grad. Er ging rasch den Hügel hinauf, vorbei an Henrik Vangers Haus, auf dem Weg Richtung Östergården. Gleich hinter Henriks Haus bog er nach links ab und folgte einem ungeräumten Fußweg in Strandnähe, auf dem der Schnee aber schon festgetrampelt war. Draußen auf dem Wasser blinkten die Leuchttürme, und die Lichter von Hedestad leuchteten hübsch in der Dunkelheit. Er brauchte frische Luft, aber vor allem wollte er Isabella Vangers spähendem Blick entgehen. Bei Martin Vangers Haus ging er zur Straße hoch und kam kurz nach halb neun bei Cecilia an. Sie gingen sofort in ihr Schlafzimmer hinauf.

Sie trafen sich ein- oder zweimal pro Woche. Cecilia war nicht nur seine Geliebte in der Einöde geworden, sie war auch die Person, der er sich allmählich anvertraute. Wenn er mit ihr über Harriet redete, zog er wesentlich größeren Gewinn daraus als aus einem Gespräch mit Henrik.

Der Plan schien von vornherein zum Scheitern verurteilt.

Rechtsanwalt Bjurman hatte einen Morgenrock an, als er seine Wohnungstür öffnete. Er war etwas gereizt wegen ihrer Verspätung und winkte sie herein. Sie trug eine schwarze Jeans, ein schwarzes T-Shirt und die obligatorische Lederjacke. Dazu schwarze Stiefel und einen kleinen Rucksack mit einem Riemen über der Brust.

»Kannst du noch nicht mal die Uhr lesen?«, fuhr Bjurman sie scharf an. Lisbeth schaute sich schweigend um. Die Wohnung sah ungefähr so aus, wie sie erwartet hatte, nachdem sie die Planzeichnung im Archiv des Bauamts studiert hatte. Er hatte helle Möbel in Birke und Buche.

»Komm«, sagte Bjurman etwas freundlicher. Er legte ihr einen Arm um die Schultern und führte sie durch einen Korridor ins Innere der Wohnung. Kein großes Drumherumgerede. Er öffnete die Tür zu seinem Schlafzimmer. Es gab nicht den geringsten Zweifel, welche Dienste Lisbeth Salander leisten sollte.

Sie sah sich rasch um. Junggesellenmöbel. Ein Doppelbett mit hohem Kopf- und Fußende aus rostfreiem Stahl. Eine Kommode, die auch als Nachttisch diente. Eine Nachttischlampe mit gedämpftem Licht. Ein Kleiderschrank mit Spiegelglas an der einen Längsseite. Ein Rattanstuhl und ein kleiner runder Tisch in der Ecke bei der Tür. Er nahm sie bei der Hand und führte sie zum Bett.

»Erzähl mir, wozu du das Geld diesmal brauchst. Noch mehr Computer-Zubehör?«

»Essen«, antwortete sie.

»Natürlich. Wie dumm von mir, du hast ja unser letztes Treffen verpasst.« Er legte ihr eine Hand unters Kinn und hob ihr Gesicht, sodass sich ihre Blicke trafen. »Wie geht es dir?«

Sie zuckte mit den Schultern.

»Hast du über das nachgedacht, was ich letztes Mal gesagt habe?«

»Was denn?«

»Lisbeth, stell dich nicht dümmer, als du bist. Ich will, dass wir zwei gute Freunde werden und einander helfen.«

Sie gab keine Antwort. Bjurman unterdrückte den frustrierten Impuls, ihr eine Ohrfeige zu verpassen, um sie wachzurütteln.

»Hat dir unser Erwachsenenspiel letztes Mal gefallen?«

»Nein.«

Er hob die Augenbrauen.

»Lisbeth, sei jetzt nicht dumm.«

»Ich brauche Geld, um Lebensmittel einzukaufen.«

»Genau darüber haben wir letztes Mal gesprochen. Wenn du nett zu mir bist, bin ich auch nett zu dir. Aber wenn du mir nur Ärger machst, dann …« Sein Griff um ihr Kinn wurde härter, und sie wand sich los.

»Ich will mein Geld. Was soll ich tun?«

»Du weißt genau, wie ich es mag.« Er packte ihre Schultern und zog sie zum Bett.

»Warten Sie«, sagte Lisbeth Salander schnell. Sie sah ihn resigniert an und nickte dann kurz. Sie nahm den Rucksack ab, zog die nietenbesetzte Lederjacke aus und blickte sich um. Sie legte die Lederjacke auf den Rattanstuhl und stellte den Rucksack auf den runden Tisch.

Sie machte ein paar zögerliche Schritte auf das Bett zu, blieb dann aber stehen, als hätte sie kalte Füße bekommen. Bjurman machte einen Schritt auf sie zu.

»Warten Sie«, sagte sie wieder, mit einer Stimme, als wollte sie ihn zur Vernunft bringen. »Ich will Ihnen nicht jedes Mal einen blasen müssen, wenn ich Geld brauche.«

Bjurmans Gesichtsausdruck veränderte sich. Aus heiterem Himmel versetzte er ihr mit der flachen Hand eine Ohrfeige. Lisbeth riss vor Überraschung die Augen auf, aber bevor sie reagieren konnte, hatte er ihre Schultern gepackt und zog, ja warf sie fast bäuchlings aufs Bett. Sie war von der plötzlichen Gewalttätigkeit überrumpelt. Als sie versuchte, sich umzudrehen, drückte er sie auf die Matratze und setzte sich rittlings auf sie.

Wie schon beim letzten Mal konnte sie körperlich nichts gegen ihn ausrichten. Um physischen Widerstand zu leisten, brauchte sie eine Waffe. Aber diesen Plan hatte sie bereits aufgegeben. Verflucht, dachte Lisbeth Salander, als er ihr T-Shirt nach oben riss und ihr über den Kopf zog. Sie begriff mit schrecklicher Klarheit, dass sie sich zu viel vorgenommen hatte.

Sie hörte, wie er die Kommodenschublade neben dem Bett öffnete und Metall klirrte. Erst verstand sie nicht, was geschah, dann sah sie, wie die Handschelle um ihr Gelenk zuschnappte. Er hob ihre Arme, zog die Kette der Handschelle durch eine Leiste am Kopfende des Bettes und fesselte auch ihre andere Hand. Er brauchte nur ein paar Sekunden, um ihr Schuhe und Jeans auszuziehen. Zum Schluss zog er ihr auch noch die Unterhose aus und behielt sie in der Hand.

»Du musst lernen, mir zu vertrauen, Lisbeth«, sagte er. »Ich werde dir dieses Erwachsenenspiel beibringen. Wenn du böse zu mir bist, wirst du bestraft. Wenn du nett zu mir bist, werden wir Freunde.«

Er setzte sich wieder rittlings auf sie.

»Du magst also keinen Analsex«, sagte er.

Panisch öffnete Lisbeth den Mund zu einem Schrei. Er packte sie bei den Haaren und stopfte ihr ihre Unterhose in den Mund. Sie spürte, wie er etwas an ihren Fußknöcheln befestigte, ihre Beine spreizte und sie am Bett festband, sodass sie ihm völlig ausgeliefert war. Sie konnte hören, wie er sich im Zimmer bewegte, konnte aber durch das T-Shirt über ihrem Gesicht nichts sehen. Er brauchte ein paar Minuten. Dann fühlte sie einen irrsinnigen Schmerz, als er mit Gewalt etwas in ihren Anus einführte.

Cecilia Vangers Hauptregel lautete weiterhin, dass er nicht bei ihr übernachten durfte. Kurz nach zwei Uhr nachts kleidete er sich an, während sie noch nackt im Bett lag und ihn an-lächelte.

»Ich mag dich, Mikael. Ich mag es, wenn du bei mir bist.«

»Ich mag dich auch.«

Sie zog ihn zu sich ins Bett hinunter und zog ihm das Hemd wieder aus. Er blieb noch eine Stunde.

Als Mikael später an Harald Vangers Haus vorbeikam, meinte er, gesehen zu haben, wie sich eine der Gardinen im Obergeschoss bewegte. Aber es war zu dunkel, als dass er sich völlig sicher hätte sein können.

Lisbeth Salander zog sich gegen vier Uhr morgens an. Sie nahm ihre Lederjacke und den Rucksack und wankte zur Tür, wo er frisch geduscht und sauber gekleidet auf sie wartete. Er gab ihr einen Scheck über 2500 Kronen.

»Ich fahre dich nach Hause«, sagte er und öffnete die Tür.

Sie trat über die Schwelle aus der Wohnung und drehte sich zu ihm um. Ihr Körper sah zerbrechlich aus, und ihr Ge-sicht war vom Weinen verschwollen, aber er prallte fast zu-rück, als sich ihre Augen trafen. Noch nie in seinem Leben war ihm derart nackter, glühender Hass begegnet. Lisbeth Salander sah genau so geisteskrank aus, wie ihre Akte es be-schrieb.

»Nein«, sagte sie so leise, dass er die Worte kaum hörte. »Ich schaffe es schon allein nach Hause.«

Er legte ihr eine Hand auf die Schulter.

»Sicher?«

Sie nickte. Der Griff um ihre Schulter wurde fester.

»Denk daran, was wir vereinbart haben. Du kommst am nächsten Samstag hierher.«

Sie nickte abermals. *Gedemütigt.* Er ließ sie los.

14. Kapitel

Samstag, 8. März – Montag, 17. März

Lisbeth Salander verbrachte die Woche im Bett, mit Unterleibsschmerzen, Blutungen aus dem Enddarm und anderen, weniger auffälligen Verletzungen, die länger brauchen würden, bis sie verheilt waren. Was sie erlebt hatte, war etwas völlig anderes gewesen als die erste Vergewaltigung in seinem Büro. Hier ging es nicht mehr um Zwang und Erniedrigung, sondern um systematische Brutalität.

Viel zu spät ging ihr auf, dass sie Bjurman völlig falsch eingeschätzt hatte.

Sie hatte ihn als Machtmenschen gesehen, nicht als waschechten Sadisten. Er hatte sie die ganze Nacht gefesselt liegen lassen. Sie hatte mehrmals geglaubt, er wolle sie töten, und einmal hatte er ihr ein Kissen so lange aufs Gesicht gedrückt, bis sie fast das Bewusstsein verloren hatte.

Doch sie weinte nicht.

Abgesehen von den Tränen, die rein vom körperlichen Schmerz der Vergewaltigung herrührten, weinte sie nicht mehr, nachdem sie Bjurmans Wohnung verlassen hatte. Sie hinkte bis zum Taxistand am Oden-Platz, fuhr nach Hause und schleppte sich mühsam die Treppen hoch bis zu ihrer Wohnung. Sie duschte und wusch sich das Blut vom Unterleib. Danach trank sie einen halben Liter Wasser, nahm zwei Rohypnol und stolperte in ihr Bett, wo sie sich die Decke über den Kopf zog. Am Sonntag erwachte sie um die Mittagszeit, mit leerem Kopf und anhaltenden Schmerzen in allen Muskeln, im Unterleib und im Kopf. Sie stand auf, trank zwei Gläser Sauermilch und aß einen Apfel. Dann nahm sie noch mal zwei Schlaftabletten und legte sich wieder hin.

Erst am Dienstag konnte sie wieder aufstehen. Sie kaufte sich eine Großpackung »Billys Pan Pizza«, schob zwei davon in die Mikrowelle und machte sich eine Thermoskanne Kaffee. Danach surfte sie die ganze Nacht im Internet und las Artikel und Aufsätze über die Psychopathologie des Sadismus.

Sie blieb bei dem Artikel einer Frauengruppe aus den USA hängen, in dem behauptet wurde, dass der Sadist seine Opfer mit fast intuitiver Präzision aussuchte. Das ideale Opfer war eine Frau, die ihm aus freien Stücken entgegenkam, weil sie glaubte, keine andere Wahl zu haben. Der Sadist spezialisierte sich auf unselbstständige Menschen, die in einem Abhängigkeitsverhältnis zu ihm standen.

Rechtsanwalt Bjurman hatte sie zum Opfer auserkoren.

Das gab ihr zu denken.

Das verriet etwas darüber, wie die Umwelt sie wahrnahm.

Am Freitag, eine Woche nach der zweiten Vergewaltigung, ging Lisbeth Salander von ihrer Wohnung zu einem Tattoo-Laden bei Hornstull. Sie hatte angerufen und einen Termin ausgemacht; es waren keine anderen Kunden im Laden. Der Inhaber nickte ihr zu, sie kannten sich.

Sie suchte sich ein kleines Tattoo aus, eine dünne Schlinge, und zeigte ihm, wo an ihrem Fußknöchel sie es hinhaben wollte.

»Da ist die Haut dünn. Das tut fürchterlich weh an dieser Stelle«, sagte der Tätowierer.

»Das geht in Ordnung«, sagte Lisbeth Salander, zog ihre Hose aus und legte das Bein hoch.

»Okay, eine Schlinge. Du hast schon eine ganze Menge Tattoos. Bist du sicher, dass du noch eins willst?«

»Das hier ist zur Erinnerung«, antwortete sie.

Mikael Blomkvist verließ Susannes Café, als sie um zwei Uhr zumachte. Den ganzen Tag hatte er mit der Reinschrift seiner Notizen am iBook verbracht. Er ging in den Supermarkt und kaufte Lebensmittel und Zigaretten, bevor er nach Hause ging. Er hatte Bratwurst mit Kartoffeln und Roter Bete für sich entdeckt – ein Gericht, das er nie sonderlich geliebt hatte, das aber aus unerfindlichen Gründen perfekt zu einem Häuschen auf dem Land passte.

Gegen sieben Uhr abends stand er am Küchenfenster und überlegte. Cecilia hatte sich nicht gemeldet. Er hatte sie ganz kurz am Nachmittag getroffen, als sie bei Susanne ein Brot kaufte, aber sie war mit ihren eigenen Gedanken beschäftigt gewesen. Es sah nicht so aus, als würde sie an diesem Samstagabend noch anrufen. Er warf einen verstohlenen Blick auf seinen kleinen Fernseher, den er fast nie benutzte. Stattdessen setzte er sich aufs Küchensofa und schlug einen Krimi von Sue Grafton auf.

Lisbeth Salander kam am Samstagabend wie verabredet wieder zu Nils Bjurmans Wohnung am Oden-Platz. Er öffnete ihr die Tür mit einem höflichen, einladenden Lächeln.

»Na, wie geht es dir heute?«, fragte er.

Sie antwortete nicht. Er legte ihr den Arm um die Schultern.

»Vielleicht habe ich dich beim letzten Mal etwas hart rangenommen«, sagte er. »Du sahst ziemlich mitgenommen aus.«

Sie bedachte ihn mit einem schiefen Lächeln, und er verspürte auf einmal einen Stich von Unsicherheit.

Dieses Weib ist verrückt. Das darf ich nicht vergessen. Er fragte sich, ob sie ihm zu Willen sein würde.

»Sollen wir ins Schlafzimmer gehen?«, fragte Lisbeth Salander.

Andererseits macht sie vielleicht auch mit … Er führte sie, einen Arm um ihre Schultern gelegt, wie beim letzten Mal. *Heute werde ich ganz behutsam mit ihr sein. Vertrauen aufbauen.* Auf der Kommode hatte er bereits die Handschellen bereitgelegt. Erst als sie beim Bett waren, ging Bjurman auf, dass irgendetwas nicht stimmte.

Sie führte ihn zum Bett, nicht umgekehrt. Er blieb stehen und blickte sie verblüfft an, als sie etwas aus ihrer Jackentasche zog, was er zunächst für ein Handy hielt. Dann sah er ihre Augen.

»Sag schön Gute Nacht«, forderte sie ihn auf.

Sie drückte die Elektroschockpistole in seine linke Achselhöhle und feuerte 75 000 Volt ab. Als seine Beine langsam unter ihm nachgaben, stemmte sie sich mit der Schulter gegen ihn und wandte all ihre Kraft auf, um ihn zum Bett zu bugsieren.

Cecilia Vanger fühlte sich leicht beschwipst. Sie hatte beschlossen, Mikael Blomkvist nicht anzurufen. Ihr ganzes Verhältnis hatte sich zu einer unsinnigen Schlafzimmer-Farce ausgewachsen, in der Mikael alle möglichen Umwege benutzte, um unbemerkt zu ihr zu gelangen. Und sie verhielt sich wie ein verrückter, verliebter Teenie, der seine Lust nicht im Griff hatte. Ihr Benehmen war in den letzten Wochen ziemlich eigenartig gewesen.

Das Problem ist, dass ich ihn viel zu gern mag, dachte sie. *Er wird mich verletzen.* Sie blieb eine Weile sitzen und wünschte sich, Mikael Blomkvist wäre nie nach Hedeby gekommen.

Stattdessen hatte sie eine Flasche Wein aufgemacht und einsam zwei Gläser getrunken. Sie schaltete die tägliche Nachrichtensendung *Rapport* an und versuchte, der Weltlage zu folgen, doch in Anbetracht der unsinnigen Begründungen, warum Präsident Bush den Irak in Schutt und Asche bomben musste, verging ihr sofort die Lust. Sie setzte sich aufs Wohnzimmersofa und griff zu Gellert Tamas Buch *Der Lasermann*.

Sie konnte nur ein paar Seiten lesen, bevor sie das Buch wieder aus der Hand legen musste. Bei diesem Thema musste sie sofort an ihren Vater denken. Sie fragte sich, welchen Fantasien er in seiner Einsamkeit wohl nachhing.

Bei ihrer letzten Begegnung, 1984, hatte sie ihn und ihren Bruder Birger auf eine Hasenjagd nördlich von Hedestad begleitet. Birger wollte einen neuen Jagdhund ausprobieren – einen Hamilton-Laufhund, den er erst seit Kurzem hatte. Harald Vanger war dreiundsiebzig, und sie tat ihr Bestes, um seine Verrücktheit zu akzeptieren, die ihre Kindheit zum Alptraum gemacht und auch ihr Erwachsenenleben noch geprägt hatte.

Cecilia war noch nie in ihrem Leben so zerbrechlich wie damals gewesen. Ihre Ehe war drei Monate zuvor in die Brüche gegangen. Misshandlung der Ehefrau – der Ausdruck war so banal. Für sie war es eine relativ milde Form von Misshandlung gewesen, die jedoch ständig geschah: Er hatte sie geohrfeigt, grob herumgestoßen, launisch Drohungen ausgesprochen und sie auf dem Küchenboden niedergerungen. Seine Ausbrüche waren immer völlig unerklärlich, und die Misshandlungen fielen selten so heftig aus, dass sie körperlich verletzt wurde. Er vermied es, sie mit der geballten Faust zu schlagen. Sie hatte sich angepasst.

Bis zu dem Tag, an dem sie plötzlich zurückschlug und er völlig die Kontrolle verlor. Es endete damit, dass er in blinder Rage eine Schere nach ihr warf, die in ihrem Schulterblatt stecken blieb.

Es hatte ihm sofort leid getan, er wurde ganz panisch und fuhr sie ins Krankenhaus, wo er eine Geschichte über einen bizarren Unfall zusammenfantasierte, die das Personal in der Notaufnahme im selben Moment durchschaute. Sie schämte sich dafür. Sie wurde mit zwölf Stichen genäht und musste zwei Tage im Krankenhaus bleiben. Danach hatte Henrik Vanger sie abgeholt und mit zu sich nach Hause genommen. Seitdem hatte sie nicht mehr mit ihrem Mann gesprochen.

Es war ein sonniger Herbsttag, drei Monate nach dem Ende ihrer Ehe, und Harald Vanger war gut gelaunt, fast schon freundlich gewesen. Doch plötzlich, mitten im Wald, hatte er Cecilia auf die übelste Weise beschimpft, grobe Kommentare zu ihrem Lebenswandel und ihren Sexualgewohnheiten abgegeben und behauptet, eine Hure wie sie könne selbstverständlich keinen Mann halten.

Ihr Bruder hatte nicht bemerkt, dass jedes Wort ihres Vaters sie wie ein Peitschenschlag getroffen hatte. Vielmehr lachte Birger plötzlich, legte den Arm um seinen Vater und entschärfte die Situation auf seine Art, indem er verkündete, er wisse sehr wohl, *wie die Weibsbilder so sind*. Er zwinkerte Cecilia unbekümmert zu und schlug seinem Vater vor, auf einem kleinen Hügel auf Anstand zu gehen.

Eine Sekunde, einen gefrorenen Augenblick lang, hatte Cecilia ihren Vater und ihren Bruder betrachtet und war sich auf einmal bewusst gewesen, dass sie eine geladene Schrotflinte in der Hand hielt. Sie blinzelte. In diesem Moment schien es die einzig mögliche Alternative zu sein, das Gewehr zu heben und beide Läufe abzufeuern. Sie wollte sie beide töten. Stattdessen ließ sie das Gewehr auf den Boden vor ihren Füßen fallen, drehte sich auf dem Absatz um und ging zurück zu der Stelle, wo sie das Auto geparkt hatten. Sie fuhr alleine nach Hause und ließ die Männer ohne Transportmittel im Wald zurück. Seit diesem Vorfall hatte sie nur bei wenigen Gelegenheiten mit ihrem Vater geredet, wenn die äußeren Umstände es unbedingt erforderten. Sie weigerte sich seitdem, ihn in ihr Haus zu lassen, und hatte ihn nie in seinem Haus besucht.

Du hast mein Leben zerstört, dachte Cecilia Vanger. Du hast mein Leben bereits zerstört, als ich ein Kind war.

Um halb neun Uhr abends griff Cecilia zum Hörer, rief Mikael an und bat ihn, zu ihr herüberzukommen.

Rechtsanwalt Nils Bjurman litt Schmerzen. Seine Muskeln gehorchten ihm nicht. Sein Körper schien gelähmt. Er war sich nicht sicher, ob er das Bewusstsein verloren hatte, aber er war desorientiert und konnte sich nicht richtig erinnern, was geschehen war. Als er langsam wieder zu sich kam, lag er nackt auf dem Rücken auf seinem Bett, die Hände mit Handschellen gefesselt und die Beine qualvoll weit gespreizt. Wo die Elektroden mit seinem Körper in Kontakt gekommen waren, hatte er schmerzende Brandwunden.

Lisbeth Salander hatte den Rattanstuhl ans Bett gezogen und die Stiefel auf dem Bettrand abgestützt, während sie eine Zigarette rauchte. Als Bjurman zu sprechen versuchte, merkte er, dass sein Mund mit einem breiten Streifen Isolierband zugeklebt war. Er drehte den Kopf. Sie hatte seine Kommodenschubladen aufgemacht und durchwühlt.

»Ich habe deine Spielsachen gefunden«, sagte Salander. Sie hielt eine Reitpeitsche hoch und fummelte in dem Sammelsurium von Dildos, Knebeln und Gummimasken, die auf dem Boden lagen. »Wozu braucht man denn den hier?« Sie hielt einen überdimensionierten Anal Plug hoch. »Nein, gib dir keine Mühe, ich verstehe sowieso nicht, was du sagst. Hast du den hier letzte Woche bei mir benutzt? Es reicht, wenn du nickst.« Sie beugte sich erwartungsvoll zu ihm vor.

Bjurman spürte plötzlich, wie ihm die kalte Angst in der Brust tobte, und verlor vollkommen die Fassung. Er riss an seinen Handschellen. *Sie hatte die Kontrolle übernommen. Unmöglich.* Er konnte nichts tun, als Lisbeth Salander sich weiter vorbeugte und den Anal Plug zwischen seinen Hinterbacken platzierte. »So, so, du bist also ein Sadist«, stellte sie fest. »Stehst drauf, den Leuten was reinzuschieben, was?« Sie sah ihn an. Ihr Gesicht war eine ausdruckslose Maske. »Ohne Gleitmittel, stimmt's?«

Durch sein Klebeband schrie Bjurman wie am Spieß, als Lisbeth Salander seine Backen brutal auseinanderriss und den Stöpsel am vorgesehenen Platz versenkte.

»Hör auf zu flennen«, sagte Lisbeth und imitierte seine Stimme. »Wenn du Zicken machst, muss ich dich bestrafen.«

Sie stand auf und ging ums Bett herum. Er folgte ihr hilflos mit den Augen ... *was zum Teufel?* Lisbeth Salander hatte seinen 32-Zoll-Fernseher aus dem Wohnzimmer hereingerollt. Auf den Boden hatte sie seinen DVD-Player gestellt. Sie sah ihn an, die Peitsche immer noch in der Hand.

»Habe ich deine ungeteilte Aufmerksamkeit?«, fragte sie. »Versuch nicht zu reden – es reicht, wenn du nickst. Hörst du, was ich sage?« Er nickte.

»Gut.« Sie bückte sich und hob ihren Rucksack auf. »Erkennst du den hier wieder?« Er nickte. »Das ist der Rucksack, den ich dabeihatte, als ich dich letzte Woche besucht habe. Praktische Geschichte. Ich hab ihn mir von Milton Security ausgeliehen.« Sie öffnete einen Reißverschluss am unteren Ende. »Das hier ist eine Digitalvideokamera. Guckst du dir *Insider* auf TV3 an? Solche Rucksäcke wie diesen hier benutzen die cleveren Reporter, wenn sie etwas mit versteckter Kamera aufnehmen wollen.« Sie zog den Reißverschluss wieder zu.

»Das Objektiv, fragst du? Das ist ja gerade das Raffinierte. Weitwinkel mit Glasfaseroptik. Die Linse sieht aus wie ein Knopf und ist unter der Schnalle des Trageriemens versteckt. Du erinnerst dich vielleicht, dass ich den Rucksack hier auf den Tisch gestellt hatte, bevor du angefangen hast, mich zu begrapschen. Ich habe drauf geachtet, dass das Objektiv aufs Bett gerichtet war.«

Sie hielt eine CD hoch und schob sie in den DVD-Player. Dann rückte sie den Rattanstuhl so zurecht, dass sie den Bildschirm sehen konnte. Sie zündete sich noch eine Zigarette an und drückte einen Knopf auf der Fernbedienung. Bjurman sah sich selbst, wie er Lisbeth Salander die Tür aufmachte.

Kannst du noch nicht mal die Uhr lesen?, begrüßte er sie bissig.

Sie spielte ihm das ganze Band vor. Der Film war nach 90 Minuten zu Ende, mitten in einer Szene, in der ein nackter Rechtsanwalt Bjurman sich gegen das Fußende lehnte und ein Glas Wein trank, während er Lisbeth Salander betrachtete, die gekrümmt mit auf dem Rücken gefesselten Händen neben ihm lag.

Sie schaltete den Fernseher aus und blieb knapp zehn Minuten auf ihrem Stuhl sitzen, ohne Bjurman anzusehen. Er wagte es nicht, sich zu rühren. Dann stand sie auf und ging ins Badezimmer. Als sie zurückkam, setzte sie sich wieder auf den Rattanstuhl. Ihre Stimme war wie Sandpapier.

»Ich habe letzte Woche einen Fehler gemacht«, sagte sie. »Ich dachte, ich müsste dir wieder einen blasen, was in deinem Fall ja so eklig wie nur was ist, aber nicht so eklig, dass ich es nicht irgendwie schaffen würde. Ich dachte, ich könnte ganz leicht dokumentieren, dass du ein widerlicher, schleimiger Lustgreis bist. Aber ich habe dich falsch eingeschätzt. Ich habe nicht kapiert, wie verdammt krank du bist.

Ich werde mich deutlicher ausdrücken«, fuhr sie fort. »Dieser Film zeigt, wie du ein geistig behindertes vierundzwanzigjähriges Mädchen vergewaltigst, für die du zum rechtlichen Betreuer bestellt bist. Und du ahnst ja gar nicht, wie behindert ich sein kann, wenn es drauf ankommt. Jeder Mensch auf der Welt, der sich diesen Film ansieht, wird erkennen, dass du nicht nur ein Dreckschwein bist, sondern ein verrückter Sadist. Das war das zweite und hoffentlich letzte Mal, dass ich diesen Film angesehen habe. Er lässt an Deutlichkeit nichts zu wünschen übrig, oder? Ich würde drauf wetten, dass man eher dich in eine Anstalt einweisen würde als mich. Meinst du nicht auch?«

Sie wartete. Er reagierte nicht, aber sie konnte sehen, wie er zitterte. Sie griff zur Peitsche und zog sie einmal über sein Geschlecht.

»Meinst du nicht auch?«, wiederholte sie mit wesentlich lauterer Stimme. Er nickte.

»Gut. Dann sind wir uns ja einig.«

Sie zog den Stuhl näher heran und setzte sich so hin, dass sie seine Augen sehen konnte.

»Also, was sollen wir tun?« Er konnte nicht antworten. »Hast du eine Idee?« Als er nicht reagierte, streckte sie die Hand aus, griff sich seinen Hodensack und zog, bis sich sein Gesicht vor Schmerz verzerrte. »Hast du eine Idee?«, wiederholte sie. Er schüttelte den Kopf.

»Gut. Ich werde nämlich furchtbar wütend auf dich werden, wenn du irgendwann in Zukunft mal wieder eine Idee haben solltest.«

Sie lehnte sich zurück und zündete sich eine neue Zigarette an. »Ich erzähl dir jetzt, wie es weitergehen wird. Nächste Woche, sobald es dir gelungen ist, diesen fetten Gummipfropfen wieder aus deinem Arsch rauszupressen, wirst du meine Bank anweisen, dass ich – und nur ich – Zugriff auf mein Konto habe. Verstehst du, was ich sage?« Bjurman nickte.

»Brav. Du wirst nie wieder Kontakt zu mir aufnehmen. In Zukunft treffen wir uns nur noch, wenn ich das zufällig wünschen sollte. Du hast ab jetzt quasi Besuchsverbot.« Er nickte mehrmals und atmete plötzlich auf. *Sie hat nicht vor, mich zu töten.*

»Solltest du jemals wieder Kontakt zu mir aufnehmen, dann landen Kopien dieser CD bei jeder Zeitungsredaktion in Stockholm. Kapiert?«

Er nickte mehrmals. *Ich muss mir den Film beschaffen.*

»Einmal pro Jahr reichst du deinen Bericht über mein Wohlbefinden beim Vormundschaftsgericht ein. Du wirst ihnen berichten, dass ich ein völlig normales Leben führe, dass ich eine feste Arbeit habe, dass ich selbst für mich sorge und dass du überhaupt nichts Unnormales in meinem Benehmen entdecken kannst. Okay?«

Er nickte.

»Jeden Monat schreibst du einen fiktiven Bericht über deine Treffen mit mir. Du wirst ausführlich berichten, wie positiv ich bin und wie gut es mit mir läuft. Eine Kopie schickst du an mich. Klar?« Er nickte wieder. Abwesend nahm Lisbeth Salander die Schweißperlen zur Kenntnis, die sich auf seiner Stirn sammelten.

»In … sagen wir mal … zwei Jahren wirst du eine Verhandlung beim Gericht beantragen, um meine Betreuung aufzuheben. Du wirst deine gefälschten Berichte über unsere monatlichen Treffen als Unterlagen benutzen. Du besorgst einen Hirndoktor, der jeden Eid schwört, dass ich völlig normal bin. Du wirst dich anstrengen. Du wirst alles, aber auch alles tun, was in deiner Macht steht, damit meine Betreuung aufgehoben wird.« Er nickte.

»Weißt du, warum du dein Bestes geben wirst? Weil du einen verdammt guten Anreiz hast. Und wenn es dir nicht gelingt, werde ich mit diesem Film an die Öffentlichkeit gehen.«

Er hörte jeder Silbe zu, die Lisbeth Salander aussprach. Plötzlich brannten seine Augen vor Hass. *Das werde ich dir heimzahlen, verdammte Fotze. Früher oder später. Ich werde dich zerquetschen.*

Aber er nickte weiterhin demütig als Antwort auf jede Frage.

»Dasselbe gilt, wenn du versuchen solltest, Kontakt mit mir aufzunehmen.« Sie zog die Hand quer über seinen Hals. »Dann kannst du dich von dieser Wohnung verabschieden, von deinen tollen Titeln und deinen Millionen auf dem Auslandskonto.«

Seine Augen weiteten sich, als sie das Geld erwähnte. *Woher zur Hölle wusste sie …*

Sie lächelte und nahm noch einen halben Zug. Dann ließ sie die Zigarette auf den Teppich fallen und trat sie mit dem Absatz aus.

»Außerdem will ich deine Reserveschlüssel, sowohl für

diese Wohnung als auch für deine Kanzlei.« Er runzelte die Augenbrauen. Sie lehnte sich vor und lächelte selig.

»Ich werde dein Leben in Zukunft restlos kontrollieren. Wenn du es am wenigsten ahnst, vielleicht wenn du gerade im Bett liegst und schläfst, werde ich plötzlich mit diesem Ding hier in deinem Schlafzimmer stehen.« Sie hielt die Elektroschockwaffe hoch. »Ich werde dich im Auge behalten. Sollte ich dich jemals wieder mit einem Mädchen zusammen sehen – egal, ob sie freiwillig hier ist oder nicht –, sollte ich dich jemals überhaupt wieder mit einer Frau zusammen sehen ...«

Lisbeth Salander zog abermals den Finger quer über seine Kehle.

»Sollte ich sterben ... wenn ich in einen Unfall gerate oder von einem Auto überfahren werde oder irgendetwas anderes ... dann werden Kopien des Films an alle Zeitungen geschickt. Dazu eine ausführliche Geschichte, in der ich erzähle, wie es ist, dich zum Betreuer zu haben.

Und noch etwas.« Sie lehnte sich vor, sodass ihr Gesicht nur noch wenige Zentimeter von seinem entfernt war. »Wenn du mich noch ein einziges Mal anfassen solltest, dann werde ich dich töten. Glaub mir.«

Bjurman glaubte ihr. Ihre Augen ließen keinen Zweifel.

»Denk immer dran, ich bin verrückt.«

Er nickte.

Sie musterte ihn nachdenklich.

»Ich glaube nicht, dass wir zwei gute Freunde werden«, sagte Lisbeth Salander ernst. »Jetzt liegst du da und gratulierst dir, dass ich so verrückt bin, dich leben zu lassen. Du denkst, dass du die Kontrolle hast, obwohl du mein Gefangener bist, denn du glaubst, wenn ich dich jetzt nicht töte, dann kann ich dich nur freilassen. Oder?«

Er schüttelte den Kopf. Auf einmal beschlichen ihn böse Vorahnungen.

»Du bekommst ein Geschenk von mir, damit du dich immer an unsere Vereinbarung erinnerst.«

Sie lächelte schief, kletterte plötzlich aufs Bett und kniete sich zwischen seine Beine. Bjurman begriff nicht, was sie meinte, aber er hatte auf einmal Angst.

Dann sah er die Nadel in ihrer Hand.

Er warf den Kopf hin und her und versuchte sich loszuwinden, bis sie ihm warnend ein Knie gegen den Schritt drückte.

»Still liegen bleiben. Ich benutze diese Geräte zum ersten Mal.«

Sie arbeitete zwei Stunden konzentriert. Als sie fertig war, hatte er aufgehört zu wimmern. Er schien sich in einem fast schon apathischen Zustand zu befinden.

Nachdem sie vom Bett gestiegen war, legte sie den Kopf schräg und betrachtete ihr Werk mit kritischem Blick. Ihr künstlerisches Talent war begrenzt. Die Buchstaben waren verwackelt, das Ganze wirkte irgendwie impressionistisch. Sie hatte rote und blaue Farbe für die Botschaft verwendet, die sie in fünf Reihen Großbuchstaben über seinen ganzen Bauch tätowiert hatte, von den Brustwarzen bis kurz über sein Geschlechtsorgan:

ICH BIN EIN SADISTISCHES SCHWEIN,
EIN WIDERLING
UND EIN VERGEWALTIGER

Sie sammelte die Nadeln wieder ein und steckte die Farbpatronen in ihren Rucksack. Danach ging sie ins Badezimmer und wusch sich die Hände. Sie bemerkte, dass es ihr wesentlich besser ging, als sie wieder ins Schlafzimmer kam.

»Gute Nacht«, sagte sie.

Sie schloss die eine Handfessel auf und legte den Schlüssel in Reichweite auf seinen Bauch, bevor sie ging. Ihren Film und seinen Schlüsselbund nahm sie mit.

Als sie sich kurz nach Mitternacht eine Zigarette teilten, sagte Mikael plötzlich, dass sie sich eine Weile nicht mehr sehen konnten. Cecilia wandte ihm erstaunt das Gesicht zu.

»Was willst du damit sagen?«, fragte sie.

Er sah beschämt drein.

»Am Montag gehe ich für drei Monate ins Gefängnis.«

Weitere Erklärungen waren nicht nötig. Cecilia blieb lange ganz still liegen. Plötzlich war ihr zum Heulen zumute.

Dragan Armanskij war schon am Verzweifeln, als Lisbeth Salander am Montagnachmittag plötzlich an seine Tür klopfte. Er hatte sie nicht ein einziges Mal zu Gesicht bekommen, seit er Anfang Januar die Untersuchung in der Wennerström-Affäre abgeblasen hatte, und jedes Mal, wenn er versucht hatte, sie anzurufen, hatte sie entweder nicht abgenommen oder mit der Erklärung aufgelegt, sie sei beschäftigt.

»Haben Sie Arbeit für mich?«, fragte sie, ohne sich mit unnötigen Begrüßungsfloskeln aufzuhalten.

»Ach, hallo! Wie schön, Sie mal wieder zu sehen. Ich dachte schon, Sie wären gestorben oder so.«

»Ich hatte da ein paar Dinge zu klären.«

»Sie haben ganz schön oft Dinge zu klären.«

»Es war ein Notfall. Aber jetzt bin ich ja wieder da. Haben Sie Arbeit für mich?«

Armanskij schüttelte den Kopf.

»Sorry. Im Moment nicht.«

Lisbeth Salander betrachtete ihn ruhig. Nach einem Weilchen nahm er innerlich Anlauf und sprach weiter.

»Lisbeth, Sie wissen, dass ich Sie mag und Ihnen gerne Aufträge gebe. Aber Sie waren zwei Monate fort, und ich hatte jede Menge Jobs. Sie sind ganz einfach nicht zuverlässig. Ich musste die Aufträge rausgeben, um Ihre Abwesenheit abzufedern, und im Moment habe ich gar nichts.«

»Können Sie bitte mal lauter machen?«
»Was?«
»Das Radio.«

»... das Millennium-*Magazin. Die Nachricht, dass der Großindustrielle Henrik Vanger Teilhaber wird und einen Platz im Vorstand von* Millennium *einnehmen wird, wurde am selben Tag bekannt gegeben, an dem der ehemalige verantwortliche Herausgeber Mikael Blomkvist seine dreimonatige Gefängnisstrafe wegen böswilliger Verleumdung des Geschäftsmannes Hans-Erik Wennerström antritt. Die* Millennium-*Chefredakteurin Erika Berger erklärte auf der Pressekonferenz, dass Mikael Blomkvist seine Arbeit als Herausgeber wieder aufnehmen wird, sobald die Gefängnisstrafe vorbei ist.«*

»Verdammt«, sagte Lisbeth Salander so leise, dass Armanskij kaum sah, wie sich ihre Lippen bewegten. Plötzlich stand sie auf und ging zur Tür.

»Warten Sie. Wo wollen Sie hin?«

»Nach Hause. Ich will ein paar Dinge überprüfen. Rufen Sie an, wenn Sie Arbeit haben.«

Die Neuigkeit, dass *Millennium* Verstärkung durch Henrik Vanger erfahren hatte, erregte bedeutend mehr Aufsehen, als Lisbeth Salander erwartet hätte. Das *Aftonbladet* hatte bereits einen längeren Artikel ins Netz gestellt, der Vangers Karriere darstellte und betonte, dies sei das erste Mal seit zwanzig Jahren, dass der ehemalige Großindustrielle öffentlich aktiv geworden sei. Die Nachricht, er sei Teilhaber bei *Millennium* geworden, schien ungefähr so abwegig, als würden die Großunternehmer Peter Wallenberg oder Erik Penser plötzlich als Sponsoren des radikal-alternativen *Ordfront Magasin* aktiv werden.

Es war so ein Riesenereignis, dass die 19-Uhr-30-Ausgabe von *Rapport* die Nachricht an dritter Stelle brachte und ihr drei Minuten widmete. Erika Berger wurde an einem Konferenztisch in der *Millennium*-Redaktion interviewt. Auf einen Schlag war auch Wennerström wieder zum Nachrichtenthema geworden.

»Wir haben letztes Jahr einen schwerwiegenden Fehler begangen, der dazu geführt hat, dass das Magazin wegen Verleumdung verurteilt wurde. Das bedauern wir natürlich ... und wir werden die Geschichte zum gegebenen Zeitpunkt weiterverfolgen.«

»Wie meinen Sie das – die Geschichte weiterverfolgen?«, fragte der Reporter.

»Damit will ich sagen, dass wir irgendwann unsere Version der Geschichte erzählen werden, was wir bis jetzt noch nicht getan haben.«

»Aber das hätten Sie doch beim Prozess tun können.«

»Wir haben uns dagegen entschieden. Aber wir werden selbstverständlich unsere Politik des kritischen Journalismus fortsetzen.«

»Heißt das, Sie halten immer noch an der Geschichte fest, für die Sie verurteilt worden sind?«

»Das kann ich heute nicht kommentieren.«

»Aber Sie haben Mikael Blomkvist nach seinem Urteil doch entlassen.«

»Das ist völlig falsch. Lesen Sie die Pressemitteilung, die wir herausgegeben haben. Er wollte eine Auszeit, er hatte eine Pause dringend nötig. Im Laufe des Jahres wird er als verantwortlicher Herausgeber zu uns zurückkehren.«

Die Kamera machte einen Schwenk durch die Redaktion, während der Reporter schnell die Hintergrundinformationen zu *Millenniums* turbulenter Geschichte lieferte. Mikael Blomkvist stand für einen Kommentar nicht zur Verfügung. Er saß in der Rullåker-Vollzugsanstalt hinter Gittern, an einem kleinen See mitten im Wald, ein paar Meilen von Östersund entfernt.

Lisbeth Salander bemerkte jedoch, dass Dirch Frode am Rande des Bildschirms zu sehen war, wie er an einer Türöffnung in der Redaktion vorbeieilte. Sie hob die Augenbrauen und biss sich nachdenklich auf die Unterlippe.

Für die Nachrichtensendungen war es ein ereignisloser Montag gewesen, daher bekam Henrik Vanger ganze vier Minuten in der Neun-Uhr-Sendung. Er wurde im Studio eines Lokalsenders in Hedestad interviewt. Der Reporter begann mit der Feststellung, dass die Industrielegende Henrik Vanger nach zwei Jahrzehnten wieder ins Rampenlicht zurückgekehrt sei. Es folgte ein Abriss von Vangers Leben. Schwarz-Weiß-Aufnahmen zeigten, wie er mit Tage Erlander in den sechziger Jahren Fabriken einweihte. Danach konzentrierte sich die Kamera auf ein Studiosofa, auf dem Henrik Vanger saß, ruhig zurückgelehnt mit überkreuzten Beinen. Er trug ein gelbes Hemd, eine schmale grüne Krawatte und eine saloppe dunkelbraune Strickjacke. Dass er eine magere, alte Vogelscheuche war, konnte niemand übersehen, aber er sprach mit klarer und fester Stimme. Außerdem nahm er kein Blatt vor den Mund. Der Reporter begann mit der Frage, was ihn dazu bewogen habe, Teilhaber bei *Millennium* zu werden.

»*Millennium* ist eine gute Zeitschrift, die ich mehrere Jahre mit großem Interesse verfolgt habe. Heute steht das Magazin unter Beschuss. Es hat mächtige Feinde, die einen Anzeigen-Boykott organisieren, um es in die Knie zu zwingen.«

Der Reporter war offenbar nicht auf eine derartige Antwort vorbereitet, witterte jedoch sofort, dass die bereits ziemlich sonderbare Story ganz unerwartete Dimensionen annahm.

»Wer steckt hinter diesem Boykott?«

»Das ist eines der Dinge, die es herauszufinden gilt. Aber lassen Sie mich bei dieser Gelegenheit erklären, dass *Millennium* den anderen nicht kampflos das Feld überlassen wird.«

»Sind Sie deswegen als Teilhaber bei *Millennium* eingestiegen?«

»Es wäre ziemlich ungut für die Meinungsfreiheit, wenn Einzelne die Macht hätten, unbequeme Stimmen in der Medienlandschaft zum Schweigen zu bringen.«

Vanger klang, als wäre er sein ganzes Leben ein engagierter Kämpfer für die Meinungsfreiheit gewesen. Mikael Blomkvist lachte plötzlich lauthals auf, als er seinen ersten Abend im Fernsehzimmer der Anstalt verbrachte. Seine Mitgefangenen warfen ihm verstohlene Blicke zu.

Später am Abend, als er auf dem Bett in seiner Zelle lag, die an ein enges Motelzimmer erinnerte, musste er Henrik und Erika recht geben, die von Anfang an die Vermarktung der Nachricht im Auge gehabt hatten. Ohne mit einem einzigen Menschen über die ganze Sache gesprochen zu haben, wusste er, dass sich die allgemeine Einstellung zu *Millennium* bereits verändert hatte.

Vangers Auftritt war nichts anderes als eine Kriegserklärung an Hans-Erik Wennerström. Die Botschaft war kristallklar – in Zukunft legst du dich nicht mehr mit einer Zeitschrift an, die sechs Mitarbeiter beschäftigt und deren Jahresbudget dem eines größeren Business-Lunchs für die *Wennerstroem Group* entspricht. Jetzt musst du dich auch mit dem Vanger-Konzern auseinandersetzen, der zwar nur noch ein Schatten seiner früheren Größe, aber dennoch ein ganz anderes Kaliber ist.

Henrik Vanger hatte im Fernsehen verkündet, dass er bereit war zu kämpfen. Vielleicht hatte er keine Chance gegen Wennerström, aber die Auseinandersetzung würde eine kostspielige Angelegenheit werden.

Erika hatte ihre wenigen Worte mit Bedacht gewählt. Ihre Feststellung, das Magazin habe »seine Version noch nicht erläutert«, rief den Eindruck hervor, dass es durchaus etwas zu erläutern gab. Obwohl Mikael angeklagt und verurteilt worden war und mittlerweile sogar im Gefängnis saß, implizierten ihre Worte, dass eine andere Wahrheit existierte.

Gerade, weil sie das Wort »unschuldig« nicht verwendete, schien seine Unschuld noch sicherer. Die Selbstverständlichkeit, mit der er wieder als verantwortlicher Herausgeber eingesetzt werden sollte, unterstrich, dass *Millennium* sich für nichts zu schämen brauchte. In den Augen der Allgemeinheit war die Glaubwürdigkeit kein Problem – jeder liebt Verschwörungstheorien –, und da man die Wahl zwischen einem steinreichen Geschäftsmann und einem aufmüpfigen, gut aussehenden Chefredakteur hatte, fiel die Entscheidung, wem man seine Sympathien schenken sollte, nicht schwer. Die Medien würden die Geschichte nicht ganz so leicht schlucken; hingegen hatte Erika wahrscheinlich ein paar Kritiker entwaffnet, die sich jetzt nicht mehr ganz so weit aus dem Fenster lehnen würden.

Im Grunde hatte keines der Ereignisse an diesem Tag die Situation verändert, aber sie hatten Zeit gewonnen und das Kräftegleichgewicht ein wenig verschoben. Mikael stellte sich vor, dass Wennerström einen unangenehmen Abend verbracht haben musste. Er konnte nicht wissen, wie viel – oder wie wenig – sie wussten, aber das musste er herausfinden, bevor er den nächsten Schachzug tat.

Mit grimmigem Gesicht schaltete Erika Fernseher und Videorecorder aus, nachdem sie zuerst ihren eigenen Auftritt und danach den von Henrik Vanger angesehen hatte. Sie sah auf die Uhr, Viertel vor drei, und unterdrückte den Impuls, Mikael anzurufen. Er saß im Gefängnis, und höchstwahrscheinlich hatte er kein Handy in der Zelle. Sie war so spät in ihr Haus in Saltsjöbaden zurückgekommen, dass ihr Mann schon schlief. Sie stand auf, ging zur Hausbar und goss sich ein ordentliches Glas Aberlour ein – sie trank ungefähr einmal im Jahr Alkohol –, setzte sich ans Fenster und blickte hinaus auf den Saltsjö und die Blinkfeuer an der Einfahrt zum Skuru-Sund.

Mikael und sie hatten einen heftigen Wortwechsel gehabt, als sie nach ihrer Abmachung mit Henrik Vanger allein gewesen waren. Über Jahre hinweg hatten sie immer freimütig darüber gestritten, aus welchem Blickwinkel sie berichten wollten, wie das Layout gestaltet und die Glaubwürdigkeit der Quellen eingeschätzt werden sollte, und über viele andere Fragen, die sich eben stellten, wenn man eine Zeitschrift macht. Aber beim Streit in Vangers Gästehaus war es um ihre journalistische Unabhängigkeit gegangen.

»Ich weiß nicht, was ich jetzt machen soll«, hatte Mikael gesagt. »Vanger hat mich angestellt, damit ich seine Autobiografie schreibe. Bisher konnte ich jederzeit aufstehen und weggehen, sobald er versucht hätte, mich zu zwingen, etwas Unwahres zu schreiben, oder mich zu verleiten, einen bestimmten Blickwinkel einzunehmen. Jetzt wird er einer der Teilhaber unserer Zeitschrift und ist zudem der Einzige, der genug Geld hat, sie zu retten. Diese Situation ist mit unserem Berufsethos eigentlich nicht zu vereinbaren.«

»Hast du irgendeine bessere Idee?«, hatte Erika gefragt. »Dann solltest du jetzt damit rausrücken, bevor wir den Vertrag aufsetzen und unterzeichnen.«

»Ricky, Vanger nutzt uns doch nur aus für seinen privaten Rachefeldzug gegen Wennerström.«

»Na und? Wenn überhaupt jemand einen privaten Rachefeldzug gegen Wennerström betreibt, dann ja wohl wir.«

Mikael hatte sich von ihr abgewandt und gereizt eine Zigarette angezündet. Der Wortwechsel war noch eine gute Weile so weitergegangen, bis Erika schließlich ins Schlafzimmer ging, sich auszog und ins Bett kroch. Sie tat so, als würde sie schlafen, als Mikael zwei Stunden später neben sie schlüpfte.

Am Abend hatte ein Reporter von *Dagens Nyheter* ihr genau dieselbe Frage gestellt:

»Wie will sich *Millennium* jetzt noch glaubwürdig als unabhängige Zeitschrift bezeichnen?«

»Wie meinen Sie das?«

Der Reporter hob die Augenbrauen. Er fand, dass seine Frage deutlich genug gewesen war, aber er verdeutlichte sie trotzdem noch einmal.

»*Millennium* beschäftigt sich unter anderem damit, Unternehmen auf den Zahn zu fühlen. Wie soll das Magazin jetzt glaubwürdig behaupten können, dass es den Vanger-Konzern kritisch unter die Lupe nimmt?«

Erika hatte ihn so verblüfft angesehen, als käme diese Frage völlig unerwartet.

»Wollen Sie damit sagen, dass *Millennium* an Glaubwürdigkeit einbüßt, weil ein bekannter Finanzier mit beträchtlichen Mitteln auf den Plan getreten ist?«

»Tja, es ist ja wohl ziemlich offensichtlich, dass Sie dem Vanger-Konzern nicht mehr unvoreingenommen gegenüberstehen.«

»Meinen Sie, dass für *Millennium* besondere Maßstäbe gelten sollten?«

»Verzeihung?«

»Sie arbeiten doch auch für eine Zeitung, die in höchstem Grad finanziellen Interessen gehorcht. Bedeutet das, dass keine der Zeitungen, die *Bonnier* herausgibt, glaubwürdig ist? Das *Aftonbladet* gehört einem norwegischen Großunternehmen, das wiederum eine gewaltige Rolle in der Datenverarbeitungs- und Kommunikationsbranche spielt – bedeutet das, dass das *Aftonbladet* die Elektronikindustrie nicht mehr glaubwürdig beschreiben kann? Der Zeitungskonzern *Metro* gehört dem Stenbeck-Unternehmen. Meinen Sie, dass sämtliche Zeitungen in Schweden, hinter denen finanzielle Interessen stecken, nicht glaubwürdig sind?«

»Nein, natürlich nicht.«

»Warum deuten Sie dann an, dass *Millenniums* Glaubwürdigkeit abnimmt, nur weil wir auch Finanziers haben?«

Der Reporter hatte die Hand gehoben.

»Okay, ich nehme die Frage zurück.«

»Nein. Tun Sie das nicht. Ich will, dass Sie exakt das wiedergeben, was ich sage. Und Sie können dazuschreiben, wenn *Dagens Nyheter* ein wachsameres Auge auf den Vanger-Konzern hat, dann konzentrieren wir uns ein bisschen mehr auf *Bonnier*.«

Aber es *war* ein ethisches Dilemma.

Mikael arbeitete für Henrik Vanger, der theoretisch in der Lage war, *Millennium* mit einem Federstrich zu vernichten. Was würde passieren, wenn Mikael und Henrik Vanger sich wegen irgendetwas entzweiten?

Und vor allem – wie viel kostete ihre eigene Glaubwürdigkeit, und wann wurde aus einem unabhängigen Redakteur ein korrumpierter? Sie mochte weder die Fragen noch die Antworten.

Lisbeth Salander ging wieder aus dem Netz und schaltete ihr PowerBook ab. Sie war arbeitslos und hungrig. Ersteres bekümmerte sie nicht sonderlich, seit sie wieder freien Zugriff auf ihr Konto hatte und Rechtsanwalt Bjurman zu einer vagen Unannehmlichkeit aus ihrer Vergangenheit geworden war. Sie ging in die Küche und stellte die Kaffeemaschine an. Dann machte sie sich drei große belegte Brote mit Käse, Kaviar und Ei – das Erste, was sie seit Stunden aß. Sie mampfte ihre nächtlichen Stullen auf dem Wohnzimmersofa, während sie die eingeholte Information verarbeitete.

Dirch Frode aus Hedestad hatte ihr den Auftrag gegeben, Mikael Blomkvist unter die Lupe zu nehmen, der wegen Verleumdung des Geschäftsmannes Hans-Erik Wennerström zu einer Gefängnisstrafe verurteilt worden war. Dann plötzlich war Vanger, ebenfalls aus Hedestad, in die Führungsspitze von *Millennium* eingestiegen und behauptete, es gebe eine Verschwörung, die das Magazin in die Knie zwingen wolle. All das am selben Tag, an dem Mikael Blomkvist ins Gefängnis ging. Am faszinierendsten von alldem: ein zwei Jahre alter Hintergrundartikel – *Mit leeren Händen* – über Hans-Erik Wennerström, den sie auf der Website des Wirtschaftsmagazins *Monopol* gefunden hatte, in dem erwähnt wurde, dass er seinen finanziellen Aufstieg ausgerechnet im Vanger-Konzern begonnen hatte.

Man brauchte kein Genie zu sein, um zu dem Schluss zu gelangen, dass diese Ereignisse irgendwie miteinander in Verbindung stehen mussten. Irgendwo lag hier der Hund begraben, und Lisbeth Salander liebte es, begrabene Hunde wieder auszubuddeln. Außerdem hatte sie ja gerade nichts Besseres zu tun.

Teil III

Fusionen

16. Mai bis 14. Juli

13 % aller schwedischen Frauen sind schon einmal Opfer schwerer sexueller Gewalt außerhalb einer sexuellen Beziehung geworden.

15. Kapitel

Freitag, 16. Mai – Samstag, 31. Mai

Mikael Blomkvist wurde am 16. Mai aus der Rullåker-Vollzugsanstalt entlassen, zwei Monate nachdem er seine Strafe angetreten hatte. Am Tag seines Haftantritts hatte er ohne allzu große Hoffnung einen Antrag auf Verkürzung seiner Freiheitsstrafe gestellt. Die wahren Ursachen für seine Entlassung wurden ihm nie ganz klar, aber er vermutete, es könnte damit zu tun haben, dass er seine freien Wochenenden nie genommen hatte und dass die Anstalt mit zweiundvierzig Insassen belegt war, obwohl sie eigentlich nur einunddreißig Platz bot. Auf jeden Fall schrieb der Direktor der Vollzugsanstalt – ein vierzigjähriger Exilpole namens Peter Sarowsky, mit dem sich Mikael bestens verstand – eine Empfehlung für eine Verkürzung der Strafe.

Die Zeit in Rullåker war ruhig und angenehm verlaufen. Die Anstalt war, wie Sarowsky sich ausdrückte, für Kleinkriminelle und Alkoholsünder, nicht aber für richtige Verbrecher gedacht. Die täglichen Routineabläufe erinnerten an die Gepflogenheiten in einer Jugendherberge. Seine einundvierzig Mithäftlinge, von denen die Hälfte Einwanderer der zweiten Generation waren, betrachteten Mikael als eine Art exotischen Vogel in ihrer Gemeinschaft – was er ja auch war. Er war der einzige Häftling, über den im Fernsehen berichtet wurde, und das verlieh ihm einen gewissen Status, aber keiner der anderen sah ihn als echten Verbrecher an.

Das tat der Direktor der Anstalt auch nicht. Schon am ersten Tag wurde Mikael zu einem Gespräch gebeten, in dem man ihm mehrere Angebote machte: Therapie, Besuch der Abendschule, andere Studienmöglichkeiten oder eine allgemeine Berufsberatung. Mikael lehnte dankend ab, weitere Studienpläne seien schon vor Jahrzehnten begraben worden, und eine Arbeit habe er bereits. Er bat jedoch darum, sein iBook benutzen zu dürfen, um an seinem Buch weiterarbeiten zu können. Sein Wunsch wurde ihm ohne Weiteres bewilligt, und Sarowsky stellte sogar noch einen abschließbaren Schrank zur Verfügung, sodass Mikael den Computer auch unbewacht in der Zelle lassen konnte, ohne dass er gestohlen oder demoliert werden konnte. Nicht dass einer der Mithäftlinge tatsächlich so etwas gemacht hätte – sie hielten eher ihre schützende Hand über Mikael.

So verbrachte Mikael zwei relativ angenehme Monate, in denen er ungefähr sechs Stunden am Tag an der Vangerschen Familienchronik arbeitete. Die Arbeit wurde jeden Tag nur von ein paar Stunden Putzarbeit oder einer angeordneten Erholungspause unterbrochen. Mikael und zwei Mithäftlinge, von denen einer aus Skövde, der andere aus Chile kam, hatten die Aufgabe, jeden Tag den Fitnessraum zu putzen. Das Freizeitprogramm bestand aus Fernsehen, Kartenspielen oder Krafttraining. Mikael entdeckte, dass er ganz anständig Poker spielte, aber er verlor jeden Tag ein paar 50-Öre-Münzen. Die Anstaltsregeln verboten, um mehr Geld als einen totalen Jackpot von fünf Kronen zu spielen.

Er erhielt den Bescheid über seine vorzeitige Entlassung einen Tag bevor er gehen durfte. Swarowsky nahm ihn mit in seinen Dienstraum und bot ihm einen Schnaps an. Danach verbrachte Mikael den Abend damit, seine Kleider und Notizbücher zusammenzupacken.

Nach seiner Entlassung fuhr Mikael direkt zurück nach Hedeby. Als er die Brücke betrat, hörte er ein Miauen: Die rotbraune Katze gesellte sich zu ihm und hieß ihn willkommen, indem sie ihm um die Beine strich.

»Okay, komm schon rein«, sagte er. »Aber ich hab keine Milch mehr besorgen können.«

Er packte seine Sachen aus. Es fühlte sich an, als wäre er im Urlaub gewesen, und tatsächlich fehlten ihm Sarowsky und seine Mithäftlinge. So verrückt es war – er hatte sich in Rullåker wohlgefühlt. Die Entlassung war so überraschend gekommen, dass er niemanden hatte vorwarnen können.

Es war kurz nach sechs Uhr abends. Er ging schnell zum Supermarkt und kaufte die wichtigsten Dinge, bevor sie schließen würden. Als er nach Hause kam, schaltete er sein Handy ein und rief Erika an, erreichte sie jedoch nicht. Er hinterließ ihr die Nachricht, dass sie sich am nächsten Tag sprechen könnten.

Danach ging er zu seinem Auftraggeber, der gerade im Erdgeschoss war und bei Mikaels Anblick erstaunt die Augenbrauen hochzog.

»Sind Sie ausgebrochen?«, waren die ersten Worte des alten Mannes.

»Ganz legal vorzeitig entlassen.«

»Das ist ja eine Überraschung.«

»Für mich auch. Ich habe es erst gestern Abend erfahren.«

Sie sahen sich ein paar Sekunden an. Dann überraschte der alte Mann Mikael, indem er ihn in die Arme nahm und fest an sich drückte.

»Ich wollte gerade essen. Leisten Sie mir doch Gesellschaft.«

Anna trug Speckpfannkuchen mit Preiselbeeren auf. Sie blieben fast zwei Stunden im Esszimmer sitzen und unterhielten sich. Mikael erklärte, wie weit er mit der Familienchronik gekommen war und wo es noch Lücken gab. Sie sprachen nicht über Harriet Vanger, führten aber ein ausführliches Gespräch über *Millennium*.

»Wir haben drei Vorstandssitzungen abgehalten. Frau Berger und Ihr Partner Christer Malm waren so freundlich, zwei der Treffen hierher zu verlegen, während Dirch mich bei einem Treffen in Stockholm vertreten hat. Ich wünschte wirklich, ich wäre ein paar Jahre jünger. Es ist leider ziemlich anstrengend für mich, so weit zu fahren. Aber im Sommer werde ich versuchen, auch mal nach Stockholm zu kommen.«

»Ich glaube durchaus, dass sie die Treffen hier oben abhalten können«, antwortete Mikael. »Aber wie fühlt es sich denn nun an, Teilhaber der Zeitung zu sein?«

Henrik Vanger lächelte schief.

»Es ist tatsächlich das Lustigste, was ich seit vielen Jahren gemacht habe. Ich habe mir die finanziellen Verhältnisse mal angesehen, und es sieht ganz anständig aus. Ich brauche gar nicht so viel Geld zuzuschießen, wie ich gedacht hatte – die Kluft zwischen Einkommen und Ausgaben verringert sich bereits wieder.«

»Ich habe diese Woche mit Erika gesprochen. Sie sagte, der Annoncenteil ist auf dem Weg, sich wieder ein bisschen zu erholen.«

Henrik Vanger nickte. »Das Blatt wendet sich langsam wieder, aber es wird ein bisschen dauern. Am Anfang haben Unternehmen des Vanger-Konzerns zur Unterstützung Annoncenseiten gekauft. Aber es sind schon zwei alte Anzeigenkunden – ein Handyanbieter und ein Reisebüro – zurückgekommen.« Er lächelte breit.

»Bei Wennerströms alten Feinden ziehen wir die Kampagne ein bisschen persönlicher auf. Und glauben Sie mir eins, diese Liste ist lang.«

»Haben Sie was von Wennerström gehört?«

»Na ja, nicht wirklich. Aber wir haben durchsickern lassen, dass Wennerström einen Boykott gegen *Millennium* organisiert. Das lässt ihn ziemlich kleinkariert dastehen. Ein Journalist von *Dagens Nyheter* soll ihn danach gefragt und sich eine abweisende Antwort eingefangen haben.«

»Sie genießen das.«

»Genießen ist das falsche Wort. Ich hätte mich schon vor ein paar Jahren mit dieser Sache beschäftigen sollen.«

»Was ist da eigentlich gewesen zwischen Ihnen und Wennerström?«

»Versuchen Sie es erst gar nicht. Sie werden es zu Beginn des neuen Jahres erfahren.«

Es lag ein angenehmer Frühlingshauch in der Luft. Als Mikael gegen neun Henriks Haus verließ, war es draußen schon dunkel. Er zögerte kurz. Dann ging er zu Cecilia und klopfte.

Er war nicht sicher, was er sich eigentlich erwartete. Cecilia riss die Augen auf, ließ ihn zwar in den Flur treten, wirkte aber so, als sei ihr sein Besuch nicht recht. Sie fragte ihn, ob er ausgebrochen sei, und er erläuterte, wie sich die Dinge verhielten.

»Ich bin nur gekommen, um kurz Hallo zu sagen. Störe ich?«

Sie wich seinem Blick aus. Mikael merkte sofort, dass sie nicht besonders froh war, ihn zu sehen.

»Nein … nein, komm rein. Möchtest du einen Kaffee?«

»Gerne.«

Er folgte ihr in die Küche. Sie drehte ihm den Rücken zu, während sie Wasser in die Kaffeemaschine goss. Mikael ging zu ihr und legte ihr eine Hand auf die Schulter. Sie erstarrte.

»Cecilia, du wirkst nicht so, als wolltest du mich zum Kaffee einladen.«

»Ich habe dich erst in einem Monat erwartet«, sagte sie. »Du hast mich überrascht.«

Er konnte ihr Unbehagen spüren und drehte sie zu sich um, damit er ihr Gesicht sehen konnte. Sie wollte ihm immer noch nicht in die Augen blicken.

»Cecilia. Vergiss den Kaffee. Was ist los?«

Sie schüttelte den Kopf und holte tief Luft.

»Mikael, ich möchte, dass du gehst. Frag nicht. Geh einfach.«

Mikael ging zu seinem Haus zurück, blieb aber unschlüssig am Gittertor stehen. Statt hineinzugehen, lief er hinunter ans Wasser, neben die Brücke, und setzte sich auf einen Stein. Er zündete sich eine Zigarette an, während er seine Gedanken sortierte und sich fragte, was Cecilias Einstellung zu ihm so dramatisch geändert haben könnte.

Plötzlich hörte er ein Motorengeräusch und sah ein großes weißes Boot langsam unter der Brücke hindurch in den Sund gleiten. Als es vorbeifuhr, konnte Mikael sehen, dass Martin Vanger am Steuer stand, der den Blick konzentriert aufs Wasser gerichtet hielt, um eventuellen Untiefen auszuweichen. Das Boot war eine zwölf Meter lange Motoryacht – ein imposantes Kraftpaket. Er stand auf und ging die Strandpromenade entlang. Plötzlich sah er, dass an verschiedenen Landestegen mehrere Boote im Wasser lagen, sowohl Motor- als auch Segelboote. Darunter befanden sich mehrere Pettersson-Boote, aber auch eine Hallberg-Rassy-Segelyacht. Der Sommer war gekommen. Damit war ihm auch die Klassenaufteilung in Hedebys marinem Leben klar – Martin Vanger hatte ohne Zweifel das größte und teuerste Boot in der Gegend.

Er blieb unterhalb von Cecilias Haus stehen und guckte zu den erleuchteten Fenstern im Obergeschoss hinauf. Dann ging er nach Hause und setzte Kaffee auf. Er blickte in sein Arbeitszimmer, während er darauf wartete, dass das Wasser kochte.

Bevor er ins Gefängnis gegangen war, hatte er den Großteil von Henrik Vangers Dokumentation zu Harriet wieder hinübergetragen. Es schien klüger zu sein, die Ordner nicht über längere Zeit in einem leeren Haus zu lassen. Jetzt gähnten ihn die leeren Regale an. Alles, was er von der Untersuchung noch bei sich hatte, waren fünf von Henrik Vangers eigenen Notizbüchern, die er nach Rulläker mitgenommen hatte und mittlerweile auswendig kannte. Und, wie er feststellen konnte, auch noch ein Fotoalbum, das er ganz oben auf dem Bücherregal vergessen hatte.

Er holte das Album herunter und nahm es mit an den Küchentisch. Dann goss er sich Kaffee ein, setzte sich und begann zu blättern.

Es enthielt die Bilder, die an dem Tag aufgenommen worden waren, an dem Harriet verschwand. Erst kam das letzte Bild von Harriet, auf dem Umzug des Kindertages in Hedestad. Dann folgten gut hundertachtzig gestochen scharfe Fotos vom Tanklasterunfall auf der Brücke. Er hatte das Album schon früher mehrmals Bild für Bild sorgfältig mit dem Vergrößerungsglas durchgesehen. Jetzt blätterte er zerstreut darin herum. Er wusste, dass er nichts Neues mehr finden würde. Plötzlich fühlte er sich des Rätsels um Harriet Vanger überdrüssig und schlug das Album mit einem Knall zu.

Ruhelos ging er ans Küchenfenster und starrte in die Dunkelheit.

Dann sah er wieder das Fotoalbum an. Er konnte das Gefühl nicht recht erklären, aber plötzlich hatte er einen flüchtigen Gedanken, ganz so, als würde er auf etwas reagieren, was er gerade gesehen hatte. Es war, als hätte ihm ein unsichtbares Wesen vorsichtig ins Ohr gepustet, und seine Nackenhaare stellten sich ganz leicht auf.

Er ging es Seite für Seite noch einmal durch, jedes Bild von der Brücke. Er sah sich die jüngere, ölverschmierte Ausgabe von Henrik Vanger an und einen jüngeren Harald Vanger, den er bis jetzt noch nicht zu Gesicht bekommen hatte. Das kaputte Brückengeländer, die Gebäude, Fenster und Fahrzeuge. Unter den Zuschauern konnte er problemlos eine zwanzigjährige Cecilia Vanger identifizieren. Sie trug ein helles Kleid und eine dunkle Jacke und war auf ungefähr zwanzig Bildern im Album zu sehen.

Plötzlich wurde ihm heiß. Über die Jahre hatte Mikael gelernt, sich auf seinen Instinkt zu verlassen. Er hatte auf irgendetwas in diesem Album reagiert, aber er konnte nicht genau sagen, worauf.

Er saß immer noch am Küchentisch und starrte auf die Bilder, als er gegen elf die Haustür aufgehen hörte.

»Darf ich reinkommen?«, fragte Cecilia. Ohne eine Antwort abzuwarten, setzte sie sich ihm gegenüber an den Küchentisch. Mikael hatte ein seltsames Déjà-vu-Gefühl. Sie trug ein weites, dünnes, helles Kleid und eine graublaue Jacke, fast identisch mit der Kleidung, die sie auf den Bildern von 1966 anhatte.

»Entschuldige, aber du hast mich überrascht, als du heute Abend geklopft hast. Jetzt bin ich so unglücklich, dass ich nicht schlafen kann.«

»Warum bist du unglücklich?«

»Begreifst du das denn nicht?«

Er schüttelte den Kopf.

»Kann ich es dir erzählen, ohne dass du mich auslachst?«

»Ich verspreche dir, ich werde nicht lachen.«

»Es war eine spontane Idee von mir, als ich dich im Frühjahr verführte. Ich wollte einfach nur Spaß haben. Nichts weiter. An diesem ersten Abend war ich einfach nur ziemlich angetrunken, und ich hatte nicht vor, irgendetwas Längerfristiges mit dir anzufangen. Dann wurde es aber zu etwas anderem. Ich möchte, dass du weißt, dass die Wochen, in denen du mein *occasional lover* warst, zu den schönsten Wochen meines Lebens gehören.«

»Ich fand sie auch sehr schön.«

»Mikael, ich habe dich und mich die ganze Zeit angelogen. Ich war niemals besonders freizügig in sexueller Hinsicht. Ich habe in meinem ganzen Leben fünf Sexpartner gehabt. Einmal mit einundzwanzig Jahren, bei meinem ersten Mal. Dann mit meinem Mann, den ich mit fünfundzwanzig kennenlernte und der sich als Ekel herausstellte. Und seitdem einige Male mit drei Typen, die ich im Abstand von ein paar Jahren traf. Aber du hast irgendetwas in mir geweckt. Ich konnte einfach nicht genug kriegen. Das hatte damit zu tun, dass mit dir alles so zwanglos war.«

»Cecilia, du brauchst nicht …«

»Schhhh, unterbrich mich nicht. Sonst kann ich es nicht erzählen.«

Mikael verstummte.

»Der Tag, an dem du ins Gefängnis gingst, war der unglücklichste Tag meines Lebens. Mit einem Mal warst du weg, als ob du nie hier gewesen wärst. Es war dunkel im Gästehäuschen. Es war kalt und leer in meinem Bett. Ganz plötzlich war ich wieder nur eine sechsundfünfzigjährige ältere Frau.«

Sie schwieg einen Moment und blickte Mikael in die Augen.

»Ich habe mich im Winter in dich verliebt. Das hatte ich nicht vor, aber es ist passiert. Und plötzlich wurde mir klar, dass du nur zufällig hier bist und eines Tages für immer fort sein wirst, während ich den Rest meines Lebens hierbleiben werde. Das tat so verflucht weh, dass ich beschloss, dich nicht mehr in mein Haus zu lassen, wenn du aus dem Gefängnis zurückkämst.«

»Das tut mir leid.«

»Es ist nicht dein Fehler.«

Eine Weile blieben sie schweigend sitzen.

»Als du heute Abend wieder gegangen warst, saß ich zu Hause und heulte. Ich wünschte, ich hätte eine Chance, mein Leben noch mal ganz anders zu leben. Dann habe ich etwas beschlossen.«

»Und zwar?«

Sie sah auf die Tischplatte.

»Dass ich völlig verrückt sein müsste, um dich nicht mehr zu treffen, weil du eines Tages wieder von hier wegfährst. Können wir noch mal von vorne anfangen, Mikael? Kannst du vergessen, was heute Abend passiert ist?«

»Schon vergessen«, sagte Mikael. »Aber danke, dass du es mir erzählt hast.«

Sie blickte noch immer auf die Tischplatte.

»Wenn du mich haben willst – ich will furchtbar gerne.«

Plötzlich sah sie ihn wieder richtig an. Dann stand sie auf und ging zur Schlafzimmertür. Im Gehen ließ sie ihre Jacke auf den Boden fallen und zog sich das Kleid über den Kopf.

Mikael und Cecilia wurden gleichzeitig davon wach, dass die Haustür geöffnet wurde und jemand durch die Küche ging. Man hörte ein dumpfes Geräusch, als beim Ofen ein Koffer auf den Boden gestellt wurde. Dann stand plötzlich Erika in der Schlafzimmertür, mit einem Lächeln, das sich sehr schnell in einen erschrockenen Gesichtsausdruck verwandelte.

»Du lieber Himmel.« Sie trat einen Schritt zurück.

»Hallo, Erika«, sagte Mikael.

»Hallo. Entschuldige. Entschuldige bitte, dass ich hier einfach reinplatze. Ich hätte anklopfen sollen.«

»Wir hätten die Tür abschließen sollen. Erika – das hier ist Cecilia Vanger. Cecilia – Erika Berger, Chefredakteurin von *Millennium*.«

»Hallo«, sagte Cecilia.

»Hallo«, sagte Erika. Sie sah aus, als könnte sie sich nicht entscheiden, ob sie ins Zimmer kommen und wohlerzogen Hände schütteln oder einfach nur wieder gehen sollte. »Äh, ich … ich kann ja kurz spazieren gehen …«

»Was haltet ihr davon, wenn wir stattdessen einen Kaffee aufsetzen?« Mikael warf einen Blick auf den Wecker auf seinem Nachttischchen. Kurz nach zwölf Uhr mittags.

Erika nickte und zog die Schlafzimmertür wieder zu. Mikael und Cecilia sahen sich an. Cecilia wirkte verlegen. Sie hatten sich bis vier Uhr morgens geliebt und unterhalten. Dann hatte Cecilia verkündet, dass sie bei ihm übernachten wolle und in Zukunft drauf pfeife, wer Bescheid wusste, dass sie mit Mikael fickte. Sie hatte mit dem Rücken zu ihm geschlafen, während er sie in seinen Armen hielt.

»Hey, das ist schon okay«, sagte Mikael. »Erika ist verheiratet, und sie ist nicht meine Freundin. Wir treffen uns ab und zu, aber es ist ihr herzlich egal, ob wir beide was miteinander haben. Es ist ihr wahrscheinlich nur wahnsinnig peinlich.«

Als sie wenig später in die Küche kamen, hatte Erika den Tisch mit Kaffee, Saft, getoastetem Brot und Apfelsinenmarmelade gedeckt. Es duftete gut. Cecilia ging direkt auf sie zu und streckte ihr die Hand entgegen.

»War ein bisschen hastig da drinnen. Hallo.«

»Cecilia, entschuldigen Sie bitte, dass ich wie ein Elefant da reingeplatzt bin«, sagte Erika zutiefst unglücklich.

»Ach, schon vergessen. Sie konnten doch nichts dafür. Und jetzt trinken wir Kaffee.«

»Hallo«, sagte Mikael und umarmte Erika, bevor er sich hinsetzte. »Wie bist du gekommen?«

»Bin heute Morgen losgefahren. Ich habe um zwei Uhr nachts deine Mitteilung bekommen und hab versucht, dich anzurufen.«

»Ich hatte das Handy ausgeschaltet«, erklärte Mikael und lächelte Cecilia zu.

Nach dem Frühstück ließ Erika Mikael und Cecilia allein, unter dem Vorwand, Henrik Vanger begrüßen zu müssen. Cecilia drehte Mikael den Rücken zu, während sie den Tisch abräumte. Er ging zu ihr und umschlang sie mit den Armen.

»Und was passiert jetzt?«, fragte Cecilia.

»Nichts. So ist es eben, Erika ist meine beste Freundin. Sie und ich sind seit fast zwanzig Jahren befreundet und werden es hoffentlich auch noch die nächsten zwanzig Jahre sein. Aber wir sind niemals ein Paar gewesen, und wir stehen uns bei unseren jeweiligen Romanzen nicht im Weg.«

»Haben wir das? Eine Romanze?«

»Ich weiß nicht, was wir haben, aber offenbar fühlen wir uns gut miteinander.«

»Wo schläft sie heute Nacht?«

»Wir organisieren ihr irgendwo ein Zimmer. Ein Gästezimmer bei Henrik. Sie wird nicht in meinem Bett schlafen.«

Cecilia überlegte kurz.

»Ich weiß nicht, ob ich mit dieser Sache hier klarkomme. Du und sie, ihr könnt das vielleicht, aber ich weiß nicht … Ich habe nie …« Sie schüttelte den Kopf. »Ich geh jetzt zu mir nach Hause. Ich muss ein bisschen drüber nachdenken.«

»Du hast mich früher schon mal danach gefragt, Cecilia, und ich habe dir von Erikas und meinem Verhältnis erzählt. Ihre Existenz kann nicht wirklich eine Überraschung für dich sein.«

»Das stimmt. Aber solange sie in Stockholm war, konnte ich sie ignorieren.«

Cecilia zog ihre Jacke an.

»Die Situation ist ganz schön komisch«, lächelte sie. »Komm heute Abend zu mir zum Abendessen rüber. Und bring Erika mit. Ich glaube, ich werde sie mögen.«

Erika Berger hatte die Frage des Nachtquartiers schon geklärt. Wenn sie früher in Hedeby gewesen war, um sich mit Henrik Vanger zu treffen, hatte sie in einem seiner Gästezimmer geschlafen, und jetzt bat sie ihn rundheraus, ob sie noch einmal dort übernachten könnte. Henrik Vanger konnte seine Begeisterung kaum verhehlen und versicherte ihr, dass sie ihm mehr als willkommen sei.

Als diese Formalitäten erledigt waren, gingen Mikael und Erika spazieren, überquerten die Brücke und setzten sich auf die Terrasse von Susannes Café, kurz bevor es zumachte.

»Ich bin so richtig mies gelaunt«, sagte Erika. »Ich fahre hier hoch, um dich wieder in der Freiheit willkommen zu heißen, und finde dich im Bett mit der Femme fatale dieser Stadt.«

»Tut mir leid.«

»Also, wie lange hast du schon mit Miss Big Tits …« Erika wackelte mit dem Zeigefinger.

»Ungefähr seit Henrik Teilhaber geworden ist.«

»Aha.«

»Was aha?«

»Reine Neugier.«

»Cecilia ist eine gute Frau. Ich mag sie gern.«

»Ich kritisiere dich doch gar nicht. Ich bin bloß mies gelaunt. Die Süßigkeiten vor der Nase, und dann werde ich auf Diät gesetzt. Wie war's im Gefängnis?«

»Wie ein anständiger Arbeitsurlaub. Wie läuft's mit der Zeitschrift?«

»Besser. Wir haben noch nicht wieder alles im Griff und sind immer noch in den roten Zahlen, aber zum ersten Mal seit einem Jahr ist das Anzeigenvolumen gestiegen. Wir liegen immer noch weit unter dem, was wir vor einem Jahr hatten, aber es geht auf jeden Fall wieder bergauf. Das ist Henriks Verdienst. Aber weißt du, was richtig seltsam ist? Die Zahl der Abonnenten steigt ebenfalls.«

»Die geht doch immer rauf und runter.«

»Aber wir haben in den letzten drei Monaten 3000 Abonnenten hinzugewonnen. Die Steigerung war ganz gleichmäßig, 250 pro Woche. Zuerst dachte ich, das ist nur ein Zufall, aber es kommen immer neue dazu. Das ist die größte Auflagensteigerung, die wir jemals gehabt haben. Das bedeutet mehr als die Einkünfte aus den Anzeigen. Gleichzeitig springen uns kaum alte Abonnenten ab.«

»Was meinst du, woran das liegt?«, fragte Mikael.

»Ich weiß nicht. Keiner von uns wird schlau daraus. Wir haben keine Anzeigenkampagne lanciert; Christer hat eine Woche lang stichprobenweise untersucht, was für Abonnenten jetzt neu bei uns auftauchen. 70 Prozent von ihnen sind Frauen. Normalerweise abonnieren uns zu 70 Prozent Männer. Alles in allem Vorortbewohner mit mittlerem Einkommen in qualifizierten Jobs: Lehrer, Angestellte mit bescheidener Leitungsfunktion, Beamte.«

»Die Revolte der Mittelklasse gegen das Großkapital?«

»Ich weiß es nicht. Aber wenn das so weitergeht, dann wird sich der Abonnentenstamm ganz schön verändern. Wir hatten vor zwei Wochen eine Redaktionskonferenz und haben beschlossen, unseren Themenkreis zu erweitern. Ich will mehr Artikel über Fachfragen, die mit der Angestelltengewerkschaft zusammenhängen, und andere Artikel in der Richtung, aber auch mehr kritische Reportagen über Frauenfragen zum Beispiel.«

»Sei nur vorsichtig, dass du nicht zu viel auf einmal veränderst«, meinte Mikael. »Den neuen Abonnenten scheint die bisherige Linie doch zu gefallen.«

Cecilia hatte auch Henrik zum Abendessen eingeladen, vielleicht, um das Risiko unangenehmer Gesprächsthemen zu mindern. Sie hatte Wildragout gekocht, dazu servierte sie Rotwein. Erika und Henrik diskutierten viel über *Millenniums* Entwicklung und die neuen Abonnenten, aber dann verlagerte sich das Gespräch auf angenehmere Themen. Erika wandte sich plötzlich an Mikael und fragte ihn, wie seine Arbeit für Henrik voranginge.

»Ich rechne damit, dass der Entwurf für die Familienchronik nächsten Monat steht, dann kann Henrik ihn sich anschauen.«

»Eine Chronik im Geiste der Addams Family«, lächelte Cecilia.

»Sie hat gewisse historische Aspekte«, gab Mikael zu.

Cecilia warf Henrik Vanger einen verstohlenen Blick zu.

»Henrik interessiert sich eigentlich gar nicht für die Familienchronik, Mikael. Er will, dass du das Rätsel von Harriets Verschwinden löst.«

Mikael sagte nichts. Er hatte mit Cecilia ziemlich offen über Harriet geredet. Cecilia hatte bereits herausgefunden, dass dies sein eigentlicher Auftrag war, obwohl er es nie zugegeben hatte. Henrik gegenüber hatte er allerdings niemals erwähnt, dass er mit Cecilia über dieses Thema sprach. Henriks buschige Augenbrauen zogen sich ein wenig zusammen. Erika schwieg.

»Ach, komm schon«, sagte Cecilia zu Henrik. »Ich bin doch nicht blöd. Ich weiß zwar nicht genau, wie die Absprache zwischen dir und Mikael aussieht, aber bei seinem Aufenthalt hier in Hedeby geht es doch um Harriet. Oder etwa nicht?«

Henrik nickte und schielte zu Mikael.

»Ich hab Ihnen ja gesagt, sie ist klüger als die meisten.« Er wandte sich an Erika. »Ich nehme an, Mikael hat Ihnen erklärt, womit er sich hier in Hedeby beschäftigt.«

Sie nickte.

»Und ich nehme an, dass Sie das für eine sinnlose Beschäftigung halten. Nein, Sie brauchen mir nicht zu antworten. Es ist eine verrückte und sinnlose Beschäftigung. Aber ich muss es einfach wissen.«

»Ich habe keine Meinung dazu«, sagte Erika diplomatisch.

»Natürlich haben Sie eine Meinung dazu.« Er wandte sich an Mikael. »Ein halbes Jahr ist bald um. Erzählen Sie. Haben Sie überhaupt irgendetwas gefunden, was wir noch nicht untersucht hatten?«

Mikael vermied es, Henrik direkt anzusehen. Er musste sofort an das seltsame Gefühl denken, das ihn beim Durchblättern des Fotoalbums beschlichen hatte. Das Gefühl ließ ihn den ganzen Tag nicht mehr los, aber er hatte noch keine Zeit gefunden, sich noch einmal mit dem Album hinzusetzen. Er war sich nicht sicher, ob er etwas zusammenfantasierte oder nicht, aber er wusste, dass er haarscharf davor gewesen war, einen ganz entscheidenden Gedanken zu fassen. Schließlich blickte er zu Henrik Vanger auf und schüttelte den Kopf.

»Ich habe nicht das kleinste bisschen gefunden.«

Henrik Vanger musterte ihn plötzlich mit aufmerksamem Gesichtsausdruck. Er kommentierte Mikaels Antwort nicht und nickte schließlich.

»Ich weiß ja nicht, wie es der Jugend geht, aber für mich wird es Zeit, mich zurückzuziehen. Danke fürs Abendessen, Cecilia. Gute Nacht, Erika. Schauen Sie morgen früh noch mal bei mir rein, bevor Sie fahren.«

Nachdem Henrik Vanger die Tür hinter sich geschlossen hatte, senkte sich Stille über den Raum. Cecilia brach das Schweigen.

»Was war das denn jetzt, Mikael?«

»Na ja, Henrik ist eben so empfindlich wie ein Seismograf, wenn es um die Reaktionen seiner Umwelt geht. Gestern, als du zu mir rübergekommen bist, saß ich gerade am Tisch und sah ein Fotoalbum an.«

»Ja, und?«

»Ich habe etwas gesehen. Ich weiß nicht, was, und ich kann es einfach nicht festmachen. Es hat sich fast zu einem Gedanken verdichtet, aber ich bekam ihn nicht zu fassen.«

»Aber woran hast du denn gedacht?«

»Ich weiß es einfach nicht. Und dann bist du gekommen, und wir ... hmm ... hatten erfreulichere Dinge, über die wir nachdenken konnten.«

Cecilia Vanger errötete. Sie wich Erikas Blick aus und ging in die Küche, um Kaffee aufzusetzen.

Es war ein warmer, sonniger Maitag. Mittlerweile war wirklich fast alles grün geworden, und Mikael ertappte sich dabei, wie er ein Frühlingsliedchen summte.

Erika übernachtete zweimal in Henriks Gästezimmer. Nach dem Abendessen hatte Mikael Cecilia gefragt, ob sie noch Gesellschaft wolle. Sie hatte geantwortet, sie sei mit den Zeugniskonferenzen beschäftigt, außerdem sei sie müde und wolle schlafen. Erika küsste Mikael aufs Kinn und verließ die Hedeby-Insel früh am Montagmorgen.

Als er Mitte März ins Gefängnis ging, war die Landschaft noch unter Schnee begraben gewesen. Jetzt grünten die Birken, und der Rasen rund um sein Häuschen gedieh prächtig. Er konnte sich zum ersten Mal auf der ganzen Insel umsehen. Gegen acht ging er zu Anna und bat sie, ihm eine Thermoskanne zu borgen. Er redete kurz mit Henrik, der gerade aufgestanden war, und durfte sich seine Karte von der Hedeby-Insel ausleihen. Er wollte sich Gottfrieds Häuschen näher ansehen, das mehrere Male im polizeilichen Untersuchungsbericht aufgetaucht war, da Harriet dort eine gewisse Zeit zugebracht hatte. Henrik erklärte, das Häuschen gehöre Martin Vanger, habe aber die Jahre über meistens leer gestanden. Ab und zu wurde es von irgendeinem Verwandten benutzt.

Mikael konnte Martin Vanger auf dem Weg zur Arbeit in Hedestad abfangen. Er erklärte ihm sein Anliegen und bat ihn um den Schlüssel.

Martin musterte ihn amüsiert. »Ich nehme mal an, die Familienchronik ist jetzt beim Kapitel Harriet angekommen.«

»Ich möchte mich nur mal umsehen …«

Martin Vanger bat ihn, kurz zu warten, und kam sofort mit dem Schlüssel zurück.

»Ist es in Ordnung für Sie?«

»Meinetwegen können Sie dort einziehen, wenn Sie Lust haben. Abgesehen von dem Umstand, dass es am anderen

Ende der Insel liegt, ist es wohl hübscher als das Haus, das Sie jetzt bewohnen.«

Mikael machte sich Kaffee und ein paar belegte Brote. Er füllte eine Flasche mit Wasser, bevor er losging, und verstaute den Proviant in einem Rucksack, den er sich über eine Schulter hängte. Er folgte einem schmalen und halb überwucherten Weg, der an der nördlichen Bucht der Insel entlangführte. Gottfrieds Häuschen lag auf einer Landzunge, ungefähr zwei Kilometer von der Stadt entfernt. Er brauchte nur eine halbe Stunde, um die Strecke in gemächlichem Tempo zurückzulegen.

Martin Vanger hatte recht gehabt. Als Mikael um die letzte Wegbiegung kam, breitete sich vor ihm ein schattiger Platz am Wasser aus. Man hatte eine phantastische Aussicht auf die Mündung des Hede-Flusses, den Gästehafen auf der linken und den Industriehafen auf der rechten Seite.

Es erstaunte ihn, dass niemand Gottfrieds Häuschen in Besitz genommen hatte. Es war rustikal gehalten, blockhüttenartig gebaut, aus dunkel gebeiztem Holz, mit Ziegeldach und grünen Fensterrahmen und einer kleinen sonnigen Veranda vor der Haustür. Es war jedoch deutlich zu erkennen, dass man die Pflege von Haus und Grundstück schon länger vernachlässigte. Die Farbe an Türen und Fenstern war abgesplittert, und wo ein Rasen sein sollte, befand sich meterhohes Gebüsch. Hier zu roden und auszulichten würde einen guten Tag Arbeit erfordern.

Mikael schloss die Tür auf und öffnete die Fensterläden von innen. Der Grundstock des Hauses schien eine alte Scheune von ungefähr 35 Quadratmetern gewesen zu sein. Das Innere war ganz mit Holz ausgekleidet, und es gab nur einen einzigen großen Raum mit breiten Fenstern, die zum Wasser hinausgingen. Ganz hinten führte eine Treppe zu einem offenen Zwischengeschoss mit Schlafgelegenheit, das sich über die Hälfte der Hütte erstreckte. Unter der Treppe befand sich eine kleine Nische, die mit einem Gaskocher, einer Spüle und einem

Schrank ausgestattet war. Die Möbel waren schlicht: An der Längsseite links neben der Tür befanden sich eine an der Wand befestigte Bank, ein ramponierter Schreibtisch und ein Hängeregal aus Teak. An derselben Wand standen noch drei Kleiderschränke. Rechts von der Tür stand ein runder Esstisch mit fünf Holzstühlen, und an der Schmalseite befand sich ein Kamin.

Es gab keinen Strom im Haus, dafür mehrere Petroleumlampen. Auf einem Fensterbrett stand ein altes Transistorradio der Marke Grundig. Die Antenne war abgebrochen. Mikael drückte den On-Knopf, aber die Batterien waren leer.

Er ging die schmale Treppe hoch und sah sich im Obergeschoss um. Dort fand er ein Doppelbett, eine Matratze ohne Laken, einen Nachttisch und eine Kommode vor.

Mikael durchsuchte Gottfrieds Häuschen eine Weile. Die Kommode war leer bis auf Bettwäsche und ein paar Handtücher, die schwach nach Moder rochen. In den Kleiderschränken waren alte Arbeitskleidung, ein Overall, ein Paar Gummistiefel, ein paar abgetragene Sportschuhe und ein Radiator. In den Schreibtischschubladen fanden sich Schreibpapier, Bleistifte, ein leerer Skizzenblock, ein Kartenspiel und ein paar Lesezeichen. Der Küchenschrank enthielt Essgeschirr, Kaffeetassen, Gläser, Kerzen und ein paar alte Pakete mit Salz, Teebeuteln und Ähnlichem. In einem Schubfach im Küchentisch lag Besteck.

Die einzigen Hinterlassenschaften intellektueller Art fand er im Hängeregal über dem Schreibtisch. Mikael zog sich einen Küchenstuhl heran und stellte sich darauf, um das Regal durchsuchen zu können. Auf dem untersten Brett lagen alte Ausgaben von Zeitschriften aus den späten fünfziger und den frühen sechziger Jahren. Daneben gab es noch Klatschmagazine von 1965 und 1966, Groschenromane, Militärcomics und *Fantomas*. Er schlug ein Herrenmagazin von 1964 auf und stellte fest, dass die Pin-ups ziemlich unschuldig aussahen.

Außerdem fanden sich noch ungefähr fünfzehn Bücher. Zirka die Hälfte waren Taschenbuch-Krimis. Er fand auch ein halbes Dutzend *Kitty*-Bücher, Detektivgeschichten für Mädchen, ein paar *Fünf-Freunde*-Bücher von Enid Blyton und einen Krimi von Sivar Ahlrud – *Das Eisenbahnrätsel*. Mikael lächelte, als er die Bücher wiedererkannte. Drei Romane von Astrid Lindgren: *Wir Kinder von Bullerbü, Kalle Blomkvist und Rasmus* und *Pippi Langstrumpf*. Das oberste Fach enthielt ein Buch über Kurzwellenradio, zwei Bände über Astronomie, ein Vogelbuch, ein Buch mit dem Titel *Das Reich des Bösen*, das von der Sowjetunion handelte; je eines über den finnischen Winterkrieg und Luthers Katechismus, ein Gesangbuch und eine Bibel.

Mikael schlug die Bibel auf und las auf der Innenseite des Buchdeckels: *Harriet Vanger, 12. 5. 1963.* Harriets Konfirmationsbibel. Bedrückt stellte er das Buch zurück.

Direkt hinter der Hütte befand sich ein kombinierter Holz- und Geräteschuppen mit Sense, Harke, Hammer und einem Karton mit unsortierten Nägeln, Hobel, Säge und anderem Werkzeug. Das Plumpsklo lag zwanzig Meter tief im Wald. Mikael stöberte eine Weile herum und ging danach wieder zum Häuschen zurück. Er holte sich einen Stuhl, setzte sich auf die Veranda und goss sich Kaffee aus der Thermoskanne ein. Er zündete sich eine Zigarette an und blickte durch einen Vorhang aus Buschwerk auf die Hedestads-Bucht hinaus.

Gottfrieds Häuschen war wesentlich anspruchsloser, als er erwartet hätte. Hierher hatte sich Harriets und Martins Vater also zurückgezogen, als die Ehe mit Isabella Ende der fünfziger Jahre allmählich in die Brüche ging. Hier hatte er gewohnt und gesoffen. Und da unten, irgendwo beim Bootssteg, war er ertrunken.

Das Leben in der Hütte war im Sommer vermutlich recht angenehm gewesen, aber sobald die Temperatur auf null Grad sank, musste es hier eiskalt und erbärmlich sein. Wie er von Henrik wusste, hatte Gottfried seinen Job im Vanger-Konzern bis 1964 weiter ausgeübt – abgesehen von den Phasen, in denen er ohne Hemmungen soff. Dass er es geschafft hatte, mehr oder weniger dauerhaft in diesem Häuschen zu leben und gleichzeitig frisch rasiert, gewaschen und mit Schlips und Jackett in der Arbeit aufzutauchen, zeugte trotz allem von einer gewissen persönlichen Disziplin.

Aber an diesem Ort hatte sich auch Harriet Vanger so oft aufgehalten, dass man, als sie verschwand, hier nach ihr suchte. Henrik hatte berichtet, dass Harriet während des letzten Jahres oft zum Häuschen gegangen war, wahrscheinlich um am Wochenende oder an schulfreien Tagen ihre Ruhe zu haben. In ihrem letzten Sommer hatte sie hier drei Monate lang gewohnt, obwohl sie jeden Tag in die Stadt kam. Hier hatte sie auch ihre Freundin Anita Vanger, Cecilias Schwester, sechs Wochen zu Besuch gehabt.

Was hatte sie hier draußen in der Einsamkeit gemacht? Die Groschenromane und die *Kitty*-Bücher sprachen eine deutliche Sprache. Vielleicht hatte der Skizzenblock ihr gehört. Aber auch ihre Bibel war hier.

Wollte sie in der Nähe ihres ertrunkenen Vaters sein – eine Trauerphase, die sie durchstehen musste? War die Erklärung so einfach? Oder hatte es mit ihren religiösen Grübeleien zu tun? Das Häuschen war karg und asketisch – hatte sie sich vorgestellt, in einem Kloster zu leben?

Mikael ging das Ufer entlang Richtung Südosten, aber das Gebiet war so voller Felsspalten und Wacholdergestrüpp, dass er kaum vorankam. Er ging wieder zur Hütte und noch ein Stück zurück auf dem Weg Richtung Hedeby. Laut Karte sollte ein Pfad durch den Wald zur sogenannten Befestigung führen; er brauchte zwanzig Minuten, bevor er den überwucherten Weg fand. Die Befestigung war eine Hinterlassenschaft der Truppen, die hier im Zweiten Weltkrieg die Küste verteidigt hatten: mehrere Betonbunker mit einem Schützenwall, und in der Mitte ein Kommandogebäude. Alles war von Dickicht überwuchert.

Mikael ging den Pfad bis zu einem Bootshaus hinunter, das auf einer Lichtung am Meer stand. Dort fand er die Überreste eines Pettersson-Bootes. Er ging zur Befestigung zurück und wählte einen anderen Pfad, bis er an einen Zaun stieß: Er war von hinten an den Östergården gelangt.

Er folgte dem verschlungenen Pfad durch den Wald, teilweise parallel zu einem Acker des Östergården. Es gab ein paar sumpfige Stellen, an denen er sich vorbeischlängeln musste. Schließlich kam er an ein Moor mit einer Scheune. Soweit er sehen konnte, endete der Pfad hier, aber er war nur hundert Meter vom Weg zum Östergården entfernt.

Auf der anderen Seite des Weges lag der Söderberg, der in einer fast senkrechten Klippe am Wasser endete. Mikael folgte dem Hügel zurück Richtung Hedestad. Oberhalb der Siedlung blieb er stehen und genoss den Ausblick vom alten Fischerhafen über die Kirche hinunter bis zu seinem Gästehäuschen. Er setzte sich auf einen flachen Felsen und goss sich einen letzten Schluck lauwarmen Kaffee ein.

Er hatte keine Ahnung, was er in Hedeby eigentlich machte, aber die Aussicht gefiel ihm.

Cecilia Vanger hielt sich von ihm fern, und Mikael wollte nicht aufdringlich sein. Nach einer Woche ging er jedoch zu ihr und klopfte. Sie ließ ihn herein und setzte Kaffee auf.

»Du musst mich für völlig albern halten; eine sechsundfünfzigjährige gestandene Lehrerin, die sich wie ein Teenager aufführt.«

»Du bist ein erwachsener Mensch und kannst tun, was immer du willst, Cecilia.«

»Ich weiß. Und deswegen habe ich beschlossen, dich nicht mehr zu treffen. Ich komme nicht damit zurecht, dass …«

»Du bist mir keine Erklärung schuldig. Ich hoffe, wir bleiben trotzdem noch Freunde.«

»Das möchte ich gerne. Aber ein Verhältnis mit dir, das schaffe ich nicht. Affären waren noch nie meine Sache. Ich will wohl einfach eine Weile meine Ruhe haben.«

16. Kapitel
Sonntag, 1. Juni – Dienstag, 10. Juni

Nach einem halben Jahr erfolgloser Grübeleien gab es einen ersten Hoffnungsschimmer im Fall Harriet Vanger. Mikael entdeckte innerhalb weniger Tage in der ersten Juniwoche drei neue Puzzleteile. Zwei von ihnen fand er allein, beim dritten hatte er Hilfe.

Nach Erikas Besuch hatte er das Fotoalbum aufgeschlagen, stundenlang ein Bild nach dem anderen angeschaut und sich zu erinnern versucht, worauf er beim letzten Mal unbewusst reagiert hatte. Schließlich legte er alles beiseite und arbeitete stattdessen an der Familienchronik weiter.

Ein paar Tage später saß Mikael gerade im Bus und dachte an etwas völlig anderes, als der Fahrer in die Bahnhofstraße einbog. Ihm wurde mit einem Schlag klar, was ihm die ganze Zeit im Hinterkopf herumgespukt hatte. Er war so perplex, dass er bis zur Endhaltestelle am Bahnhofsplatz sitzen blieb, und dann sofort nach Hedeby zurückfuhr, um zu prüfen, ob er sich richtig erinnert hatte.

Es war das allererste Bild im Album und zugleich das letzte Bild von Harriet Vanger. Es war auf der Bahnhofstraße in Hedestad aufgenommen worden, wo sie dem Umzug anlässlich des »Tages des Kindes« zugesehen hatte.

Das Bild unterschied sich von den übrigen Fotos. Es war am

selben Tag aufgenommen worden, aber es zeigte als einziges von knapp hundertachtzig Bildern nicht den Unfall.

Das Bild war von der anderen Straßenseite aus aufgenommen worden, wahrscheinlich aus einem Fenster im ersten Stock. Das Weitwinkelobjektiv hatte die Front eines Lastwagens im Festzug eingefangen. Auf der Ladefläche standen Frauen in glitzernden Badeanzügen und Haremshosen und warfen Bonbons ins Publikum. Vor dem Lastwagen hüpften drei Clowns herum.

Harriet stand in der ersten Reihe auf dem Bürgersteig. Neben ihr standen drei Klassenkameraden und um sie herum mindestens hundert andere Einwohner von Hedestad.

Das Publikum verhielt sich, wie sich ein Publikum verhalten soll. Diejenigen, die am weitesten links standen, konzentrierten sich auf die Ladefläche mit den leicht bekleideten Mädchen. Sie sahen vergnügt aus. Kinder zeigten mit dem Finger. Ein paar lachten. Alle wirkten fröhlich.

Alle bis auf eine.

Harriet blickte zur Seite. Ihre drei Schulkameraden und alle in ihrer Nähe schauten auf die Clowns. Harriets Gesicht war fast 30 oder 35 Grad weiter nach rechts gerichtet. Ihr Blick schien an irgendetwas auf der anderen Straßenseite hängen geblieben zu sein, was außerhalb des Bildausschnitts lag.

Mikael holte ein Vergrößerungsglas und versuchte, die Details auszumachen. Das Bild war aus zu großem Abstand aufgenommen worden, als dass er ganz sicher hätte sein können, aber im Gegensatz zu den Umstehenden schien in Harriets Gesicht kein Leben zu sein. Ihr Mund war ein schmaler Strich. Ihre Augen waren weit aufgerissen. Ihre Hände hingen schlaff an ihr herab.

Sie sah verängstigt aus. Verängstigt oder zornig.

Mikael löste das Bild aus dem Album heraus, steckte es in eine Plastikhülle und nahm den nächsten Bus zurück nach

Hedestad. Er stieg in der Bahnhofstraße aus und stellte sich auf den Platz, von dem aus das Foto geschossen worden sein musste. Es war genau am Rande des Zentrums von Hedestad. Dort stand ein zweistöckiges Holzgebäude, in dem eine Videothek und *Sundströms Herrenmode* untergebracht war – seit 1932, wie eine Plakette an der Eingangstür verkündete. Er betrat das Geschäft und bemerkte sofort, dass es sich über zwei Etagen erstreckte; eine Wendeltreppe führte ins Obergeschoss.

Am Ende der Wendeltreppe hatte man durch zwei Fenster Ausblick auf die Straße. Hier hatte der Fotograf gestanden.

»Kann ich Ihnen helfen?«, fragte ein älterer Verkäufer, als Mikael die Plastikhülle mit dem Foto herausholte. Es waren nur wenige Kunden im Laden.

»Ich würde gern wissen, von wo aus dieses Bild aufgenommen wurde. Ist es in Ordnung, wenn ich das Fenster mal ganz kurz aufmache?«

Man erlaubte es ihm, und er hielt das Bild vor sich in die Höhe. Er konnte exakt die Stelle ausmachen, an der Harriet siebenunddreißig Jahre zuvor gestanden hatte. Das eine der zwei Holzgebäude, die man hinter ihr erkennen konnte, war verschwunden und durch ein Ziegelhaus ersetzt worden. In dem anderen, das noch stand, hatte sich 1966 ein Schreibwarenladen befunden. Nun waren dort ein Bio-Laden und ein Solarium. Mikael schloss das Fenster, bedankte sich und bat um Entschuldigung für die Störung.

Unten auf der Straße stellte er sich exakt dorthin, wo Harriet gestanden hatte. Er wandte den Kopf und nahm Harriets Blickrichtung ein. Soweit Mikael abschätzen konnte, hatte sie genau zu der Ecke des Gebäudes geschaut, in dem sich *Sundströms Herrenmode* befand. Es war eine ganz gewöhnliche Hausecke, an der eine Querstraße abzweigte. *Was hast du vor siebenunddreißig Jahren dort gesehen, Harriet?*

Mikael steckte das Bild wieder in seine Umhängetasche und ging zum Park am Bahnhof, wo er sich draußen in ein Café setzte und einen Milchkaffee bestellte. Er war auf einmal ganz aufgewühlt.

Plötzlich hatte er etwas völlig Neues entdeckt, was bei den Ermittlungen, die seit siebenunddreißig Jahren auf der Stelle traten, bisher keine Rolle gespielt hatte.

Er war sich nur nicht sicher, wie wertvoll seine neuen Erkenntnisse waren, wenn sie denn überhaupt einen Wert hatten. Trotzdem empfand er es als bedeutsam.

Der Septembertag, an dem Harriet verschwand, war in vieler Hinsicht dramatisch gewesen. In Hedestad war ein Festtag mit sicherlich mehreren tausend Menschen auf der Straße, jungen wie alten. Auf der Hedeby-Insel hatte das jährliche Familientreffen stattgefunden. Schließlich war natürlich noch der Unfall mit dem Tanklaster dazugekommen, der alles andere überschattete.

Kommissar Morell, Henrik Vanger und alle anderen, die sich den Kopf über Harriets Verschwinden zerbrachen, hatten sich auf die Ereignisse auf der Insel konzentriert. Morell hatte sogar geschrieben, er komme nicht von dem Verdacht los, dass der Unfall und Harriets Verschwinden in Beziehung zueinander standen. Mikael war auf einmal davon überzeugt, dass diese Annahme falsch war.

Die Ereigniskette hatte nicht auf der Hedeby-Insel ihren Anfang genommen, sondern schon mehrere Stunden zuvor im Stadtzentrum von Hedestad. Harriet hatte etwas gesehen, das sie erschreckt hatte. Sie fuhr sofort nach Hause und wollte mit Henrik sprechen, der aber leider keine Zeit für sie hatte. Dann passierte der Unfall auf der Brücke. Und dann schlug der Mörder zu.

Mikael machte eine Pause. Allmählich wurde ihm klar, dass er sich Henrik Vangers Überzeugung angeschlossen hatte. Harriet war tot, und nun jagte er einen Mörder. Er wandte sich wieder dem Untersuchungsbericht zu. Von all den tausend Seiten handelte nur ein Bruchteil von den Stunden in Hedestad. Harriet war mit drei Klassenkameraden zusammen gewesen, die alle zu ihren Beobachtungen vernommen worden waren. Sie hatten sich um neun Uhr morgens am Bahnhofspark getroffen. Eines der Mädchen wollte sich eine Jeans kaufen, und ihre Freunde hatten sie begleitet. Sie hatten im Restaurant des EPA-Kaufhauses Kaffee getrunken, waren danach zum Sportplatz gegangen, zwischen Jahrmarktsbuden und Fischteichen herumgeschlendert und hatten weitere Mitschüler getroffen. Nach zwölf Uhr waren sie wieder in die Innenstadt zurückgekehrt, um dem Festzug zuzuschauen. Kurz vor zwei Uhr nachmittags hatte Harriet plötzlich verkündet, dass sie nach Hause fahren müsse. An der Bushaltestelle bei der Bahnhofstraße hatten sie sich getrennt.

Keinem ihrer Freunde war etwas Ungewöhnliches aufgefallen. Eine von ihnen, Inger Stenberg, hatte behauptet, Harriet sei im letzten Jahr sehr »unpersönlich« geworden. Am Tag ihres Verschwindens sei sie so still wie immer gewesen und den anderen meistens hinterhergelaufen.

Kommissar Morell hatte alle Menschen vernommen, die Harriet an jenem Tag begegnet waren, auch wenn sie sich nur auf dem Festplatz gegrüßt hatten. Ihr Foto war später in den Lokalzeitungen erschienen. Mehrere Einwohner von Hedestad hatten sich bei der Polizei gemeldet, weil sie glaubten, Harriet gesehen zu haben, aber keiner hatte etwas Ungewöhnliches bemerkt.

Mikael grübelte den ganzen Abend darüber nach, wie er seine neue Idee am besten weiterverfolgen könnte. Am Vormittag ging er zu Henrik Vanger, den er am Frühstückstisch antraf.

»Sie sagten doch, dass die Familie Vanger immer noch Anteile am *Hedestads-Kuriren* hat.«

351

»Das stimmt.«

»Ich brauche Zugang zum Bildarchiv der Zeitung.«

Henrik Vanger stellte sein Milchglas ab und trocknete sich die Oberlippe ab.

»Worauf sind Sie gestoßen, Mikael?«

Er sah dem alten Mann in die Augen.

»Nichts Konkretes. Aber ich glaube, wir könnten den Lauf der Ereignisse falsch gedeutet haben.«

Er zeigte ihm das Foto und erzählte von seinen Schlussfolgerungen. Henrik Vanger verstummte.

»Wenn ich recht habe, müssen wir uns darauf konzentrieren, was an diesem Tag in Hedestad passiert ist, nicht nur auf der Hedeby-Insel«, sagte Mikael. »Ich weiß nicht, wie man das nach siebenunddreißig Jahren anstellen soll, aber bei der Feier zum ›Tag des Kindes‹ müssen viele Bilder aufgenommen worden sein, die nie veröffentlicht wurden. Und diese Bilder will ich sehen.«

Henrik Vanger benutzte das Telefon in der Küche. Er rief Harriets Bruder Martin an, erklärte ihm sein Anliegen und fragte, wer nun Chef der Bildredaktion des *Kuriren* sei. Innerhalb von zehn Minuten waren die richtigen Personen ausfindig gemacht und die Genehmigung erteilt.

Die Chefin der Bildredaktion hieß Madeleine Blomberg, wurde Maja genannt und war schon über sechzig. Sie war der erste weibliche Chef einer Bildredaktion, dem Mikael in seiner Laufbahn begegnet war. Im Zeitungswesen wurde die Kunst der Fotografie gerne als männliche Domäne angesehen.

Am Samstag war zwar niemand in der Redaktion, aber wie sich herausstellte, wohnte Maja Blomberg nur fünf Gehminuten von ihr entfernt. Sie traf sich mit Mikael am Eingang. Sie hatte die meiste Zeit ihres Lebens für den *Hedestads-Kuriren* gearbeitet. 1964 hatte sie als Korrektorin angefangen, war dann Kopistin geworden und hatte einige Jahre in der Dunkelkammer gearbeitet. Gleichzeitig hatte man sie immer auf Fototermine geschickt, wenn das reguläre Personal nicht mehr ausreichte. Langsam, aber sicher hatte sie sich den Titel einer Redakteurin erworben, und zehn Jahre später, als der alte Chef in Pension ging, übernahm sie die Leitung der Bildredaktion. Hinter dieser Position verbarg sich kein allzu großes Imperium. Die Bildredaktion war seit zehn Jahren mit der Anzeigenabteilung zusammengelegt und bestand aus nur sechs Personen, die sich alle untereinander bei ihrer Arbeit abwechselten.

Mikael fragte, wie das Bildarchiv organisiert sei.

»Um ehrlich zu sein, das Archiv ist ziemlich unübersichtlich. Seit wir Computer und Bilddateien haben, ist alles auf CDs archiviert worden. Wir hatten hier einen Praktikanten, der wichtige ältere Bilder eingescannt hat, aber es sind nur ein paar Prozent des Archivbestands. Ältere Bilder finden Sie nach Datum sortiert in Negativ-Ordnern. Sie sind entweder hier in der Redaktion oder oben auf dem Dachboden.«

»Ich interessiere mich vor allem für die Bilder vom ›Tag des Kindes‹ 1966 und insgesamt für alle Bilder, die in dieser Woche aufgenommen worden sind.«

Maja Blomberg sah Mikael forschend an.

»Also von der Woche, in der Harriet Vanger verschwand.«

»Sie kennen die Geschichte?«

»Man kann nicht sein ganzes Leben beim *Hedestads-Kuriren* arbeiten, ohne sie zu kennen, und wenn Martin Vanger mich frühmorgens an meinem freien Tag anruft, dann ziehe ich meine Schlüsse. Ich habe die Texte Korrektur gelesen, die in den sechziger Jahren über den Fall geschrieben wurden. Warum graben Sie wieder in dieser Geschichte? Ist etwas Neues ans Licht gekommen?«

Maja Blomberg hatte offensichtlich eine Nase für Neuigkeiten. Mikael schüttelte lächelnd den Kopf und brachte seine Coverstory vor.

»Nein, und ich bezweifle, dass wir jemals eine Antwort darauf bekommen, was mit ihr passiert ist. Es soll eigentlich geheim bleiben, aber ich schreibe an Henrik Vangers Autobiografie. Die Geschichte mit der verschwundenen Harriet ist ein sonderbares Thema, aber auch ein Kapitel, das man wohl kaum schweigend übergehen kann. Ich suche nach Bildern, die diesen Tag illustrieren können, von Harriet und von ihren Freunden.«

Maja Blomberg sah skeptisch aus, aber die Behauptung war plausibel, und sie hatte keinen Grund, seine Angaben anzuzweifeln.

Ein Zeitungsfotograf verschießt täglich im Schnitt zwei bis drei Filme. Bei großen Anlässen kann sich diese Zahl leicht verdoppeln. Jeder Film ergibt sechsunddreißig Negative, es ist also nicht ungewöhnlich, dass bei einer Zeitung dreihundert Bilder pro Tag zusammenkommen, von denen nur wenige veröffentlicht werden. Eine gut organisierte Redaktion zerschneidet die Filme und steckt die Negative in dafür vorgesehene Taschen, sechs Stück pro Reihe. Ein Film füllt also ungefähr eine Seite in einem Ordner mit Negativen. Ein Ordner enthält dann knapp hundertzehn Filme. Pro Jahr macht das zwanzig bis dreißig Ordner.

Der *Hedestads-Kuriren* wurde 1922 gegründet, die Bildredaktion gab es seit 1937. Auf dem Dachboden des *Kuriren* standen ungefähr 1200 Ordner, nach Datum sortiert. Die Bilder vom September 1966 befanden sich in vier billigen Ordnern aus Pappe.

»Wie machen wir es am besten?«, fragte Mikael. »Ich würde mich gerne an einen Leuchttisch setzen und Abzüge von den Bildern machen, die von Interesse sein könnten.«

»Wir haben keine Dunkelkammer. Alles wird eingescannt. Wissen Sie, wie man einen Negativscanner benutzt?«

»Ja, ich habe schon mal mit Bildern gearbeitet und habe selbst einen Agfa-Scanner. Ich arbeite mit PhotoShop.«

»Dann benutzen Sie dieselbe Ausrüstung wie wir.«

Maja Blomberg führte Mikael einmal kurz durch die kleine Redaktion, setzte ihn dann an einen Leuchttisch und schaltete Computer und Scanner für ihn ein. Sie zeigte ihm auch noch, wo der Kaffeeautomat im Pausenraum stand. Sie vereinbarten, dass Mikael auf eigene Faust arbeiten durfte, Maja Blomberg jedoch anrief, sobald er die Redaktion verlassen wollte, damit sie abschließen und die Alarmanlage einschalten konnte. Dann ließ sie ihn allein mit einem munteren: »Na dann viel Spaß!«

Es dauerte mehrere Stunden, bis Mikael sich durch die Ordner durchgearbeitet hatte. Der *Hedestads-Kuriren* beschäftigte damals zwei Fotografen. An jenem Tag hatte Kurt Nylund Dienst gehabt – den Mikael tatsächlich noch von früher kannte. Nylund war 1966 ungefähr Mitte zwanzig gewesen. Danach war er nach Stockholm gezogen und ein anerkannter Berufsfotograf geworden, der teils freiberuflich arbeitete, teils bei der Bildagentur *Pressens Bild* in Marieberg angestellt war. Mikaels und Nylunds Wege hatten sich in den neunziger Jahren mehrfach gekreuzt, als *Millennium* Bilder von *Pressens Bild* kaufte. Mikael hatte ihn als einen mageren Mann mit schütterem Haar in Erinnerung. Nylund hatte einen Tageslichtfilm verwendet, der nicht allzu körnig ausfiel und bei Pressefotografen sehr beliebt war.

Mikael griff sich einen Ordner nach dem anderen heraus und legte die Bilder des jungen Nylund auf den Leuchttisch, wo er sie mit einer Lupe betrachtete. Einen Negativfilm zu lesen ist jedoch eine Kunst, die eine gewisse Routine verlangt, und die fehlte Mikael. Ihm wurde klar, dass er praktisch jedes Bild einscannen und am Computer ansehen müsste, um herauszufinden, ob wertvolle Informationen dabei waren oder nicht. Das würde mehrere Stunden in Anspruch nehmen. Daher machte er zuerst eine übersichtliche Liste der Bilder, die ihn eventuell interessierten.

Er begann damit, alle Bilder auszusortieren, die den Unfall auf der Brücke zeigten. Mikael konnte feststellen, dass Henrik Vangers Ordner mit den hundertachtzig Bildern nicht komplett war. Die Person, die Abzüge von der Archivsammlung gemacht hatte – vielleicht Nylund selbst –, hatte ungefähr dreißig Bilder weggelassen, die entweder unscharf waren oder von so schlechter Qualität, dass sie für eine Veröffentlichung nicht infrage kamen.

Mikael fuhr den Computer herunter und schloss den Agfa-Scanner an sein eigenes iBook an. Er verbrachte zwei Stunden damit, die restlichen Bilder einzuscannen.

Ein Bild fesselte sofort sein Interesse. Irgendwann zwischen 15.10 Uhr und 15.15 Uhr, genau zu dem Zeitpunkt, als Harriet verschwand, hatte jemand das Fenster in ihrem Zimmer geöffnet. Er konnte eine Gestalt und ein Gesicht erkennen, aber unscharf und verschwommen. Er beschloss, mit der Bildanalyse zu warten, bis er alle Bilder auf seinen Computer geladen hatte.

In den nächsten Stunden sah Mikael die Bilder von den Feierlichkeiten zum »Tag des Kindes« durch. Nylund hatte sechs Filme verschossen, insgesamt zweihundert Bilder. Es war ein endloser Strom von Kindern mit Ballons, Erwachsenen, Straßengewimmel mit Würstchenverkäufern, der Festzug selbst, ein Artist aus Hedestad auf der Bühne und eine Art Preisverleihung. Nach sechs Stunden hatte er eine Mappe mit neunzig Bildern zusammen. Er würde noch einmal zum *Hedestads-Kuriren* kommen müssen.

Gegen neun Uhr abends rief er Maja Blomberg an, bedankte sich und fuhr nach Hause auf die Hedeby-Insel.

Am Sonntagmorgen um neun war er wieder da. Das Bildarchiv war immer noch menschenleer, als Maja Blomberg ihn hineinließ. Er wusste, dass Pfingstferien waren und die Zeitung erst wieder am Dienstag erscheinen würde. Er durfte denselben Arbeitstisch benutzen wie tags zuvor und verbrachte den ganzen Tag mit Scannen. Gegen sechs Uhr abends waren ungefähr noch vierzig Bilder vom »Tag des Kindes« übrig. Mikael hatte das uninteressante Material aussortiert. Was er hingegen eingescannt hatte, waren das Treiben auf der Straße und die Menschenmengen.

Am Pfingstmontag ging Mikael das neue Bildmaterial genauestens durch. Er machte zwei Entdeckungen. Die erste bestürzte ihn. Die andere ließ seinen Puls in die Höhe schnellen.

Die erste Entdeckung war das Gesicht in Harriet Vangers Fenster. Das Bild war leicht verwackelt und deshalb bei der ersten Sichtung verworfen worden. Der Fotograf hatte wohl auf dem Hügel bei der Kirche gestanden und in Richtung Brücke geblickt. Die Gebäude lagen im Hintergrund. Mikael beschnitt das Bild so, dass nur das Fenster übrig blieb, und experimentierte dann mit Veränderungen der Kontraste und der Tiefenschärfe, bis er seiner Meinung nach die bestmögliche Qualität erreicht hatte.

Das Resultat war ein körniges Bild mit minimaler Grauskala, das ein rechteckiges Fenster und eine Gardine zeigte, sowie ein diffuses halbmondförmiges Gesicht ein Stück weiter hinten im Raum.

Er konnte feststellen, dass das Gesicht nicht Harriet gehörte, die pechschwarzes Haar hatte, sondern einer Person mit wesentlich hellerer Haarfarbe.

Er stellte außerdem fest, dass er dunklere Partien unterscheiden konnte, wo sich Augen, Nase und Mund befinden mussten, aber es war unmöglich, deutliche Gesichtszüge auszumachen. Er war jedoch sicher, eine Frau zu sehen – die hellere Partie neben dem Gesicht setzte sich bis auf Schulterhöhe fort und ließ langes Haar erahnen. Er konnte erkennen, dass die Person helle Kleidung trug.

Er schätzte ihre Größe im Verhältnis zum Fenster, die Frau musste ungefähr 1 Meter 70 groß sein.

Als er die anderen Bilder vom Brückenunfall durchklickte, bemerkte er, dass eine Person sehr gut mit den Merkmalen übereinstimmte, die er aus dem Foto herausgelesen hatte – die zwanzigjährige Cecilia Vanger.

Kurt Nylund hatte insgesamt achtzehn Bilder vom Fenster im ersten Stock bei *Sundströms Herrenmode* aufgenommen. Auf siebzehn von ihnen war Harriet Vanger zu sehen.

Harriet und ihre Schulfreunde waren gerade auf der Bahnhofstraße angekommen, als Nylund anfing zu fotografieren. Mikael schätzte, dass die Bilder in einem Zeitraum von knapp fünf Minuten aufgenommen worden waren. Auf dem ersten Bild gingen Harriet und ihre Freunde die Straße hinunter. Auf den Bildern 2 bis 7 standen sie da und sahen dem Festzug zu. Danach waren sie ungefähr sechs Meter weiter gegangen. Auf dem letzten Bild, das wahrscheinlich etwas später gemacht worden war, war die ganze Gruppe verschwunden.

Mikael bearbeitete eine Serie Bilder, indem er die obere Hälfte von Harriet ausschnitt und möglichst große Kontraste herausarbeitete. Er legte die Bilder in einen bestimmten Ordner, öffnete das Graphic-Converter-Programm und startete die Bildpräsentation. Der Effekt war der eines ruckartig ablaufenden Stummfilms, bei dem jedes Bild zwei Sekunden lang gezeigt wird.

Harriet kommt an, Aufnahme im Profil. Harriet bleibt stehen und blickt die Straße hinunter. Harriet dreht das Gesicht zur Straße. Harriet öffnet den Mund, um etwas zu einer

Freundin zu sagen. Harriet lacht. Harriet fasst sich mit der linken Hand ans Ohr. Harriet lächelt. Harriet sieht plötzlich überrascht aus, ihr Gesicht ist auf einen Fleck ungefähr zwanzig Grad links neben der Kamera gerichtet. Harriet reißt die Augen auf und hört auf zu lachen. Harriets Mund wird zu einem schmalen Strich. Harriet schaut genau hin. In ihrem Gesicht sieht man … was? Schmerz, Schock, Zorn? Harriet schlägt die Augen nieder. Harriet ist weg.

Mikael spielte die Sequenz immer und immer wieder ab.

Sie bekräftigte sehr deutlich die Theorie, die er aufgestellt hatte. Irgendetwas geschah auf der Bahnhofstraße in Hedestad.

Sie sieht etwas – jemanden? – auf der anderen Straßenseite. Sie reagiert schockiert. Später bittet sie Henrik Vanger um ein persönliches Gespräch, aus dem nie etwas wird. Danach verschwindet sie spurlos.

Irgendetwas war an jenem Tag geschehen. Aber die Bilder verrieten nicht, was.

Am Dienstagmorgen um zwei kochte Mikael sich einen Kaffee und machte sich zwei belegte Brote, die er auf dem Küchensofa verzehrte. Er war zugleich mutlos und erregt. Er hatte gegen seine eigenen Erwartungen neues Beweismaterial gefunden. Das Problem war nur, dass diese Beweise die Kette der Ereignisse zwar in einem ganz neuen Licht erscheinen ließen, ihn der Lösung des Rätsels aber keinen Millimeter näher brachten.

Er dachte intensiv darüber nach, was für eine Rolle Cecilia in diesem Drama gespielt haben mochte. Henrik Vanger hatte ohne Rücksichten das Tun aller anwesenden Personen genau aufgezeichnet, auch bei Cecilia hatte er keine Ausnahme gemacht. 1966 wohnte sie in Uppsala, war aber zwei Tage vor dem unseligen Samstag nach Hedestad gekommen. Sie hatte in einem Gästezimmer bei Isabella Vanger gewohnt. Sie behauptete, Harriet frühmorgens einmal gesehen, aber nicht mit ihr gesprochen zu haben. Am Samstag war sie für irgendeine Erledigung nach Hedestad gefahren. Sie hatte Harriet nicht gesehen und war gegen eins auf die Insel zurückgekehrt, ungefähr zur selben Zeit, als Kurt Nylund auf der Bahnhofstraße seine Bilderserie schoss. Sie hatte sich umgezogen und gegen zwei geholfen, den Tisch für das große Familienessen zu decken.

Als Alibi war das ziemlich vage. Die Zeitpunkte waren ungefähr angegeben, besonders bei der Frage, wann sie auf die Insel zurückgekommen war, aber Henrik hatte niemals einen Hinweis darauf gefunden, dass sie gelogen hatte. Cecilia gehörte zu den Menschen in seiner Verwandtschaft, die er am liebsten mochte. Außerdem war sie Mikaels Geliebte. Er tat sich daher schwer, objektiv zu bleiben, und er konnte sie sich beim besten Willen nicht als Mörderin vorstellen.

Jetzt ließ ein aussortiertes Bild ahnen, dass sie gelogen hatte, als sie behauptete, Harriets Zimmer nie betreten zu haben. Daraus ergab sich eine gewisse Schlussfolgerung, die Mikael nicht gefiel.

Wenn du in dieser Frage gelogen hast, wo hast du dann noch gelogen?

Mikael fasste im Geiste zusammen, was er über Cecilia wusste. Er sah sie als eine recht zurückhaltende Person, die offensichtlich von ihrer Vergangenheit geprägt war, was zur Folge hatte, dass sie allein lebte, weitgehend auf Sex verzichtete und Schwierigkeiten hatte, sich anderen zu nähern. Sie blieb auf Distanz, und wenn sie einen Mann an sich heranließ, dann suchte sie sich einen wie Mikael aus, einen Fremden, der nur zeitweilig zu Besuch war. Cecilia hatte behauptet, das Verhältnis beendet zu haben, weil sie nicht mit dem Gedanken leben konnte, dass er jederzeit plötzlich aus ihrem Leben verschwinden konnte. Mikael glaubte, dass sie es nur aus diesem Grunde gewagt hatte, den ersten Schritt zu tun. Da er nur vorübergehend da war, musste sie nicht befürchten, dass er ihr Leben dramatisch veränderte. Er seufzte und ließ die Hobbypsychologie auf sich beruhen.

Die zweite Entdeckung machte er spät in der Nacht. Der Schlüssel zum Rätsel – davon war er restlos überzeugt – lag in dem, was Harriet auf der Bahnhofstraße in Hedestad gesehen hatte. Mikael würde es nie herausfinden, es sei denn, er könnte eine Zeitmaschine erfinden, sich hinter sie stellen und ihr über die Schulter blicken.

Als ihm dieser Gedanken durch den Kopf ging, schlug er sich mit der flachen Hand vor die Stirn und stürzte zurück zu seinem iBook. Er klickte die unbearbeiteten Bilder von der Bahnhofstraße an und schaute ... *da!*

Hinter Harriet, ungefähr einen Meter weiter rechts, stand ein junges Paar, er im gestreiften Pullover, sie mit einer hellen Jacke. Sie hatte eine Kamera in der Hand. Als Mikael das Bild vergrößerte, konnte er erkennen, dass es eine Kodak Instamatic mit automatischem Blitz war – eine billige Urlaubskamera für Leute, die nicht fotografieren können.

Die Frau hielt die Kamera auf Kinnhöhe. Dann hob sie sie und fotografierte die Clowns, und zwar genau in dem Moment, als sich Harriets Gesichtsausdruck veränderte.

Mikael verglich die Position der Kamera mit Harriets Blickrichtung. Die Frau hatte den Sucher fast exakt in die Richtung gehalten, in die Harriet blickte.

Mikael merkte plötzlich, dass er heftiges Herzklopfen hatte. Er lehnte sich zurück und fummelte seine Zigarettenschachtel aus der Brusttasche. Jemand hatte ein Foto gemacht. Aber wie sollte er diese Frau identifizieren? Wie sollte er an ihr Foto herankommen? War der Film überhaupt entwickelt worden, und wenn ja, wurde das Bild noch irgendwo aufbewahrt?

Mikael öffnete die Mappe mit den Bildern, die Nylund an jenem Festtag von der wimmelnden Menschenmenge gemacht hatte. In der folgenden Stunde vergrößerte er jedes Bild und suchte es Quadratzentimeter für Quadratzentimeter ab. Erst auf dem allerletzten Foto fand er das Paar wieder. Nylund hatte noch einen Clown mit Luftballons in der Hand aufgenommen, der sein Dauerlachen in die Kamera hielt. Das Foto war auf dem Parkplatz vor dem Eingang zum Sportplatz gemacht worden, wo die Festlichkeiten weitergingen. Es musste vor zwei Uhr gewesen sein – danach war Nylund ja zum Unfall mit dem Tanklaster abkommandiert worden und hatte den »Tag des Kindes« nicht weiter verfolgt.

Die Frau war fast ganz verdeckt, aber der Mann im gestreiften Pullover war deutlich im Profil zu sehen. Er hatte Schlüssel in der Hand und beugte sich gerade vor, um eine Autotür zu öffnen. Der Clown stand im Vordergrund, und das Auto hinter ihm war ein wenig verschwommen. Das Nummernschild war nicht vollständig zu erkennen, aber es begann mit AC3...

Die Nummernschilder begannen in den sechziger Jahren mit den Kennbuchstaben des jeweiligen Verwaltungsbezirks, und Mikael hatte als Kind gelernt, die Herkunft von Autos anhand dieser Buchstaben zu identifizieren. AC war das Kennzeichen für Västerbotten.

Dann entdeckte Mikael noch etwas anderes. Auf der Heckscheibe war irgendein Aufkleber. Er zoomte den Ausschnitt heran, aber dabei verschwamm der Text. Er schnitt das Stück mit dem Aufkleber aus und begann Kontrast und Schärfe zu bearbeiten. Damit war er eine ganze Weile beschäftigt. Den Text konnte er immer noch nicht lesen, aber er versuchte, anhand der vagen Umrisse auf den jeweiligen Buchstaben zu schließen.

Viele Buchstaben sahen sich täuschend ähnlich. Ein O konnte man mit einem D verwechseln, ebenso B mit E und dergleichen mehr. Er hantierte mit Zettel und Stift und schloss verschiedene Buchstaben aus, bis er schließlich einen unverständlichen Text erhielt:

T S HLE I R JÖ

Er starrte die Zeile an, bis ihm die Augen tränten. Dann sah er plötzlich den richtigen Text vor sich. TISCHLEREI NORSJÖ, gefolgt von kleineren Zeichen, die man unmöglich entziffern konnte, die aber vermutlich eine Telefonnummer darstellten.

17. Kapitel
Mittwoch, 11. Juni – Samstag, 14. Juni

Beim dritten Puzzleteilchen bekam er Hilfe von unerwarteter Seite.

Nachdem er die ganze Nacht an den Bildern gearbeitet hatte, schlief Mikael tief und fest bis zum Mittag. Er erwachte mit einem diffusen Kopfschmerz, duschte und ging dann in Susannes Café frühstücken. Er hatte Schwierigkeiten, seine Gedanken zu ordnen. Eigentlich hätte er Henrik aufsuchen müssen, um ihm von seiner Entdeckung zu berichten. Stattdessen ging er zu Cecilia hinüber und klopfte. Er wollte sie fragen, was sie in Harriets Zimmer gemacht und warum sie gelogen und behauptet hatte, nie dort gewesen zu sein. Niemand öffnete.

Er wollte gerade wieder nach Hause gehen, da hörte er eine Stimme.

»Deine Hure ist nicht zu Hause.«

Gollum war aus seiner Höhle gekrochen. Er war groß, fast zwei Meter, aber vom Alter so gebeugt, dass seine Augen auf einer Höhe mit Mikaels waren. Seine Haut war vernarbt und voller dunkler Leberflecken. Er trug einen Pyjama und einen braunen Morgenrock und stützte sich auf einen Stock. Er sah aus wie die Hollywood-Version eines »bösen alten Manns«.

»Wie bitte?«

»Ich habe gesagt, deine Hure ist nicht zu Hause.«

Mikael ging so nahe an ihn heran, dass sich fast ihre Nasenspitzen berührten.

»Sie sprechen von Ihrer eigenen Tochter, Sie ungehobelter Kerl.«

»Ich bin nicht derjenige, der sich nachts hierherschleicht«, antwortete Harald Vanger und grinste zahnlos. Mikael ging an ihm vorbei, ohne ihn eines weiteren Blicks zu würdigen. Er ging zu Henrik Vanger und fand ihn im Arbeitszimmer.

»Ich habe gerade Ihren Bruder getroffen«, verkündete Mikael mit kaum verhohlener Wut.

»Harald? Ach so, hat er sich mal rausgewagt? Das macht er jedes Jahr ein paarmal.«

»Ich hatte bei Cecilia geklopft, als er plötzlich auftauchte. Er sagte, Zitat: *Die Hure ist nicht zu Hause*, Zitat Ende.«

»Klingt mir sehr nach Harald«, sagte Henrik Vanger ruhig.

»Er hat seine eigene Tochter als Hure bezeichnet.«

»Das tut er schon seit vielen Jahren. Darum sprechen sie auch nicht mehr miteinander.«

»Warum tut er das?«

»Cecilia hat ihre Unschuld verloren, als sie einundzwanzig Jahre alt war. Es geschah hier in Hedestad, nach einer Sommerromanze, im Jahr nach Harriets Verschwinden.«

»Und?«

»Der Mann, den sie liebte, hieß Peter Samuelsson und arbeitete als Assistent im Vanger-Konzern. Intelligenter Junge. Arbeitet heute für ABB. Wenn sie meine Tochter gewesen wäre, ich wäre stolz gewesen, so einen zum Schwiegersohn zu bekommen. Aber natürlich hatte er einen Fehler.«

»Sagen Sie bitte, dass es nicht das ist, was ich jetzt denke.«

»Harald vermaß seinen Schädel oder studierte seine Ahnentafeln oder was weiß ich und entdeckte, dass er Vierteljude war.«

»Gütiger Himmel.«

»Seitdem nennt er sie Hure.«

»Er wusste, dass Cecilia und ich …?«

»Das weiß höchstwahrscheinlich die ganze Stadt, bis auf Isabella vielleicht, weil keiner, der seine Sinne beisammen hat, ihr irgendetwas erzählen würde. Außerdem ist sie Gott sei Dank so nett und geht um acht Uhr schlafen. Harald hat vermutlich jeden Ihrer Schritte verfolgt.«

Mikael setzte sich und sah dämlich drein.

»Sie wollen also sagen, dass alle …«

»Natürlich.«

»Und Sie missbilligen das nicht?«

»Also bitte, Mikael, das ist nun wirklich nicht meine Sache.«

»Wo ist Cecilia?«

»Die Schulferien haben begonnen. Sie ist am Samstag nach London geflogen, um ihre Schwester zu besuchen, und danach fährt sie in Urlaub nach … hmm, ich glaube, Florida war es. Sie kommt zirka in einem Monat zurück.«

Nun kam Mikael sich noch dämlicher vor.

»Wir hatten unser Verhältnis mehr oder weniger beendet.«

»Verstehe. Aber das geht mich immer noch nichts an. Wie geht es mit der Arbeit voran?«

Mikael goss sich Kaffee aus Henriks Thermoskanne ein. Er sah den alten Mann an.

»Ich habe neues Material gefunden, und ich glaube, ich muss mir von irgendjemandem ein Auto ausleihen.«

Mikael setzte ihm eine ganze Weile seine Überlegungen auseinander. Er holte das iBook aus seiner Umhängetasche und spielte die Bilderserie ab, die Harriets Reaktionen auf der Bahnhofstraße zeigte. Er führte auch vor, wie er die Zuschauer mit ihrer Urlaubskamera und ihr Auto mit dem Aufkleber der Tischlerei Norsjö gefunden hatte. Nachdem er seine Erklärungen beendet hatte, bat Henrik ihn, die Bilderserie noch einmal sehen zu dürfen.

Als Henrik Vanger wieder vom Bildschirm aufblickte, war er ganz grau im Gesicht. Mikael erschrak und legte ihm eine Hand auf die Schulter. Henrik Vanger machte eine abwehrende Handbewegung und schwieg eine Weile.

»Es ist Ihnen tatsächlich gelungen, was ich für unmöglich gehalten hatte. Sie haben etwas völlig Neues entdeckt. Wie wollen Sie jetzt weitermachen?«

»Ich muss dieses Bild finden – falls es noch existiert.«

Das Gesicht im Fenster und seinen Verdacht, dass es sich dabei um Cecilia handelte, erwähnte er nicht. Was wahrscheinlich ein deutliches Zeichen dafür war, dass er wenig von einem objektiven Privatdetektiv hatte.

Von Harald Vanger war nichts mehr zu sehen, als Mikael auf die Straße trat. Wahrscheinlich war er wieder in seine Höhle zurückgekrochen. Als Mikael um die Ecke bog, entdeckte er, dass jemand mit dem Rücken zu ihm auf dem Treppenabsatz vor seinem Häuschen saß und Zeitung las. Für den Bruchteil einer Sekunde dachte er, es sei Cecilia, aber im nächsten Augenblick ging ihm auf, dass er sich getäuscht hatte. Vor seinem Häuschen saß ein dunkelhaariges Mädchen.

»Hallo, Papa«, sagte Pernilla Abrahamsson.

Mikael umarmte seine Tochter und drückte sie fest an sich.

»Wo um alles in der Welt kommst du denn her?«

»Von zu Hause natürlich. Auf dem Weg nach Skellefteå. Ich übernachte hier.«

»Und wie hast du hierhergefunden?«

»Mama wusste doch, wo du bist. Und ich habe da oben im Café gefragt, wo du wohnst. Sie hat mir den Weg gezeigt. Bin ich willkommen?«

»Natürlich. Komm rein. Du hättest mich vorwarnen sollen, dann hätte ich ein bisschen was Schönes zum Essen gekauft oder so.«

»War eine spontane Idee von mir. Ich wollte dich nach dem

Gefängnis in der Freiheit willkommen heißen, aber du hast mich ja nie angerufen.«

»Entschuldige.«

»Ist nicht schlimm. Mama sagt auch, dass du ständig in deiner Gedankenwelt lebst.«

»Das sagt sie über mich?«

»Mehr oder weniger. Aber das macht doch nichts. Ich liebe dich trotzdem.«

»Ich liebe dich auch, aber du weißt …«

»Ich weiß. Ich glaube, ich bin schon erwachsen genug.«

Mikael machte Tee und servierte Gebäck dazu. Plötzlich wurde ihm klar, dass seine Tochter die Wahrheit gesagt hatte. Sie war kein kleines Mädchen mehr, sie wurde demnächst siebzehn und würde bald eine erwachsene Frau sein. Er musste lernen, sie nicht mehr wie ein Kind zu behandeln.

»Also, wie war's denn jetzt eigentlich?«

»Was?«

»Das Gefängnis.«

Mikael lachte.

»Würdest du mir glauben, wenn ich dir sage, dass es wie ein bezahlter Urlaub war, wo ich wunderbar nachdenken und schreiben konnte?«

»Absolut. Ich glaube nicht, dass zwischen einem Gefängnis und einem Kloster ein großer Unterschied besteht, und die Leute sind immer ins Kloster gegangen, wenn sie sich weiterentwickeln wollten.«

»Tja, so kann man das wohl auch sehen. Ich hoffe, du hattest keine Probleme damit, dass dein Papa ein berüchtigter Gefängnisinsasse ist?«

»Überhaupt nicht. Ich bin stolz auf dich und lasse keine Gelegenheit aus, um damit anzugeben, dass du für das gesessen hast, woran du glaubst.«

»Woran ich glaube?«

»Ich habe Erika Berger im Fernsehen gesehen.«

Mikael wurde blass. Er hatte keinen einzigen Gedanken an seine Tochter verschwendet, als Erika ihre Strategie ausgearbeitet hatte, und Pernilla schien zu glauben, dass ihn nicht die geringste Schuld traf.

»Pernilla, ich war nicht unschuldig. Es tut mir leid, dass ich dir die Hintergründe nicht erklären kann, aber ich wurde rechtmäßig verurteilt. Das Gericht hat sein Urteil auf der Basis der Tatsachen, die im Prozess dargelegt wurden, gefällt.«

»Aber du hast niemals deine Version erzählt.«

»Nein, weil ich sie nicht beweisen kann. Ich habe einen Mordsschnitzer gemacht, und deswegen musste ich ins Gefängnis.«

»Okay. Dann beantworte mir die Frage: Ist Wennerström ein Verbrecher oder nicht?«

»Er ist einer der übelsten Verbrecher, die mir jemals über den Weg gelaufen sind.«

»Na also. Das reicht mir. Ich habe ein Geschenk für dich.«

Sie holte ein Päckchen aus ihrem Koffer. Mikael machte es auf und fand eine Best-of-CD der *Eurhythmics*. Sie wusste, dass das eine seiner alten Lieblingsbands war. Er umarmte sie, legte die CD sofort in sein iBook ein, und sie hörten sich zusammen *Sweet Dreams* an.

»Was willst du eigentlich in Skellefteå?«, fragte Mikael.

»Sommerlager mit Bibelschule. Die Vereinigung heißt *Licht des Lebens*«, gab Pernilla zur Auskunft, als wäre es das Selbstverständlichste in der Welt.

Mikael spürte, wie sich ihm die Nackenhaare aufstellten.

Er erkannte, wie sehr sich seine Tochter und Harriet ähnelten. Pernilla war sechzehn, genau wie Harriet, als sie verschwand. Beiden fehlte die Vaterfigur in ihrem täglichen Leben. Beide neigten zu religiöser Schwärmerei und schlossen sich befremdlichen Sekten an, Harriet der städtischen Pfingstversammlung und Pernilla einer Vereinigung, die vermutlich ebenso verrückt war wie die populäre, aber eben doch sekten-artige Bewegung *Licht des Lebens*.

Mikael wusste nicht recht, wie er mit ihrem neu erwachten Interesse für Religion umgehen sollte. Er hatte Angst, sich un-sensibel einzumischen und sie einzuschränken in ihrem Recht, selbst zu entscheiden, welchen Weg sie im Leben gehen wollte.

Gleichzeitig war *Licht des Lebens* jedoch ohne Zweifel eine religiöse Vereinigung von der Sorte, über die Erika und er nur zu gerne eine polemische Reportage in *Millennium* veröffent-lichen würden. Er beschloss, die Frage bei nächster Gelegen-heit mit Pernillas Mutter zu besprechen.

Pernilla schlief in Mikaels Bett, während er sich in der Nacht aufs Sofa in der Küche legte. Er wachte mit steifem Nacken und schmerzenden Muskeln auf. Pernilla wollte ihre Reise möglichst schnell fortsetzen, also machte Mikael Frühstück und brachte sie dann zum Bahnhof. Sie hatten noch ein biss-chen Zeit, kauften sich im Zeitschriftenladen in der Bahnhofs-halle zwei Becher Kaffee, setzten sich auf eine Bank am Ende des Bahnsteigs und redeten über alles Mögliche. Kurz bevor der Zug kam, wechselte sie das Thema.

»Es gefällt dir nicht, dass ich nach Skellefteå fahre«, stellte sie plötzlich fest.

Mikael wusste nicht recht, was er antworten sollte.

»Das ist nichts Gefährliches. Aber du bist kein Christ, oder?«

»Nein, zumindest bin ich kein guter Christ.«

»Glaubst du nicht an Gott?«

»Nein, ich glaube nicht an Gott, aber ich respektiere, dass du es tust. Alle Menschen brauchen etwas, woran sie glauben können.«

Als ihr Zug einfuhr, umarmten sie sich lange und innig, bis Pernilla einsteigen musste. Auf dem Weg in den Zug drehte sie sich noch einmal um.

»Papa, ich will nicht missionieren. Von mir aus kannst du glauben, woran du willst, und ich werde dich immer lieben. Aber ich denke, dass auch du deine Bibelstudien fortsetzen solltest.«

»Was meinst du damit?«

»Ich habe das Zitat bei dir an der Wand gesehen«, sagte sie. »Aber warum so düster und neurotisch? Küsschen. Mach's gut.«

Sie winkte ihm zu und verschwand. Mikael blieb perplex auf dem Bahnsteig stehen und sah den Zug Richtung Norden davonrollen. Erst als er um die Kurve verschwand, wurde ihm die Bedeutung ihrer Abschiedsworte klar, und in seiner Brust machte sich Eiseskälte breit.

Mikael rannte aus dem Bahnhof und sah auf die Uhr. In vierzig Minuten fuhr der Bus nach Hedeby. Er hatte nicht die Nerven, so lange zu warten.

Er trabte zum Taxistand auf der anderen Seite des Bahnhofsplatzes und fand Hussein mit dem norrländischen Dialekt.

Zehn Minuten später bezahlte Mikael sein Taxi und ging sofort in sein Arbeitszimmer. Er hatte den Zettel über seinem Schreibtisch aufgehängt.

Magda – 32016
Sara – 32109
RJ – 32027
RL – 30112
Mari – 32018

Er sah sich im Zimmer um. Dann fiel ihm ein, wo er eine Bibel finden würde. Er steckte den Zettel ein, suchte die Schlüssel heraus, die er in eine Schale auf dem Fensterbrett gelegt hatte, und joggte den ganzen Weg bis zu Gottfrieds Häuschen. Seine Hände zitterten, als er Harriets Bibel aus dem Regal nahm.

Harriet hatte keine Telefonnummern notiert. Die Ziffern gaben Kapitel und Vers in Levitikus, im Dritten Buch Mose, an. Die Strafgesetzgebung.

(Magda) Drittes Buch Mose, Kapitel 20, Vers 16:
Wenn eine Frau sich irgendeinem Tier naht, um mit ihm Umgang zu haben, so sollst du sie töten und das Tier auch. Des Todes sollen sie sterben, und ihre Blutschuld komme über sie.

(Sara) Drittes Buch Mose, Kapitel 21, Vers 9:
Wenn eines Priesters Tochter sich durch Hurerei entheiligt, so soll man sie mit Feuer verbrennen, denn sie hat ihren Vater entheiligt.

(RJ) Drittes Buch Mose, Kapitel 20, Vers 27:
Wenn ein Mann oder eine Frau Geister beschwören oder Zeichen deuten kann, so sollen sie des Todes sterben; man soll sie steinigen; ihre Blutschuld komme über sie.

(RL) Drittes Buch Mose, Kapitel 1, Vers 12:
Und er zerlege es in seine Stücke, und der Priester soll sie samt dem Kopf und dem Fett auf das Holz über dem Feuer legen, das auf dem Altar ist.

(Mari) Drittes Buch Mose, Kapitel 20, Vers 18:
Wenn ein Mann bei einer Frau liegt zur Zeit ihrer Tage und mit ihr Umgang hat und so den Brunnen ihres Blutes aufdeckt und sie den Brunnen ihres Blutes aufdeckt, so sollen sie beide aus ihrem Volk ausgerottet werden.

Mikael ging hinaus und setzte sich auf den Treppenabsatz vorm Haus. Es gab gar keinen Zweifel: Dies hatte Harriet gemeint, als sie die Ziffern in ihr Adressbuch geschrieben hatte. Jedes der Zitate war in ihrer Bibel sorgfältig unterstrichen. Er zündete sich eine Zigarette an und lauschte dem Gesang der Vögel in der Nähe.

Er hatte die Ziffern. Aber er hatte keine Namen. Magda, Sara, Mari, RJ und RL. Da machte sein Gehirn einen intuitiven Sprung, und mit einem Schlag tat sich ein Abgrund vor ihm auf. Er erinnerte sich an das Brandopfer in Hedestad, von dem Kommissar Morell erzählt hatte. Der Fall Rebecka, irgendwann in den späten vierziger Jahren, das Mädchen, das vergewaltigt und dann ermordet worden war, indem man ihren Kopf auf glühende Kohlen legte. *Und er zerlege es in seine Stücke, und der Priester soll sie samt dem Kopf und dem Fett auf das Holz über dem Feuer legen, das auf dem Altar ist.* Rebecka. *RJ.* Wie hatte sie mit Nachnamen geheißen?

In was für eine furchtbare Geschichte um Gottes willen war Harriet nur verwickelt gewesen?

Henrik Vanger hatte sich auf einmal schlecht gefühlt und sich bereits am Nachmittag schlafen gelegt, als Mikael bei ihm anklopfte. Anna ließ ihn trotzdem herein, und er konnte den alten Mann für ein paar Minuten besuchen.

»Sommererkältung«, erklärte Henrik und schniefte. »Was wollen Sie?«

»Ich habe eine Frage.«

»Ja?«

»Haben Sie mal von einem Mord gehört, der hier in Hedestad irgendwann Ende der vierziger Jahre geschehen ist? Ein Mädchen namens Rebecka, die ermordet wurde, indem man ihren Kopf in einen offenen Kamin legte.«

»Rebecka Jacobsson«, sagte Henrik Vanger, ohne eine Sekunde zu zögern. »Das ist ein Name, den ich so schnell nicht vergessen werde, aber ich habe ihn seit vielen Jahren nicht mehr gehört.«

»Der Mordfall ist Ihnen bekannt?«

»Oh ja, allerdings. Rebecka Jacobsson war dreiundzwanzig oder vierundzwanzig Jahre alt, als sie ermordet wurde. Es muss ... es ist 1949 passiert. Die Ermittlungen waren sehr umfassend, und ich selbst spielte dabei auch eine kleine Rolle.«

»Sie?«, platzte Mikael verblüfft heraus.

»Ja. Rebecka Jacobsson war Büroangestellte bei Vanger. Sie war ein beliebtes Mädchen und sah unglaublich gut aus. Aber wie kommt es, dass Sie plötzlich nach ihr fragen?«

Mikael wusste nicht, was er sagen sollte. Er stand auf und ging zum Fenster.

»Ich weiß nicht recht, Henrik, ich habe da vielleicht etwas gefunden, aber ich muss mich in Ruhe hinsetzen und eine Weile darüber nachdenken.«

»Sie wollen andeuten, dass es eine Verbindung zwischen Harriet und Rebecka geben könnte. Aber zwischen ... zwischen diesen Ereignissen lagen fast siebzehn Jahre.«

»Lassen Sie mich darüber nachdenken. Ich schaue morgen mal bei Ihnen rein, ob es Ihnen schon besser geht.«

Mikael sollte Henrik Vanger am nächsten Tag nicht mehr treffen. Kurz vor ein Uhr nachts saß er immer noch am Küchentisch und las in Harriets Bibel, als er plötzlich einen Wagen mit hoher Geschwindigkeit über die Brücke fahren hörte. Er spähte aus dem Küchenfenster und konnte kurz das Blaulicht eines Krankenwagens erkennen.

Von bösen Vorahnungen erfüllt, rannte Mikael nach draußen und folgte dem Krankenwagen. Er parkte vor Henrik Vangers Haus. Im Obergeschoss brannte Licht, und Mikael begriff sofort, dass etwas passiert war. Er nahm zwei Stufen auf einmal, als er die Treppe zum Eingang hinauflief, und traf im Flur auf eine erschütterte Anna Nygren.

»Das Herz«, sagte sie. »Er hat mich vor einer Stunde geweckt und klagte über Schmerzen in der Brust. Dann brach er zusammen.«

Mikael nahm die treue Haushälterin in die Arme und blieb bei ihr, als die Rettungshelfer mit einem scheinbar leblosen Henrik Vanger auf der Tragbahre herauskamen. Ein sichtlich mitgenommener Martin Vanger folgte ihnen auf dem Fuße. Er hatte sich gerade hingelegt, als Anna ihn alarmierte. Seine nackten Füße steckten in Pantoffeln, und der Reißverschluss seiner Hose stand offen. Nachdem er Mikael kurz gegrüßt hatte, wandte er sich an Anna.

»Ich fahre mit ins Krankenhaus. Rufen Sie Birger und Cecilia an«, sagte er. »Und benachrichtigen Sie auch Dirch Frode.«

»Ich kann zu Frode rübergehen«, bot Mikael an. Anna nickte dankbar.

Nach Mitternacht an eine Tür zu klopfen bedeutet meistens schlechte Nachrichten, dachte sich Mikael, als er den Finger auf Dirch Frodes Klingel legte. Es dauerte ein paar Minuten, bis ein offensichtlich schlaftrunkener Frode an die Tür kam.

»Ich habe schlechte Neuigkeiten. Henrik Vanger ist gerade ins Krankenhaus gebracht worden. Es scheint ein Herzanfall zu sein. Martin wollte, dass ich Sie benachrichtige.«

»O mein Gott«, sagte Dirch Frode. Er blickte auf seine Armbanduhr. »Heute ist Freitag, der 13.«, sagte er mit unmissverständlicher Logik und verwirrtem Gesichtsausdruck.

Als Mikael wieder nach Hause kam, war es halb drei Uhr nachts. Er zögerte einen Moment, beschloss dann aber, den Anruf bei Erika aufzuschieben. Erst am nächsten Morgen gegen neun Uhr, als er kurz auf dem Handy mit Dirch Frode telefoniert und sich vergewissert hatte, dass Henrik noch lebte, rief er Erika an, um ihr mitzuteilen, dass der neue Teilhaber von *Millennium* nach einem Herzanfall ins Krankenhaus eingeliefert worden war. Wie zu erwarten, wurde die Nachricht mit gedrückter Stimmung und Besorgnis aufgenommen.

Erst spätabends kam Frode mit ausführlichen Auskünften über Henriks Zustand zu Mikael.

»Er lebt, aber es geht ihm nicht gut. Er hatte einen ernsten Infarkt und zudem noch eine Infektion im Körper.«

»Haben Sie ihn gesehen?«

»Nein. Er liegt auf der Intensivstation. Martin und Birger sind dort und wachen an seinem Bett.«

»Wie stehen seine Chancen?«

Frode bewegte die Hand leicht hin und her.

»Er hat den Infarkt überlebt, das ist immer ein gutes Zeichen. Und Henrik hat tatsächlich eine ziemlich gute Konstitution. Aber er ist alt. Wir müssen abwarten.«

Eine Weile saßen sie schweigend nebeneinander und dachten über die Zerbrechlichkeit des Lebens nach. Mikael goss Kaffee ein. Frode sah fürchterlich niedergeschlagen aus.

»Ich muss Ihnen ein paar Fragen stellen, wie die Dinge jetzt weitergehen sollen«, begann Mikael.

Frode blickte auf.

»An Ihrer Anstellung ändert sich nichts. Das ist alles in dem Vertrag geregelt, der bis zum Ende des Jahres läuft, ob Henrik nun lebt oder nicht. Sie brauchen sich keine Sorgen zu machen.«

»Darüber mache ich mir keine Sorgen, das habe ich nicht gemeint. Ich frage mich nur, wem ich in seiner Abwesenheit Bericht erstatten soll.«

Frode seufzte.

»Sie wissen doch so gut wie ich, Mikael, dass diese ganze Geschichte mit Harriet Vanger ein Zeitvertreib für Henrik ist.«

»Sagen Sie das nicht.«

»Was meinen Sie damit?«

»Ich habe neues Beweismaterial gefunden«, erklärte Mikael. »Ich habe Henrik gestern teilweise davon in Kenntnis gesetzt. Ich befürchte, das könnte zu seinem Herzinfarkt beigetragen haben.«

Frode sah Mikael mit einem seltsamen Blick an.

»Sie machen Witze.«

Mikael schüttelte den Kopf.

»In den letzten Tagen habe ich mehr Material zu Harriets Verschwinden zutage gefördert als die offiziellen Ermittlungen in gut fünfunddreißig Jahren ergeben haben. Nur leider haben wir nie ausgemacht, wem ich Bericht erstatte, wenn Henrik nicht da ist.«

»Sie können es mir erzählen.«

»Okay. Ich muss hier irgendwie weitermachen. Haben Sie ein bisschen Zeit?«

Mikael brachte seine neuen Entdeckungen so pädagogisch wie möglich vor. Er präsentierte die Bilderserie von der Bahnhofstraße und legte seine Theorie dar. Danach erklärte er, wie seine eigene Tochter das Rätsel mit dem Adressbuch geknackt hatte. Zum Schluss brachte er noch die Information über den brutalen Mord von 1949 an Rebecka Jacobsson vor.

Die einzige Information, die er noch für sich behielt, war Cecilia Vangers Gesicht in Harriets Fenster. Er wollte zuerst mit ihr sprechen, bevor er sie einem derartigen Verdacht aussetzte.

Frode legte seine Stirn in bekümmerte Falten.

»Sie meinen, dass der Mord an Rebecka mit Harriets Verschwinden in Zusammenhang steht?«

»Ich weiß nicht. Es wirkt unwahrscheinlich. Aber es ist eine Tatsache, dass Harriet die Initialen RJ in ihrem Adressbuch verzeichnet hatte, ergänzt durch einen Verweis auf das Gesetz für Brandopfer. Rebecka Jacobsson verbrannte. Die Verbindung zur Familie Vanger ist nicht zu übersehen – sie arbeitete im Vanger-Konzern.«

»Und wie erklären Sie sich das alles?«

»Ich erkläre es ja noch gar nicht. Aber ich will weitermachen. Ich betrachte Sie als Henriks Vertreter. Sie müssen für ihn entscheiden.«

»Vielleicht sollten wir die Polizei informieren.«

»Nein. Zumindest nicht ohne Henriks Erlaubnis. Der Mord an Rebecka ist schon lange verjährt, die polizeilichen Ermittlungen sind eingestellt. Sie werden die Ermittlungen in einem Mordfall, der vor vierundfünfzig Jahren geschah, nicht neu aufrollen.«

»Ich verstehe. Was wollen Sie tun?«

Mikael stand auf und drehte eine Runde in der Küche.

»Als Erstes will ich die Spur mit dem Foto verfolgen. Wenn wir sehen, was Harriet gesehen hat ... ich glaube, das könnte ein Schlüssel zu den Ereignissen sein. Das bedeutet zum Zweiten, dass ich ein Auto brauche, damit ich nach Norsjö fahren und die Spur weiterverfolgen kann. Und drittens will ich den Bibelzitaten nachgehen. Wir haben bislang *ein* Zitat mit einem abscheulichen Mord in Verbindung bringen können. Bleiben noch vier Zitate. Um das zu leisten ... brauche ich eigentlich Hilfe.«

»Was für Hilfe?«

»Ich brauche einen Mitarbeiter, der Recherchen betreibt. Er müsste sich durch alte Pressearchive wühlen und Magda und Sara und die anderen Namen finden. Wenn es so ist, wie ich glaube, dann war Rebecka nicht das einzige Opfer.«

»Sie wollen also noch jemand einweihen ...«

»Es ist plötzlich so ein riesiger Berg Recherchearbeit zu bewältigen. Wenn ich Kommissar in laufenden Ermittlungen wäre, dann könnte ich Zeit und Personal einteilen und die Leute für mich recherchieren lassen. Ich brauche einen Profi, der sich mit Archivarbeit auskennt und zugleich zuverlässig ist.«

»Ich verstehe ... Tatsächlich kenne ich eine kompetente Ermittlerin. Sie hat Ihren persönlichen Hintergrund für uns recherchiert«, rutschte es Frode heraus, bevor er sich auf die Zunge beißen konnte.

»Wer hat was recherchiert?«, fragte Mikael Blomkvist scharf.

Frode wusste, dass er sich verplappert hatte. Ich werde alt, dachte er.

»Ich habe nur laut gedacht. Das hatte gar nichts zu bedeuten«, versuchte er sich herauszureden.

»Sie haben Recherchen zu meiner Person in Auftrag gegeben?«

»Nichts Dramatisches, Mikael. Wir wollten Sie anstellen und haben vorher überprüft, mit was für einem Menschen wir es zu tun haben.«

»Deswegen scheint Henrik mich also so gut einschätzen zu können. Wie gründlich war der Bericht?«

»Der war ziemlich gründlich.«

»Kam die Geschichte mit *Millennium* auch darin vor?«

Frode zuckte die Schultern. »Das war damals gerade aktuell.«

Mikael zündete sich eine Zigarette an. Es war seine fünfte an diesem Tag. Ihm war klar, dass ihm das Rauchen schon wieder zur schlechten Angewohnheit wurde.

»Ein schriftlicher Bericht?«

»Mikael, das ist nichts gewesen, woran man sich jetzt festbeißen müsste.«

»Ich will den Bericht lesen«, verlangte er.

»Bitte, das war wirklich nichts Besonderes. Wir wollten Sie nur überprüfen, bevor wir Sie anstellen.«

»Ich will den Bericht lesen«, wiederholte er.

»Dazu kann nur Henrik die Erlaubnis geben.«

»Ach, tatsächlich? Dann machen wir's doch einfach so: Ich will den Bericht innerhalb der nächsten Stunde in der Hand haben. Wenn ich ihn nicht bekomme, kündige ich auf der Stelle und nehme den Abendzug nach Stockholm. Wo ist der Bericht?«

Dirch Frode und Mikael Blomkvist maßen sich ein paar

Sekunden mit Blicken. Dann seufzte Frode und schlug die Augen nieder.

»In meinem Arbeitszimmer, zu Hause.«

Der Fall Harriet Vanger war zweifellos die bizarrste Geschichte, mit der Mikael jemals zu tun gehabt hatte. Überhaupt war das letzte Jahr von dem Moment an, als er die Story über Hans-Erik Wennerström veröffentlichte, eine einzige Achterbahn-fahrt gewesen, und er hatte sich wie im freien Fall gefühlt. Und anscheinend war es damit noch nicht vorbei.

Frode zierte sich noch ewig. Erst um sechs Uhr abends hielt Mikael Salanders Bericht in der Hand. Er war knapp achtzig Seiten stark, dazu kamen hundert Seiten Kopien von Artikeln, Zeugnissen und andere Belege, die ein Licht auf verschiedene Facetten von Mikaels Leben warfen.

Es war seltsam, etwas über sich selbst zu lesen, das einer Kombination aus Autobiografie und geheimdienstlichem Be-richt gleichkam. Mikaels Erstaunen wuchs immer mehr, als er sah, wie detailliert der Bericht war. Lisbeth Salander hatte ziel-sicher so manches zutage gefördert, wovon er geglaubt hatte, es sei schon längst auf dem Komposthaufen der Geschichte ge-landet. Sie hatte zum Beispiel eine alte Affäre ausgegraben, die er als junger Mann mit einer flammenden Gewerkschaftsan-hängerin gehabt hatte, die nun Vollzeitpolitikerin war. *Mit wem um alles in der Welt hat sie da nur gesprochen?* Sie war auf seine Rockband *Bootstrap* gestoßen, an die sich heutzu-tage wohl kaum noch ein Mensch erinnern dürfte. Sie hatte seine finanziellen Verhältnisse bis ins kleinste Detail unter-sucht. *Wie zum Teufel hat sie das angestellt?*

Als Journalist hatte Mikael über die Jahre gelernt, Informa-tionen aus Personen herauszulocken, und aus rein beruflichen Gründen konnte er die Qualität dieses Berichts beurteilen. Seines Erachtens gab es keinen Zweifel, dass Lisbeth Salander teuflisch gut darin war, Informationen zutage zu fördern. Er bezweifelte, dass er selbst einen entsprechenden Bericht über einen ihm völlig unbekannten Menschen zustande gebracht hätte.

Mikael bemerkte auch, dass es keinen Grund gab, vornehmen Abstand zu Erika zu wahren, wenn sie mit Henrik zu tun hatten – er war bereits im Detail über ihr langjähriges Verhältnis und die Dreiecksbeziehung mit Greger Beckman informiert.

Salander hatte auch eine exakte Beurteilung geliefert, wie es um *Millennium* bestellt war. Henrik hatte genau gewusst, wie schlecht es um das Magazin stand, als er sich mit Erika in Verbindung setzte und ihr anbot, Teilhaber zu werden. *Was für ein Spiel spielen Sie eigentlich?*

Die Wennerström-Affäre wurde nur in einer kurzen Übersicht abgehandelt, aber sie hatte anscheinend an einem der Verhandlungstage im Publikum gesessen. Sie stellte auch Fragen zu Mikaels seltsamem Verhalten, als er im Prozess eine Aussage verweigerte. *Cleveres Mädchen, wer immer du bist.*

In der nächsten Sekunde setzte Mikael sich auf und traute seinen Augen nicht. Lisbeth Salander hatte einen kurzen Absatz darüber geschrieben, wie sie die Entwicklung der Dinge nach dem Prozess einschätzte. Sie hatte fast wortwörtlich die Pressemitteilung wiedergegeben, die Erika veröffentlichte, als er seinen Posten als verantwortlicher Herausgeber bei *Millennium* zur Verfügung stellte.

Lisbeth Salander hat den Originalwortlaut des Textes verwendet. Er warf einen Blick auf den Umschlag, in dem der Bericht gesteckt hatte. Er war auf drei Tage vor dem Zeitpunkt datiert, an dem Mikael das Urteil gesprochen wurde. *Das ist unmöglich.*

An diesem Tag hatte die Pressemitteilung nur an einem einzigen Ort auf der Welt existiert. In Mikaels Computer. In seinem eigenen iBook, nicht im Computer in der Redaktion. Der Text war nie ausgedruckt worden. Nicht einmal Erika hatte eine Kopie davon besessen.

Mikael Blomkvist legte Lisbeth Salanders Bericht langsam aus der Hand. Er beschloss, sich nicht noch eine Zigarette anzuzünden. Stattdessen zog er die Jacke an und ging in die Nacht hinaus, die eine Woche vor Mittsommer ganz hell war. Er folgte dem Ufer des Sunds, passierte Cecilias Grundstück und das protzige Motorboot, das unterhalb von Martin Vangers Villa lag. Er ging langsam und dachte nach. Schließlich setzte er sich auf einen Stein und sah zu den Blinkfeuern in der Hedestads-Bucht hinaus. Es gab nur eine Möglichkeit.

Du bist in meinem Computer gewesen, Lisbeth Salander, sagte er laut zu sich selbst. *Du bist eine verdammte Hackerin.*

18. Kapitel
Mittwoch, 18. Juni

Lisbeth Salander schreckte aus ihrem traumlosen Schlaf hoch. Ihr war leicht übel. Sie brauchte den Kopf nicht zu drehen, um sich zu vergewissern. Sie wusste auch so, dass Mimmi schon zur Arbeit gegangen war, aber ihr Geruch hing immer noch in der abgestandenen Schlafzimmerluft. Sie hatten auf dem Dienstagstreffen mit den *Evil Fingers* in der *Mühle* zu viel Bier getrunken. Kurz bevor das Lokal zumachte, war Mimmi aufgetaucht und hatte sie nach Hause und ins Bett begleitet.

Im Gegensatz zu Mimmi hatte Lisbeth sich nie als Lesbe gesehen. Sie hatte ihre Zeit niemals damit verschwendet, darüber nachzudenken, ob sie hetero-, homo- oder möglicherweise bisexuell war. Im Großen und Ganzen machte sie sich nichts aus solchen Etiketten und fand, dass es ihre Sache war, mit wem sie ins Bett ging. Müsste sie sich unbedingt für eine sexuelle Präferenz entscheiden, dann hätte sie wohl Jungs vorgezogen – zumindest waren die in ihrer persönlichen Statistik die Spitzenreiter. Es war nur ein bisschen problematisch, einen Jungen aufzutreiben, der kein Waschlappen und einigermaßen anständig im Bett war. Da war Mimmi ein süßer Kompromiss. Sie hatte Mimmi ein Jahr zuvor in einem Bierzelt auf dem Gay-Pride-Festival kennengelernt, und sie war die einzige Person, die Lisbeth ihrerseits den *Evil Fingers* vorgestellt hatte. Sie hatten das Jahr über sporadisch Kontakt gehabt; für beide Seiten war das Ganze nur ein Zeitvertreib. Mimmi hatte einen warmen und weichen Körper, aber sie war auch jemand, mit dem man aufwachen und frühstücken konnte.

Die Uhr auf ihrem Nachttisch zeigte halb zehn Uhr vormittags, und sie überlegte gerade, wovon sie aufgewacht war, als es an der Tür läutete. Sie setzte sich verblüfft auf. Nur ganz wenige Menschen klingelten überhaupt bei ihr. Schlaftrunken wickelte sie sich ihr Laken um den Körper, tapste leicht taumelnd auf den Korridor und öffnete. Sie blickte direkt in die Augen von Mikael Blomkvist. Panik fuhr ihr in die Glieder, und sie trat unwillkürlich einen Schritt zurück.

»Guten Morgen, Frau Salander«, begrüßte er sie munter. »Ich seh schon, ist ein bisschen spät geworden gestern. Darf ich reinkommen?«

Ohne ihre Erlaubnis abzuwarten, trat er über die Schwelle und zog die Tür hinter sich zu. Er betrachtete neugierig den Kleiderhaufen auf dem Flurboden sowie den Berg von gebündeltem Altpapier und spähte durch die Schlafzimmertür, während Lisbeth Salanders Welt Kopf stand – *wie, was, wer?* Mikael Blomkvist sah amüsiert, dass ihr der Mund weit offen stand.

»Ich habe mir schon gedacht, dass Sie noch nicht gefrühstückt haben, deshalb habe ich Bagels mitgebracht. Einmal Roastbeef, einmal Pute mit Dijon-Senf und einmal vegetarisch mit Avocado. Ich weiß nicht, welchen Sie gerne möchten. Roastbeef?« Er verschwand in ihrer Küche und fand ihre Kaffeemaschine sofort. »Wo steht denn der Kaffee?«, rief er. Salander stand wie gelähmt auf dem Flur, bis sie den Wasserhahn hörte. Sie machte drei rasche Schritte.

»Stopp!« Sie merkte, dass sie geschrien hatte, und senkte die Stimme. »Sie können hier nicht einfach reinstiefeln, als würden Sie hier wohnen, verdammt noch mal! Wir kennen uns ja nicht mal.«

Mikael Blomkvist, der mit der Kaffeekanne gerade Wasser in den Behälter gießen wollte, hielt inne und wandte sich zu ihr.

Er antwortete ihr in ernstem Ton:

»Falsch! Sie kennen mich besser als die meisten anderen Menschen. Oder?«

Er drehte ihr wieder den Rücken zu, goss den Wasserbehälter voll und begann, verschiedene Dosen zu öffnen. »Apropos, ich weiß auch, wie Sie das anstellen. Ich kenne Ihre Geheimnisse nämlich auch.«

Lisbeth Salander blinzelte und wünschte sich dringend, dass der Boden aufhören würde zu schwanken. Sie befand sich in einem Zustand geistiger Lähmung. Und sie hatte einen Kater. Die Situation war irreal, und ihr Gehirn weigerte sich zu funktionieren. *Er weiß, wo ich wohne!* Er stand in ihrer Küche. Das war unmöglich. Das durfte einfach nicht passieren. *Er weiß, wer ich bin!*

Plötzlich spürte sie, dass das Laken davonglitt, und raffte es fester um ihren Körper. Er sagte etwas, was sie nicht gleich verstand. »Wir müssen uns unterhalten«, wiederholte er. »Aber ich glaube, Sie sollten erst mal unter die Dusche.«

Sie versuchte, vernünftig mit ihm zu reden. »Hören Sie – wenn Sie Schwierigkeiten machen wollen, dann sind Sie bei mir an der falschen Adresse. Ich habe meinen Job getan. Sie müssen mit meinem Chef reden.«

Er stellte sich vor sie, die Arme ausgebreitet und die Handflächen ihr zugedreht. *Ich bin unbewaffnet.* Das universelle Friedenssignal. »Ich habe bereits mit Dragan Armanskij geredet. Er möchte übrigens, dass Sie ihn anrufen. Sie sind gestern Abend nicht an Ihr Handy gegangen.«

Er ging auf sie zu. Sie fühlte sich nicht bedroht, wich aber ein paar Zentimeter zurück, als er ihren Arm berührte und auf die Badezimmertür zeigte. Sie konnte es nicht ausstehen, wenn jemand sie ohne ihre Erlaubnis anfasste, mochte es auch in freundlicher Absicht geschehen.

»Ich will überhaupt keine Schwierigkeiten machen«, sagte er ruhig. »Aber mir ist sehr daran gelegen, mit Ihnen zu reden. Wenn Sie aufgewacht sind, heißt das natürlich. Der Kaffee ist fertig, sobald Sie sich angezogen haben. Und jetzt Dusche. Husch, husch.«

Sie gehorchte ihm willenlos. Lisbeth Salander ist niemals willenlos, dachte sie.

Im Badezimmer lehnte sie sich gegen die Tür und versuchte, ihre Gedanken zu sammeln. Sie war erschütterter, als sie es für möglich gehalten hätte. Erst in diesem Moment bemerkte sie, dass ihr fast die Blase platzte und eine Dusche nicht nur ein guter Rat war, sondern nach dem Chaos der letzten Nacht eine echte Notwendigkeit. Als sie fertig war, schlich sie sich ins Schlafzimmer und zog Slip und Jeans an sowie ein T-Shirt mit der Aufschrift *Armageddon was yesterday – today we have a serious problem*.

Sie ging zu ihrer Lederjacke, die über einem Stuhl hing, holte die E-Pistole aus der Tasche, kontrollierte die Ladung und steckte sie sich in die Gesäßtasche ihrer Jeans. Der Duft von Kaffee verbreitete sich in der Wohnung. Sie atmete tief durch und ging zurück in die Küche.

»Machen Sie eigentlich nie sauber?«, fragte er.

Er hatte die Spülmaschine mit altem Geschirr gefüllt, die Aschenbecher geleert, abgelaufene Milch weggeschüttet und den Tisch von einem fünf Wochen alten Zeitungsstapel befreit. Des Weiteren hatte er abgetrocknet und den Tisch mit Tassen sowie – er hatte tatsächlich keine Witze gemacht – Bagels gedeckt. Es sah einladend aus, und sie war nach der Nacht mit Mimmi wirklich hungrig. *Okay, schauen wir uns mal an, wie das hier weitergeht.* Abwartend nahm sie gegenüber von ihm Platz.

»Sie haben mir immer noch keine Antwort gegeben. Roastbeef, Pute oder vegetarisch?«

»Roastbeef.«

»Dann nehm ich Pute.«

Sie frühstückten schweigend, während sie sich gegenseitig musterten. Als sie ihren Bagel aufgegessen hatte, vertilgte sie auch noch die Hälfte des vegetarischen. Sie nahm ein zerknautschtes Paket vom Fensterbrett und zündete sich eine Zigarette an.

»Okay, dann weiß ich jetzt auch Bescheid«, brach er das Schweigen. »Ich bin vielleicht nicht so gut wie Sie, wenn es darum geht, den persönlichen Hintergrund fremder Personen zu recherchieren, aber jetzt weiß ich zumindest, dass Sie weder Veganerin sind noch – wie Dirch Frode vermutete – an Magersucht leiden. Ich werde diese Informationen in meinem Bericht über Sie vermerken.«

Salander starrte ihn an, aber als sie sein Gesicht sah, wurde ihr klar, dass er sie nur aufziehen wollte. Er sah so amüsiert aus, dass sie nicht widerstehen konnte, ihn schief anzulächeln. Die Situation war absurd. Sie schob den Teller von sich. Er hatte freundliche Augen. Was immer er sein mochte, er war höchstwahrscheinlich kein böser Mensch, sagte sie sich. In ihrem Bericht hatte es ja auch keine Hinweise darauf gegeben, dass er ein bösartiger Drecksskerl war, der seine Freundinnen misshandelte oder Ähnliches. Sie rief sich in Erinnerung, dass sie alles über ihn wusste – nicht umgekehrt. Wissen ist Macht.

»Was grinsen Sie denn so?«, fragte sie.

»Entschuldigung. Ich hatte wirklich nicht vor, Sie einfach zu überfallen. Ich wollte Ihnen auch nicht so einen Schreck einjagen, wie ich es offenbar getan habe. Aber Sie hätten Ihre eigene Miene sehen sollen, als Sie mir die Tür aufmachten. Da konnte ich der Versuchung nicht widerstehen, mir einen Spaß daraus zu machen.«

Stille. Zu ihrem eigenen Erstaunen empfand Lisbeth Salander seine ungebetene Gesellschaft als akzeptabel – oder zumindest nicht als unangenehm.

»Betrachten Sie es einfach als meine Rache dafür, dass Sie in meinem Privatleben herumgeschnüffelt haben«, sagte er fröhlich. »Haben Sie Angst vor mir?«

»Nein«, antwortete Salander.

»Gut. Ich bin nicht hier, um Ihnen wehzutun oder Ihnen Schwierigkeiten zu bereiten.«

»Wenn Sie versuchen, mir wehzutun, werde ich Sie verletzen. Und zwar schwer.«

Mikael musterte sie. Sie war knapp 1 Meter 50 groß und wirkte nicht so, als hätte sie ihm viel entgegensetzen können, wenn er gewaltsam in ihre Wohnung eingedrungen wäre. Aber ihre Augen waren ausdruckslos und ruhig.

»Das steht gar nicht zur Debatte«, sagte er schließlich. »Ich habe keine bösen Absichten. Ich muss mit Ihnen reden. Wenn Sie wollen, dass ich gehe, dann müssen Sie es nur sagen.« Er überlegte kurz. »Irgendwie ist das lustig, weil …« Er führte den Satz nicht zu Ende.

»Was?«

»Ich weiß nicht, ob das irgendwie verständlich klingt, aber vor vier Tagen wusste ich noch nicht einmal, dass es Sie gibt. Dann bekam ich Ihre Analyse von mir in die Finger«, er wühlte in seiner Umhängetasche und fand den Bericht, »und das war eine eher beunruhigende Lektüre.«

Er verstummte und sah eine Weile aus dem Küchenfenster. »Kann ich eine Zigarette von Ihnen haben?« Sie schob ihm die Schachtel zu.

»Sie haben vorhin gesagt, dass wir uns nicht kennen, und ich habe geantwortet, dass wir das sehr wohl tun.«

Er zeigte auf den Bericht. »Ich konnte noch nicht mit Ihnen gleichziehen – ich habe nur eine kleine Routinekontrolle durchgeführt, um Ihre Adresse und Ihr Geburtsdatum herauszukriegen –, aber Sie wissen definitiv ganz schön viel über mich. Vieles davon ist sehr privat, und nur meine engsten Freunde wissen von diesen Dingen. Und jetzt sitze ich hier in Ihrer Küche und esse Bagels mit Ihnen. Wir kennen uns seit einer halben Stunde, doch ich habe irgendwie das Gefühl, als wären wir alte Bekannte. Verstehen Sie, was ich meine?«

Sie nickte.

»Sie haben schöne Augen«, sagte er.

»Sie haben nette Augen«, entgegnete sie. Er konnte nicht einschätzen, ob sie das ironisch meinte.

Schweigen.

»Warum sind Sie hier?«, fragte sie plötzlich.

Kalle Blomkvist – der Spitzname kam ihr in den Sinn, und sie unterdrückte den Impuls, ihn laut auszusprechen – sah auf einmal sehr ernst aus. Seine Augen waren müde. Die Selbstsicherheit, mit der er sich vorhin in ihre Wohnung gedrängt hatte, war verschwunden, und sie schloss daraus, dass die Spaßmacherei vorerst vorbei war. Zum ersten Mal bemerkte sie, wie er sie eingehend und nachdenklich musterte. Sie konnte nicht erraten, was in seinem Kopf vor sich ging, aber sie spürte sofort, dass sein Besuch eine Wendung zum Ernsthaften genommen hatte.

Lisbeth Salander wusste sehr wohl, dass sie ihre Nerven nicht wirklich unter Kontrolle hatte. Blomkvists völlig überraschender Besuch hatte sie so schockiert, wie sie es im Zusammenhang mit ihrem Job noch nie erlebt hatte. Sie verdiente ihr Brot damit, andere Menschen auszuspionieren. Eigentlich hatte sie das, was sie für Armanskij machte, nie als *richtige Arbeit* definiert, sondern eher als komplizierten Zeitvertreib, fast schon als Hobby.

Um der Wahrheit die Ehre zu geben, liebte sie es, im Leben anderer Menschen herumzuschnüffeln und deren Geheimnisse aufzudecken – das hatte sie selbst schon vor langer Zeit festgestellt. In der einen oder anderen Form hatte sie das getan, so lange sie sich zurückerinnern konnte. Und sie tat es noch heute, nicht nur, wenn Armanskij ihr einen Auftrag gab, sondern manchmal auch zum Vergnügen. Es gab ihr einen Kick, der sie befriedigte. Es war wie ein kompliziertes Computerspiel, mit dem Unterschied, dass es eben um lebende Menschen ging. Und jetzt saß der Gegenstand ihres Hobbys plötzlich in der Küche und lud sie zum Frühstück ein.

»Ich habe ein faszinierendes Problem«, begann Mikael. »Sagen Sie, als Sie mich für Frode überprüften, wussten Sie da, wozu der Bericht verwendet werden sollte?«

»Nein.«

»Frode wollte Informationen über mich, weil er, oder besser gesagt sein Auftraggeber, mich engagieren wollte.«

»Aha.«

Er schenkte ihr ein schwaches Lächeln.

»Irgendwann werden Sie und ich uns auch noch mal über die moralischen Aspekte dessen unterhalten, dass Sie in anderer Menschen Privatleben herumschnüffeln. Aber im Moment habe ich ein ganz anderes Problem ... Der Job, den man mir gegeben hat und den ich aus unerfindlichen Gründen angenommen habe, ist der bizarrste Auftrag, den ich jemals bekommen habe. Kann ich Ihnen vertrauen, Lisbeth?«

»Wie bitte?«

»Dragan Armanskij behauptet, dass Sie absolut zuverlässig sind. Aber ich frage Sie trotzdem. Kann ich Ihnen Geheimnisse anvertrauen, ohne dass Sie sie weitergeben? An niemanden.«

»Warten Sie mal. Sie haben also mit Dragan gesprochen – hat er Sie zu mir geschickt?«

Ich mach dich fertig, du verdammter Armenier.

»Na ja, nicht direkt. Sie sind nicht die Einzige, die sich eine Adresse besorgen kann, das habe ich ganz allein gemacht. Ich habe beim Einwohnermeldeamt nachgefragt. Es gibt drei Personen namens Lisbeth Salander, und die anderen zwei kamen nicht infrage. Aber ich habe gestern mit Armanskij Kontakt aufgenommen, und wir haben uns lange unterhalten. Auch er glaubte zuerst, ich wäre gekommen, um Ärger wegen Ihrer Schnüffeleien in meinem Privatleben zu machen, aber zum Schluss konnte ich ihn überzeugen, dass ich ein ganz legitimes Anliegen habe.«

»Und das wäre?«

»Frodes Auftraggeber hat mich, wie gesagt, für einen Job engagiert. Ich bin mittlerweile an einen Punkt gekommen, an dem ich so schnell wie möglich die Hilfe eines kompetenten Ermittlers brauche. Frode hat mir von Ihnen erzählt und sagte, Sie seien kompetent. Es ist ihm einfach so rausgerutscht, und auf die Art habe ich erfahren, dass Sie Nachforschungen zu meiner Person angestellt haben. Gestern habe ich mit Armanskij geredet und ihm erklärt, was ich brauche. Er hat das Ganze abgenickt und dann versucht, Sie anzurufen, aber Sie sind nicht ans Telefon gegangen, und dann … Hier bin ich. Sie können Armanskij anrufen und alles überprüfen, wenn Sie wollen.«

Lisbeth Salander brauchte ein paar Minuten, bis sie ihr Handy unter den Kleidern fand, von denen Mimmi sie am Abend zuvor befreit hatte. Mikael beobachtete ihr verlegenes Wühlen mit großem Interesse, während er eine Runde durch die Wohnung drehte. Ihre Möbel wirkten durchweg so, als seien sie auf der Müllhalde gefunden worden. Auf einem kleinen Arbeitstisch im Wohnzimmer hatte sie ein imposantes *PowerBook*, absolut *state of the art*. Auf einem Regal stand ein CD-Player. Ihre CD-Sammlung war jedoch alles andere als imposant – jämmerliche zehn CDs von Bands, von denen Mikael noch nie gehört hatte und deren Musiker auf den Booklets aussahen wie Vampire aus dem All. Er stellte fest, dass Musik nicht ihr Spezialgebiet war.

Lisbeth sah, dass Armanskij sie am Abend zuvor nicht weniger als sieben Mal angerufen und morgens zwei weitere Versuche unternommen hatte. Sie wählte seine Nummer, während Mikael sich an den Türrahmen lehnte und das Gespräch belauschte.

»Ich bin's ... Tut mir leid, ich hatte es ausgeschaltet ... Ich weiß, dass er mich engagieren will ... Nein, er ist hier in meinem Wohnzimmer ...« Sie hob die Stimme. »Dragan, ich habe einen Kater und Kopfweh, also hören Sie auf, mich vollzuschwallern. Haben Sie Ihr Okay für den Job gegeben oder nicht? ... Danke.«

Klick.

Lisbeth Salander musterte Mikael Blomkvist verstohlen durch die Wohnzimmertür. Er sah ihre CDs durch, nahm ein paar Bücher aus ihrem Regal und hatte gerade ein braunes Medizinfläschchen ohne Etikett gefunden, das er neugierig gegen das Licht hielt. Als er schon den Verschluss abschrauben wollte, nahm sie ihm das Fläschchen aus der Hand, ging zurück in die Küche, setzte sich auf einen Stuhl und massierte sich die Stirn, während Mikael wieder Platz nahm.

»Die Regeln sind einfach«, sagte sie. »Nichts von dem, was Sie mit mir oder Armanskij besprechen, wird an Außenstehende weitergegeben. Wir werden einen Vertrag unterzeichnen, in dem Milton Security sich zu absolutem Stillschweigen verpflichtet. Ich will wissen, was das für ein Job ist, bevor ich entscheide, ob ich für Sie arbeiten will oder nicht. Das bedeutet, dass ich alles, was Sie mir erzählen, für mich behalten werde, ob ich den Job jetzt annehme oder nicht. Immer vorausgesetzt, Sie haben mir nicht verraten, dass Sie schwere kriminelle Machenschaften betreiben. Dann würde ich alles an Dragan weitergeben, der seinerseits die Polizei einschalten würde.«

»Gut.« Er zögerte. »Armanskij weiß vielleicht ganz genau, wofür ich Sie engagieren will.«

»Er hat gesagt, ich soll Ihnen bei einer historischen Recherche helfen.«

»Ja, das ist schon korrekt. Aber eigentlich will ich, dass Sie für mich einen Serienmörder identifizieren.«

Mikael brauchte über eine Stunde, bis er alle heiklen Details des Falls Harriet Vanger dargelegt hatte. Er ließ nichts aus. Frode hatte ihm die Erlaubnis erteilt, sie anzuheuern, und dazu musste er ihr auch volles Vertrauen entgegenbringen.

Er berichtete ebenfalls von seinem Verhältnis mit Cecilia Vanger und wie er ihr Gesicht in Harriets Fenster entdeckt hatte. Er gab Lisbeth so viele Details zu ihrer Persönlichkeit, wie er nur konnte. Er musste sich eingestehen, dass Cecilia auf der Liste der Verdächtigen ganz nach oben geklettert war. Aber er konnte nicht im Entferntesten begreifen, wie Cecilia mit einem Mörder in Verbindung gebracht werden konnte, der schon aktiv war, als sie noch ein kleines Kind war.

Als er fertig war, gab er Lisbeth eine Kopie der Liste aus dem Adressbuch.

Magda – 32016
Sara – 32109
RJ – 32027
RL – 30112
Mari – 32018

»Was soll ich tun?«

»Ich habe RJ identifiziert, Rebecka Jacobsson, und habe sie mit einem Bibelzitat in Verbindung bringen können, das von Brandopfern handelt. Sie wurde ermordet, indem man ihren Kopf auf eine glimmende Feuerstelle legte; das hat Ähnlichkeit mit der Beschreibung in diesem Zitat. Wenn es so ist, wie ich glaube, dann werden wir noch vier weitere Opfer finden: Magda, Sara, Mari und RL.«

»Sie glauben, dass sie tot sind? Ermordet?«

»Von einem Mörder, der in den fünfziger, vielleicht auch in den sechziger Jahren aktiv war und irgendwie mit Harriet in Verbindung steht. Ich bin alte Nummern des *Hedestads-Kuriren* durchgegangen. Der Mord an Rebecka war das einzige bizarre Verbrechen mit Verbindung zu Hedestad, das ich finden konnte. Ich möchte, dass Sie im restlichen Schweden weitersuchen.«

Lisbeth Salander überlegte so lange mit ausdruckslosem Schweigen, dass Mikael sich ungeduldig zu winden begann. Er fragte sich schon, ob er sich die falsche Person ausgesucht hatte, als sie schließlich den Blick hob.

»Okay. Ich nehme den Job an. Aber Sie müssen einen Vertrag mit Armanskij machen.«

Armanskij druckte den Vertrag aus, den Mikael mit nach Hedestad nehmen und dort von Frode unterzeichnen lassen sollte. Als er an Lisbeth Salanders Büro vorbeiging, sah er durch die Glasscheibe, wie sie und Mikael Blomkvist sich über ihr PowerBook beugten. Mikael legte ihr eine Hand auf die Schulter – *er berührte sie* – und zeigte auf etwas. Armanskij verlangsamte seine Schritte.

Mikael sagte etwas, was Salander zu erstaunen schien. Dann lachte sie laut.

Armanskij hatte sie noch nie lachen gehört, obwohl er mehrere Jahre versucht hatte, ihr Vertrauen zu gewinnen. Mikael Blomkvist kannte sie seit fünf Minuten, und jetzt lachten sie schon gemeinsam.

Plötzlich hasste er Blomkvist mit einer Heftigkeit, die ihn selbst überraschte. Er räusperte sich, als er in der Tür stand, und legte die Plastikmappe mit dem Vertrag auf den Tisch.

Mikael schaute am Nachmittag bei der *Millennium*-Redaktion vorbei. Es war das erste Mal, seit er vor Weihnachten seinen Schreibtisch geräumt hatte. Er hatte ein befremdliches Gefühl,

als er die vertrauten Treppen hinauflief. Sie hatten die Zahlenkombination für die Tür nicht geändert, und so konnte er unbemerkt in die Redaktion schleichen, wo er kurz stehen blieb
und sich umsah.

Millennium hatte ein L-förmiges Büro. Der Eingangsbe-
reich war ein großer Flur, der viel Platz beanspruchte, den man
eigentlich zu nichts Vernünftigem brauchen konnte. Sie hatten dort eine Sitzgruppe aufgestellt, um Besucher zu empfangen. Dahinter befanden sich der Pausenraum mit der kleinen
Küche, die Toiletten sowie zwei Abstellräume mit Bücherrega-
len und das Archiv. Auch der Schreibtisch für den ständigen
Praktikanten stand hier. Rechts vom Eingang war eine Glaswand, die das Büro von Christer Malms Atelier trennte. Er
hatte sein eigenes Unternehmen, das auf 80 Quadratmetern
untergebracht war und das einen eigenen Zugang vom Treppenhaus hatte. Linker Hand befand sich die ungefähr 150 Quadratmeter große Redaktion, durch deren Glasfassade man auf
die Götgata blickte.

Erika hatte die Einrichtung gestaltet und Zwischenwände
aus Glas einziehen lassen: Sie beanspruchte den größten Raum
für sich, während Mikael am anderen Ende der Redaktion untergebracht war. Es war der einzige Raum, in den man vom
Eingang aus hineinsehen konnte. Er bemerkte, dass niemand
dort eingezogen war.

Der dritte Raum lag ein bisschen abgesondert und wurde
vom sechzigjährigen Sonny Magnusson benutzt, der jahrelang erfolgreich Anzeigen für *Millennium* verkauft hatte.
Erika hatte Sonny gefunden, nachdem er den Rationalisie-
rungsmaßnahmen seines alten Betriebs, in dem er den Großteil seines Berufslebens verbracht hatte, zum Opfer gefallen
war. Sonny war damals schon in einem Alter gewesen, in dem
er nicht mehr damit rechnen konnte, noch eine neue Stelle zu
finden. Doch Erika hatte ihn sorgfältig ausgewählt. Sie bot
ihm ein bescheidenes Monatshonorar sowie Prozente auf die

Einnahmen aus den Anzeigen an. Sonny war darauf eingegangen, und niemand hatte es jemals bereut. Aber im letzten Jahr hatte Sonnys Verkaufstalent auch nichts mehr genutzt, die Anzeigeneinnahmen waren in den Keller gestürzt.
Sonnys Lohn war dadurch ebenfalls dramatisch gesunken,
aber statt sich nach etwas Neuem umzusehen, hatte er den
Gürtel enger geschnallt und loyal die Stellung gehalten. Im Gegensatz zu mir, der ich den Erdrutsch ausgelöst habe, dachte
Mikael.

Schließlich nahm er also seinen Mut zusammen und betrat
die halb leere Redaktion. Er konnte Erika mit dem Telefonhörer am Ohr in ihrem Büro sitzen sehen. Nur zwei der Angestellten waren in der Redaktion. Die siebenunddreißigjährige
Monika Nilsson war eine erfahrene Journalistin, die sich auf
politische Beobachtung spezialisiert hatte und vermutlich die
lupenreinste Zynikerin war, die Mikael jemals kennengelernt
hatte. Sie arbeitete seit neun Jahren bei *Millennium* und fühlte
sich dort extrem wohl. Henry Cortez war vierundzwanzig
Jahre alt und der jüngste Mitarbeiter. Er war vor zwei Jahren
direkt von der Journalistenschule gekommen und hatte verkündet, dass er bei *Millennium* arbeiten wollte und sonst nirgends. Erika hatte nicht genug Geld, um ihn anzustellen, aber
sie bot ihm einen Schreibtisch in einer Ecke an und beschäftigte ihn mit freien Aufträgen.

Beide stießen einen überraschten Schrei aus, als sie Mikael
plötzlich entdeckten. Man küsste ihn auf die Wange und
klopfte ihm auf den Rücken. Sie erkundigten sich sofort, ob er
seinen Dienst wieder aufnehmen würde, und seufzten enttäuscht, als er erklärte, er müsse noch ein halbes Jahr auf seinem Posten in Norrland bleiben und sei nur gekommen, um
Hallo zu sagen und mit Erika zu reden.

Erika freute sich ebenfalls, ihn zu sehen, schenkte Kaffee ein
und schloss ihre Zimmertür. Sie fragte sofort nach Henrik
Vangers Zustand. Mikael berichtete, er wisse nicht mehr als

das, was Dirch Frode ihm erzählt hatte: Der Zustand war ernst, aber der alte Mann lebte noch.

»Was machst du in der Stadt?«

Mikael war plötzlich verlegen. Da Milton Security nur ein paar Blöcke entfernt lag, war er auf einen spontanen Impuls hin in die Redaktion gekommen. Es schien ihm zu kompliziert, Erika zu erklären, dass er gerade eine private Ermittlerin angeheuert hatte, die sich zuvor in seinen Computer gehackt hatte. Stattdessen zuckte er mit den Schultern und sagte, er müsse im Vanger-Fall etwas erledigen und würde umgehend wieder in Richtung Norden zurückfahren. Er fragte sie, wie es in der Redaktion ginge.

»Abgesehen von der angenehmen Nachricht, dass das Anzeigenvolumen und die Zahl der Abonnenten weiterhin steigen, hätten wir da leider auch eine dunkle Wolke am Himmel.«

»Aha?«

»Janne Dahlman.«

»Natürlich.«

»Ich musste im April ein Einzelgespräch mit ihm führen, direkt nachdem wir bekannt gegeben hatten, dass Henrik Vanger als Teilhaber eingestiegen ist. Ich weiß nicht, ob es einfach in seiner Natur liegt, negativ zu sein, oder ob er eine Art Spiel spielt.«

»Was ist denn passiert?«

»Ich hatte kein Vertrauen mehr zu ihm. Nachdem wir die Vereinbarung mit Vanger unterzeichnet hatten, mussten Christer und ich entscheiden, ob wir sofort die ganze Redaktion darüber informieren, dass wir vorerst weitermachen, oder …«

»Oder ob ihr nur ein paar ausgewählte Mitarbeiter informiert.«

»Genau. Vielleicht bin ich paranoid, aber ich wollte nicht riskieren, dass Dahlman die Story nach draußen durchsickern lässt. Also beschlossen wir, die ganze Redaktion am selben Tag zu informieren, an dem die öffentliche Bekannt-machung erfolgte. Wir haben also über einen Monat dichtge-halten.«

»Und?«

»Tja, das waren die ersten guten Nachrichten seit einem Jahr. Alle jubelten, bis auf Dahlman. Ich meine – wir sind ja nicht gerade die allergrößte Redaktion. Drei Mitarbeiter und ein Praktikant brachen also in wilden Jubel aus, während ein Einziger sich wahnsinnig darüber aufregte, dass wir die Ver-einbarung nicht früher bekannt gegeben hatten.«

»Er hat nicht ganz Unrecht …«

»Ich weiß. Aber leider hat er wegen dieser Geschichte noch tagelang rumgezickt, und die Stimmung in der Redaktion ging in den Keller. Als ich mir diesen Mist zwei Wochen lang ange-sehen hatte, rief ich ihn in mein Büro und erklärte ihm, ich hätte nur deswegen die Redaktion nicht früher informiert, weil ich ihm nicht mehr vertraue und nicht sicher war, ob er den Mund halten würde.«

»Wie hat er es aufgenommen?«

»Er war natürlich furchtbar gekränkt und erregt. Ich gab aber nicht nach, sondern stellte ihm ein Ultimatum – entweder er reißt sich zusammen, oder er sieht sich allmählich nach einem neuen Job um.«

»Und?«

»Er hat sich zusammengerissen. Aber er agiert zurückhal-tend, und zwischen ihm und dem Rest der Redaktion ist die Stimmung gespannt. Christer kann ihn nicht mehr ertragen und zeigt das ziemlich deutlich.«

»Was für einen Verdacht hast du gegen Dahlman?«

Erika seufzte.

»Ich weiß nicht. Wir haben ihn vor einem Jahr angestellt, als der Ärger mit Wennerström schon am Laufen war. Ich kann nicht das Geringste beweisen, aber ich habe so ein Ge-fühl, dass er nicht auf unserer Seite steht.«

Mikael nickte.

»Vertrau deinen Instinkten.«

»Vielleicht ist er auch nur ein Idiot, der schlechte Stimmung verbreitet.«

»Möglich. Aber ich teile deine Meinung, dass wir uns verschätzt haben, als wir ihn damals einstellten.«

Zwanzig Minuten später fuhr Mikael mit dem Auto von Dirch Frodes Frau in Richtung Norden. Es war ein zehn Jahre alter Volvo, den sie nie benutzte. Man hatte Mikael erlaubt, ihn so oft zu fahren, wie er wollte.

Es waren kleine, subtile Details, die Mikael leicht hätte übersehen können, wenn er weniger aufmerksam gewesen wäre. Ein Papierstapel lag schiefer da, als er ihn in Erinnerung hatte. Ein Ordner war nicht richtig ins Regal geschoben. Die Schreibtischschublade war ganz geschlossen – Mikael erinnerte sich deutlich, dass er sie einen Spalt offen gelassen hatte, als er tags zuvor in Richtung Stockholm aufgebrochen war.

Er blieb ein Weilchen unbeweglich sitzen und zweifelte an sich selbst. Dann aber wuchs seine Gewissheit, dass jemand im Haus gewesen war.

Er ging vor die Tür und sah sich um. Er hatte die Tür abgeschlossen, aber das alte Schloss ließ sich gewiss mit einem kleinen Schraubenzieher öffnen. Außerdem wusste er nicht, wie viele Schlüssel überhaupt in Umlauf waren. Er ging wieder hinein und durchsuchte systematisch sein Arbeitszimmer. Nach einer Weile stellte er fest, dass anscheinend noch alles da war.

Doch es blieb eine Tatsache, dass jemand in sein Haus eingedrungen war, in seinem Arbeitszimmer gesessen und seine Papiere und Ordner durchgeblättert hatte. Seinen Computer hatte er zum Glück mitgenommen. Zwei Fragen stellten sich: Wer war der geheimnisvolle Besucher? Und wie viel hatte er herausfinden können?

Die Ordner waren diejenigen aus Henrik Vangers Sammlung, die er ins Gästehäuschen zurückgeholt hatte, nachdem er aus dem Gefängnis entlassen worden war. In ihnen war kein neues Material enthalten. Die Notizbücher auf dem Schreibtisch waren für Uneingeweihte zu kryptisch – aber war die Person, die den Schreibtisch durchsucht hatte, denn überhaupt uneingeweiht?

Am bedenklichsten war, dass er eine kleine Plastikmappe auf dem Schreibtisch liegen gelassen hatte, die den Zettel mit den Telefonnummern und eine Reinschrift der entsprechenden Bibelzitate enthielt. Wer auch immer das Arbeitszimmer durchsucht hatte, wusste nun, dass er den Bibelcode geknackt hatte.

Wer?

Henrik Vanger war im Krankenhaus. Die Haushälterin Anna verdächtigte er auch nicht. Frode? Aber dem hatte er schon vorher alle Details erzählt. Cecilia hatte die Florida-Reise abgeblasen und war zusammen mit ihrer Schwester aus London zurückgekommen. Er hatte sie seit ihrer Rückkehr noch nicht getroffen, aber er hatte sie gesehen, als sie tags zuvor mit dem Auto über die Brücke gefahren war. Er ging die verschiedenen Familienmitglieder Vanger durch: Harald Vanger. Birger Vanger – er war am Tag nach Henriks Infarkt anlässlich eines Familienrats aufgetaucht, zu dem Mikael nicht eingeladen worden war. Alexander Vanger. Isabella Vanger – sie war alles andere als sympathisch.

Mit wem hatte Frode gesprochen? Was war ihm herausgerutscht? Wer von Henriks nächsten Verwandten hatte womöglich aufgeschnappt, dass Mikael bei seiner Ermittlungsarbeit ein Durchbruch gelungen war?

Es war nach acht Uhr abends. Er rief beim Schlüsseldienst in Hedestad an und bestellte ein neues Schloss für das Gästehaus. Der Mann erklärte sich bereit, am nächsten Tag vorbeizukommen. Mikael versprach ihm doppelte Bezahlung, wenn er sofort käme. Sie einigten sich, dass er um halb elf Uhr abends kommen sollte, um ein Sicherheitsschloss einzubauen.

Während er auf den Mann vom Schlüsseldienst wartete, ging Mikael gegen halb neun zu Frode hinüber und klopfte an die Tür. Frodes Frau führte ihn in den Garten hinter dem Haus und bot ihm ein kaltes Bier an, das Mikael gerne annahm. Er wollte wissen, wie es um Henrik Vanger bestellt war.

Frode schüttelte den Kopf.

»Sie haben ihn operiert. Er hat Ablagerungen in den Herzkranzgefäßen. Der Arzt sagt, die Tatsache, dass er überhaupt noch lebt, macht Hoffnung, aber in den nächsten Tagen wird der Zustand kritisch bleiben.«

Sie dachten eine Weile nach, während sie ihr Bier tranken.

»Haben Sie mit ihm gesprochen?«

»Nein. Er konnte nicht sprechen. Wie lief es denn in Stockholm?«

»Lisbeth Salander hat den Auftrag angenommen. Hier ist der Vertrag von Dragan Armanskij. Sie müssen ihn nur noch unterzeichnen und in den Briefkasten werfen.«

Frode blätterte die Papiere kurz durch.

»Die nimmt ja ganz schöne Preise«, stellte er fest.

»Henrik kann es sich leisten.«

Frode nickte, zog einen Stift aus der Brusttasche und kritzelte seinen Namen auf das Blatt.

»Ich unterschreibe am besten, solange Henrik noch lebt. Kommen Sie beim Briefkasten am Supermarkt vorbei?«

Mikael ging schon gegen Mitternacht schlafen, aber er konnte nicht einschlafen. Bis jetzt war alles wie ein Spiel gewesen, aber wenn sich jemand so sehr für sein Tun interessierte, dass er in seinen Arbeitsraum eindrang, dann war die Sache vielleicht ernster, als er gedacht hatte.

Schlagartig wurde ihm klar, dass es auch noch andere gab, die an seiner Arbeit interessiert waren. Henrik Vangers plötzliches Erscheinen in der Führungsspitze von *Millennium* konnte Hans-Erik Wennerström kaum entgangen sein. Oder zeugten solche Gedanken nur von seiner beginnenden Paranoia?

Mikael stand auf, stellte sich nackt ans Küchenfenster und betrachtete aufmerksam die Kirche auf der anderen Seite der Brücke. Er zündete sich eine Zigarette an.

Er wurde aus Lisbeth Salander nicht schlau. Sie zeigte ein seltsames Verhalten und legte mitten im Gespräch manchmal lange Pausen ein. Ihr Zuhause war ein einziges Chaos: ein Berg von Altpapier im Flur und eine Küche, die seit Jahren nicht mehr geputzt worden war. Ihre Kleider lagen in Haufen auf dem Boden. Am Hals hatte sie frische Knutschflecken, offensichtlich hatte sie über Nacht Gesellschaft gehabt. Sie war an verschiedenen Körperstellen tätowiert – er hatte sicher nicht alle gesehen – und an einigen Stellen im Gesicht gepierct. Sie sah ziemlich eigen aus.

Auf der anderen Seite hatte Armanskij ihm versichert, sie sei die beste Ermittlerin der ganzen Firma, und ihr eingehender Bericht über Mikael Blomkvist hatte ja unbestreitbar gezeigt, dass sie sehr gründlich war. *Ein seltsames Mädchen.*

Lisbeth Salander saß an ihrem PowerBook und dachte über ihre Reaktion auf Mikael Blomkvist nach. Noch nie zuvor in ihrem Erwachsenenleben hatte sie jemandem erlaubt, ihre Schwelle zu überschreiten, wenn sie ihn nicht ausdrücklich dazu aufgefordert hatte. Und diese kleine Schar konnte man an den Fingern einer Hand abzählen. Mikael war ganz ungeniert direkt in ihr Leben getreten, und sie hatte nur schwach protestiert.

Und damit nicht genug – er hatte sie aufgezogen. Er hatte sich einen Spaß mit ihr gemacht.

Für gewöhnlich hätte sie bei so einem Verhalten im Geiste die Pistole entsichert. Aber sie hatte sich nicht im Geringsten bedroht gefühlt, und von seiner Seite war keine Feindseligkeit zu bemerken gewesen. Er hätte allen Grund gehabt, sie nach Strich und Faden zusammenzustauchen – er hätte sie sogar anzeigen können, weil er wusste, dass sie sich in seinen Computer gehackt hatte. Stattdessen hatte er auch das wie einen Witz behandelt.

Das war der heikelste Teil ihres Gesprächs gewesen. Mikael schien den Faden absichtlich nicht wieder aufzunehmen, bis sie sich irgendwann die Frage nicht mehr verkneifen konnte:

»Sie haben gesagt, Sie wissen, was ich getan habe.«

»Sie sind eine Hackerin. Sie waren in meinem Computer.«

»Woher wissen Sie das?« Lisbeth war sich völlig sicher, dass sie keine Spuren hinterlassen hatte und ihr Eindringen nur entdeckt werden konnte, wenn ein Security-Administrator den Datenstrom an der Netzwerkkarte scannte, während sie gerade im gehackten Computer war.

»Sie haben einen Fehler gemacht.« Er erklärte, dass sie die Version eines Textes zitiert hatte, der nur in seinem Computer abgespeichert war und nirgendwo sonst.

Lisbeth Salander schwieg lange. Zum Schluss sah sie ihn ausdruckslos an.

»Wie haben Sie das angestellt?«, fragte er.

»Mein Geheimnis. Was wollen Sie unternehmen?«

Mikael zuckte die Achseln.

»Was kann ich schon tun? Vielleicht hätte ich mit Ihnen mal über Ethik und Moral reden sollen, und über die Gefahren, die es mit sich bringt, wenn man im Privatleben anderer Leute herumschnüffelt.«

»Das ist doch nichts anderes als das, was Sie als Journalist machen.«

Er nickte.

»Stimmt. Deswegen haben wir Journalisten einen Ethik-Ausschuss, der die Spielregeln überwacht. Wenn ich einen Artikel über irgendeinen Schweinehund im Bankwesen schreibe, dann lasse ich sein oder ihr Sexleben aus dem Spiel. Ich schreibe nicht, dass eine Scheckbetrügerin lesbisch ist oder auf Sex mit seinem Hund abfährt oder so was, selbst wenn das zufällig der Wahrheit entsprechen sollte. Auch Schweinehunde haben ein Recht auf Privatleben, und es ist so einfach, Leuten durch Angriffe auf ihren Lebensstil zu schaden. Verstehen Sie, was ich meine?«

»Ja.«

»Sie haben meine Intimsphäre verletzt. Mein Arbeitgeber braucht nicht zu wissen, mit wem ich Sex habe. Das ist meine Angelegenheit.«

Ein schiefes Grinsen zog sich quer durch Lisbeth Salanders Gesicht.

»Sie meinen, das hätte ich nicht erwähnen sollen.«

»In meinem Fall spielt das keine größere Rolle. Die halbe Stadt weiß über mein Verhältnis mit Erika Bescheid. Es geht ums Prinzip.«

»Wenn das so ist, dann amüsiert es Sie vielleicht zu erfahren, dass auch ich Prinzipien habe, die Ihrem Ethik-Ausschuss entsprechen. Ich nenne das *Salanders Prinzip*. Ich finde, dass ein Schweinehund immer ein Schweinehund bleibt, und wenn ich einem Schweinehund schaden kann, indem ich ans Licht zerre, was er für Dreck am Stecken hat, dann hat er es halt verdient. Ich zahle es ihm nur heim.«

»Okay«, lächelte Mikael Blomkvist. »Ich argumentiere nicht völlig anders, aber …«

»Aber dazu kommt, dass ich bei so einer Untersuchung auch danach gehe, was ich selbst von dem Menschen denke. Ich bin nicht neutral. Wenn ich mir einen Schweinehund vorgenommen habe, dann strenge ich mich extra an. Wenn es ein guter Mensch zu sein scheint, dann kann ich in meinem Bericht alles ein bisschen herunterspielen.«

»Wirklich?«

»In Ihrem Fall habe ich alles ein bisschen abgeschwächt. Ich hätte ein Buch über Ihr Sexleben schreiben können. Ich hätte Frode auch mitteilen können, dass Erika Berger eine Vergangenheit im *Club Xtreme* hat und in den achtziger Jahren mit Bondage- und Sadomaso-Spielchen experimentiert hat – das hätte wohl unausweichlich gewisse Assoziationen zu Ihrem gemeinsamen Sexleben aufkommen lassen.«

Mikael Blomkvists und Lisbeth Salanders Blicke trafen sich. Dann sah er aus dem Fenster und lachte.

»Sie sind wirklich gründlich. Warum haben Sie das nicht in Ihren Bericht geschrieben?«

»Erika Berger und Sie sind erwachsene Menschen, die sich anscheinend sehr nahestehen. Was Sie im Bett machen, geht keinen etwas an. Außerdem wollte ich ihr nicht schaden oder irgendjemandem Erpressungsmaterial an die Hand geben. Wer weiß – ich kenne Dirch Frode nicht, und das Material hätte auch bei Wennerström landen können.«

»Und Wennerström wollen Sie nicht mit Informationen versorgen?«

»Wenn ich mich im Kampf zwischen Ihnen und Wennerström für eine Seite entscheiden müsste, würde ich in Ihrer Ecke des Boxrings stehen.«

»Erika und ich haben ein … Unser Verhältnis ist …«

»Ich scheiße drauf, was für ein Verhältnis Sie haben. Aber Sie haben meine Frage nicht beantwortet, was Sie mit dem Wissen anfangen wollen, dass ich Ihren Computer gehackt habe.«

Er machte eine Pause, die fast genauso lang war wie ihre.

»Ich bin nicht gekommen, um Ihnen Ärger zu bereiten, Lisbeth. Ich habe nicht vor, Sie zu erpressen. Ich bin hier, um Sie bei meinen Recherchen um Hilfe zu bitten. Sie können mit Ja oder Nein antworten. Wenn Sie Nein sagen, dann gehe ich weg und suche mir jemand anders, und Sie werden nie wieder etwas von mir hören.«

Lächelnd fügte er hinzu: »Das heißt, natürlich nur, wenn ich Sie nicht mehr in meinem Computer erwische.«

»Und das heißt?«

»Sie wissen sehr viel über mich, teilweise sehr private und persönliche Dinge. Aber jetzt ist das Kind schon in den Brunnen gefallen. Ich hoffe nur, dass Sie Ihr Wissen nicht dazu verwenden wollen, Erika Berger oder mir zu schaden.«

Sie sah ihn mit ausdruckslosen Augen an.

19. Kapitel
Donnerstag, 19. Juni – Sonntag, 29. Juni

Mikael verbrachte zwei Tage damit, sein Material durchzugehen, während er auf die Nachricht wartete, ob Henrik Vanger überleben würde oder nicht. Er hielt engen Kontakt zu Dirch Frode. Am Donnerstagabend kam Frode zum Gästehäuschen hinüber und teilte mit, dass Henrik Vanger über den Berg zu sein schien.

»Er ist schwach, aber ich konnte heute ein bisschen mit ihm reden. Er will Sie so bald wie möglich sehen.«

Am Mittsommertag gegen 13 Uhr fuhr Mikael also ins Krankenhaus von Hedestad und suchte den Gang, auf dem Henrik Vangers Zimmer lag. Er traf einen irritierten Birger Vanger an, der sich ihm in den Weg stellte und gebieterisch verkündete, dass Henrik Vanger unmöglich Besuch empfangen könne. Mikael blieb ruhig stehen und sah den Stadtrat an.

»Was Sie nicht sagen. Henrik Vanger hat mir ausdrücklich ausrichten lassen, dass er mich heute treffen will.«

»Sie gehören nicht zur Familie und haben hier nichts zu suchen.«

»Sie haben recht, ich gehöre nicht zur Familie. Aber ich handle in direktem Auftrag von Henrik Vanger und nehme nur von ihm Anweisungen entgegen.«

Es hätte zu einem heftigen Wortwechsel kommen können, wäre in diesem Moment nicht Dirch Frode aus Henriks Zimmer gekommen.

»Ah, da sind Sie ja. Henrik hat eben nach Ihnen gefragt.«

Frode hielt ihm die Tür auf, und Mikael ging an Birger Vanger vorbei ins Krankenzimmer.

Henrik Vanger sah aus, als wäre er in der letzten Woche um zehn Jahre gealtert. Er lag erschöpft auf dem Bett, mit halb geschlossenen Augen und einem Sauerstoffschlauch in der Nase, die Haare zerzauster denn je. Eine Krankenschwester hielt Mikael zurück, indem sie ihm eine Hand auf den Arm legte.

»Zwei Minuten. Mehr nicht. Und regen Sie ihn nicht auf.«

Mikael nickte und setzte sich auf einen Besucherstuhl, sodass er Henriks Gesicht sehen konnte. Er empfand eine Zärtlichkeit, die ihn verblüffte, und drückte vorsichtig die Hand des alten Mannes. Henrik Vanger sprach stoßweise und mit schwacher Stimme.

»Neuigkeiten?«

Mikael nickte.

»Ich werde Ihnen Bericht erstatten, sobald es Ihnen besser geht. Ich habe das Rätsel noch nicht gelöst, aber ich habe neues Material gefunden und verfolge gerade eine ganze Menge Spuren. In ein oder zwei Wochen kann ich sagen, ob sie irgendwohin führen.«

Henrik Vanger versuchte zu nicken. Es wurde eher ein Zwinkern, mit dem er signalisierte, dass er verstanden hatte.

»Ich muss ein paar Tage verreisen.«

Henriks Augenbrauen zogen sich zusammen.

»Ich muss verreisen, um etwas zu recherchieren. Ich habe mit Dirch Frode ausgemacht, dass ich ihm Bericht erstatten werde. Ist das für Sie in Ordnung?«

»Dirch ist ... in jeder Hinsicht ... mein Vertreter.«

Mikael nickte.

»Mikael … wenn ich es … nicht schaffe … dann möchte ich, dass Sie … den Job trotzdem zu Ende bringen.«

»Ich verspreche Ihnen, ich werde den Job zu Ende bringen.«

»Dirch hat alle … Vollmachten.«

»Henrik, ich möchte, dass Sie wieder auf die Beine kommen. Ich wäre entsetzlich wütend auf Sie, wenn Sie einfach sterben würden, jetzt, wo ich mit meiner Arbeit so weit gekommen bin.«

»Zwei Minuten«, sagte die Krankenschwester.

»Ich muss gehen. Nächstes Mal, wenn ich komme, möchte ich mich lange mit Ihnen unterhalten.«

Als er wieder auf den Flur trat, wurde Mikael von Birger Vanger erwartet, der ihm eine Hand auf die Schulter legte.

»Ich möchte, dass Sie Henrik nicht weiter belasten. Er ist schwer krank und darf in keinster Weise gestört oder aufgeregt werden.«

»Ich verstehe Ihre Sorge und kann Ihnen versichern, ich sehe die Dinge genauso. Ich werde ihn nicht aufregen.«

»Alle wissen, dass Henrik Sie für sein kleines Hobby angestellt hat … Harriet. Frode hat mir erzählt, dass Henrik nach einem Gespräch mit Ihnen, kurz vor seinem Herzinfarkt, furchtbar aufgeregt war. Er hat gesagt, Sie befürchten, den Anfall ausgelöst zu haben.«

»Das glaube ich jetzt nicht mehr. Henrik litt unter starker Arterienverkalkung. Er hätte den Herzanfall genauso gut bekommen können, wenn er auf die Toilette gegangen wäre. Ich glaube, das wissen Sie mittlerweile auch.«

»Ich möchte vollen Einblick in diese Dummheiten nehmen. Es ist schließlich meine Familiengeschichte, in der Sie da wühlen.«

»Wie gesagt … ich arbeite für Henrik. Nicht für die Familie.«

Birger Vanger war es offensichtlich nicht gewohnt, dass ihm jemand widersprach. Einen Moment starrte er Mikael mit einem Blick an, der wohl Respekt einflößend wirken sollte, ihn aber eher wie einen aufgeblasenen Elch aussehen ließ. Birger Vanger drehte sich um und ging in Henriks Zimmer.

Mikael hätte fast losgelacht, beherrschte sich aber. Es war nicht unbedingt angebracht, auf dem Flur vor Henriks Krankenbett zu lachen, das ebenso gut sein Totenbett werden konnte. Aber Mikael hatte plötzlich an eine Strophe aus Lennart Hylands gereimter Abc-Fibel aus den sechziger Jahren denken müssen. Aus unerfindlichen Gründen hatte er sie auswendig gelernt, als er lesen und schreiben lernte. Und beim Buchstaben E hieß es:

Der Elch, der saß still lächelnd da,
der Wald um ihn her zerschossen war.

Vor dem Eingang zum Krankenhaus stieß Mikael mit Cecilia zusammen. Seit sie aus ihrem abgebrochenen Urlaub zurückgekommen war, hatte er schon Dutzende von Malen vergeblich versucht, sie auf ihrem Handy zu erreichen. Auch zu Hause hatte er sie nicht antreffen können.

»Hallo, Cecilia«, sagte er. »Tut mir leid, was mit Henrik passiert ist.«

»Danke«, sagte sie und nickte.

Mikael versuchte, ihre Gefühle zu erraten, aber er konnte weder Wärme noch Kühle ausmachen.

»Wir müssen reden«, sagte er.

»Tut mir leid, dass ich dich so auf Distanz halte. Ich kann verstehen, dass du sauer bist, aber im Moment komme ich nicht mal mit mir selbst richtig klar.«

Mikael blinzelte, bevor ihm klar wurde, worauf sie anspielte. Schnell legte er ihr eine Hand auf den Arm und lächelte sie an.

»Warte, Cecilia, du hast mich missverstanden. Ich bin absolut nicht sauer auf dich. Ich hoffe, wir können immer noch Freunde bleiben, aber wenn du mich nicht mehr sehen willst ... wenn du das so beschlossen hast, dann werde ich das auf jeden Fall respektieren.«

»Das mit den Beziehungen kann ich nicht so gut«, sagte sie.

»Ich auch nicht. Wollen wir einen Kaffee zusammen trinken?« Er nickte in Richtung Krankenhaus-Cafeteria.

Cecilia zögerte. »Nein, nicht heute. Ich will jetzt Henrik besuchen.«

»Okay, aber ich muss trotzdem noch mit dir reden. Rein beruflich.«

»Was meinst du damit?«

»Erinnerst du dich an unser erstes Treffen im Gästehäuschen im Januar? Damals habe ich dir zugesichert, dass unser Gespräch *off the record* ist und dass ich dir Bescheid sage, wenn ich dich richtig befragen will. Es geht um Harriet.«

Cecilia Vanger wurde rot vor Wut.

»Du verdammter Mistkerl!«

»Cecilia, ich bin auf Sachen gestoßen, über die ich ganz einfach mit dir reden muss.«

Sie trat einen Schritt zurück.

»Begreifst du denn nicht, dass die irrwitzige Jagd nach dieser verfluchten Harriet nur eine Beschäftigungstherapie für Henrik ist? Begreifst du nicht, dass er vielleicht da drinnen liegt und stirbt? Dass es das Letzte ist, was er jetzt brauchen kann, wenn er sich aufregt und sich falsche Hoffnungen macht und ...«

Sie verstummte.

»Vielleicht ist es nur ein Hobby für Henrik, aber ich habe gerade mehr neues Material zutage gefördert als irgend jemand sonst in den letzten fünfunddreißig Jahren. In diesen Ermittlungen sind noch ein paar Fragen offen, und ich arbeite in Henriks Auftrag.«

»Wenn Henrik stirbt, wird es mit den Ermittlungen verdammt schnell zu Ende sein. Dann fliegst du hier raus, bevor du bis drei zählen kannst«, sagte Cecilia und ging an ihm vorbei.

Sämtliche Geschäfte waren geschlossen, Hedestad so gut wie ausgestorben. Die Einwohner waren in ihren Sommerhäuschen und feierten Mittsommer. Nach langem Suchen entdeckte Mikael, dass zumindest das Café auf der Terrasse des Stadthotels noch geöffnet hatte. Er bestellte sich einen Kaffee und ein belegtes Brot und setzte sich mit seiner Abendzeitung hin. In der Welt war nichts Wichtiges passiert.

Er legte die Zeitung aus der Hand und dachte über Cecilia nach. Er hatte weder Henrik noch Frode von seinem Verdacht erzählt, dass sie das Fenster in Harriets Zimmer geöffnet hatte. Er hatte Angst gehabt, sie damit einem schlimmen Verdacht auszusetzen, und er wollte ihr auf keinen Fall schaden. Doch früher oder später musste diese Frage gestellt werden.

Er blieb eine Stunde auf der Terrasse sitzen, bevor er beschloss, das ganze Problem beiseitezuschieben und sich am Mittsommerabend anderen Dingen zuzuwenden als der Familie Vanger. Sein Handy schwieg. Erika war verreist und amüsierte sich irgendwo mit ihrem Mann, und er hatte niemanden, mit dem er hätte sprechen können.

Er fuhr um vier Uhr nachmittags auf die Hedeby-Insel zurück und fasste einen weiteren Entschluss – mit dem Rauchen aufzuhören. Er hatte seit seinem Wehrdienst regelmäßig trainiert, sowohl im Fitnessstudio als auch durch Joggen am südlichen Ufer des Mälar-Sees, aber er war aus dem Rhythmus gekommen, als die Probleme mit Hans-Erik Wennerström losgingen. Erst im Gefängnis hatte er wieder begonnen, Gewichte zu heben, in erster Linie als Therapie, aber seit seiner Entlassung hatte er sich nicht sonderlich angestrengt. Höchste Zeit, wieder anzufangen. Entschlossen zog er sich seine Jogging-

montur an und setzte sich träge in Trab auf dem Weg zu Gottfrieds Häuschen, bog dann Richtung Befestigung ab und
machte eine etwas anstrengendere Runde durchs Gelände. Er
hatte seit seiner Militärzeit nicht mehr an Orientierungsläufen
teilgenommen, war aber stets lieber durch den Wald als auf
flachen Wegen gelaufen. Am Zaun des Östergården entlang
lief er zurück zur Stadt. Er fühlte sich total erschöpft, als er
atemlos die letzten Schritte zu seinem Haus tat.

Gegen sechs Uhr hatte er geduscht. Anschließend kochte
er Kartoffeln und aß dazu Senfhering mit Schnittlauch auf
einem wackeligen Tisch vor dem Gästehäuschen. Er goss sich
einen Schnaps ein und prostete sich selbst zu. Danach schlug
er einen Krimi mit dem Titel *Das Lied der Sirenen* von Val
McDermid auf.

Gegen sieben kam Frode zu ihm und ließ sich ihm gegenüber
auf einen Gartenstuhl sinken. Mikael goss ihm auch einen
Schnaps ein.

»Sie haben heute für ein bisschen Aufregung gesorgt«, sagte
Frode.

»Das habe ich gemerkt.«

»Birger Vanger ist ein Idiot.«

»Ich weiß.«

»Im Gegensatz zu Cecilia, die entsetzlich wütend auf Sie
ist.«

Mikael nickte.

»Sie hat mich angewiesen, dafür zu sorgen, dass Sie aufhören, in den Familienangelegenheiten herumzuschnüffeln.«

»Verstehe. Und Ihre Antwort?«

Dirch Frode sah sein Glas mit dem Schnaps an und leerte es
dann in einem Zug.

»Meine Antwort ist die, dass Henrik Ihnen sehr deutliche
Anweisungen gegeben hat. Solange er diese Anweisungen
nicht ändert, sind Sie an unseren Vertrag gebunden. Ich er-

warte von Ihnen, dass Sie Ihr Bestes geben, um Ihren Teil des Vertrags zu erfüllen.«

Mikael nickte. Er blickte zum Himmel hinauf, an dem sich langsam Regenwolken sammelten.

»Da zieht ein Unwetter auf«, bemerkte Frode. »Doch keine Sorge. Wenn es richtig stürmisch werden sollte, werde ich mich hinter Sie stellen.«

»Danke.«

Sie schwiegen eine Weile.

»Könnte ich noch einen Schnaps haben?«, fragte Dirch Frode.

Nur wenige Minuten nachdem Frode gegangen war, bremste Martin Vanger vor Mikaels Häuschen und parkte sein Auto am Straßenrand. Er kam auf Mikael zu und grüßte. Mikael wünschte ihm einen schönen Mittsommerabend und bot ihm einen Schnaps an.

»Nein, das lasse ich wohl besser. Ich bin nur gekommen, um mich umzuziehen, danach fahre ich wieder in die Stadt und verbringe den Abend mit Eva.«

Mikael wartete.

»Ich habe mit Cecilia gesprochen. Sie ist momentan ein biss-chen aufgeregt – Henrik und sie stehen sich sehr nah. Ich hoffe, Sie verzeihen ihr, wenn sie etwas ... Unschönes zu Ihnen gesagt hat.«

»Ich mag Cecilia sehr gern«, antwortete Mikael.

»Ich weiß. Aber sie kann schwierig sein. Ich möchte bloß, dass Sie sich über eines im Klaren sind: Cecilia ist entschieden dagegen, dass Sie weiter in der Vergangenheit graben.«

Mikael seufzte. Alle in Hedestad schienen zu wissen, womit Henrik ihn beauftragt hatte.

»Wie denken Sie darüber?«

Martin Vanger zuckte mit den Schultern.

»Henrik war jahrzehntelang von der Geschichte mit Harriet

wie besessen. Ich weiß nicht … Harriet war meine Schwester, aber irgendwie ist das alles schon so weit weg. Frode hat gesagt, dass Sie einen wasserdichten Vertrag mit Henrik hätten, der nur von ihm selbst aufgelöst werden kann. Ich fürchte, in seinem derzeitigen Zustand würde das mehr schaden als nützen.«

»Sie wollen also, dass ich weitermache.«

»Haben Sie denn schon irgendetwas gefunden?«

»Tut mir leid, Martin, aber es wäre ein Vertragsbruch, wenn ich darüber mit Ihnen ohne Henriks Erlaubnis sprechen würde.«

»Verstehe.« Plötzlich lächelte er. »Henrik hat was übrig für Verschwörungstheorien. Aber ich will vor allem nicht, dass Sie falsche Hoffnungen in ihm wecken.«

»Das werde ich nicht tun, ich verspreche es Ihnen. Ich gebe nur Fakten an ihn weiter, die ich belegen kann.«

»Gut … übrigens, wo wir gerade dabei sind … wir haben da ja noch einen anderen Vertrag, über den wir nachdenken müssten. Da Henrik krank geworden ist und seine Aufgaben bei *Millennium* nicht wahrnehmen kann, bin ich verpflichtet, ihn zu vertreten.«

Mikael wartete.

»Wir sollten eine Sitzung der Führungskräfte einberufen, um die Lage zu klären.«

»Das ist eine gute Idee. Aber soweit ich informiert bin, soll die nächste Sitzung erst im August stattfinden.«

»Ich weiß, aber eventuell müssen wir das vorverlegen.«

Mikael lächelte höflich.

»Vielleicht sprechen Sie da einfach mit dem Falschen. Derzeit sitze ich gar nicht im Führungskreis von *Millennium*. Ich habe die Zeitschrift im Dezember verlassen und keinen Einfluss auf das, was auf der Führungsebene geschieht. Ich schlage vor, dass Sie sich in dieser Frage mit Erika Berger in Verbindung setzen.«

Mit dieser Antwort hatte Martin Vanger nicht gerechnet. Er überlegte kurz und stand auf.

»Sie haben natürlich recht. Ich werde mit ihr sprechen.« Er klopfte Mikael zum Abschied auf die Schulter und ging zu seinem Auto.

Mikael sah ihm hinterher. Es war nichts Konkretes ausgesprochen worden, aber die Drohung stand deutlich im Raum. Martin Vanger hatte *Millennium* in die Waagschale geworfen. Nach einer Weile goss Mikael sich noch einen Schnaps ein und nahm seinen Roman wieder zur Hand.

Gegen neun Uhr kam die braun gesprenkelte Katze vorbei und strich ihm um die Beine. Er hob sie hoch und kraulte sie hinter den Ohren.

»Dann sind wir ja schon zwei, die sich am Mittsommerabend langweilen«, sagte er.

Als die ersten Regentropfen fielen, ging er hinein. Die Katze wollte draußen bleiben.

Am Mittsommertag nahm sich Lisbeth Salander ihre Kawasaki vor und checkte sie einmal gründlich durch. So eine 125 Kubik-Maschine war sicher nicht das beeindruckendste Gefährt auf Erden, aber dafür gehörte sie ihr, und sie konnte gut mit ihr umgehen. Sie hatte sie eigenständig Schraube für Schraube instand gesetzt – und dabei ein bisschen mehr frisiert, als legal gewesen wäre.

Nachmittags schnappte sie sich Helm und Lederjacke und fuhr hinaus zum Pflegeheim *Äppelviken,* wo sie den Abend mit ihrer Mutter im Park verbrachte. Lisbeths Sorge und ihr schlechtes Gewissen versetzten ihr einen Stich. Ihre Mutter schien abwesender denn je. Während der drei Stunden, die sie miteinander verbrachten, wechselten sie nur ein paar wenige Worte, und augenscheinlich war ihrer Mutter dabei nicht bewusst, mit wem sie eigentlich redete.

Mikael vergeudete mehrere Tage damit, nach dem Auto mit dem AC-Nummernschild zu suchen. Nach jeder Menge Kopfzerbrechen konsultierte er schließlich einen pensionierten Kfz-Mechaniker in Hedestad und erfuhr, dass das Auto ein Ford Anglia war, ein damals gängiger Autotyp, von dem er noch nie gehört hatte. Danach kontaktierte er einen Mitarbeiter der Kfz-Meldestelle und erkundigte sich, ob er ein Verzeichnis sämtlicher Ford Anglia bekommen könne, die 1966 ein Nummernschild gehabt hatten, das mit AC3 anfing. Nach einigem Hin und Her ließ sich der Mitarbeiter überreden – obgleich es eigentlich nicht rechtens sei und ein wenig dauern könnte, wie er sagte.

Erst ein paar Tage nach Mittsommer setzte Mikael sich in seinen geliehenen Volvo und fuhr auf der E4 gen Norden. Er war noch nie gerne schnell gefahren und steuerte das Auto ganz gemütlich bis kurz vor die Härnsands-Brücke, wo er eine Pause machte und einen Kaffee in Vesterlunds Konditorei trank.

Der nächste Halt war Umeå, wo er eine Raststätte ansteuerte und das Tagesmenü bestellte. Er kaufte sich einen Straßenatlas und fuhr weiter nach Skellefteå, wo er nach links in Richtung Norsjö abbog. Gegen sechs Uhr abends war er angekommen und checkte im Hotel Norsjö ein.

Er begann seine Suche früh am nächsten Morgen. Die Tischlerei Norsjö war nicht im Telefonbuch verzeichnet. Die Dame am Empfang des Polarhotels, eine Frau Mitte zwanzig, hatte noch nie von dieser Firma gehört.

»Wen müsste ich da fragen?«

Sie sah einen Moment verwirrt drein, bis sich ihr Gesicht aufhellte und sie erklärte, sie könne ihren Vater anrufen. Zwei Minuten später kam sie zurück und sagte ihm, die Tischlerei Norsjö habe schon Anfang der achtziger Jahre zugemacht. Wenn Mikael Genaueres wissen wolle, müsse er sich an Eugen Burman wenden, der dort Vorarbeiter gewesen war und nun in einer Straße wohnte, die Solvändan hieß.

Norsjö war ein kleiner Ort mit einer Hauptstraße, passenderweise Storgata, also »große Straße«, genannt, von der rechts und links Geschäfte sowie Nebenstraßen mit Wohnhäusern abzweigten. An der östlichen Einfahrt in den Ort lagen ein kleines Gewerbegebiet und eine alte Scheune, an der Ausfahrt im Westen stand eine ungewöhnlich schöne Holzkirche. Mikael bemerkte, dass es im Ort eine Missionskirche und eine Kirche der Pfingstgemeinde gab. Ein Anschlag an der Bushaltestelle warb für ein Jagd- und ein Skimuseum. Ein veraltetes Plakat verriet, dass *Veronika* am Mittsommerabend auf dem Festplatz gesungen hatte. Er konnte den Ort in knapp zwanzig Minuten vom einen Ende zum anderen durchqueren.

In der Solvändan-Straße, die ungefähr fünf Minuten vom Hotel entfernt war, standen nur Einfamilienhäuser. Burman öffnete nicht, als Mikael an der Tür klingelte. Es war halb zehn, und er vermutete, dass Burman entweder zur Arbeit gegangen war oder, falls er schon pensioniert war, für irgendeine Erledigung das Haus verlassen hatte.

Die nächste Anlaufstelle war der Eisenwarenladen in der Storgata. Wenn man in Norsjö wohnt, muss man früher oder später auch mal in den Eisenwarenladen, überlegte Mikael. Im Geschäft waren zwei Verkäufer. Mikael wandte sich an den älteren der beiden, der knapp fünfzig Jahre alt sein mochte.

»Guten Tag. Ich suche ein Paar, das in den sechziger Jahren vermutlich hier im Ort gewohnt hat. Der Mann hat eventuell in der Tischlerei Norsjö gearbeitet. Ich weiß nicht, wie sie heißen, aber ich habe zwei Bilder, die 1966 aufgenommen worden sind.«

Die Verkäufer sahen sich die Bilder lange an, schüttelten aber zum Schluss die Köpfe und erklärten, weder den Mann noch die Frau zu kennen.

Zu Mittag aß Mikael eine Frikadelle an einer Würstchenbude. Er war in mehrere Geschäfte gegangen und hatte das Gemeindebüro, die Bibliothek und die Apotheke abgeklappert. Auf dem Polizeirevier traf er niemanden an, und so begann er auf gut Glück, ältere Menschen anzusprechen. Gegen zwei Uhr nachmittags fragte er zwei jüngere Frauen, die das Paar zwar nicht kannten, aber eine gute Idee hatten:

»Wenn das Foto 1966 aufgenommen wurde, dann müssen die beiden heute über sechzig sein. Fragen Sie doch mal im Altenwohnheim nach.«

Dort stellte sich Mikael am Empfang einer ungefähr dreißigjährigen Frau vor und setzte ihr sein Anliegen auseinander. Sie musterte ihn misstrauisch, ließ sich zu guter Letzt aber erweichen. Mikael durfte mit ihr in den Aufenthaltsraum gehen und dort eine halbe Stunde lang den vielen Heimbewohnern seine Bilder zeigen. Die Rentner, im Alter von knapp 70 aufwärts, waren sehr hilfsbereit, aber keiner konnte die Personen identifizieren, die 1966 in Hedestad fotografiert worden waren.

Gegen fünf Uhr fuhr er wieder in die Solvändan-Straße zurück und klopfte bei Eugen Burman. Diesmal hatte er mehr Glück. Herr und Frau Burman waren beide schon pensioniert und tagsüber unterwegs gewesen. Man bat ihn in die Küche, wo Eugens Frau sogleich Kaffee aufsetzte, während Mikael sein Anliegen vorbrachte. Wie all die anderen Versuche an diesem Tag stellte sich auch dieser als Niete heraus. Burman kratzte sich am Kopf, zündete sich eine Pfeife an und stellte nach einer Weile fest, dass er die Personen auf den Bildern nicht kannte. Die Burmans sprachen einen ausgeprägten Norsjöer Dialekt, und Mikael tat sich zuweilen schwer, ihnen zu folgen.

»Sie haben ganz richtig erkannt, dass der Aufkleber von der Tischlerei ist«, sagte Burman. »Sie sind ja ganz schön auf Zack, dass sie den erkannt haben. Aber leider haben wir mit diesen Aufklebern nur so um uns geschmissen. Jeder hat die gekriegt, Fahrer, Kunden, Handwerker und viele andere.«

»Dieses Paar zu finden ist schwieriger, als ich gedacht habe.«

»Warum wollen Sie sie denn finden?«

Mikael hatte sich entschlossen, die Wahrheit zu sagen, wenn die Leute ihn fragen sollten. Jeder Versuch, eine Geschichte zu diesem Paar zu konstruieren, würde nur unwahrscheinlich klingen und Verwirrung hervorrufen.

»Das ist eine lange Geschichte. Ich untersuche ein Verbrechen, das 1966 in Hedestad begangen wurde, und ich glaube, es besteht eine minimale Chance, dass die Personen auf dem Foto gesehen haben, was geschehen ist. Sie sind in keiner Weise verdächtig, und ich glaube, sie wissen nicht einmal selbst, dass sie vielleicht Informationen besitzen, die dieses Verbrechen aufklären könnten.«

»Ein Verbrechen? Was für ein Verbrechen?«

»Tut mir leid, mehr kann ich Ihnen nicht erzählen. Mir ist klar, dass es sehr seltsam aussieht, wenn nach fast vierzig Jahren jemand daherkommt und versucht, diese Personen hier ausfindig zu machen, aber das Verbrechen ist bis heute nicht aufgeklärt worden, und es sind erst vor Kurzem neue Fakten aufgetaucht.«

»Ich verstehe. Tja, da haben Sie ein ganz schön ungewöhnliches Anliegen.«

»Wie viele Personen haben denn in der Tischlerei gearbeitet?«

»Normalerweise waren wir vierzig Personen. Ich war dort seit meinem siebzehnten Lebensjahr angestellt, also seit Mitte der fünfziger Jahre, bis zur Schließung des Betriebs. Dann wurde ich Fahrer.«

Burman dachte kurz nach.

»Ich kann auf jeden Fall versichern, dass der Junge auf diesem Foto nie in der Tischlerei gearbeitet hat. Es könnte sein, dass er Fahrer war, aber ich glaube, dann würde ich ihn auch wiedererkennen. Es gibt natürlich noch eine andere Möglichkeit. Es könnte ja sein, dass sein Vater oder irgendein Verwandter im Betrieb gearbeitet hat und dass das gar nicht sein Auto ist.«

Mikael nickte.

»Ich weiß, es gibt viele Möglichkeiten. Haben Sie noch einen Vorschlag, mit wem ich sprechen könnte?«

»Oh ja«, sagte Burman und nickte. »Kommen Sie morgen Vormittag vorbei, dann fahren wir eine Runde und reden mit ein paar von den Jungs.«

Lisbeth Salander stand vor einem methodischen Problem von gewisser Bedeutung. Sie war eine unbestreitbare Expertin darin, sich Informationen über jede beliebige Person zu beschaffen, aber ihr Ausgangspunkt war dabei immer ein Name oder die Personenkennnummer gewesen. Wenn die Daten zur Person in irgendeinem Register gespeichert waren, was kein Mensch vermeiden konnte, dann landete das Objekt schnell in ihrem Spinnennetz. Wenn die Person über einen Computer mit Internetanschluss verfügte, eine E-Mail-Adresse oder vielleicht sogar eine eigene Homepage, dann konnte sie ihre tiefsten Geheimnisse lüften.

Die Arbeit, die sie für Mikael Blomkvist übernommen hatte, sah ganz anders aus. Jetzt lautete der Auftrag – vereinfacht ausgedrückt –, vier Personenkennnummern auf äußerst vager Grundlage zu identifizieren. Zudem handelte es sich um Personen, die früher einmal gelebt hatten; vielleicht musste sie bis in die vierziger Jahre zurückgehen. Somit gab es auch keine gespeicherten Daten.

Mikaels These – ausgehend vom Fall Rebecka Jacobsson – war, dass diese Personen ein und demselben Mörder zum Opfer gefallen waren. Sie mussten also in diversen Polizeiberichten zu unaufgeklärten Kriminalfällen auftauchen. Sicher war nur, dass diese Morde vor 1966 geschehen sein mussten. Sie stand mit dieser Recherche vor einer völlig neuen Situation.

Sie fuhr ihren Computer hoch und gab bei Google die Suchbegriffe »Magda« und »Mord« ein. Das war die simpelste Art von Recherche, die sie überhaupt durchführen konnte. Zu ihrer Überraschung gelang ihr sofort ein Durchbruch in ihren Ermittlungen. Ihr erster Treffer war das Fernsehprogramm von *TV Värmland* in Karlstad, in dem eine Folge der Serie *Morde in Värmland* angekündigt wurde, die bereits 1999 gesendet worden war. Danach kam eine kurze Meldung in *Värmlands Folkblad*.

In der Serie Morde in Värmland *ist diesmal Magda Lovisa Sjöberg an der Reihe, ein scheußlicher Mordfall, der die Polizei in Karlstad über mehrere Jahrzehnte beschäftigte. Im April 1960 wurde die sechsundvierzigjährige Bauersfrau Lovisa Sjöberg im Viehstall der Familie brutal ermordet. Der Reporter Claes Gunnars schildert die letzten Stunden in ihrem Leben und die ergebnislose Jagd nach einem Mörder, der die Polizei immer noch zum Narren hält. Der Mord erregte seinerzeit großes Aufsehen. Es gab viele Theorien, wer der Schuldige gewesen sein könnte. Ein jüngerer Verwandter der Ermordeten erzählt in TV Värmland, wie die Verdächtigungen sein Leben zerstört haben. 20.00 Uhr.*

Nützlichere Informationen fand sie im Artikel *Der Fall Lovisa hat eine ganze Region erschüttert*, der in der Zeitschrift *Värmlandskultur* veröffentlicht worden war, deren Artikel komplett ins Netz gestellt waren. Mit offenkundiger Begeisterung und im Plauderton wurde beschrieben, wie Lovisa Sjöbergs Mann, der Holzfäller Holger Sjöberg, seine Frau tot aufgefunden hatte, als er gegen fünf Uhr von der Arbeit nach Hause kam. Nachdem sie sexuell brutal missbraucht worden war, hatte man mit einem Messer auf sie eingestochen und sie dann mit einer Heugabel getötet. Der Mord war im Viehstall der Familie verübt worden. Was allerdings am meisten Aufmerksamkeit erregte, war, dass der Mörder sie nach vollbrachter Tat kniend in einer Pferdebox festgebunden hatte.

Später entdeckte man, dass eines der Tiere auf dem Hof durch einen Messerstich seitlich am Hals verletzt worden war.

Zunächst verdächtigte man den Ehemann des Mordes, aber er konnte ein wasserfestes Alibi vorweisen. Er war seit sechs Uhr morgens mit seinen Arbeitskollegen zusammen gewesen, im vier Meilen von seinem Zuhause entfernten Wald. Lovisa Sjöberg war nachweislich bis zehn Uhr vormittags noch am Leben gewesen, da sie zu diesem Zeitpunkt Besuch von einer Nachbarin gehabt hatte. Keiner der Nachbarn hatte irgendetwas gehört oder gesehen. Der nächste Nachbar wohnte vierhundert Meter vom Sjöbergschen Hof entfernt.

Nachdem ihr Mann als Hauptverdächtiger ausgeschieden war, konzentrierte sich die Polizei auf den dreiundzwanzigjährigen Neffen der Ermordeten. Dieser war schon wiederholt mit dem Gesetz in Konflikt geraten, war knapp bei Kasse und hatte sich schon mehrmals geringfügige Beträge von seiner Tante geliehen. Sein Alibi war bedeutend wackeliger, und er wurde vorläufig festgenommen, bis man ihn aus Mangel an Beweisen, wie es hieß, wieder freiließ. Viele Bewohner hielten seine Schuld trotzdem für sehr wahrscheinlich.

Die Polizei verfolgte noch verschiedene andere Spuren. Ein Großteil der Ermittlungen konzentrierte sich auf die Jagd nach einem geheimnisvollen Hausierer, der in der Gegend gesehen worden war. Außerdem gab es Gerüchte, ein Trupp »diebischer Zigeuner« sei auf Raubzug gewesen. Warum diese einen brutalen Sexualmord hätten begehen sollen, ohne überhaupt etwas zu stehlen, wurde nicht ganz klar.

Zeitweise richtete sich das Interesse auf einen Nachbarn, einen Junggesellen, den man in seiner Jugend eines Verbrechens in Verbindung mit Homosexualität verdächtigt hatte –

damals war Homosexualität noch strafbar. Mehreren Aussagen zufolge galt er als »seltsamer Typ«. Warum ein vermutlich
homosexueller Mann ein Sexualverbrechen an einer Frau begehen sollte, wurde ebenfalls nicht erläutert. Keine dieser Spuren führte zu einer Festnahme oder einem Urteil.

Lisbeth Salander fand die Verbindung zu der Liste in Harriet Vangers Adressbuch frappant. Das Bibelzitat aus dem
Dritten Buch Mose, 20, 16, lautete: *Wenn eine Frau sich irgendeinem Tier naht, um mit ihm Umgang zu haben, so sollst
du sie töten und das Tier auch. Des Todes sollen sie sterben,
und ihre Blutschuld komme über sie.* Es konnte kein Zufall
sein, dass eine Bäuerin namens Magda ermordet und in einer
Pferdebox festgebunden worden war.

Es stellte sich die Frage, warum Harriet Vanger den Namen
Magda statt Lovisa notiert hatte, der ja anscheinend ihr Rufname war. Wäre der vollständige Name in der Programm-
ankündigung nicht ausgeschrieben gewesen, hätte Lisbeth sie
gar nicht gefunden.

Und dann natürlich die wichtigste Frage von allen: Gab es
eine Verbindung zwischen dem Mord an Rebecka 1949, dem
Mord an Magda Lovisa 1960 und Harriet Vangers Verschwinden 1966? Und wie um alles in der Welt war Harriet
Vanger dann an diese Informationen gekommen?

Burman nahm Mikael auf einen trostlosen Samstagsspazier-
gang durch Norsjö mit. Am Vormittag besuchten sie fünf ehemalige Angestellte, die in nächster Nähe wohnten. Drei von
ihnen lebten im Zentrum von Norsjö, zwei am Stadtrand. Alle
boten ihnen Kaffee an, betrachteten die Fotos eingehend und
schüttelten den Kopf.

Nach einem einfachen Mittagessen bei Eugen Burman setzten sie sich ins Auto und klapperten vier Dörfer rund um Norsjö ab, in denen ehemalige Angestellte der Tischlerei wohnten.
Überall wurde Eugen Burman herzlich begrüßt, aber keiner

konnte ihnen helfen. Mikael war kurz davor, die Hoffnung zu verlieren, und er fragte sich, ob die ganze Fahrt nach Norsjö überflüssig gewesen war.

Gegen vier Uhr nachmittags parkte Burman das Auto vor einem roten Haus nördlich von Norsjö und stellte Mikael dem pensionierten Tischlermeister Henning Forsman vor.

»Na, das ist doch Assar Brännlunds Junge«, sagte Henning Forsman sofort, als Mikael ihm die Bilder zeigte. Bingo.

»Ach wirklich?«, fragte Eugen. Und an Mikael gewandt: »Das war ein Einkäufer.«

»Wo kann ich ihn finden?«

»Den Jungen? Tja, da kommen Sie zu spät. Er hieß Gunnar und arbeitete bei Boliden. Er kam bei einem Sprengstoffunfall Mitte der siebziger Jahre ums Leben. Aber seine Frau lebt noch. Die von dem Bild hier. Sie heißt Mildred und wohnt in Bjursele.«

»Bjursele?«

»Das ist knapp eine Meile die Straße nach Bastuträsk runter. Sie wohnt in der länglichen roten Bruchbude gleich rechts, wenn Sie in die Stadt kommen. Das dritte Haus ist das. Ich kenne die Familie ziemlich gut.«

»Guten Tag, ich bin Lisbeth Salander und schreibe eine kriminologische Abhandlung über Gewalt gegen Frauen im 20. Jahrhundert. Ich würde gerne das Polizeirevier in Landskrona besuchen und die Akten zu einem Fall von 1957 einsehen. Es geht um den Mord an einer fünfundvierzigjährigen Frau namens Rakel Lunde. Wissen Sie zufällig, wo man diese Akten heute finden kann?«

Bjursele war das reinste Werbeplakat für die ländliche Västerbotten-Region. Das Dorf bestand aus zwanzig Häusern, die am Ende eines Sees halbkreisförmig und relativ dicht nebeneinanderstanden. In der Mitte des Dorfes gabelte sich eine

Straße, dort wies ein Pfeil nach Hemmingen, 11 km, und einer nach Bastuträsk, 17 km. Daneben war eine Brücke, die über einen kleinen Fluss führte. Im Hochsommer musste es hier so aussehen wie auf einer Postkarte.

Mikael hatte sein Auto auf dem Parkplatz des Supermarktes geparkt, schräg gegenüber vom dritten Haus auf der rechten Seite. Als er klopfte, war niemand da.

Er ging eine Stunde lang auf der Straße nach Hemmingen spazieren und passierte eine Stelle, an der sich der kleine Fluss in einen reißenden Strom verwandelte. Dort kehrte er wieder um. Die einzigen Lebewesen, die ihm begegneten, waren zwei Katzen und ein Reh. Mildred Brännlunds Tür war immer noch verschlossen.

An einem Pfosten bei der Brücke entdeckte er ein zerfleddertes Flugblatt, das zum BTCC einlud, den »Bjursele Tukting Car Championships 2002«. Tukting war anscheinend ein winterliches Vergnügen, bei dem man Autos auf dem zugefrorenen See zu Schrott fuhr. Nachdenklich betrachtete Mikael den Anschlag.

Er wartete bis zehn Uhr abends, dann gab er auf und fuhr nach Norsjö zurück, wo er ein spätes Abendessen zu sich nahm und sich dann im Bett der Auflösung von Val McDermids Krimi widmete.

Und die war ziemlich grausig.

Gegen zehn Uhr abends fügte Lisbeth Salander zögerlich einen weiteren Namen zu Harriet Vangers Liste hinzu, nachdem sie ein paar Stunden darüber nachgegrübelt hatte.

Sie hatte eine Abkürzung entdeckt. In regelmäßigen Abständen wurden Artikel über ungelöste Morde veröffentlicht, und in der Sonntagsbeilage einer Abendzeitung hatte sie einen Artikel von 1999 mit der Überschrift *Mehrere Frauenmörder immer noch auf freiem Fuß* gefunden. Der Artikel war eher summarisch, enthielt aber Namen und Bilder bestimmter Mordopfer, die besondere Aufmerksamkeit erregt und damals offensichtlich *den* Fortsetzungsroman des Sommers geliefert hatten: Da gab es den Solveig-Fall in Norrtälje, den Anita-Mord in Norrköping, Margareta in Helsingborg und eine ganze Reihe anderer Fälle.

Der älteste dieser Fälle stammte jedoch aus den sechziger Jahren, und keiner der Morde passte zu der Liste, die Lisbeth von Mikael bekommen hatte. Ein Fall weckte allerdings ihre Aufmerksamkeit.

Im Juni 1962 war eine zweiunddreißigjährige Prostituierte namens Lea Persson aus Göteborg nach Uddevalla gereist, um ihre Mutter und ihren neunjährigen Sohn zu besuchen, für den ihre Mutter das Sorgerecht hatte. Nach ein paar Tagen hatte sich Lea an einem Sonntagabend von ihrer Mutter verabschiedet und war zum Bahnhof aufgebrochen, um nach Göteborg zurückzufahren. Zwei Tage später wurde sie hinter einem Container gefunden, der auf einem ehemaligen Industriegelände zurückgelassen worden war. Sie war vergewaltigt und außergewöhnlich brutal misshandelt worden.

Der Lea-Mord erregte große Aufmerksamkeit und wurde die Fortsetzungsreportage des Sommers, aber ein Täter konnte nie identifiziert werden. Eine Lea kam auf Harriet Vangers Liste nicht vor. Und es passte auch keines von ihren Bibelzitaten.

Ein Tatumstand war jedoch so bizarr, dass er Lisbeth Salander sofort ins Auge stach: Ungefähr zehn Meter von der Stelle entfernt, an der man Leas Leiche gefunden hatte, fand man einen Blumentopf mit einer toten Taube. Irgendjemand hatte der Taube eine Schnur um den Hals gelegt und sie durch das Loch im Blumentopfboden gezogen. Danach hatte man den Topf auf ein kleines Feuer gestellt, das zwischen zwei Ziegelsteinen entfacht worden war. Es gab keinen Hinweis darauf, dass diese Tierquälerei etwas mit dem Lea-Mord zu tun hatte. Es hätte genauso gut sein können, dass Kinder hier ein schrecklich grausames Sommerspiel gespielt hatten, aber die Medien titelten *Der Taubenmord*.

Lisbeth Salander war keine Bibelleserin – sie besaß nicht einmal eine Bibel –, aber am Abend ging sie zur Högalids-Kirche, und mit ein bisschen Mühe glückte es ihr schließlich, sich eine Bibel auszuleihen. Sie setzte sich auf eine Parkbank vor der Kirche und las das Dritte Buch Mose. Als sie bei Kapitel 12, Vers 8 angekommen war, zog sie die Augenbrauen hoch. Kapitel 12 handelte von der Reinigung der Wöchnerinnen.

Vermag sie aber nicht ein Schaf aufzubringen, so nehme sie zwei Turteltauben oder zwei andere Tauben, eine zum Brandopfer, die andere zum Sündopfer; so soll sie der Priester entsühnen, dass sie rein werde.

Lea hätte problemlos in Harriets Adressbuch stehen können, als Lea – 31208.

Lisbeth Salander wurde plötzlich klar, dass keine Recherche früher auch nur annähernd die Dimensionen von Mikael Blomkvists Auftrag gehabt hatte.

Mildred Brännlund, die nach ihrer zweiten Heirat Mildred Berggren hieß, öffnete die Tür, als Mikael Blomkvist am Sonntagmorgen gegen zehn bei ihr klopfte. Die Frau war fast vierzig Jahre älter und ungefähr genauso viele Kilo schwerer, aber Mikael erkannte sofort das Mädchen vom Foto wieder.

»Hallo, ich heiße Mikael Blomkvist. Sie müssen Mildred Berggren sein.«

»Ja, das ist richtig.«

»Ich bitte um Entschuldigung, dass ich hier einfach so bei Ihnen anklopfe, aber ich versuche schon seit geraumer Zeit, Sie zu erreichen. Es geht um eine Angelegenheit, die ziemlich kompliziert zu erklären ist.« Mikael lächelte sie an. »Dürfte ich kurz reinkommen und ein wenig Ihrer Zeit in Anspruch nehmen?«

Mildreds Mann und ein zirka fünfunddreißigjähriger Sohn waren zu Hause. Sie bat Mikael ohne großes Zögern, in der Küche Platz zu nehmen. Er gab allen die Hand. In den vergangenen Tagen hatte Mikael mehr Kaffee getrunken als je zuvor in seinem Leben, aber dabei hatte er gelernt, dass es in Norrland unhöflich wäre, das Angebot abzulehnen. Als die Kaffeetassen auf dem Tisch standen, setzte Mildred sich hin und fragte neugierig, wie sie ihm helfen könne.

Mikael konnte ihren Norsjö-Dialekt kaum verstehen, und so wechselte sie ins Hochschwedische.

Mikael atmete tief durch. »Es ist eine lange und seltsame Geschichte. Im September 1966 waren Sie in Hedestad, zusammen mit Ihrem damaligen Mann Gunnar Brännlund.«

Sie war verblüfft. Er wartete, bis sie nickte, bevor er das Foto von der Bahnhofstraße vor ihr auf den Tisch legte.

»Damals wurde dieses Bild aufgenommen. Erinnern Sie sich an die Zusammenhänge?«

»Ach du lieber Gott«, sagte Mildred Berggren. »Das ist ja fast schon vierzig Jahre her.«

Ihr zweiter Mann und ihr Sohn stellten sich hinter sie und betrachteten das Foto.

»Da waren wir auf Hochzeitsreise. Wir sind mit dem Auto nach Stockholm und Sigtuna gefahren. Auf dem Rückweg haben wir einfach irgendwo haltgemacht. In Hedestad, sagten Sie?«

»Ja, genau, das war in Hedestad. Dieses Bild wurde ungefähr um ein Uhr mittags aufgenommen. Ich habe lange daran gearbeitet, Sie zu identifizieren, das war kein Kinderspiel.«

»Sie sind auf ein altes Bild von mir gestoßen und haben mich dann gefunden? Ich habe keine Ahnung, wie Sie das geschafft haben.«

Mikael legte das Bild vom Parkplatz auf den Tisch.

»Dank dieses Bildes, das etwas später gemacht wurde.« Mikael erklärte ihr, wie er über die Tischlerei Norsjö Eugen Burman ausfindig gemacht hatte, der ihn wiederum zu Henning Forsman in Norsjövallen führte.

»Ich schätze, Sie haben einen guten Grund für diese außergewöhnliche Suchaktion.«

»Allerdings. Dieses Mädchen, das hier auf dem Bild schräg vor Ihnen steht, hieß Harriet. Sie verschwand an diesem Tag, und es wird angenommen, dass sie Opfer eines Mörders wurde. Ich will Ihnen zeigen, was passiert ist.«

Mikael holte sein iBook hervor und erklärte zunächst die Zusammenhänge. Dann spielte er die Bilderserie ab, auf der man sehen konnte, wie sich Harriets Gesichtsausdruck veränderte.

»Als ich diese alten Bilder durchging, habe ich Sie entdeckt. Sie stehen mit einer Kamera in der Hand hinter Harriet, und es sieht so aus, als würden Sie gerade das fotografieren, was Harriets Reaktion ausgelöst haben könnte. Ich bin zu Ihnen gekommen, weil ich Sie fragen wollte, ob Sie vielleicht noch Fotos von diesem Tag besitzen.«

Mikael war darauf gefasst, dass Mildred Berggren ablehnen oder erklären würde, die Fotos nie entwickelt oder weggeworfen zu haben. Stattdessen sah sie Mikael mit ihren hellblauen Augen an und meinte, als wäre es die größte Selbstverständlichkeit auf Erden, dass sie alle ihre alten Urlaubsfotos noch habe.

Sie ging hinaus und kam nach ein paar Minuten mit einem kleinen Karton zurück, in dem sie Unmengen von Fotos in unbeschrifteten Kuverts gesammelt hatte. Es dauerte eine Weile, bis sie die Fotos von dieser Urlaubsreise gefunden hatte. In

Hedestad hatte sie drei Bilder geschossen. Eines war unscharf und zeigte die Hauptstraße. Eines zeigte ihren ersten Mann. Das dritte zeigte die Clowns im Festzug.

Eifrig beugte Mikael sich vor. Er sah eine Gestalt auf der anderen Straßenseite. Sie sagte ihm überhaupt nichts. Das Bild war wahrscheinlich völlig wertlos.

20. Kapitel

Dienstag, 1. Juli – Mittwoch, 2. Juli

Am Morgen nach seiner Rückkehr ging Mikael zunächst zu Dirch Frode hinüber, um sich nach Henriks Zustand zu erkundigen. Er erfuhr, dass der alte Mann in der vergangenen Woche erhebliche Fortschritte gemacht hatte. Er war immer noch schwach und gebrechlich, aber mittlerweile konnte er sich schon im Bett aufsetzen. Sein Zustand galt nicht mehr als kritisch.

»Gott sei Dank«, sagte Mikael. »Mir ist nämlich klar geworden, dass ich ihn wirklich gern habe.«

Frode nickte. »Ich weiß. Und Henrik mag Sie auch. Wie war die Reise nach Norrland?«

»Erfolgreich und gleichzeitig unbefriedigend. Ich erzähl es Ihnen nachher. Doch zuvor eine Frage.«

»Bitte sehr.«

»Was geschieht mit *Millennium*, wenn Henrik stirbt?«

»Gar nichts. Martin wird Mitglied der Geschäftsführung.«

»Könnten Sie sich vorstellen, rein hypothetisch natürlich, dass Martin *Millennium* irgendwelche Probleme bereiten würde, wenn ich nicht aufhöre, Harriets Verschwinden zu untersuchen?«

Dirch Frode sah Mikael scharf an.

»Was ist passiert?«

»Eigentlich gar nichts.« Mikael berichtete von dem Gespräch, das er am Mittsommerabend mit Martin Vanger geführt hatte. »Als ich von Norsjö zurückfuhr, rief Erika mich an und erzählte, dass Martin gerade mit ihr gesprochen und sie gebeten hatte, auf meine Anwesenheit in der Redaktion zu drängen.«

»Ich verstehe. Vermutlich hat Cecilia ihn angespitzt. Aber ich glaube nicht, dass Martin ernsthaft versuchen würde, Sie zu erpressen. Dafür ist er viel zu anständig. Und vergessen Sie nicht, dass auch ich in der Führungsspitze der kleinen Tochtergesellschaft sitze, die wir gegründet haben, als wir bei *Millennium* eingestiegen sind.«

»Aber wenn es zu einer heiklen Situation kommen sollte – wie werden Sie sich dann verhalten?«

»Verträge sind dazu da, eingehalten zu werden. Ich arbeite für Henrik. Henrik und ich sind seit fünfundvierzig Jahren Freunde, und in diesen Dingen sind wir uns sehr ähnlich. Wenn Henrik sterben sollte, dann erbe tatsächlich ich – und nicht Martin – Henriks Anteil an der Tochtergesellschaft. Wir haben einen wasserdichten Vertrag, der uns verpflichtet, *Millennium* vier Jahre lang zu unterstützen. Wenn Martin vorhaben sollte, irgendwelchen Unfug anzustellen – was ich nicht glaube –, dann kann er eventuell eine geringe Zahl neuer Anzeigenkunden verhindern.«

»Die für *Millennium* von existenzieller Bedeutung sind ...«

»Ja, aber sehen Sie es mal so – es ist zeitaufwändig, sich mit solchem Kleinkram abzugeben. Martin kämpft derzeit um sein Überleben in der Industrielandschaft und arbeitet vierzig Stunden am Tag. Für andere Dinge hat er gar keine Zeit.«

Mikael dachte eine Weile nach.

»Darf ich mal fragen ... ich weiß, es geht mich nichts an, aber wie ist der allgemeine Zustand des Konzerns?«

Frode wirkte ernst.

»Wir haben Probleme.«

»Tja, das kapiert sogar ein normalsterblicher Wirtschaftsjournalist wie ich. Ich meine, wie ernst ist es denn?«

»Unter uns?«

»Ganz unter uns.«

»Wir haben in den letzten Wochen zwei Großaufträge in der Elektronikindustrie verloren und stehen kurz davor, komplett vom russischen Markt verdrängt zu werden. Im September müssen wir 1600 Angestellte in Örebro und Trollhättan freistellen. Eine Katastrophe für diese Menschen, die jahrelang für das Unternehmen gearbeitet haben. Mit jeder weiteren Fabrik, die wir schließen, wird das Vertrauen in den Konzern weiter untergraben.«

»Martin Vanger steht also gewaltig unter Druck.«

»Er schuftet wie ein Ochse und balanciert dabei auf Eierschalen.«

Mikael ging nach Hause und rief Erika an. Sie war nicht in der Redaktion, also sprach er stattdessen mit Christer Malm.

»Es sieht folgendermaßen aus: Erika hat mich gestern angerufen, als ich auf der Rückfahrt von Norsjö war. Martin Vanger hat ihr in den Ohren gelegen und hat, wie soll ich es formulieren, er hat sie ermuntert, sie solle vorschlagen, dass ich langsam wieder größere Verantwortung in der Redaktion übernehme.«

»Das finde ich auch«, sagte Christer.

»Das verstehe ich ja. Aber ich habe hier einen Vertrag mit Henrik Vanger, den ich nicht brechen kann, und Martin agiert im Auftrag einer Person hier oben, die will, dass ich mit meiner Schnüffelei aufhöre und von hier verschwinde.«

»Verstehe.«

»Schöne Grüße an Erika, ich komme nach Stockholm, sobald ich hier oben fertig bin. Vorher nicht.«

»Alles klar. Du bist vollkommen verrückt. Ich werde es ausrichten.«

»Christer, hier oben ist irgendwas im Gange, und ich habe nicht vor, jetzt einen Rückzieher zu machen.«

Christer stieß einen tiefen Seufzer aus.

Mikael ging zu Martin Vangers Haus und klopfte. Eva Hassel machte ihm auf und grüßte freundlich.

»Hallo. Ist Martin da?«

Wie zur Antwort kam Martin Vanger mit einer Aktentasche heraus. Er küsste Eva auf die Wange und grüßte Mikael.

»Ich bin auf dem Weg ins Büro. Wollten Sie mit mir sprechen?«

»Das können wir auch noch später, wenn Sie es jetzt eilig haben.«

»Schießen Sie los.«

»Ich werde nicht in die *Millennium*-Redaktion zurückkehren, bevor ich nicht Henrik Vangers Auftrag erledigt habe. Ich informiere Sie nur, damit Sie nicht vor dem Jahreswechsel mit meiner Anwesenheit im Führungskreis rechnen.«

Martin Vanger wiegte sich einen Moment auf den Absätzen vor und zurück.

»Sie glauben offenbar, ich will Sie loswerden.« Er machte ein Pause. »Wir müssen später darüber sprechen, Mikael. Ich habe wirklich nicht die Zeit, mich hobbymäßig der Leitung von *Millennium* zu widmen, und ich wünschte, ich hätte Henriks Vorschlag nie angenommen. Aber glauben Sie mir – ich werde mein Bestes tun, damit *Millennium* überlebt.«

»Das habe ich niemals bezweifelt«, antwortete Mikael höflich.

»Wenn wir für nächste Woche einen Termin vereinbaren, können wir eine Stunde lang die wirtschaftliche Situation durchgehen, und ich kann Ihnen erklären, wie ich die Dinge einschätze. Aber im Grunde denke ich, dass das Magazin es sich nicht leisten kann, dass eine seiner Schlüsselfiguren hier auf der Insel sitzt und Däumchen dreht. Ich mag die Zeitschrift, und ich denke, wir können ihr gemeinsam wieder auf die Füße helfen, aber bei dieser Arbeit werden Sie gebraucht. Ich bin hier in einen Loyalitätskonflikt geraten: Entweder ich richte mich nach Henriks Wünschen, oder ich mache meinen Job bei der Führung von *Millennium*.«

Mikael zog seinen Trainingsanzug an und drehte eine Runde durchs Gelände, bis hin zur Befestigung und hinunter zu Gottfrieds Häuschen, bevor er in langsamerem Tempo am Wasser entlang nach Hause lief. Frode saß an seinem Gartentisch. Er wartete geduldig, während Mikael eine Flasche Wasser trank und sich den Schweiß vom Gesicht wischte.

»Das sieht mir aber nicht gesund aus bei dieser Hitze.«

»Uah«, antwortete Mikael.

»Ich habe mich geirrt. Es ist nicht in erster Linie Cecilia, die Martin in den Ohren liegt. Isabella ist diejenige, die den ganzen Clan aufstachelt, Sie zu teeren und zu federn und nach Möglichkeit auch noch auf dem Scheiterhaufen zu verbrennen. Birger unterstützt sie.«

»Isabella?«

»Sie ist ein böser und kleinlicher Mensch, der eigentlich niemanden leiden kann. Doch gegen Sie scheint sie eine ganz besondere Abneigung zu hegen. Sie verbreitet die Behauptung, Sie seien ein Betrüger, der Henrik dazu verleitet hat, Sie anzustellen. Auch seinen Herzanfall lastet sie Ihnen an.«

»Nimmt ihr das jemand ab?«

»Es gibt immer Menschen, die bereit sind, bösen Zungen zu glauben.«

»Ich versuche herauszufinden, was mit ihrer Tochter geschehen ist – und sie hasst mich dafür. Wenn es hier um meine Tochter ginge, hätte ich wohl etwas anders reagiert.«

Gegen zwei Uhr nachmittags klingelte Mikaels Handy.

»Hallo, mein Name ist Conny Torsson, ich bin vom *Hede-stads-Kuriren*. Hätten Sie Zeit, mir ein paar Fragen zu beantworten? Wir haben einen Tipp bekommen, dass Sie hier in Hedeby wohnen.«

»Nicht gerade brandheiß der Tipp. Ich wohne hier schon seit Neujahr.«

»Das wusste ich nicht. Was machen Sie in Hedestad?«

»Schreiben. Ich mache eine Art Sabbatjahr.«

»Woran arbeiten Sie?«

»Sorry. Das erfahren Sie erst, wenn ich es veröffentliche.«

»Sie sind ja gerade erst aus dem Gefängnis entlassen worden …«

»Ja?«

»Wie denken Sie über Journalisten, die Material fälschen?«

»Journalisten, die Material fälschen, sind Idioten.«

»Sie meinen also, Sie sind ein Idiot?«

»Warum sollte ich? Ich habe niemals Material gefälscht.«

»Aber Sie sind wegen Verleumdung verurteilt worden.«

»Und?«

Der Reporter Conny Torsson zögerte so lange, dass Mikael ihm auf die Sprünge helfen musste.

»Ich bin für Verleumdung verurteilt worden, nicht für die Fälschung von Material.«

»Aber Sie haben das Material veröffentlicht.«

»Wenn Sie angerufen haben, um das Urteil mit mir zu diskutieren, dann kann ich leider keinen Kommentar abgeben.«

»Ich würde gerne zu Ihnen rauskommen und ein Interview mit Ihnen machen.«

»Tut mir leid, aber ich habe zu diesem Thema nichts zu sagen.«

»Sie wollen den Prozess also nicht diskutieren.«

»Das haben Sie richtig verstanden«, antwortete Mikael und beendete das Gespräch. Er dachte eine ganze Weile nach, bevor er sich wieder an seinen Computer setzte.

Lisbeth Salander folgte der Wegbeschreibung: Sie steuerte ihre Kawasaki über die Brücke auf die Hedeby-Insel und hielt beim ersten kleinen Häuschen auf der linken Seite. Ihrer Meinung nach war sie hier am Ende der Welt. Aber solange ihr Auftraggeber sie bezahlte, war sie auch bereit, zum Nordpol zu fahren. Außerdem war es schön gewesen, auf der langen Fahrt über die E4 so richtig Gas zu geben. Sie stellte ihre Maschine ab und löste die Gepäckriemen, mit denen ihre Tasche mit den nötigen Utensilien für eine Übernachtung befestigt war.

Mikael machte die Tür auf und winkte ihr zu. Er kam heraus und inspizierte ihr Motorrad mit aufrichtigem Staunen.

»Klasse Maschine!«

Lisbeth Salander sagte nichts, beobachtete ihn aber wachsam, als er an Lenker und Gashebel herumfummelte. Sie mochte es gar nicht, wenn jemand etwas anfasste, was ihr gehörte. Dann sah sie sein kindlich-jungenhaftes Lächeln und war fast wieder versöhnt. Die meisten Motorradfans rümpften für gewöhnlich die Nase über ihre leichte Maschine.

»Ich hatte auch eine, als ich neunzehn war«, sagte er und wandte sich zu ihr. »Danke für Ihren Besuch. Kommen Sie rein, ich zeige Ihnen alles.«

Mikael hatte sich von Nilssons gegenüber ein Feldbett ausgeliehen und es im Arbeitszimmer aufgestellt. Lisbeth Salander machte einen misstrauischen Rundgang durch das Gästehaus, schien sich aber zu entspannen, als sie keine direkten Anzeichen für irgendwelche Hinterhalte entdecken konnte. Mikael zeigte ihr das Badezimmer.

»Falls Sie sich duschen und frisch machen wollen.«

»Ich muss mich umziehen. In der Lederkluft will ich nicht unbedingt rumlaufen.«

»Nur zu – ich mache uns inzwischen was zu essen.«

Mikeal bereitete Lammkoteletts in Rotweinsauce zu und deckte den Tisch auf der Terrasse in der Abendsonne, während Lisbeth duschte und sich umzog. Sie kam barfuß mit einem schwarzen Top und einem kurzen, abgetragenen Jeansrock hinaus. Das Essen roch gut, und sie verdrückte zwei große Portionen. Heimlich musterte Mikael das faszinierende Tattoo auf ihrem Rücken.

»Fünf plus drei«, sagte Lisbeth Salander. »Fünf Fälle von Harriets Liste und drei Fälle, die meiner Meinung nach auch auf dieser Liste hätten stehen müssen.«

»Erzählen Sie.«

»Ich habe erst elf Tage daran gearbeitet und noch nicht alle Untersuchungsberichte ausgraben können. In manchen Fällen ist der Polizeibericht ins Landesarchiv gewandert, in anderen wird er immer noch auf dem Polizeirevier verwahrt. Ich habe drei Tagesausflüge zu verschiedenen Polizeirevieren unternommen, die restlichen habe ich nicht mehr geschafft. Aber alle fünf sind identifiziert.«

Lisbeth legte einen ansehnlichen Papierstapel auf den Küchentisch, knapp fünfhundert A4-Seiten. Sie sortierte das Material schnell zu verschiedenen Häufchen.

»Sehen wir sie uns in chronologischer Reihenfolge an.« Sie gab Mikael eine Liste.

1949 – Rebecka Jacobsson, 24, Hedestad (30112)

1954 – Mari Holmberg, Kalmar (32018)

1957 – Rakel Lunde, Landskrona (32027)

1960 – (Magda) Lovisa Sjöberg, Karlstad (32016)

1960 – Liv Gustavsson, Stockholm (32016)

1962 – Lea Persson, Uddevalla (31208)

1964 – Sara Witt, Ronneby (32109)

1966 – Lena Andersson, Uppsala (30112)

»Der erste Fall in dieser Serie scheint Rebecka Jacobsson zu sein, 1949, da sind Ihnen die Details ja schon bekannt. Der nächste Fall, den ich gefunden habe, ist Mari Holmberg, eine zweiunddreißigjährige Prostituierte aus Kalmar, die im Oktober 1954 in ihrer Wohnung umgebracht wurde. Der Tatzeitpunkt konnte nicht genau ermittelt werden, da sie erst nach einer Weile gefunden wurde. Vermutlich neun oder zehn Tage nach dem Mord.«

»Und wie bringen Sie sie mit Harriets Liste in Verbindung?«

»Sie war gefesselt und schwer misshandelt worden, die Todesursache war jedoch Ersticken. Der Mörder hatte ihr eine Damenbinde in den Rachen gestopft.«

Mikael schwieg einen Moment, bevor er die angegebene Bibelstelle nachschlug, das Dritte Buch Mose, Kapitel 20, Vers 18:

Wenn ein Mann bei einer Frau liegt zur Zeit ihrer Tage und mit ihr Umgang hat und so den Brunnen ihres Blutes aufdeckt und sie den Brunnen ihres Blutes aufdeckt, so sollen sie beide aus ihrem Volk ausgerottet werden.

Lisbeth nickte.

»Harriet Vanger hat dieselbe Verbindung gesehen. Okay. Die nächste.«

»Mai 1957. Rakel Lunde, fünfundvierzig Jahre alt. Diese Frau arbeitete als Putzfrau und galt in ihrer Gegend als schrulliges Original. Sie war Wahrsagerin, las aus der Hand. Rakel wohnte außerhalb von Landskrona in einem ziemlich abgelegenen Haus, in dem sie irgendwann am frühen Morgen ermordet wurde.

Sie wurde nackt und gefesselt bei einem Wäscheständer im Garten hinter ihrem Haus gefunden. Ihr Mund war mit Klebeband zugeklebt.

Sie war getötet worden, indem man wieder und wieder einen schweren Stein auf sie geworfen hat. Sie hatte unzählige Quetschwunden und Frakturen.«

»Verdammt. Lisbeth, das ist absolut grauenvoll.«

»Es wird noch schlimmer. Die Initialen RL stimmen – finden Sie das Bibelzitat?«

»Ganz klar. *Wenn ein Mann oder eine Frau Geister beschwören oder Zeichen deuten kann, so sollen sie des Todes sterben; man soll sie steinigen; ihre Blutschuld komme über sie.*«

»Dann kommt Lovisa Sjöberg in Ranmo bei Karlstad. Sie ist die, die Harriet als Magda aufgeführt hat. Ihr vollständiger Name lautet Magda Lovisa, aber Lovisa war ihr Rufname.«

Mikael hörte aufmerksam zu, während Lisbeth die bizarren Details des Karlstad-Mordes wiedergab. Als sie sich eine Zigarette anzündete, deutete er mit fragendem Blick auf das Paket. Sie schob es ihm zu.

»Der Mörder hat also auch das Tier angegriffen?«

»Das Bibelzitat lautet so, dass wenn eine Frau Sex mit einem Tier hat, beide getötet werden sollen.«

»Die Wahrscheinlichkeit, dass diese Frau Sex mit einem Pferd hatte, dürfte wohl gegen null gehen.«

»Man kann das Bibelzitat wörtlich auslegen. Es reicht, wenn sie sich *einem Tier naht*, was eine Bäuerin unbestreitbar jeden Tag tut.«

»Okay. Fahren Sie fort.«

»Der nächste Fall auf Harriets Liste ist Sara. Ich habe sie als Sara Witt identifiziert, siebenunddreißig Jahre alt, wohnhaft in Ronneby. Sie wurde im Januar 1964 ermordet. Die Umstände waren Folgende: Sie wurde gefesselt in ihrem Bett aufgefunden. Man hatte sie sexuell schwer misshandelt, Todesursache war allerdings Ersticken. Sie wurde erdrosselt. Der Mörder legte sogar noch ein Feuer. Er wollte das ganze Haus anscheinend bis auf die Grundmauern niederbrennen, aber das Feuer ging zum Teil von selbst aus, und außerdem war die Feuerwehr sehr schnell vor Ort.«

»Und die Verbindung?«

»Sara Witt war sowohl Pfarrerstochter als auch mit einem Pfarrer verheiratet. Ihr Mann war ausgerechnet an jenem Wochenende verreist.«

»*Wenn eines Priesters Tochter sich durch Hurerei entheiligt, so soll man sie mit Feuer verbrennen, denn sie hat ihren Vater entheiligt.* Okay. Damit passt sie in die Liste. Sie haben gesagt, Sie hätten mehrere Fälle gefunden.«

»Ich habe drei weitere Frauen gefunden, die unter so bizarren Umständen ermordet wurden, dass sie auf Harriets Liste stehen müssten. Bei dem ersten Fall geht es um eine junge Frau namens Liv Gustavsson. Sie war zweiundzwanzig Jahre alt und wohnte in Farsta. Sie war ein Pferdenarr, nahm an Reitturnieren teil und galt als vielversprechendes Talent. Außerdem hatte sie zusammen mit ihrer Schwester eine kleine Tierhandlung.«

»Okay.«

»Sie wurde in ihrem Laden aufgefunden. Sie hatte Überstunden gemacht, um die Buchführung zu erledigen, und war ganz allein. Sie muss den Mörder freiwillig hereingelassen haben. Sie wurde vergewaltigt und erwürgt.«

»Das klingt aber nicht so richtig nach Harriets Liste, oder?«

»Nicht so richtig, aber da gibt es noch ein Detail: Der Mörder hatte ihr ganz zum Schluss noch einen Wellensittich in den Unterleib gestopft und danach alle Tiere, die sich in der Zoohandlung befanden, freigelassen: Katzen, Schildkröten, weiße Mäuse, Kaninchen, Vögel. Sogar die Fische aus den Aquarien. Ihrer Schwester bot sich am nächsten Morgen ein grausiger Anblick.«

Mikael nickte.

»Sie wurde im August 1960 ermordet, vier Monate nach dem Mord an der Bäuerin. In beiden Fällen handelte es sich um Frauen, die berufsmäßig mit Tieren zu tun hatten, und in beiden Fällen wurde ein Tieropfer gebracht. Das Pferd in Karlstad hat zwar überlebt, aber vermutlich ist es auch nicht einfach, ein Pferd zu erstechen. Ein Wellensittich ist da doch irgendwie einfacher. Außerdem gab es noch ein weiteres Tieropfer.«

»Und zwar?«

Lisbeth erzählte von dem seltsamen *Taubenmord* an Lea Persson in Uddevalla. Mikael schwieg und überlegte so lange, bis sogar Lisbeth ungeduldig wurde.

»Okay«, meinte er schließlich. »Ich schließe mich Ihrer Theorie an. Ein Fall fehlt noch.«

»Ein Fall, den ich zufällig entdeckt habe. Ich weiß nicht, wie viele mir vielleicht entgangen sind.«

»Erzählen Sie.«

»Februar 1966 in Uppsala. Das jüngste Opfer war eine siebzehnjährige Gymnasiastin namens Lena Andersson. Sie verschwand nach einem Klassenfest und wurde drei Tage später in einem Graben in der Gegend von Uppsala gefunden, ein gutes Stückchen außerhalb der Stadt. Sie war an einem anderen Ort ermordet und dann dorthin gebracht worden.«

Mikael nickte.

»Dieser Mord hat in den Massenmedien für Aufsehen gesorgt, aber über die genauen Umstände ihres Todes wurde nie berichtet. Das Mädchen war auf äußerst groteske Weise gefoltert worden. Ich habe den Bericht des Pathologen gelesen. Ihre Hände und ihre Brust wiesen schwere Verbrennungen auf, und am ganzen Körper waren ihr wieder und wieder Brandverletzungen zugefügt worden. Man fand Wachsflecken auf ihr, die bewiesen, dass eine Kerze verwendet worden war, aber die Hände waren so verkohlt, dass sie in ein größeres Feuer gehalten worden sein mussten. Schließlich hat der Mörder ihr den Kopf abgesägt und ihn neben den Körper gelegt.«

Nun wurde Mikael doch blass.

»Lieber Gott«, sagte er.

»Ich finde kein passendes Bibelzitat, aber es gibt mehrere Abschnitte, die von Brand- und Sühneopfern handeln, und an ein paar Stellen wird angeordnet, dass das Opfertier – meistens ein Stier – *in seine Stücke zerlegt* werden soll. Der Einsatz von Feuer erinnert auch an den ersten Mord, den an Rebecka in Hedestad.«

Als gegen Abend die Mückenschwärme anrückten, räumten Mikael und Lisbeth den Gartentisch ab und setzten sich in die Küche, um dort weiterzureden.

»Dass Sie kein exaktes Bibelzitat finden, muss nichts heißen. Es geht nicht um Zitate. Das hier ist eine groteske Parodie dessen, was in der Bibel steht – es sind eher Assoziationen zu aus dem Zusammenhang gerissenen Zitaten.«

»Ich weiß. Es ist nicht mal logisch. Wenn der Mörder das Zitat buchstabengetreu ausgelegt hätte, dass sowohl die Frau als auch der Mann ausgerottet werden sollen, wenn sie während ihrer Menstruation Sex hatten, dann hätte er ja Selbstmord begehen müssen.«

»Worauf läuft das also alles hinaus?«, fragte Mikael.

»Ihre Harriet hatte entweder das ziemlich seltsame Hobby, Bibelzitate zu sammeln und mit Mordopfern in Verbindung zu bringen, von denen sie gehört hatte … oder sie muss gewusst haben, dass zwischen diesen Morden eine Verbindung bestand.«

»Soweit wir wissen, wurden die Morde zwischen 1949 und 1966 verübt. Es müsste also ein vollkommen verrückter Sadist und Serienmörder mit der Bibel unterm Arm durch die Gegend geschlichen sein, um in einem Zeitraum von mindestens siebzehn Jahren Frauen zu ermorden, ohne dass jemand die Morde jemals miteinander in Verbindung gebracht hätte. Das klingt völlig unplausibel.«

Lisbeth Salander schob den Stuhl zurück und holte die Kaffeekanne vom Herd. Sie steckte sich eine Zigarette an und blies den Rauch in alle Richtungen. Mikael fluchte innerlich und stibitzte sich noch eine Zigarette von ihr.

»Nein, das ist gar nicht mal so unplausibel«, sagte sie und hob einen Finger. »Im 20. Jahrhundert haben wir in Schweden mehrere Dutzend unaufgeklärte Frauenmorde. Dieser Kriminologie-Professor namens Persson hat in der Fernsehserie *Gesucht* darauf hingewiesen, dass Serienmörder in Schweden furchtbar selten sind, dass es aber sicher einige gegeben hat, die einfach nie überführt wurden.«

Mikael nickte. Sie hielt einen weiteren Finger in die Höhe.

»Diese Morde sind über einen sehr langen Zeitraum hinweg verübt worden, und an weit auseinanderliegenden Orten im Land. Zwei von den Morden wurden kurz hintereinander begangen, aber die Umstände sahen sich nicht sonderlich ähnlich – eine Bäuerin in Karlstad und eine zweiundzwanzigjährige Pferdenärrin in Stockholm.«

Dritter Finger.

»Es gibt kein offensichtliches Muster. Die Morde geschahen auf unterschiedliche Art und Weise, der Täter hat also keine deutliche Handschrift hinterlassen, aber gewisse Dinge kehren bei allen Fällen wieder. Tiere. Feuer. Brutalste sexuelle Gewalt. Und – wie Sie schon sagten – eine Bibelparodie. Aber anscheinend hat noch kein Ermittler der Polizei einen dieser Morde von der Bibel her interpretiert.«

Mikael nickte. Er warf Lisbeth einen verstohlenen Blick zu. Mit ihrem dünnen Körper, dem schwarzen Hemd, dem Tattoo und den Piercingringen im Gesicht wirkte sie in einem Gästehäuschen in Hedeby, gelinde gesagt, fehl am Platze. Als er beim Abendessen versucht hatte, ein bisschen Konversation zu betreiben, war sie einsilbig gewesen und hatte auch nur knappe Antworten gegeben, wenn er sie direkt ansprach. Aber bei der Arbeit wirkte sie bis in die Fingerspitzen wie ein Profi. In ihrer Wohnung in Stockholm sah es so aus, als hätte eine Bombe eingeschlagen, doch Mikael nahm an, dass in ihrem Kopf die Dinge außergewöhnlich gut sortiert waren. Seltsam!

»Es ist schwer, den Zusammenhang zu erkennen zwischen einer Prostituierten aus Uddevalla, die auf einem Industriegelände erschlagen wurde, und einer Pfarrersfrau aus Ronneby, die man erwürgt und verbrannt hat – wenn man nicht zufällig den Schlüssel in der Hand hält, den Harriet uns gegeben hat«, fügte er hinzu.

»Was uns zur nächsten Frage führt«, sagte Lisbeth.

»Genau, wie zum Teufel ist Harriet hier hineingeraten? Ein sechzehnjähriges Mädchen aus einer behüteten Umgebung.«

»Es gibt nur eine Antwort«, sagte sie.

Mikael nickte abermals.

»Es muss eine Verbindung zur Familie Vanger geben.«

Bis elf Uhr abends hatten sie über mögliche Zusammenhänge und befremdliche Details sämtlicher Mordfälle diskutiert. Mikael dröhnte der Kopf. Er rieb sich die Augen, streckte sich und fragte, ob sie Lust auf einen Abendspaziergang hätte. Lisbeth sah so aus, als würde sie so etwas für reine Zeitverschwendung halten, nickte aber nach kurzer Bedenkzeit doch. Mikael riet ihr, wegen der Mücken eine lange Hose anzuziehen.

Sie gingen unter der Brücke hindurch, am Kleinboothafen vorbei und auf Martin Vangers Landzunge zu. Mikael zeigte auf die verschiedenen Häuser und erklärte ihr, wer wo wohnte. Er konnte seine Gedanken nur schwer formulieren, als er ihr Cecilias Haus zeigte. Lisbeth musterte ihn verstohlen aus dem Augenwinkel.

Als sie an Martin Vangers Motoryacht vorbeikamen und die Landzunge erreichten, setzten sie sich auf einen Stein und teilten sich eine Zigarette.

»Es gibt noch eine weitere Verbindung zwischen den Mordopfern«, sagte Mikael plötzlich. »Sie haben vielleicht schon daran gedacht.«

»Was?«

»Die Namen.«

Lisbeth überlegte kurz. Dann schüttelte sie den Kopf.

»Es sind alles biblische Namen.«

»Stimmt nicht«, antwortete Lisbeth sofort. »Weder Liv noch Lena kommen in der Bibel vor.«

»Doch. Liv bedeutet Leben, das ist die biblische Bedeutung

des Namens Eva. Und jetzt mal scharf nachgedacht – Lena ist eine Abkürzung von welchem Namen?«

Lisbeth kniff die Augen verärgert zusammen und fluchte innerlich. Mikael hatte schneller gedacht als sie. Das gefiel ihr gar nicht.

»Magdalena«, sagte sie.

»Die Hure, die erste Frau, die Jungfrau Maria … das Ganze ist so verrückt, dass vermutlich jedem Psychologen schwindelig würde. Aber ich hatte bei den Namen eigentlich an etwas anderes gedacht.«

Lisbeth wartete geduldig ab.

»Es sind auch traditionelle jüdische Frauennamen. In der Familie Vanger gibt es überdurchschnittlich viele verrückte Judenhasser, Nazis und Verschwörungstheoretiker. Harald Vanger ist über neunzig Jahre alt und hatte seine große Zeit in den sechziger Jahren. Das einzige Mal, als ich ihn traf, zischte er mir zu, dass seine eigene Tochter eine Hure sei. Er hat ganz offensichtlich Probleme mit Frauen.«

Als sie wieder zu Mikaels Haus zurückkamen, strichen sie sich noch ein paar Brote und wärmten den Kaffee auf. Mikael schielte auf die zirka fünfhundert Seiten, die Armanskijs Lieblingsermittlerin erstellt hatte.

»Sie haben da in Rekordzeit eine phantastische Recherchearbeit hingelegt«, sagte er. »Danke. Und danke auch, dass Sie so nett waren, hierherzukommen, um Bericht zu erstatten.«

»Und wie geht es jetzt weiter?«, fragte Lisbeth.

»Ich werde mit Frode sprechen, dann erledigen wir das mit der Bezahlung.«

»Das hatte ich nicht gemeint.«

Mikael zog die Augenbrauen hoch.

»Tja … der Rechercheauftrag, für den ich Sie angeheuert hatte, ist hiermit erledigt«, sagte er vorsichtig.

»Ich bin mit dieser Sache aber noch nicht fertig.«

Als Mikael sich auf dem Küchensofa zurücklehnte, trafen sich ihre Blicke. Er konnte in ihren Augen überhaupt nichts lesen. Ein halbes Jahr hatte er alleine am Fall Harriet gearbeitet, und nun war da plötzlich ein anderer Mensch – eine erfahrene Ermittlerin –, die die Tragweite des Falles erkannte. Er fasste einen spontanen Entschluss.

»Ich weiß. Diese Geschichte geht mir auch unter die Haut. Ich rede morgen mit Frode. Wir werden Sie für eine weitere Woche anstellen ... oder auch zwei. Als ... hmm, als Recherche-Assistentin. Ich weiß nicht, ob er bereit ist, denselben Tarif wie an Armanskij zu zahlen, aber einen vernünftigen Monatslohn sollten wir wohl aus ihm herausholen können.«

Lisbeth bedachte ihn auf einmal mit einem unbeholfenen Lächeln. Bei diesem Fall wollte sie unbedingt bis zum Ende dabei sein – notfalls auch gratis.

»Ich schlaf jetzt gleich ein«, sagte sie, ging ohne ein weiteres Wort in ihr Zimmer und schloss die Tür.

Nach zwei Minuten öffnete sie die Tür noch einmal und streckte den Kopf hinaus.

»Ich glaube, Sie täuschen sich. Das ist kein verrückter Serienmörder, der zu viel in der Bibel gelesen hat. Das ist nur ein ganz gewöhnliches Arschloch, das Frauen hasst.«

21. Kapitel

Donnerstag, 3. Juli – Donnerstag, 10. Juli

Lisbeth Salander erwachte vor Mikael, um sechs Uhr morgens. Sie setzte Kaffee auf und stellte sich unter die Dusche. Als Mikael gegen acht Uhr wach wurde, saß sie vor seinem iBook und las seine Zusammenfassung des Falles Harriet Vanger. Er kam mit einem Laken um die Hüften in die Küche und rieb sich den Schlaf aus den Augen.

»Auf dem Herd steht Kaffee«, sagte sie.

Mikael spähte ihr über die Schulter.

»Dieses Dokument war passwortgesichert«, sagte er.

Sie wandte den Kopf und blickte zu ihm hoch.

»Es dauert genau dreißig Sekunden, sich ein Programm aus dem Netz herunterzuladen, mit dem man solche Passwörter knacken kann«, sagte sie.

»Wir müssen noch mal ein Gespräch über persönliches Eigentum führen«, sagte Mikael und ging unter die Dusche.

Als er zurückkam, hatte Lisbeth seinen Computer ausgeschaltet und wieder an seinen Platz im Arbeitszimmer zurückgestellt. Sie hatte ihr eigenes PowerBook hochgefahren. Mikael war überzeugt, dass sie den Inhalt des Dokuments bereits auf ihren eigenen Computer übertragen hatte.

Lisbeth Salander war ein Informations-Junkie mit einer höchst liberalen Auffassung von Moral und Ethik.

Mikael hatte sich gerade an den Frühstücktisch gesetzt, als es an der Haustür klopfte. Er stand auf und öffnete. Martin Vanger wirkte so verbissen, dass Mikael für einen Moment dachte, er sei gekommen, um die Nachricht von Henrik Vangers Tod zu überbringen.

»Nein, Henrik geht es genauso wie gestern. Ich komme in einer ganz anderen Angelegenheit. Kann ich kurz reinkommen?«

Mikael ließ ihn herein und stellte ihn der »Recherche-Assistentin« Lisbeth Salander vor. Sie bedachte den Großindustriellen nur mit einem halben Blick und einem kurzen Nicken, bevor sie sich wieder ihrem Computer zuwandte. Martin Vanger grüßte zerstreut und schien sie kaum wahrzunehmen. Mikael goss ihm eine Tasse Kaffee ein und bat ihn, Platz zu nehmen.

»Worum geht es denn?«

»Sie haben nicht zufällig den *Hedestads-Kuriren* abonniert, oder?«

»Nein. Ich lese ihn manchmal in Susannes Café.«

»Dann haben Sie die Morgenausgabe also noch nicht gelesen.«

»Sie sagen das so, als hätte ich das tun sollen.«

Martin Vanger legte den *Hedestads-Kuriren* vor Mikael auf den Tisch. Man hatte ihm einen Leitartikel über zwei Spalten und eine Fortsetzung auf Seite vier gewidmet. Er betrachtete die Schlagzeile:

Hier versteckt sich der verurteilte Journalist

Der Artikel war mit einem Foto illustriert, das von der anderen Seite der Brücke, vom Kirchhügel aus, mit dem Teleobjektiv aufgenommen worden war. Es zeigte Mikael, wie er gerade aus der Tür des Gästehäuschens trat.

Der Reporter Conny Torsson hatte mit dem Schmäharti-

kel, den er über Mikael zusammengeschustert hatte, ganze
Arbeit geleistet. Er skizzierte noch einmal kurz die Wennerström-Affäre und hob hervor, dass Mikael *Millennium* unter
Schimpf und Schande verlassen und kürzlich eine Gefängnisstrafe abgebüßt habe. Der Artikel schloss mit der altbekann-
ten Behauptung, dass Mikael ein Gespräch mit dem *Hedestads-Kuriren* verweigert habe. Der Ton war so gehalten,
dass keinem Bewohner von Hedestad verborgen bleiben
konnte, was für ein dubioser Typ hier durch die Gegend
schlich. Keine der Behauptungen in diesem Artikel war an-
greifbar, aber sie waren so dargestellt, dass Mikael mehr als
fragwürdig dastand. Sowohl das Bild als auch der Text erinnerten an die Art Artikel, in denen man sonst über politische
Terroristen berichtet. *Millennium* wurde als »Agitations-
blatt« mit geringer Glaubwürdigkeit hingestellt und Mikaels
Buch über Wirtschaftsjournalismus als ein Sammelsurium
»kontroverser Behauptungen« über angesehene Journalisten
bezeichnet.

»Mikael … ich kann kaum in Worte fassen, was für Gefühle
dieser Artikel in mir hervorgerufen hat. Es ist einfach wider-
lich.«

»Das war eine Auftragsarbeit«, entgegnete Mikael ruhig. Er
sah Martin forschend an.

»Ich hoffe, Ihnen ist klar, dass ich nicht das Geringste damit
zu tun habe. Ich hätte mich fast an meinem Morgenkaffee ver-
schluckt, als ich die Zeitung las.«

»Wer steckt dahinter?«

»Ich habe heute Morgen ein paar Telefongespräche geführt.
Conny Torsson arbeitet den Sommer über als Aushilfe. Er hat
in Birgers Auftrag gehandelt.«

»Ich dachte, Birger hätte keinen Einfluss auf die Redaktion;
er ist doch immerhin Gemeinderat und Politiker.«

»Offiziell hat er auch keinen Einfluss. Aber Chefredakteur
des *Kuriren* ist Gunnar Karlman, Sohn von Ingrid Vanger aus

Johan Vangers Zweig der Familie. Birger und Gunnar sind seit vielen Jahren eng befreundet.«

»Verstehe.«

»Torsson fliegt mit sofortiger Wirkung raus.«

»Wie alt ist er?«

»Ehrlich gesagt, ich weiß es nicht. Ich bin ihm nie begegnet.«

»Schmeißen Sie ihn nicht raus. Als er mich anrief, klang er nach einem ziemlich jungen und unerfahrenen Reporter.«

»Diese Geschichte kann ich ihm nicht durchgehen lassen.«

»Wenn Sie mich fragen, sieht die Situation ein bisschen absurd aus. Der Chefredakteur einer Zeitung, die der Familie Vanger gehört, geht auf eine Zeitschrift los, bei der Henrik Vanger Teilhaber ist und Sie im Führungskreis sitzen. Chefredakteur Karlman attackiert also Sie und Henrik.«

Martin Vanger ließ sich Mikaels Worte durch den Kopf gehen, schüttelte dann aber langsam den Kopf.

»Ich verstehe, was Sie meinen. Ich sollte die Verantwortung an der richtigen Stelle suchen. Karlman ist Teilhaber am Konzern und hat immer aus dem Hinterhalt gegen mich agiert, aber das hier sieht mir eher aus wie Birgers Rache dafür, dass Sie ihn auf dem Krankenhausflur abgefertigt haben. Sie sind ihm ein Dorn im Auge.«

»Ich weiß. Deswegen glaube ich ja auch, dass Torsson immer noch der Unschuldigste in diesem Spiel ist. Es wäre wohl ein bisschen zu viel verlangt von einer jungen Aushilfe, einen Auftrag seines Chefredakteurs zu verweigern.«

»Ich kann verlangen, dass Sie morgen an prominenter Stelle eine öffentliche Entschuldigung bekommen.«

»Lassen Sie's. Dann zieht sich der Streit nur noch länger hin, und die Situation verschlimmert sich noch mehr.«

»Sie meinen also, ich soll gar nichts unternehmen?«

»Das lohnt sich nicht. Karlman wird sich querstellen, und im schlimmsten Fall werden Sie noch als Gauner hingestellt, der seine Rechte als Eigner missbraucht, um die freie Meinungsbildung zu beeinflussen.«

»Tut mir leid, Mikael, ich kann Ihnen nicht zustimmen. Ich habe tatsächlich auch das Recht, freie Meinungsbildung zu betreiben. Ich finde, dieser Artikel stinkt zum Himmel, und ich habe vor, meine persönliche Einstellung kundzutun. Ich bin immer noch Henriks Stellvertreter in der *Millennium*-Führungsspitze, und in dieser Funktion kann ich solche versteckten Anschuldigungen nicht unkommentiert lassen.«

»Okay.«

»Ich werde verlangen, dass meine Richtigstellung veröffentlicht wird. In der werde ich wiederum Karlman als Idiot hinstellen. Das hat er sich selbst zuzuschreiben.«

»Okay, Sie müssen nach Ihrer Überzeugung handeln.«

»Ich will Sie davon überzeugen, dass ich nichts mit dieser infamen Attacke zu tun habe.«

»Ich glaube Ihnen«, versicherte Mikael.

»Außerdem – ich wollte das eigentlich nicht bei dieser Gelegenheit wieder aufs Tapet bringen, aber dieser Vorfall hängt unmittelbar mit dem Thema zusammen, über das wir neulich gesprochen haben. Es ist wichtig, dass Sie wieder fest in der *Millennium*-Redaktion sitzen, sodass wir nach außen geeint auftreten. Solange Sie fortbleiben, geht das dumme Gerede immer weiter. Ich glaube an *Millennium* und bin sicher, dass wir diesen Kampf gemeinsam gewinnen können.«

»Ich verstehe Ihren Standpunkt ja, aber in dieser Sache kann ich Ihnen nicht zustimmen. Ich kann den Vertrag mit Henrik nicht brechen, und ich will ihn auch nicht brechen. Ich mag den alten Mann wirklich. Und die Geschichte mit Harriet ...«

»Ja?«

»Ich begreife, dass Henriks Besessenheit für Sie manchmal sehr anstrengend war.«

»Mal ganz unter uns – ich liebe Henrik, und er ist mein Mentor, aber was Harriet angeht, grenzte seine Besessenheit schon an Rechthaberei.«

»Als ich diesen Job anfing, erwartete ich, dass ich damit nur meine Zeit verschwenden würde. Aber nun haben wir wider Erwarten doch neues Material gefunden. Ich glaube, dass wir vor einem Durchbruch stehen. Vielleicht werden wir bald eine Antwort auf die Frage haben, was damals wirklich geschehen ist.«

»Sie wollen mir nicht erzählen, was Sie gefunden haben?«

»Laut Vertrag darf ich ohne Henriks persönliche Genehmigung mit niemandem darüber sprechen.«

Martin Vanger stützte das Kinn auf die Hand. Mikael konnte den Zweifel in seinen Augen sehen. Schließlich fasste Martin einen Entschluss.

»Okay, dann ist es wohl das Beste, das Rätsel Harriet so schnell wie möglich zu lösen. Ich würde sagen, ich gebe Ihnen jedwede Unterstützung, damit Sie die Arbeit zufriedenstellend abschließen und danach wieder zu *Millennium* zurückkehren können.«

»Gut. Ich möchte nicht auch noch gegen Sie kämpfen müssen.«

»Das brauchen Sie auch nicht. Sie haben meine volle Unterstützung. Wenn Sie wollen, können Sie sich an mich wenden, sobald Sie auf Probleme stoßen. Ich kann Druck auf Birger ausüben, damit er Sie nicht behindert. Und ich kann versuchen, mit Cecilia zu reden, damit sie sich wieder beruhigt.«

»Danke. Ich muss ihr nämlich ein paar Fragen stellen, und sie ignoriert meine Versuche, mich mit ihr zu unterhalten, mittlerweile seit einem Monat.«

Martin Vanger lachte plötzlich auf.

»Sie haben vielleicht ganz andere Dinge miteinander zu klären. Aber da mische ich mich nicht ein.«

Sie gaben sich die Hand.

Lisbeth Salander hatte dem Wortwechsel zwischen Mikael und Martin Vanger schweigend gelauscht. Als Martin gegangen war, nahm sie sich den *Hedestads-Kuriren* und überflog den Artikel. Danach legte sie die Zeitung kommentarlos wieder weg.

Mikael überlegte. Gunnar Karlman war Jahrgang 1942, also vierundzwanzig Jahre alt gewesen, als Harriet verschwand. Er gehörte auch zu denjenigen, die sich zum kritischen Zeitpunkt auf der Insel aufgehalten hatten.

Nach dem Frühstück gab Mikael seiner Recherche-Assistentin den polizeilichen Untersuchungsbericht zu lesen. Er sah das Material vorher durch und gab ihr nur die Ordner, die sich auf Harriets Verschwinden konzentrierten. Außerdem gab er ihr alle Bilder vom Unfall auf der Brücke sowie die ausführliche redigierte Zusammenstellung von Henriks Privatermittlungen.

Danach ging Mikael zu Frode hinüber und ließ ihn Lisbeths Vertrag um einen Monat verlängern.

Als er zum Gästehäuschen zurückkam, war Lisbeth in den Garten umgezogen und ganz in den Untersuchungsbericht versunken. Mikael ging hinein und wärmte den Kaffee auf. Er betrachtete sie durchs Küchenfenster. Sie schien den Bericht eher zu überfliegen und maximal zehn bis fünfzehn Sekunden auf jede Seite zu verwenden. Sie blätterte völlig mechanisch, und Mikael wunderte sich, dass sie mit der Lektüre so schlampig war; das stand in krassem Gegensatz zu der Kompetenz, mit der sie ihren eigenen Bericht verfasst hatte. Er brachte zwei Kaffeetassen nach draußen und leistete ihr am Gartentisch Gesellschaft.

»Als Sie dies geschrieben haben, wussten Sie noch nicht, dass wir einen Serienmörder jagen, stimmt's?«

»Stimmt. Ich habe Dinge notiert, die ich für wichtig hielt, Fragen, die ich Henrik stellen wollte, und so weiter. Wie Ihnen sicher aufgefallen ist, war das Ganze ziemlich unstrukturiert. Bis jetzt bin ich eigentlich nur im Dunkeln herumgetappt und habe versucht, eine Story zu schreiben – ein Kapitel in Henrik Vangers Biografie.«

»Und jetzt?«

»Vorher hat sich die gesamte Ermittlung auf die Hedeby-Insel beschränkt. Mittlerweile bin ich aber davon überzeugt, dass diese Story schon früher begonnen hat, und zwar in Hedestad. Das verleiht dem Ganzen eine völlig neue Perspektive.«

Lisbeth nickte. Sie überlegte einen Moment.

»Das mit diesen Bildern hier war eine großartige Idee von Ihnen«, sagte sie.

Mikael hob die Augenbrauen. Lisbeth wirkte eigentlich nicht wie jemand, der verschwenderisch mit Lob umging, und Mikael fühlte sich seltsam geschmeichelt. Auf der anderen Seite – rein journalistisch betrachtet war es tatsächlich ein ungewöhnliches Vorgehen.

»Jetzt müssen Sie die Details klären. Wie ist es mit diesem Bild gelaufen, dem Sie in Norsjö hinterhergejagt sind?«

»Wollen Sie etwa behaupten, Sie hätten die Bilder in meinem Computer noch nicht gecheckt?«

»Ich hatte keine Zeit dazu. Ich wollte lieber lesen, auf was für Gedanken und Schlussfolgerungen Sie gekommen sind.«

Mikael seufzte, fuhr sein iBook hoch und öffnete den Ordner mit den Bildern.

»Es ist faszinierend. Der Besuch in Norsjö war ein Erfolg und gleichzeitig eine totale Enttäuschung. Ich habe das Bild gefunden, aber es gibt nicht viel her.

Diese Frau, Mildred Berggren, hat sämtliche Urlaubsfotos in einem Karton aufgehoben. Darunter auch dieses Bild. Nach siebenunddreißig Jahren war der Abzug ziemlich verblichen und gelbstichig, aber sie hatte noch das Negativ. Ich durfte mir

alle Negative von Hedestad ausleihen und habe sie eingescannt. Folgendes hat Harriet also gesehen.«

Er klickte ein Bild mit dem Dokumentennamen HARRIET/
bd–19.eps an.

Lisbeth konnte seine Enttäuschung verstehen. Sie sah ein
leicht unscharfes, mit Weitwinkel aufgenommenes Bild, das
die Clowns im Festzug zum »Tag des Kindes« zeigte. Im Hintergrund war die Ecke von *Sundströms Herrenmode* zu erkennen. Dort standen ungefähr zehn Personen auf dem Gehweg,
die man durch eine Lücke zwischen den Clowns und dem
Kühler des nachfolgenden Lastwagens sehen konnte.

»Ich glaube, dies hier war die Person, die sie gesehen hat.
Zum einen habe ich diese Straßenkreuzung sehr exakt nach-
gezeichnet und versucht, den exakten Winkel ihrer Gesichts-
drehung auszurechnen. Zum anderen ist dies die einzige Person, die direkt in die Kamera zu blicken scheint. Das heißt, sie
hat Harriet angestarrt.«

Lisbeth sah eine unscharfe Gestalt, die hinter den anderen
Zuschauern in der Seitenstraße stand. Sie trug einen dunklen
Steppanorak mit roter Schulterpartie und eine dunkle Hose,
vielleicht Jeans. Mikael zoomte die Figur heran, sodass ihre
obere Körperhälfte den ganzen Bildschirm ausfüllte. Sofort
wurde das Bild verschwommener.

»Es ist ein Mann. Er ist ungefähr 1 Meter 80 groß, normale
Statur. Er hat dunkelblondes, halblanges Haar und ist glatt rasiert. Aber es ist unmöglich, seine Gesichtszüge genauer zu erkennen oder auch nur das Alter zu schätzen. Von Teenager bis
mittelalt ist alles möglich.«

»Man kann das Bild noch manipulieren …«

»Ich habe das Bild bereits manipuliert. Ich habe sogar eine
Kopie an Christer Malm bei *Millennium* geschickt, und der ist
ein echter Fuchs in Sachen Bildbearbeitung.« Mikael klickte
ein neues Bild an. »Mehr als das hier kann ich nicht rausholen.
Die Kamera war ganz einfach mies und der Abstand zu groß.«

»Haben Sie die Bilder jemandem gezeigt? Die Leute könnten die Körperhaltung wiedererkennen ...«

»Ich habe Frode das Bild gezeigt. Er hatte keine Ahnung, wer diese Person ist.«

»Na ja, Dirch Frode ist ja nicht gerade der aufgeweckteste Mensch in Hedestad.«

»Nein, aber ich arbeite nun mal für Henrik Vanger und ihn. Ich will das Bild Henrik vorlegen, bevor ich es anderen zeige.«

»Vielleicht ist er ja nur ein argloser Zuschauer.«

»Schon möglich. Aber dann hat er doch eine sonderbare Reaktion bei Harriet ausgelöst.«

In der nächsten Woche arbeiteten Mikael und Lisbeth nahezu ununterbrochen am Fall Harriet. Lisbeth las weiter im Untersuchungsbericht und bombardierte Mikael mit Fragen. Es konnte nur eine Wahrheit geben, und jede Unklarheit und ungenaue Antwort führte zu einer abermaligen Prüfung ihrer Überlegungen.

Lisbeth war Mikael zunehmend ein Rätsel. Obwohl es stets so aussah, als würde sie den Bericht nur überfliegen, schien sie regelmäßig bei den fragwürdigsten und widersprüchlichsten Details hängen zu bleiben.

Nachmittags, wenn es in der Hitze im Garten nicht mehr auszuhalten war, machten sie eine Pause. Ein paarmal gingen sie hinunter ans Wasser und badeten, oder sie setzten sich auf die Terrasse von Susannes Brücken-Café. Susanne begegnete Mikael plötzlich mit einer gewissen demonstrativen Kühle. Ihm ging auf, dass Lisbeth aussah, als wäre sie kaum volljährig, und trotzdem wohnte sie offensichtlich mit ihm in seinem Gästehäuschen zusammen. Das machte ihn in Susannes Augen zu einem Lüstling, der sich mit jungen Mädchen vergnügte. Ein unschönes Gefühl.

Mikael machte weiterhin jeden Abend seinen Geländelauf. Lisbeth gab keinen Kommentar ab, wenn er atemlos zum Gästehaus zurückkam. Über Stock und Stein zu rennen entsprach anscheinend nicht ihrer Vorstellung von Sommerfrische.

»Ich bin über vierzig«, verteidigte sich Mikael. »Ich muss mich bewegen, wenn ich in der Mitte nicht auseinandergehen will.«

»Aha.«

»Trainieren Sie nie?«

»Ich boxe ab und zu.«

»Boxen?«

»Ja, Sie wissen schon, mit Handschuhen.«

Mikael ging duschen und versuchte, sich Lisbeth in einem Boxring vorzustellen. Er war sich nicht sicher, ob sie ihn nicht vielleicht doch auf den Arm genommen hatte.

»In welcher Gewichtsklasse boxen Sie denn?«

»In gar keiner. Ich mache hie und da ein bisschen Sparring mit den Typen vom Boxclub in Söder.«

Warum wundert mich das gar nicht?, fragte sich Mikael. Aber er stellte fest, dass sie auf jeden Fall etwas Persönliches über sich erzählt hatte. Er wusste immer noch nicht über die grundlegendsten Fakten in ihrem Leben Bescheid – wie es sich ergeben hatte, dass sie für Armanskij arbeitete, was für eine Ausbildung sie hatte und was ihre Eltern machten. Sobald Mikael versuchte, mehr über sie zu erfahren, verschloss sie sich wie eine Auster und gab entweder einsilbige Antworten oder ignorierte ihn komplett.

Eines Nachmittags legte Lisbeth plötzlich einen Ordner aus der Hand und sah Mikael mit einer senkrechten Falte zwischen den Augenbrauen an.

»Was wissen Sie über Otto Falk, den Pfarrer?«

»Ziemlich wenig. Anfang des Jahres habe ich die jetzige Pfarrerin hier in der Kirche ein paarmal gesehen. Sie hat mir erzählt, dass Falk inzwischen in einem Altenheim in Hedestad lebt. Alzheimer.«

»Woher kommt er?«

»Hier aus Hedestad. Er hat in Uppsala studiert und war ungefähr dreißig, als er wieder hierherzog.«

»Er war unverheiratet. Und Harriet war viel mit ihm zusammen.«

»Warum fragen Sie?«

»Ich stelle nur fest, dass der Bulle, dieser Morell, ihn beim Verhör ziemlich sanft angefasst hat.«

»In den sechziger Jahren hatten Pfarrer immer noch eine besondere Stellung in der Gesellschaft. Dass er hier auf der Insel wohnte, im direkten Umfeld der Macht sozusagen, war ganz natürlich.«

»Ich frage mich nur, wie sorgfältig die Polizei das Pfarrhaus durchsucht hat. Auf den Bildern sieht man ein großes Holzhaus; da muss es genug Platz gegeben haben, um eine Leiche eine Weile zu verstecken.«

»Stimmt. Aber es gibt keinen Hinweis, dass er irgendwie mit der Mordserie oder Harriets Verschwinden in Verbindung stehen könnte.«

»O doch«, sagte Lisbeth Salander und grinste Mikael schief an. »Erstens war er Pfarrer, und gerade Pfarrer haben ein ganz besonderes Verhältnis zur Bibel. Zweitens war er der Letzte, der mit Harriet gesprochen hat.«

»Aber er ging sofort zur Unfallstelle und blieb dort mehrere Stunden. Er ist auf jeder Menge Bildern zu sehen, besonders während der Zeitspanne, in der Harriet verschwunden sein muss.«

»Ach wo, sein Alibi kann man widerlegen. Aber ich habe eigentlich an etwas ganz anderes gedacht. Diese Geschichte handelt doch von einem sadistischen Frauenmörder.«

»Ja?«

»Ich war … Ich habe im Frühjahr in einem ganz anderen Zusammenhang ein bisschen über Sadisten gelesen. Einer der Texte, den ich gelesen habe, war ein Handbuch des FBI; dort stand, dass auffällig viele der gefassten Serienmörder aus dys-funktionalen Familien kommen und in ihrer Kindheit Tiere gequält haben. Einige amerikanische Serienmörder wurden auch festgenommen, weil sie Feuer gelegt hatten, um andere Menschen zu töten.«

»Sie meinen Tieropfer und Brandopfer.«

»Ja. Sowohl Tierquälerei als auch Feuer tauchen in mehre-ren von Harriets Mordfällen auf. Doch eigentlich dachte ich daran, dass das Pfarrhaus Ende der siebziger Jahre abgebrannt ist.«

Mikael überlegte eine Weile.

»Ziemlich vage«, meinte er schließlich.

»Da stimme ich Ihnen zu. Aber man sollte es trotzdem fest-halten. Die Brandursache habe ich im Ermittlungsbericht nicht gefunden, und es wäre mal interessant zu erfahren, ob es in den sechziger Jahren noch andere geheimnisvolle Brände gegeben hat. Außerdem sollten wir in Erfahrung bringen, ob in jener Zeit auch Fälle von Tierquälerei oder -verstümmelung in der Gegend dokumentiert wurden.«

Als Lisbeth sich in der siebten Nacht in Hedeby schlafen legte, war sie leicht irritiert. Sieben Tage lang hatte sie so gut wie jede Minute mit Mikael Blomkvist verbracht – normalerweise reichten ihr schon sieben Minuten mit einem anderen Men-schen vollauf, um Kopfschmerzen zu bekommen.

Sie hatte schon vor langer Zeit festgestellt, dass ihr soziale Bindungen schwerfielen, und sich auf ein Leben als Einzel-gänger eingerichtet. Mit diesem Leben war sie völlig zufrie-den, wenn die Menschen sie nur in Frieden ließen und sich um ihre eigenen Angelegenheiten kümmerten. Doch leider war ihre Umwelt nicht immer so klug und verständig; ständig musste sie sich gegen irgendjemanden wehren: gegen Sozial-ämter, Jugendämter, Vormundschaftsgerichte, Finanzämter, Polizisten, Fürsorgebeauftragte, Psychologen, Psychiater, Lehrer und Türsteher, die sie nicht in die Kneipe lassen wollten, obwohl sie ihr fünfundzwanzigstes Lebensjahr schon vollendet hatte (außer in der *Mühle*, wo man sie mittlerweile kannte). Es gab eine ganze Armada von Menschen, die anscheinend nichts Besseres zu tun hatten, als zu versuchen, ihr Leben zu lenken und nach Möglichkeit den Lebensstil, den sie gewählt hatte, zu korrigieren.

Sie hatte beizeiten gelernt, dass es nichts nutzte, wenn sie weinte. Sie hatte auch gelernt, dass jeder ihrer Versuche, jemanden auf irgendetwas in ihrem Leben aufmerksam zu machen, die Situation nur noch verschlimmerte. Sie musste ihre Probleme also selbst lösen – mit den Methoden, die sie für nötig hielt. Wie Rechtsanwalt Bjurman am eigenen Leib erfahren hatte.

Wie alle anderen Menschen hatte auch Mikael Blomkvist die ärgerliche Angewohnheit, neugierige Fragen zu stellen, die sie nicht beantworten wollte. Hingegen reagierte er überhaupt nicht so wie der Großteil der Männer, die sie bis jetzt getroffen hatte.

Wenn sie seine Fragen ignorierte, zuckte er nur mit den Achseln und ließ sie in Frieden. *Verblüffend.*

Als sie sich am ersten Morgen in seinem Haus sein iBook vornahm, hatte sie gleich alle Informationen auf ihren eigenen Computer kopiert. Damit war es nicht mehr so wichtig, ob er sie von der weiteren Arbeit an diesem Fall ausschloss, denn so hatte sie immer noch Zugang zum gesamten Material.

Aber dann hatte sie ihn absichtlich provoziert, als sie vor seinem iBook saß und seine Dokumente durchlas, als er aufwachte. Sie hatte einen Wutanfall erwartet.

Stattdessen hatte er fast schon resigniert dreingeblickt und eine ironische Bemerkung gemacht. Danach war er duschen gegangen und hatte mit ihr über das diskutiert, was sie gelesen hatte. *Ein seltsamer Typ.* Man konnte fast versucht sein zu glauben, dass er ihr vertraute.

Aber dass er über ihre Hackertalente Bescheid wusste, war eine ernste Sache. Lisbeth war sich darüber im Klaren, dass der juristische Begriff für ihre beruflich wie auch privat betriebene Hackerei »Eindringen in fremde Datenbestände« lautete und mit bis zu zwei Jahren Gefängnis bestraft wurde. Das war ein heikler Punkt für sie, denn eine Gefängnisstrafe würde mit größter Wahrscheinlichkeit bedeuten, dass man ihr ihren Computer wegnahm und damit die einzige Beschäftigung, bei der sie richtig gut war. Es war ihr niemals in den Sinn gekommen, Armanskij oder sonst irgendjemand zu erzählen, wie sie an die Informationen kam, für die man sie bezahlte.

Abgesehen von Plague und ein paar wenigen Personen im Netz, die auf professionellem Niveau hackten – die meisten von ihnen kannten sie nur als *Wasp* und wussten nicht, wer sie war oder wo sie wohnte –, war nur Kalle Blomkvist über ihr Geheimnis gestolpert. Er war ihr auf die Schliche gekommen, weil sie einen Fehler gemacht hatte, wie ihn sich nicht mal ein zwölfjähriger Branchenneuling geleistet hätte – was nur bewies, dass sie an Gehirnschwund litt und Prügel verdiente. Aber er war nicht ausgerastet vor Wut und hatte auch nicht Himmel und Erde in Bewegung gesetzt, um sie zur Rechenschaft zu ziehen. Stattdessen hatte er sie angestellt.

Als sie vorhin noch ein Brot gegessen hatten, bevor sie sich schlafen legte, hatte er sie plötzlich gefragt, ob sie eine gute Hackerin sei. Zu ihrer eigenen Überraschung beantwortete sie die Frage ganz spontan.

»Ich bin wahrscheinlich die beste in Schweden. Es gibt vielleicht noch zwei bis drei Personen, die so ungefähr mein Niveau haben.«

Sie zweifelte den Wahrheitsgehalt ihrer Antwort nicht an. Plague war früher einmal besser als sie gewesen, aber sie hatte ihn schon vor geraumer Zeit überholt.

Es fühlte sich jedoch seltsam an, diese Worte auszusprechen. Das hatte sie noch nie zuvor gemacht. Vor allem hatte es noch nie einen Außenstehenden gegeben, mit dem sie so ein Gespräch hätte führen können. Plötzlich gefiel es ihr, dass er von ihren Fähigkeiten beeindruckt schien. Dann hatte er dieses Gefühl gleich wieder zerstört, indem er die Frage stellte, wie sie das Hacken gelernt hatte.

Sie wusste nicht, was sie antworten sollte. *Das habe ich schon immer gekonnt*, hätte sie sagen sollen. Stattdessen war sie gereizt zu Bett gegangen, ohne Gute Nacht zu sagen.

Es irritierte sie noch mehr, dass Mikael nicht darauf zu reagieren schien, dass sie ihrer eigenen Wege ging. Während sie im Bett lag, hörte sie ihn in der Küche herumgehen, abräumen und abwaschen. Er war die ganze Zeit immer später als sie aufgestanden, aber nun wollte er offenbar auch gleich schlafen gehen. Sie hörte, wie er im Badezimmer rumorte, in sein Schlafzimmer ging und die Tür schloss. Nach einer Weile hörte sie das Knarzen, als er in sein Bett stieg, einen halben Meter von ihr entfernt, aber auf der anderen Seite der Wand.

Während der ganzen Woche hatte er nicht mit ihr geflirtet. Er hatte mit ihr gearbeitet, sie um ihre Meinung gefragt, hatte ihr auf die Finger geklopft, wenn sie Fehler machte, und es akzeptiert, wenn sie ihn korrigiert hat. Verdammt, er hatte sie wie einen Menschen behandelt.

Mit einem Mal ging ihr auf, dass sie Mikael Blomkvists Gesellschaft mochte und ihm vielleicht sogar vertraute. Sie hatte noch nie jemandem vertraut, außer vielleicht Holger Palmgren. Wenn auch aus ganz anderen Gründen. Palmgren war ein vorhersehbarer *do gooder* gewesen.

Sie stand plötzlich auf, stellte sich nackt ans Fenster und blickte rastlos ins Dunkel. Sie kannte nichts Schwierigeres, als sich einem anderen Menschen zum ersten Mal nackt zu zeigen. Sie war überzeugt, dass ihr magerer Körper abstoßend wirken musste. Ihr Busen war ein schlechter Witz. Sie hatte keine nennenswerten Hüften. In ihren Augen hatte sie nicht sonderlich viel zu bieten. Aber abgesehen davon war sie eine ganz normale Frau mit genau derselben Lust und demselben Sexualtrieb wie alle anderen. Sie blieb am Fenster stehen und überlegte fast zwanzig Minuten, bis sie sich zu einem Entschluss durchgerungen hatte.

Mikael hatte sich ins Bett gelegt und gerade einen Roman von Sara Paretsky aufgeschlagen, als er hörte, wie sich die Türklinke bewegte, und aufblickte. Lisbeth stand schweigend im Türrahmen und sah aus, als würde sie über etwas nachdenken. Sie hatte sich das Laken um den Körper gewickelt.

»Stimmt was nicht?«, fragte Mikael.

Sie schüttelte den Kopf.

»Was wollen Sie denn?«

Sie ging zu ihm, nahm ihm das Buch aus der Hand und legte es auf den Nachttisch. Dann beugte sie sich zu ihm hinunter und küsste ihn auf den Mund. Deutlicher konnte sie ihre Absichten kaum mehr zeigen. Sie kroch schnell unter seine Decke und betrachtete ihn mit forschendem Blick. Sie legte eine Hand auf das Betttuch auf seinem Bauch. Als er nicht protestierte, beugte sie sich herab und biss ihn in eine Brustwarze.

Mikael war völlig perplex. Nach ein paar Sekunden nahm er sie bei den Schultern und schob sie von sich, sodass er ihr Gesicht sehen konnte. Er wirkte nicht gleichgültig.

»Lisbeth ... ich weiß nicht, ob das so eine gute Idee ist. Wir sollen zusammenarbeiten.«

»Ich will Sex mit dir. Und ich werde deswegen kein Problem haben, mit dir zusammenzuarbeiten, aber wenn du mich hier rauswirfst, dann werd ich damit ein verdammtes Problem haben.«

»Aber wir kennen uns kaum.«

Sie lachte plötzlich, kurz, es klang fast wie ein Husten.

»Als ich über dich recherchiert habe, konnte ich feststellen, dass dich so etwas früher auch nicht abgehalten hat. Im Gegenteil, du bist einer von denen, die die Finger nicht von den Frauen lassen können. Was passt dir nicht? Bin ich nicht sexy genug für deinen Geschmack?«

Mikael schüttelte den Kopf und suchte nach irgendeiner intelligenten Bemerkung. Als er nicht antwortete, zog sie ihm das Betttuch weg und setzte sich rittlings auf ihn.

»Ich hab keine Kondome«, sagte Mikael.

»Scheiß drauf.«

Als Mikael aufwachte, war Lisbeth schon aufgestanden. Er hörte sie mit dem Kaffeekessel hantieren. Es war kurz vor sechs. Er hatte nur zwei Stunden geschlafen und blieb blinzelnd liegen.

Aus Lisbeth Salander wurde er nicht schlau. Sie hatte ihm kein einziges Mal auch nur mit einem Blick angedeutet, dass sie das geringste Interesse an ihm hatte.

»Guten Morgen.« Sie stand im Türrahmen und lächelte tatsächlich ein bisschen.

»Hallo«, sagte Mikael.

»Wir haben keine Milch mehr. Ich fahr schnell zur Tanke. Die machen um sieben auf.«

Sie drehte sich so schnell um, dass Mikael nicht zum Antworten kam. Er hörte, wie sie sich Schuhe anzog, ihre Tasche und ihren Helm nahm und durch die Haustür verschwand. Er schloss die Augen. Dann hörte er, wie die Tür wieder geöffnet wurde. Wenige Sekunden später stand sie wieder in seinem Türrahmen. Diesmal lächelte sie nicht.

»Du kommst am besten mal raus und guckst dir das selbst an«, sagte sie mit seltsamer Stimme.

Mikael war sofort auf den Beinen und zog sich seine Jeans an. In der Nacht war jemand mit einem unwillkommenen Geschenk beim Haus gewesen. Auf dem Treppenabsatz lag der halb verkohlte Kadaver einer zerstückelten Katze. Die Beine und der Kopf der Katze waren abgetrennt worden, danach hatte man dem Rumpf das Fell abgezogen und Gedärme und Magen herausgenommen. Die Reste waren neben den Kadaver geworfen worden, der anscheinend auf einem Feuer gebraten worden war. Der Kopf der Katze war unversehrt und auf den Sattel von Lisbeths Motorrad gesetzt worden. Mikael erkannte das rotbraune Fell sofort wieder.

22. Kapitel
Donnerstag, 10. Juli

Sie frühstückten schweigend und tranken schwarzen Kaffee. Lisbeth hatte eine kleine Canon-Digitalkamera hervorgezogen und das makabre Arrangement fotografiert, bevor Mikael einen Müllsack geholt und alles aufgeräumt hatte. Er hatte die Katze in den Kofferraum seines geliehenen Autos gelegt, war aber nicht sicher, was er mit dem toten Tier anfangen sollte. Eigentlich hätte er bei der Polizei Anzeige wegen Tierquälerei erstatten müssen, vielleicht auch wegen Bedrohung, aber er wusste nicht, wie er die Bedrohung erklären sollte.

Gegen halb neun kam Isabella auf dem Weg über die Brücke vorbei. Sie sah sie, ließ sich aber nichts anmerken.

»Wie geht es dir?«, fragte Mikael Lisbeth schließlich.

»Gut.« Sie sah ihn verwundert an. *Okay, okay. Vermutlich will er, dass ich mich empöre.* »Wenn ich das Arschloch erwische, das eine unschuldige Katze zu Tode gequält hat, nur um uns eine Warnung zukommen zu lassen, dann werde ich einen Baseballschläger benutzen.«

»Du glaubst, das war eine Warnung?«

»Hast du eine bessere Erklärung?«

Mikael schüttelte den Kopf. »Was auch immer die Wahrheit hinter dieser Geschichte ist, auf jeden Fall scheint sich irgendjemand von uns gewaltig provoziert zu fühlen. Aber da gibt es noch ein anderes Problem.«

»Ich weiß. Das war ein Tieropfer im Stile von 1954 und 1960. Aber es wäre nicht sonderlich logisch, dass ein Mörder, der vor fünfzig Jahren aktiv war, hier rumschleicht und dir die Kadaver gefolterter Tiere auf die Schwelle legt.«

Mikael gab ihr recht.

»Die Einzigen, die da infrage kommen, sind Harald und Isabella Vanger. Es gibt noch ein paar ältere Verwandte von Johan Vangers Seite, aber keiner von ihnen wohnt hier in der Gegend.«

Mikael seufzte.

»Isabella ist eine böse alte Hexe, die bestimmt eine Katze umbringen kann, aber ich bezweifle, dass sie in den fünfziger Jahren serienmäßig Frauen ermordete. Harald Vanger ... ich weiß nicht, der ist doch so altersschwach. Ich kann mir nicht recht vorstellen, dass er in der Nacht rausgeschlichen ist und das da gemacht hat.«

»Wenn es nicht zwei Personen sind. Eine ältere und eine jüngere.«

Plötzlich hörte Mikael ein Auto vorbeifahren. Er blickte auf und sah Cecilia über die Brücke verschwinden. Harald und Cecilia, dachte er. Aber bei diesem Gedanken gab es ein großes Fragezeichen – Vater und Tochter hatten keinen Kontakt und sprachen kaum miteinander. Trotz Martin Vangers Zusicherung, dass er mit ihr reden würde, hatte sie noch immer keinen von Mikaels Anrufen angenommen.

»Es muss jemand sein, der weiß, dass wir den Fall gründlich untersuchen und Fortschritte gemacht haben«, sagte Lisbeth, stand auf und ging ins Haus. Als sie wieder herauskam, hatte sie ihre Motorradlederjacke an.

»Ich fahre nach Stockholm. Heute Abend bin ich wieder da.«

»Was willst du machen?«

»Ein paar Sachen holen. Wenn jemand so verrückt ist, eine Katze auf diese Art zu massakrieren, dann kann er oder sie sich nächstes Mal auch uns vornehmen. Oder nachts ein Feuer legen, damit wir beide im Haus ersticken und verbrennen. Ich möchte, dass du gleich heute nach Hedestad reinfährst und zwei Feuerlöscher und zwei Rauchmelder kaufst. Einer von den Feuerlöschern sollte ein Halonlöscher sein.«

Ohne ein weiteres Abschiedswort setzte sie den Helm auf, kickte das Motorrad an und verschwand über die Brücke.

Mikael warf den Kadaver in einen Mülleimer bei der Tankstelle, bevor er nach Hedestad fuhr und die Feuerlöscher und die Rauchmelder kaufte. Er legte sie in den Kofferraum und fuhr zum Krankenhaus. Er hatte Frode angerufen und ein Treffen in der Cafeteria mit ihm ausgemacht, bei dem er ihm erzählte, was am Morgen passiert war. Dirch Frode erbleichte.

»Ich hatte nie damit gerechnet, dass diese Geschichte gefährlich werden könnte, Mikael.«

»Warum nicht? Der Auftrag bestand doch darin, einen Mörder aufzuspüren.«

»Aber wer sollte denn ... Das ist doch Wahnsinn! Wenn Gefahr für Ihr Leben und das Leben von Frau Salander besteht, dann müssen wir das Unternehmen abbrechen. Ich kann mit Henrik sprechen.«

»Nein. Auf keinen Fall. Ich möchte nicht riskieren, dass er noch einen Herzanfall erleidet.«

»Er fragt die ganze Zeit, wie es bei Ihnen vorangeht.«

»Grüßen Sie ihn schön – ich suche weiter.«

»Was sollen wir jetzt tun?«

»Ich habe ein paar Fragen. Der erste Vorfall geschah kurz nachdem Henrik seinen Herzanfall bekommen hatte und ich tagsüber in Stockholm war. Jemand hat mein Arbeitszimmer durchsucht. Das war genau zu dem Zeitpunkt, als ich den Bibelcode geknackt und die Bilder von der Bahnhofstraße entdeckt hatte. Ich hatte Ihnen und Henrik davon erzählt. Martin wusste es auch, weil er mir Zugang zum Archiv des *Hedestads-Kuriren* verschafft hat. Wie viele wussten es noch?«

»Tja, ich weiß nicht genau, mit wem Martin gesprochen hat«, sagte Frode. »Aber sowohl Birger als auch Cecilia wussten darüber Bescheid. Sie haben miteinander über Ihre Bilderjagd geredet. Und Gunnar und Helena Nilsson übrigens auch. Sie waren gerade zu Besuch bei Henrik und wurden ins Gespräch einbezogen. Und Anita Vanger.«

»Anita? Die ist doch in London?«

»Sie flog gemeinsam mit ihrer Schwester Cecilia nach Hause, als Henrik seinen Herzanfall erlitten hatte, aber sie wohnte in einem Hotel, und soweit ich weiß, ist sie nicht auf der Hedeby-Insel gewesen. Wie Cecilia wollte auch sie ihren Vater nicht treffen. Vor einer Woche ist sie wieder nach Hause geflogen, als Henrik aus der Intensivstation entlassen wurde.«

»Wo wohnt Cecilia zurzeit? Ich habe sie heute Morgen über die Brücke fahren sehen, aber in ihrem Haus ist alles verriegelt und dunkel.«

»Verdächtigen Sie sie?«

»Nein, ich frage mich nur, wo sie wohnt.«

»Sie wohnt bei ihrem Bruder Birger. Von dort aus kann sie zu Fuß zu Henrik gehen.«

»Wissen Sie, wo sie jetzt gerade ist?«

»Nein. Bei Henrik ist sie jedenfalls nicht.«

»Danke«, sagte Mikael und stand auf.

Die Familie Vanger kreiste um das Krankenhaus von Hedestad. In der Eingangshalle sah er Birger auf dem Weg zu den Aufzügen. Mikael hatte keine Lust, ihm zu begegnen, und wartete, bis er verschwunden war, bevor er die Eingangshalle betrat. Dort stieß er mit Martin Vanger zusammen, an fast derselben Stelle, an der er Cecilia bei seinem letzten Besuch getroffen hatte. Sie grüßten sich und gaben sich die Hand.

»Sind Sie oben gewesen, um Henrik zu besuchen?«

»Nein, ich habe nur kurz Dirch Frode getroffen.«

Martin Vanger sah müde und hohläugig aus. Mikael fiel auf, dass er im letzten halben Jahr deutlich gealtert war. Der Kampf um die Rettung des Vangerschen Imperiums forderte seinen Tribut, und Henriks plötzlicher Herzanfall war auch nicht gerade eine Aufmunterung gewesen.

»Wie geht es bei Ihnen voran?«, fragte Martin Vanger.

»Ach, danke. Es wird mit jedem Tag interessanter. Wenn es Henrik wieder besser geht, hoffe ich, dass wir seine Neugierde befriedigen können.«

Birger Vanger wohnte in einem weiß verklinkerten Reihenhaus auf der anderen Seite der Straße, nur fünf Gehminuten vom Krankenhaus entfernt. Er hatte Aussicht aufs Meer und den Gästehafen. Als Mikael klingelte, machte niemand auf. Er rief Cecilia auf dem Handy an, aber sie ging nicht dran. Er blieb eine Weile im Auto sitzen und trommelte mit den Fingern aufs Lenkrad. Birger Vanger war ein unbeschriebenes Blatt in seiner Sammlung – 1939 geboren und damit erst zehn Jahre alt, als der Mord an Rebecka Jacobsson begangen wurde. Als Harriet verschwand, war er siebenundzwanzig gewesen.

Henrik zufolge hatten Birger und Harriet kaum Kontakt miteinander gehabt. Er war in Uppsala bei seiner Familie aufgewachsen und nach Hedestad gezogen, um im Konzern zu arbeiten, doch nach ein paar Jahren stieg er aus, um sich der Politik zu widmen. Als der Mord an Lena Andersson verübt wurde, war er in Uppsala gewesen.

Mikael konnte einfach keine Ordnung in die Geschichte bringen, aber der Vorfall mit der Katze vermittelte ihm das Gefühl, einer unmittelbaren Bedrohung ausgesetzt zu sein und möglicherweise nicht mehr viel Zeit zu haben.

Der alte Pfarrer von Hedeby, Otto Falk, war sechsunddreißig Jahre alt gewesen, als Harriet verschwand. Nun war er zweiundsiebzig, jünger als Henrik, aber in erheblich schlechterer geistiger Verfassung. Mikael besuchte ihn im Pflegeheim Svalan, einem gelben Ziegelbau am anderen Ende der Stadt. Mikael stellte sich am Empfang vor und bat darum, mit Pfarrer Falk sprechen zu dürfen. Er sagte, er habe gehört, dass Falk an Alzheimer leide, und erkundigte sich, ob man sich mit ihm unterhalten könne. Eine Oberschwester gab ihm die Auskunft, dass Pfarrer Falk seine Diagnose vor drei Jahren bekommen habe und die Krankheit einen aggressiven Verlauf nehme. Falk sei ansprechbar, aber er habe ein äußerst schlechtes Kurzzeitgedächtnis, erkenne manche Verwandte nicht wieder und sei insgesamt auf dem Weg in die tiefe Nacht. Mikael wurde zudem gewarnt, dass der Alte Angstattacken erleide, wenn man mit Fragen in ihn drang, die er nicht beantworten könne.

Der alte Pfarrer saß auf einer Parkbank in einem Garten, zusammen mit drei anderen Patienten und einem Pfleger. Mikael versuchte eine Stunde lang mit Falk zu reden, verließ das Heim dann aber genauso schlau, wie er gekommen war.

Pfarrer Falk behauptete, sich sehr gut an Harriet Vanger erinnern zu können. Er strahlte und beschrieb sie als ein bezauberndes Mädchen. Mikael erkannte jedoch bald, dass es dem Pfarrer geglückt war zu verdrängen, dass sie seit knapp siebenunddreißig Jahren verschwunden war. Er sprach von ihr, als habe er sie neulich erst getroffen, und bat Mikael, sie schön von ihm zu grüßen und ihr auszurichten, sie solle ihn doch einmal besuchen kommen. Mikael versprach es ihm.

Als Mikael den Tag von Harriets Verschwinden zur Sprache brachte, war der Pfarrer völlig verblüfft. Er erinnerte sich anscheinend überhaupt nicht an den Unfall auf der Brücke. Mikael begriff bald, dass der Pfarrer nichts Wertvolles zur Ermittlung beitragen konnte. Erst am Ende ihres Gesprächs erwähnte er etwas, was Mikael zumindest kurz die Ohren spitzen ließ.

Als Mikael Harriets Interesse für die Religion ins Gespräch einfließen ließ, wurde Pfarrer Falk mit einem Mal nachdenklich. Es war, als würde eine Wolke über sein Gesicht ziehen. Er schaukelte eine Weile vor und zurück, sah plötzlich zu Mikael auf und fragte ihn, wer er sei. Mikael stellte sich ihm noch einmal vor, und der Alte überlegte noch eine Weile. Schließlich schüttelte er den Kopf und wirkte irritiert.

»Sie ist immer noch auf der Suche. Sie muss vorsichtig sein, und Sie müssen Sie warnen.«

»Wovor soll ich sie warnen?«

Auf einmal war Falk furchtbar erregt. Er runzelte die Augenbrauen und schüttelte den Kopf.

»Sie muss *sola scriptura* lesen und die *sufficientia scripturae* begreifen. Nur so kann sie *sola fide* aufrechterhalten. Josef schließt sie ganz bestimmt aus. Sie wurden nie in den Kanon aufgenommen.«

Mikael verstand nicht eine Silbe, machte sich aber eifrig Notizen. Dann lehnte sich Pfarrer Falk zu ihm vor und wisperte ihm vertraulich zu:

»Ich glaube, sie ist Katholikin. Sie schwärmt für Magie und hat ihren Gott noch nicht gefunden. Man muss ihr den Weg weisen.«

Das Wort »Katholik« hatte offensichtlich einen schlechten Klang für Pfarrer Falk.

»Ich dachte, sie interessierte sich für die Pfingstbewegung?«

»Nein, nein, nicht die Pfingstbewegung. Sie sucht die verbotene Wahrheit. Sie ist keine gute Christin.«

Dann schien Pfarrer Falk Mikael und das Gesprächsthema zu vergessen und begann mit einem der anderen Patienten zu reden.

Mikael war kurz nach zwei Uhr nachmittags wieder auf der Hedeby-Insel. Er ging zu Cecilia hinüber und klopfte, aber ohne Erfolg. Er probierte es auf ihrem Handy, aber sie ging nicht dran.

Er brachte einen Rauchmelder in der Küche an und einen vor dem Eingang. Einen Feuerlöscher stellte er neben den Eisenofen vor der Schlafzimmertür und den anderen neben die Toilettentür. Danach machte er sich Mittagessen, bestehend aus Kaffee und Stullen, und setzte sich in den Garten, wo er die Notizen von seinem Gespräch mit Pfarrer Falk in sein iBook übertrug. Er überlegte lang und hob dann den Blick zur Kirche.

Das neue Pfarrhaus von Hedeby war ein ganz normales modernes Haus, das ein paar Gehminuten von der Kirche entfernt lag. Gegen vier klopfte Mikael bei der Pfarrerin Margareta Strandh und erklärte, er brauche Rat in einer theologischen Frage. Margareta Strandh war eine dunkelhaarige Frau in seinem Alter. Sie trug Jeans und ein Flanellhemd, war barfuß und hatte lackierte Zehennägel. Er war ihr früher schon einmal in Susannes Brücken-Café begegnet und hatte mit ihr über Pfarrer Falk gesprochen. Sie nahm Mikael freundlich auf und bat ihn in den Garten.

Mikael erzählte von seinem Gespräch mit Falk und dessen kryptischen Äußerungen. Margareta Strandh hörte ihm zu und bat ihn dann, Wort für Wort zu wiederholen, was Falk gesagt habe. Sie überlegte ein Weilchen.

»Ich habe meinen Dienst hier in Hedeby erst vor drei Jahren angetreten und Pfarrer Falk niemals getroffen. Er ist schon ein paar Jahre vorher in Pension gegangen, aber soviel ich weiß, war er ziemlich orthodox. Was er zu Ihnen gesagt hat, bedeutet ungefähr, dass man sich allein an die Schrift halten soll – *sola scriptura*. *Sufficientia scripturae* bedeutet, dass für die Buchstabengläubigen die Schrift völlig ausreicht. *Sola fide* heißt *Glaube allein* oder *reiner Glaube*.«

»Ich verstehe.«

»All das ist sozusagen ein grundlegendes Dogma. Es ist im Großen und Ganzen das Fundament der Kirche und überhaupt nichts Ungewöhnliches. Er hat ganz einfach gesagt: *Lies die Bibel – sie lehrt dich genug und gibt dir den reinen Glauben.*«

Mikael fühlte sich ein bisschen verlegen.

»Nun muss ich Sie fragen, in welchem Zusammenhang Sie dieses Gespräch geführt haben.«

»Ich habe nach einem Menschen gefragt, den er vor vielen Jahren gekannt hatte und über den ich etwas schreibe.«

»Jemand, der einen religiösen Sinn suchte?«

»So was in der Richtung.«

»Ich glaube, ich verstehe den Zusammenhang. Pfarrer Falk hat noch zwei Dinge gesagt – dass *Josef sie bestimmt ausschließt* und dass *sie niemals in den Kanon aufgenommen wurden.* Ist es wohl möglich, dass Sie sich verhört haben und er Josephus statt Josef gesagt hat? Das ist eigentlich derselbe Name.«

»Das ist nicht unmöglich«, sagte Mikael. »Ich habe das Gespräch auf Band aufgenommen. Wollen Sie es hören?«

»Nein, ich glaube, das ist nicht notwendig. Diese zwei Sätze sagen ziemlich eindeutig, worauf er hinauswollte. Josephus war ein jüdischer Geschichtsschreiber, und der Ausspruch, dass sie niemals in den Kanon aufgenommen wurden, dürfte auf den hebräischen Kanon abzielen.«

»Und das bedeutet?«

Sie lachte.

»Falks Worte legen die Vermutung nahe, dass die betreffende Person für esoterische Quellen schwärmte, genauer gesagt, für die Apokryphen. Das Wort ›apokryphos‹ bedeutet ›verborgen‹, und die Apokryphen sind die verborgenen Bücher, von denen manche finden, dass sie ins Alte Testament gehören. Das sind Tobit, Judit, Ester, Baruch, Jesus Sirach, die Makkabäer-Bücher und noch ein paar andere.«

»Entschuldigen Sie mein Unwissen. Ich habe schon von den Apokryphen gehört, sie aber nie gelesen. Was ist so besonders an ihnen?«

»Es ist eigentlich überhaupt nichts Besonderes an ihnen, sie sind nur ein bisschen später hinzugekommen als der Rest des Alten Testaments. Die Apokryphen sind daher aus der hebräischen Bibel gestrichen worden – nicht, weil die jüdischen Schriftgelehrten ihrem Inhalt nicht trauten, sondern weil sie geschrieben wurden, nachdem das Offenbarungswerk Gottes abgeschlossen worden war. In den alten griechischen Bibelübersetzungen sind die Apokryphen jedoch dabei. In der römisch-katholischen Kirche sind sie zum Beispiel nicht strittig.«

»Verstehe.«

»In der protestantischen Kirche hingegen sind sie strittig. In der Reformationszeit griffen die Theologen auf die hebräische Bibel zurück. Martin Luther entfernte die Apokryphen aus der Reformationsbibel, und später erklärte Calvin, dass die Apokryphen absolut keinen Glaubensüberzeugungen zugrunde gelegt werden dürften. Sie enthalten also Dinge, die der *claritas scripturae* mehr oder weniger widersprechen – also der Klarheit der Schrift.«

»Mit anderen Worten, zensierte Bücher.«

»Genau. Die Apokryphen behaupten zum Beispiel, dass Magie praktiziert werden kann und dass in gewissen Fällen auch eine Lüge zulässig ist. Solche Aussagen versetzen die dogmatischen Ausleger der Schrift natürlich in Aufruhr.«

»Wenn jemand für Religion schwärmt, ist es also nicht undenkbar, dass die Apokryphen auf seiner Lektüreliste auftauchen und jemand wie Pfarrer Falk sich darüber aufregt.«

»Genau. Es ist fast unvermeidlich, dass Sie auf die Apokryphen stoßen, wenn Sie sich für Inhalte der Bibel oder für den Katholizismus interessieren, und ebenso ist es wahrscheinlich, dass jemand, der sich mit Esoterik beschäftigt, sie auch lesen würde.«

»Sie haben nicht zufällig ein Exemplar der Apokryphen?«
Sie lachte nochmals. Ein helles, freundliches Lachen.

»Natürlich. Die Apokryphen gibt es sogar in einer Ausgabe
der staatlichen Bibelkommission aus den achtziger Jahren.«

Als Lisbeth Salander Armanskij um ein Gespräch bat, fragte er
sich, was wohl im Busch sein mochte. Er schloss die Tür und
machte ihr eine Geste, sich in den Besuchersessel zu setzen. Sie
erklärte, dass die Arbeit für Mikael Blomkvist beendet war –
Dirch Frode würde bis zum Monatsende bezahlen –, sie sich
aber entschlossen habe, weiter bei dieser Untersuchung mit-
zuarbeiten. Mikael hatte ihr einen wesentlich niedrigeren
Monatslohn angeboten.

»Ich arbeite freiberuflich«, sagte Lisbeth Salander. »Trotzdem habe ich bis jetzt nie einen Job angenommen, der nicht
von Ihnen kam. Ich möchte wissen, wie es unser Verhältnis beeinflusst, wenn ich in eigener Verantwortung Jobs annehme.«

Armanskij zuckte die Achseln.

»Sie sind selbstständig, Sie können Jobs annehmen, wie es
Ihnen gefällt, und Rechnungen nach Ihrem eigenen Geschmack
schreiben. Ich freue mich, wenn Sie Ihr eigenes Geld verdienen.
Es wäre aber unloyal von Ihnen, wenn Sie sich Kunden sichern,
die Sie über uns bekommen haben.«

»Das habe ich nicht vor. Ich habe den Job gemäß unserem
Vertrag mit Blomkvist erfüllt. Diese Arbeit ist abgeschlossen.
Es geht darum, dass ich an dem Fall dranbleiben will. Ich
würde es auch umsonst machen.«

»Machen Sie niemals irgendetwas umsonst.«

»Sie verstehen, was ich meine. Ich will wissen, was letztendlich hinter dieser Geschichte steckt. Ich habe Blomkvist
überredet, Frode für mich um einen Verlängerungsvertrag als
Recherche-Mitarbeiterin zu bitten.«

Sie gab Armanskij den Vertrag, den er überflog.

»Bei dem Honorar könnten Sie auch gleich umsonst arbeiten. Sie sind begabt, Lisbeth. Sie brauchen nicht für ein Taschengeld zu arbeiten. Sie wissen, dass Sie bei mir bedeutend mehr verdienen können, wenn Sie sich als Vollzeitmitarbeiterin anstellen lassen.«

»Ich will nicht Vollzeit arbeiten. Aber, Dragan, meine Loyalität gehört Ihnen. Sie waren nett zu mir, seit ich hier angefangen habe. Ich möchte wissen, ob so ein Vertrag für Sie in Ordnung geht, und will nicht, dass es da Schwierigkeiten zwischen uns gibt.«

»Ich verstehe.« Er überlegte kurz. »Es ist völlig okay. Danke, dass Sie mich gefragt haben. Wenn solche Situationen in Zukunft auftreten, möchte ich, dass Sie mich wieder fragen, dann wird es auch keine Missverständnisse geben.«

Lisbeth Salander blieb ein paar Minuten schweigend sitzen und überlegte, ob es noch etwas hinzuzufügen gab. Sie nagelte Dragan Armanskij mit ihrem Blick fest, ohne etwas zu sagen. Stattdessen nickte sie nur, stand auf und ging, wie immer ohne Abschiedsgruß. Sobald sie die Auskunft bekommen hatte, die sie wollte, verlor sie völlig das Interesse an Armanskij. Er lächelte in sich hinein. Dass Sie ihn überhaupt um Rat gefragt hatte, war vermutlich einer der Höhepunkte ihres Sozialisierungsprozesses.

Er öffnete eine Mappe mit einem Bericht über die Sicherheitsmaßnahmen in einem Museum, in dem demnächst eine große Ausstellung französischer Impressionisten stattfinden würde. Dann legte er die Mappe wieder aus der Hand und starrte auf die Tür, durch die Salander gerade hinausgegangen war. Er dachte daran, wie sie in ihrem Büro mit Mikael Blomkvist gelacht hatte, und fragte sich, ob sie gerade erwachsen wurde oder ob es Blomkvist war, der sie an dieser Sache lockte. Plötzlich wurde er unruhig. Er war das Gefühl nie losgeworden, dass Lisbeth Salander ein perfektes Opfer war. Und nun jagte sie einen Wahnsinnigen in der Wildnis.

Auf dem Weg gen Norden machte Lisbeth einen spontanen Abstecher zum Pflegeheim Äppelviken und besuchte ihre Mutter. Abgesehen von einem Besuch am Mittsommerabend, hatte sie ihre Mutter seit Weihnachten nicht gesehen und hatte ein schlechtes Gewissen, weil sie sich so selten Zeit für sie nahm. Ein zweiter Besuch innerhalb weniger Wochen war rekordverdächtig.

Ihre Mutter saß im Aufenthaltsraum. Lisbeth blieb eine knappe Stunde und nahm ihre Mutter mit auf einen Spaziergang, hinunter zum Ententeich im Park vorm Krankenhaus. Ihre Mutter verwechselte Lisbeth immer noch mit ihrer Schwester. Wie immer war sie nicht richtig anwesend, schien sich aber über den Besuch zu freuen.

Als Lisbeth Abschied von ihr nahm, wollte sie ihre Hand nicht loslassen. Lisbeth versprach, sie bald wieder zu besuchen, aber als sie ging, blickte ihr ihre Mutter ängstlich und unglücklich nach.

Als ahne sie eine drohende Katastrophe voraus.

Mikael verbrachte zwei Stunden im Garten hinterm Haus damit, in den Apokryphen zu blättern. Dann kam ihm der Verdacht, dass er seine Zeit verschwendete.

Doch plötzlich fragte er sich, wie religiös Harriet eigentlich gewesen war. Ihr Interesse an der Bibel hatte ein Jahr vor ihrem Verschwinden begonnen. Sie hatte eine ganze Reihe Bibelzitate mit einer Mordserie in Verbindung bringen können und danach nicht nur die Bibel gründlich gelesen, sondern auch die Apokryphen. Und hatte sich für den Katholizismus interessiert.

Hatte sie im Grunde nur dieselbe Untersuchung angestellt wie Mikael Blomkvist und Lisbeth Salander siebenunddreißig Jahre später? War es eher die Jagd nach einem Mörder als die Religiosität, die ihr Interesse befeuerte? Pfarrer Falk hatte angedeutet, sie sei weniger eine gute Christin gewesen als eine Suchende.

Er wurde aus seinen Überlegungen gerissen, als Erika ihn auf dem Handy anrief.

»Ich wollte nur Bescheid geben, dass Greger und ich nächste Woche in Urlaub fahren. Ich bin vier Wochen weg.«

»Wohin fahrt ihr?«

»Nach New York. Greger hat eine Ausstellung, und danach wollen wir in die Karibik. Ein Bekannter von Greger hat uns sein Haus in Antigua überlassen. Wir bleiben zwei Wochen dort.«

»Das klingt phantastisch. Viel Spaß. Und grüß Greger.«

»Ich habe seit drei Jahren nicht mehr richtig freigehabt. Das neue Heft ist fertig und fast das ganze nächste Heft auch. Ich wünschte, du könntest als Redakteur einspringen, aber Christer hat versprochen, dass er sich kümmert.«

»Er kann mich anrufen, wenn er Hilfe braucht. Wie läuft's mit Janne Dahlman?«

Sie zögerte kurz.

»Er fährt nächste Woche auch in Urlaub. Ich habe Henry Cortez vorübergehend zum Redaktionsassistenten gemacht. Christer Malm und er schmeißen den Laden.«

»Okay.«

»Ich traue Dahlman nicht. Aber er benimmt sich. Am siebten August bin ich zurück.«

Sie wünschten sich alles Gute und beendeten das Gespräch.

Gegen sieben hatte Mikael bereits zigmal versucht, Cecilia anzurufen. Er hatte ihr eine SMS geschrieben, in der er sie bat, ihn anzurufen, hatte aber keine Antwort erhalten.

Entschlossen schlug er die Apokryphen zu, zog seine Sportsachen an, schloss die Tür ab und begab sich auf seine tägliche Trainingsrunde. Er folgte dem schmalen Pfad am Strand, bevor er in den Wald abbog. So schnell wie möglich arbeitete er sich durch Gestrüpp und Wurzelwerk und erreichte erschöpft und mit viel zu hohem Puls die Befestigung. Bei einer der alten Schießschanzen stoppte er und machte ein paar Minuten Dehnübungen.

Plötzlich hörte er einen scharfen Knall, während gleichzeitig eine Kugel in die graue Betonmauer ein paar Zentimeter neben seinem Kopf einschlug. Dann fühlte er einen heftigen Schmerz am Haaransatz, wo Splitter eine tiefe Platzwunde hinterlassen hatten.

Mikael stand wie gelähmt da und war unfähig zu begreifen, was soeben geschehen war – diese Sekunden kamen ihm wie eine Ewigkeit vor. Dann warf er sich kopfüber in den Schützengraben und zerbrach sich fast alle Knochen, als er auf seiner Schulter landete. Der zweite Schuss fiel im selben Moment, in dem er sich niederwarf. Die Kugel traf das Betonfundament, vor dem er gerade noch gestanden hatte.

Mikael kam wieder auf die Füße und sah sich um. Er befand sich ungefähr in der Mitte der Befestigung. Nach rechts und links liefen enge, metertiefe und überwachsene Gänge, die von einer Linie von knapp zweihundertfünfzig Metern Länge abzweigten. Geduckt lief er in südlicher Richtung durch das Labyrinth.

Plötzlich hörte er Hauptmann Adolfssons unverkennbare Stimme auf einer Winterübung bei den Feldjägern in Kiruna. *Verflucht noch mal, Blomkvist, runter mit dem Schädel, wenn Ihnen keiner den Arsch wegschießen soll.* Noch nach zwanzig Jahren erinnerte er sich an die Spezialübungen, die Hauptmann Adolfsson befehligt hatte.

Nach ungefähr sechzig Metern blieb er mit klopfendem Herzen stehen und holte Luft. Er konnte keine anderen Geräusche als seine eigene Atmung hören. *Das menschliche Auge nimmt Bewegung viel schneller wahr als Formen und Gestalten. Bewegen Sie sich langsam, wenn Sie etwas ausspähen.*

Langsam hob Mikael den Blick ein paar Zentimeter über den Rand der Schanze. Die Sonne schien ihm direkt in die Augen und machte es ihm unmöglich, Details zu erkennen, aber Bewegungen konnte er auch nicht ausmachen.

Mikael zog den Kopf wieder zurück und lief weiter zum letzten Wall. *Es ist gleichgültig, was für gute Waffen der Feind besitzt. Wenn er Sie nicht sehen kann, kann er Sie auch nicht treffen. Deckung, Deckung und nochmals Deckung. Achten Sie darauf, dass Sie nie Ihre Deckung aufgeben.*

Mikael war nun zirca dreihundert Meter von der Grenze zum Östergårdener Hof entfernt. Vierzig Meter vor ihm begann ein schwer zugängliches Dickicht mit jeder Menge niedrigem Buschwerk. Aber um dorthin zu gelangen, musste er von der Schießschanze einen Abhang hinunterlaufen, auf dem er völlig ungeschützt sein würde. Es war der einzige Ausweg. Im Rücken hatte er das Meer.

Mikael ging in die Hocke und überlegte. Plötzlich wurde er sich des Schmerzes an der Schläfe bewusst und entdeckte, dass er stark blutete und sein T-Shirt bereits blutdurchtränkt war. Ein Fragment der Kugel oder ein Splitter aus der Betonwand hatte ihm eine tiefe Wunde an der Schläfe gerissen. Kopfwunden wollen einfach nie aufhören zu bluten, dachte er, bevor er sich wieder auf seine missliche Lage konzentrierte. Ein einzelner Schuss konnte auch aus Fahrlässigkeit abgegeben worden sein. Zwei Schüsse bedeuteten, dass jemand versucht hatte, ihn zu töten. Er wusste nicht, ob der Schütze noch irgendwo da draußen war und mit frisch geladener Waffe darauf wartete, dass er sich wieder zeigte.

Er versuchte, sich zu beruhigen und vernünftig zu denken. Er hatte die Wahl – entweder wartete er ab, oder er floh irgendwie. Aber wenn er wartete, konnte der Schütze ganz ruhig auf die Befestigung hinaufgehen, ihn suchen und aus nächster Nähe erschießen.

Er (oder sie) kann nicht wissen, ob ich nach rechts oder links gegangen bin, dachte er. Ein Gewehr, wahrscheinlich ein Elchstutzen. Vermutlich mit Zielfernrohr. Das bedeutete, dass der Schütze ein begrenztes Blickfeld hatte, wenn er Mikael durch seine Linse suchte.

Wenn Sie in der Klemme sitzen – ergreifen Sie die Initiative. Das ist besser, als abzuwarten. Er wartete und horchte zwei Minuten lang nach Geräuschen. Dann stemmte er sich aus dem Schützengraben hoch und rutschte den Abhang hinunter, so schnell er konnte.

Ein dritter Schuss wurde abgefeuert, als er schon den halben Weg zum Dickicht zurückgelegt hatte, aber die Kugel verfehlte ihn deutlich. Im nächsten Moment warf er sich mit dem ganzen Körper durch den Vorhang aus Buschwerk und rollte durch ein Meer von Brennnesseln. Dann kam er sofort wieder auf die Füße und begann sich geduckt von dem Schützen zu entfernen. Nach fünfzig Metern blieb er stehen und horchte. Plötzlich hörte er irgendwo zwischen sich und der Befestigung einen Zweig knacken. Vorsichtig legte er sich auf den Bauch.

Robben war ein anderer von Hauptmann Adolfssons Lieblingsausdrücken gewesen. Mikael legte die nächsten hundertfünfzig Meter durchs Unterholz robbend zurück. Er bewegte sich lautlos und achtete sorgfältig auf Reisig und Zweige. Zweimal hörte er ein plötzliches Knacken im Dickicht. Das erste Mal schien es aus seiner unmittelbaren Nähe zu kommen, vielleicht zwanzig Meter links von der Stelle, wo er lag. Er erstarrte und blieb regungslos liegen. Nach einer Weile hob er vorsichtig den Kopf und spähte um sich, aber er konnte niemanden sehen. Lange verharrte er so mit aufs Äußerste angespannten Nerven, bereit zu flüchten oder vielleicht einen verzweifelten Gegenangriff zu starten, wenn der Feind direkt auf ihn losging. Das nächste Knacken, das er hörte, kam aus bedeutend größerer Entfernung. Danach Stille.

Er weiß, dass ich hier bin. Aber hat er sich jetzt irgendwo postiert und wartet darauf, dass ich mich bewege? Oder hat er sich zurückgezogen?

Er kroch weiter durchs Unterholz, bis er zum Weidezaun von Östergården gelangte.

Das waren die nächsten kritischen Momente. Außen am Zaun führte ein Pfad entlang. Er lag der Länge nach auf dem Boden und hielt Ausschau. Wenn er geradeaus blickte, konnte er Gebäude erkennen, ungefähr vierhundert Meter weiter oben auf einem leichten Abhang, und rechts daneben ein Dutzend grasende Kühe. *Warum hatte niemand den Schuss gehört und war gekommen, um nach dem Rechten zu sehen? – Sommer! Man kann nicht davon ausgehen, dass jemand zu Hause ist.*

Die Weide zu betreten kam überhaupt nicht infrage – dort hätte er kein bisschen Deckung –, aber der gerade Weg am Zaun war andererseits genau der Platz, an dem er selbst sich postiert hätte, um ein unbehindertes Schussfeld zu haben. Er zog sich vorsichtig wieder ins Dickicht zurück und durchquerte es, bis es in einen lichten Kiefernwald überging.

Mikael nahm einen Umweg nach Hause. Als er am Östergården vorbeikam, stellte er fest, dass die Autos weg waren. Ganz oben auf dem Söderberg blieb er stehen und betrachtete Hedeby. In den alten Fischerhütten am Kleinboothafen wohnten Sommergäste; ein paar Frauen saßen im Badeanzug auf einem Steg und unterhielten sich. Er roch den Duft von gegrilltem Fisch. Ein paar Kinder plantschten bei den Stegen.

Mikael sah auf seine Armbanduhr. Kurz nach acht. Es waren fünfzig Minuten vergangen, seit die Schüsse gefallen waren. Gunnar Nilsson sprengte seinen Rasen mit nacktem Oberkörper und Shorts. *Wie lange bist du schon dort?* In Henriks Haus war niemand außer der Haushälterin Anna Nygren. Bei Harald Vanger wirkte alles so verlassen wie immer. Plötzlich sah er Isabella Vanger im Garten hinter seinem Haus. Sie saß am Gartentisch und unterhielt sich mit jemand. Mikael brauchte eine Sekunde, bis er erkannte, dass es die kränkliche Gerda Vanger war, geboren 1922, die mit ihrem Sohn Alexander in einem der Häuser hinter Henrik wohnte. Er hatte sie noch nie getroffen, sie aber ein paarmal auf dem Grundstück gesehen. Cecilias Haus sah unbewohnt aus, aber dann sah Mikael plötzlich, wie in der Küche das Licht anging. *Sie ist zu Hause. War der Schütze eine Frau gewesen?* Er zweifelte keinen Augenblick daran, dass Cecilia mit einem Gewehr umgehen konnte. Ein Stück entfernt konnte er Martin Vangers Auto auf dem Hof vor dem Haus stehen sehen. *Wie lange bist du schon zu Hause?*

Oder war es jemand anders, an den er noch nicht einmal gedacht hatte? Frode? Alexander? Zu viele Möglichkeiten.

Er ging den Söderberg hinunter und folgte dem Weg in die Siedlung bis zu sich nach Hause, ohne jemanden zu treffen. Als Erstes sah er, dass die Haustür einen Spalt offen stand. Er duckte sich fast schon instinktiv. Dann roch er den Duft von Kaffee und erkannte Lisbeth durchs Küchenfenster.

Lisbeth hörte Mikael vor der Haustür und drehte sich zu ihm um. Sie hob die Augenbrauen. Sein Gesicht sah schrecklich aus – überall verschmiertes Blut, das schon zu verkrusten begann. Die linke Seite seines weißen T-Shirts war blutdurchtränkt. Er presste sich einen Stofffetzen an den Kopf.

»Das ist eine Kopfwunde, die heftig blutet, aber es ist nichts Gefährliches«, sagte Mikael, bevor sie zu Wort kam.

Sie drehte sich um und holte den Verbandskasten aus der Speisekammer, der nichts enthielt als zwei Schachteln Pflaster, einen Mückenstift und eine kleine Rolle Leukoplast. Er zog seine Sachen aus, ließ sie auf den Boden fallen, ging ins Badezimmer und besah sich im Spiegel.

Die Wunde an der Stirn war ungefähr drei Zentimeter lang und so tief, dass Mikael ein großes Stück Gewebe anheben konnte.

Sie blutete immer noch und hätte genäht werden müssen, aber er glaubte, dass sie auch von allein heilen würde, wenn er sie verpflasterte. Er feuchtete ein Handtuch an und säuberte sich das Gesicht.

Er hielt das Handtuch an die Stirn, während er sich duschte, und blinzelte. Dann schlug er mit der Faust so heftig gegen die Kacheln, dass er sich die Knöchel aufschürfte. *Fuck you! Dich krieg ich schon noch.*

Als Lisbeth ihn am Arm berührte, zuckte er zusammen, als hätte er einen elektrischen Schlag bekommen. Er starrte sie so hasserfüllt an, dass sie unwillkürlich einen Schritt zurücktrat. Sie gab ihm ein Stück Seife und ging wortlos zurück in die Küche.

Nachdem Mikael geduscht hatte, verpflasterte er seine Wunde. Er ging ins Schlafzimmer, zog sich saubere Jeans und ein frisches T-Shirt an und nahm die Mappe mit den ausgedruckten Bildern mit. Er war so wütend, dass er beinahe zitterte.

»Du bleibst hier«, brüllte er Lisbeth zu.

Er ging zu Cecilia hinüber, drückte anderthalb Minuten immer wieder auf die Türklingel, bis sie öffnete.

»Ich will dich nicht sehen«, sagte sie. Dann sah sie sein Gesicht und den blutgetränkten Verband. »Was hast du denn gemacht?«, entfuhr es ihr unwillkürlich.

»Lass mich rein. Wir müssen reden.«

Sie zögerte.

»Wir haben nichts zu bereden.«

»Jetzt haben wir etwas zu bereden, und du kannst es entweder hier auf der Treppe oder in der Küche mit mir diskutieren.«

Mikaels Stimme klang so aggressiv, dass Cecilia Vanger zur Seite trat und ihn hereinließ. Er marschierte zu ihrem Küchentisch.

»Was hast du gemacht?«, fragte sie noch einmal.

»Du behauptest, dass meine Suche nach der Wahrheit über Harriet nur eine fixe Idee von Henrik ist. Das mag sein, aber vor einer Stunde hat irgendjemand versucht, mir den Kopf wegzupusten, und heute Nacht hat jemand eine zerstückelte Katze vor meiner Haustür hinterlassen.«

Cecilia öffnete den Mund, aber Mikael ließ sie nicht zu Wort kommen.

»Cecilia, es ist mir egal, was mit dir los ist und warum du plötzlich meinen bloßen Anblick nicht mehr ertragen kannst. Ich werde nie wieder in deine Nähe kommen, und du brauchst keine Angst zu haben, dass ich dich weiter behelligen werde. In diesem Augenblick wünsche ich mir, ich hätte weder von dir noch von irgendeinem anderen Mitglied der Familie Vanger jemals etwas gehört. Aber ich will Antworten auf meine Fragen haben. Je schneller du antwortest, desto eher bist du mich los.«

»Was willst du wissen?«

»Erstens: Wo zum Teufel warst du vor einer Stunde?«

Cecilias Gesicht verfinsterte sich.

»Vor einer Stunde war ich in Hedestad. Ich bin vor einer halben Stunde zurückgekommen.«

»Kann jemand bezeugen, dich irgendwo gesehen zu haben?«

»Nicht dass ich wüsste. Ich brauche mich vor dir nicht zu rechtfertigen.«

»Zweitens: Warum hast du das Fenster in Harriets Zimmer geöffnet, an dem Tag, als sie verschwunden ist?«

»Was?«

»Du hast die Frage gehört. In all den Jahren hat Henrik versucht herauszufinden, wer das Fenster in Harriets Zimmer geöffnet hat, genau in den kritischen Momenten, als sie verschwunden sein muss. Alle haben es abgestritten. Einer lügt.«

»Und was in Dreiteufelsnamen bringt dich zu der Annahme, dass ich es war?«

»Dieses Bild«, erwiderte Mikael und pfefferte das unscharfe Foto auf ihren Küchentisch.

Cecilia kam an den Tisch und betrachtete das Bild. Mikael glaubte Staunen und Angst an ihr zu bemerken. Plötzlich bemerkte er, wie ein dünnes Blutrinnsal seine Wange herablief und auf sein T-Shirt tropfte.

»An diesem Tag waren ungefähr sechzig Personen auf der Insel«, erklärte er. »Achtundzwanzig von ihnen waren Frauen. Fünf oder sechs hatten schulterlanges blondes Haar. Eine Einzige von ihnen hatte ein helles Kleid an.«

Sie starrte intensiv auf das Bild.

»Und du glaubst, das da bin ich?«

»Wenn du es nicht bist, dann würde ich wahnsinnig gerne wissen, wer das deiner Meinung nach sein soll. Dieses Bild war bis dato unbekannt. Ich habe es jetzt seit ein paar Wochen und versuche, mit dir zu reden. Wahrscheinlich bin ich ein Idiot, aber ich habe es weder Henrik noch irgendjemand sonst gezeigt, weil ich furchtbare Angst hatte, dich falschen Anschuldigungen auszusetzen. Aber ich muss eine Antwort haben.«

»Du sollst deine Antwort haben.« Sie nahm das Bild und hielt es ihm hin. »Ich war an diesem Tag nicht in Harriets Zimmer. Das auf dem Bild bin nicht ich. Ich habe nicht das Geringste mit ihrem Verschwinden zu tun.«

Sie ging zur Tür.

»Du hast deine Antwort bekommen. Jetzt will ich, dass du gehst. Ich glaube, mit dieser Wunde da solltest du zu einem Arzt gehen.«

Lisbeth fuhr ihn ins Krankenhaus von Hedestad. Zwei Stiche und ein ordentliches Pflaster reichten, um die Wunde zu verschließen. Gegen den Brennnesselausschlag an Hals und Händen bekam er eine Kortisonsalbe.

Als sie das Krankenhaus verließen, überlegte Mikael lange, ob er zur Polizei gehen sollte. Plötzlich sah er die Überschrift vor seinem inneren Auge: *Verurteilter Journalist in dramati-*

sche Schießerei verwickelt. Er schüttelte den Kopf. »Fahr nach Hause«, sagte er zu Lisbeth.

Als sie auf die Insel zurückkamen, war es dunkel, was Lisbeth sehr gelegen kam. Sie stellte eine Sporttasche auf den Küchentisch.

»Ich habe mir Ausrüstung von Milton Security ausgeliehen, und die muss jetzt zum Einsatz kommen, wo es dunkel wird. Setz inzwischen schon mal Kaffee auf.«

Sie stellte vier batteriebetriebene Bewegungsmelder rund ums Haus auf und erklärte, dass jeder, der sich dem Haus mehr als sechs bis sieben Meter näherte, ein Radiosignal auslöste, das wiederum einen Piepser in Gang setzte, den sie in Mikaels Schlafzimmer installiert hatte. Gleichzeitig würden zwei lichtempfindliche Videokameras, die sie in den Bäumen vor und hinter dem Haus montiert hatte, Signale an einen Laptop senden, den sie in das Schränkchen im Flur stellte. Sie tarnte die Kameras mit dunklem Stoff, sodass nur das Objektiv zu sehen war.

Eine dritte Kamera brachte sie in einem Nistkasten über der Tür an. Um das Kabel verlegen zu können, bohrte sie ein Loch in die Wand. Das Objektiv war auf den Weg und das Stück zwischen Zaun und Haustür gerichtet. Es sendete jede Sekunde ein Bild mit geringer Auflösung, das auf einem weiteren Laptop bei der Garderobe gespeichert wurde.

Anschließend legte sie noch eine druckempfindliche Matte vor die Tür. Sollte es jemandem gelingen, den Bewegungsmeldern zu entgehen und ins Haus einzudringen, würde eine Sirene mit 115 Dezibel losheulen. Lisbeth zeigte ihm, wie er die Detektoren mit einem Schlüssel ausschalten konnte, den sie im Kleiderschrank versteckt hatte. Sie hatte sich auch noch ein Nachtsichtgerät ausgeliehen, das sie auf den Tisch im Arbeitszimmer legte.

»Du überlässt nicht gerade viel dem Zufall«, sagte Mikael und goss ihr einen Kaffee ein.

»Noch was: Keine Joggingausflüge mehr, bevor wir das hier nicht gelöst haben.«

»Mein Bedarf an Joggingausflügen ist vorerst gedeckt – das kannst du mir glauben.«

»Das ist kein Witz. Das hier hat als historisches Rätsel angefangen, aber heute Morgen lag eine tote Katze auf der Treppe, und heute Abend hat jemand versucht, dir den Schädel wegzupusten. Wir sind jemandem auf der Spur.«

Sie aßen ein spätes Abendessen mit Aufschnitt und Kartoffelsalat. Mikael war plötzlich todmüde und hatte rasende Kopfschmerzen. Er konnte sich nicht mehr unterhalten und ging schlafen.

Lisbeth blieb noch auf und las bis zwei Uhr weiter im Untersuchungsbericht. Der Auftrag in Hedeby hatte komplizierte und bedrohliche Formen angenommen.

23. Kapitel
Freitag, 11. Juli

Mikael wurde um sechs Uhr morgens davon wach, dass ihm die Sonne durch einen Spalt in der Gardine direkt ins Gesicht schien. Er hatte vages Kopfweh, und es schmerzte, als er sein Pflaster betastete. Lisbeth lag auf dem Bauch und hatte einen Arm um ihn gelegt. Er blickte auf den Drachen, der sich vom rechten Schulterblatt bis zum Hintern erstreckte.

Er zählte ihre Tattoos. Neben dem Drachen auf dem Rücken und der Wespe auf dem Hals hatte sie eine Schlinge rund um einen Knöchel, eine andere Schlinge rund um den Bizeps ihres linken Armes, ein chinesisches Schriftzeichen auf der Hüfte und eine Rose auf der Wade. Abgesehen vom Drachen waren die Tattoos klein und diskret.

Mikael stieg vorsichtig aus dem Bett und zog die Gardinen vor. Er ging zur Toilette, schlich zurück zum Bett und kroch dann so leise wie möglich wieder unter die Decke, um sie nicht zu wecken.

Ein paar Stunden später frühstückten sie im Garten. Lisbeth sah Mikael an.

»Wir müssen ein Rätsel lösen. Wie fangen wir's an?«

»Wir stellen die Fakten zusammen.«

»Ein Fakt ist, dass es jemand in unserer Nähe auf dich abgesehen hat.«

»Die Frage ist nur, warum? Weil wir dabei sind, das Rätsel um Harriet zu lösen, oder weil wir einen unbekannten Serienmörder gefunden haben?«

»Das muss miteinander zusammenhängen.«

Mikael nickte.

»Wenn es Harriet gelungen ist herauszufinden, dass es einen Serienmörder gab, dann muss es jemand in ihrer direkten Umgebung gewesen sein. Wenn wir die Personengalerie aus den sechziger Jahren anschauen, gibt es da mindestens zwei Dutzend mögliche Kandidaten. Heute ist kaum noch einer davon übrig, außer Harald Vanger, und ich glaube einfach nicht, dass er mit seinen bald fünfundneunzig Jahren mit einem Gewehr im Wald herumläuft. Der könnte so einen Elchstutzen wahrscheinlich kaum noch heben. Die Personen sind entweder zu alt, um heute noch gefährlich zu sein, oder zu jung, als dass sie in den fünfziger Jahren schon hätten aktiv sein können. Womit wir wieder beim Ausgangspunkt wären.«

»Vielleicht arbeiten ja zwei Personen zusammen. Eine ältere und eine jüngere.«

»Harald und Cecilia. Das glaube ich nicht. Ich glaube, sie hat die Wahrheit gesagt, als sie behauptete, dass sie nicht die Person an Harriets Fenster war.«

»Aber wer war es dann?«

Sie öffneten Mikaels iBook und verbrachten die nächste Stunde damit, alle Menschen, die auf den Bildern des Unfalls auf der Brücke zu sehen waren, noch einmal detailliert durchzugehen.

»Ich kann es mir nicht anders vorstellen, es müssen nahezu alle Menschen aus der Stadt hier unten gewesen sein und zugesehen haben. Es war September. Die meisten tragen Jacken oder Pullover. Es gibt nur eine Person mit langen blonden Haaren und einem hellen Kleid.«

»Cecilia taucht auf sehr vielen Fotos auf. Sie scheint hin und her zu gehen zwischen den Gebäuden und den Leuten, die sich den Unfall ansehen. Hier spricht sie mit Isabella. Hier steht sie mit Pfarrer Falk zusammen. Hier ist sie mit Greger Vanger, ihrem mittleren Bruder.«

»Warte«, sagte Mikael plötzlich. »Was hat Greger denn da in der Hand?«

»Irgendwas Viereckiges. Sieht aus wie irgendein Kästchen.«

»Das ist eine Hasselblad. Er hatte auch eine Kamera.«

Sie ließen die Bilder noch einmal durchlaufen. Greger war auf mehreren Fotos zu sehen, doch oft nur verdeckt. Auf einem Bild sah man deutlich, dass er was Viereckiges in der Hand hatte.

»Ich glaube, du hast recht. Das ist eine Kamera.«

»Was bedeutet, dass wir noch mal auf Bilderjagd gehen müssen.«

»Okay, lassen wir das erst mal beiseite«, sagte Lisbeth. »Lass mich eine Hypothese formulieren.«

»Bitte sehr.«

»Was hältst du hiervon: Jemand aus der jüngeren Generation weiß, dass jemand aus der älteren Generation ein Serienmörder war, will aber nicht, dass es herauskommt. Die Familienehre und so weiter und so fort. Das würde bedeuten, dass es zwei Personen sind, die aber nicht unbedingt zusammenarbeiten. Der Mörder kann schon lange tot sein, aber unser Verfolger will einfach, dass wir alles stehen und liegen lassen und nach Hause fahren.«

»Daran hab ich auch schon gedacht«, sagte Mikael. »Aber wenn es so ist, warum legt er dann eine zerstückelte Katze auf den Treppenabsatz? Damit nimmt er ja direkt Bezug auf die Morde.« Mikael klopfte auf Harriets Bibel. »Wieder eine Parodie auf das Brandopfer-Gesetz.«

Lisbeth lehnte sich zurück und sah zur Kirche empor, während sie nachdenklich die Bibel zitierte. Es klang, als würde sie mit sich selbst sprechen.

»*Dann soll er das Rind schlachten vor dem Herrn, und die Priester, Aarons Söhne, sollen das Blut herzu bringen und ringsum an den Altar sprengen, der vor der Tür der Stiftshütte ist. Und er soll dem Brandopfer das Fell abziehen und es in seine Stücke zerlegen.«*

Sie verstummte und merkte plötzlich, dass Mikael sie gespannt ansah. Er schlug die Einleitung des Buches Levitikus auf.

»Kannst du auch Vers 12?«

Lisbeth schwieg.

»Und er zerlege ...«, begann Mikael und nickte ihr zu.

»*Und er zerlege es in seine Stücke, und der Priester soll sie samt dem Kopf und dem Fett auf das Holz über dem Feuer legen, das auf dem Altar ist.*« Ihre Stimme war eiskalt.

»Und den nächsten Vers?«

Sie stand plötzlich auf.

»Lisbeth, du hast ein fotografisches Gedächtnis«, rief Mikael verblüfft aus. »Deswegen liest du die Seiten des Untersuchungsberichts also in zehn Sekunden.«

Ihre Reaktion war explosiv. Ihr Blick bohrte sich mit solchem Zorn in Mikaels, dass er ganz überrascht war. Dann füllten sich ihre Augen mit Verzweiflung, und sie lief zum Gartentor.

»Lisbeth!«, rief Mikael ihr bestürzt hinterher.

Sie lief die Straße entlang und verschwand.

Mikael trug ihren Computer hinein, schaltete den Alarm ein und schloss die Haustür, bevor er wegging, um sie zu suchen. Er fand sie zwanzig Minuten später im Kleinboothafen, wo sie auf einem Steg saß, die Füße ins Wasser baumeln ließ und eine Zigarette rauchte.

Sie hörte, wie er über den Steg ging, und er sah, wie sich ihre Schultern leicht versteiften. Zwei Meter vor ihr blieb er stehen.

»Ich weiß nicht, was ich falsch gemacht habe, aber ich hatte nicht die Absicht, dich zu verletzen.«

Sie antwortete nicht.

Er ging zu ihr, setzte sich neben sie und legte ihr vorsichtig die Hand auf die Schulter.

»Bitte, Lisbeth, sprich doch mit mir.«

Sie wandte den Kopf und sah ihn an.

»Da gibt es nichts zu reden«, sagte sie. »Ich bin ganz einfach ein Freak.«

»Ich wäre glücklich, wenn mein Gedächtnis nur halb so gut wäre wie deins.«

Sie warf die Zigarettenkippe ins Wasser.

Mikael schwieg eine ganze Weile. *Was soll ich sagen? Du bist ein ganz normales Mädchen. Es macht doch nichts, wenn du manchmal ein bisschen eigen bist. Was hat sie eigentlich für ein Selbstbild?*

»Als ich dich zum ersten Mal gesehen habe, habe ich mir sofort gedacht, dass du anders bist«, sagte er. »Und soll ich dir noch was sagen? Es ist mir lange nicht mehr passiert, dass ich jemand vom ersten Augenblick an spontan so gemocht habe.«

Ein paar Kinder kamen aus einem Haus auf der anderen Seite des Hafenbeckens gelaufen und warfen sich ins Wasser. Eugen Norman, der Maler, mit dem Mikael noch immer kein einziges Wort gewechselt hatte, saß auf einem Stuhl vor seinem Häuschen und betrachtete Mikael und Lisbeth.

»Ich will so gerne dein Freund sein, wenn du mich auch als Freund haben willst«, fuhr Mikael fort. »Aber das musst du entscheiden. Ich gehe zurück zum Haus und setze noch mal Kaffee auf. Komm nach Hause, wenn dir danach ist.«

Er stand auf und ließ sie zurück. Er war erst zur Hälfte den Hügel hinaufgegangen, als er ihre Schritte hörte. Sie gingen zusammen zurück, ohne ein Wort zu sagen.

Als sie zu Hause ankamen, hielt sie ihn fest.

»Ich war gerade dabei, einen Gedanken zu formulieren … Wir hatten gesagt, dass alles eine Parodie auf die Bibel ist. Er hat zwar eine Katze zerstückelt, vielleicht war es einfach zu schwierig, sich einen Ochsen zu besorgen. Aber er folgt dem Grundmuster. Ich frage mich ...«

Sie blickte zur Kirche hoch.

»... *sollen das Blut herzu bringen und ringsum an den Altar sprengen, der vor der Tür der Stiftshütte ist ...*«

Sie gingen über die Brücke und hinauf zur Kirche, wo sie sich umsahen. Die Kirchentür war verschlossen. Sie gingen ein bisschen herum, sahen sich aufs Geratewohl ein paar Grabsteine an und kamen schließlich zu der Kapelle, die ein bisschen näher am Wasser stand. Es war keine Kapelle, sondern ein Mausoleum. Über der Tür sah er den Namen Vanger eingemeißelt und einen lateinischen Vers, von dem er nicht wusste, was er bedeutete.

»Ruhe bis zu der Zeiten Ende«, sagte Lisbeth.

Mikael sah sie an. Sie zuckte die Schultern.

»Ich hab die Strophe mal irgendwo gesehen«, erklärte sie.

Plötzlich lachte Mikael laut los. Sie erstarrte und sah zuerst wütend aus, dann begriff sie aber, dass er nicht über sie lachte, sondern über die Situation, und entspannte sich wieder.

Mikael drückte gegen die Tür. Sie war verschlossen. Er überlegte kurz, dann sagte er zu Lisbeth, sie solle sich hinsetzen und auf ihn warten. Er ging zu Anna Nygren hinüber und klopfte. Er erklärte, dass er sich die Grabkapelle der Familie Vanger genauer ansehen wolle, und fragte, wo Henrik den Schlüssel verwahre. Anna zögerte, gab aber nach, als Mikael sie daran erinnerte, dass er direkt für Henrik arbeitete. Sie holte den Schlüssel aus seinem Schreibtisch.

Sowie Mikael und Lisbeth die Tür öffneten, wussten sie, dass sie richtig vermutet hatten. Ein penetranter Gestank nach verbranntem Kadaver und verkohlten Resten lag in der Luft. Aber der Katzenquäler hatte kein Feuer gemacht. In einer Ecke stand eine Art Lötlampe, wie sie Skifahrer benutzen, wenn sie ihre Skier wachsen. Lisbeth zog ihre Digitalkamera aus der

Tasche ihrer Jeansjacke und machte ein paar Bilder. Die Lötlampe nahm sie mit.

»Das kann Beweismaterial werden. Vielleicht hat er Fingerabdrücke hinterlassen«, meinte sie.

»Na klar, wir könnten alle in der Familie Vanger bitten, ihre Fingerabdrücke nehmen zu lassen«, gab Mikael sarkastisch zurück. »Es wäre sicher ein Riesenspaß, dir dabei zuzusehen, wie du versuchst, Isabellas Fingerabdruck abzunehmen.«

»Da gibt es gewisse Möglichkeiten«, antwortete Lisbeth.

Auf dem Boden war jede Menge Blut und auch eine große Kneifzange, die wohl verwendet worden war, um der Katze den Kopf abzutrennen.

Mikael sah sich um. Ein erhöhtes Hauptgrab gehörte Alexandre Vangeersad, vier Gräber im Boden gehörten zu den frühesten Familienmitgliedern. Danach war die Familie Vanger anscheinend zur Feuerbestattung übergegangen. Ungefähr dreißig Nischen an der Wand trugen die Namen verschiedener Mitglieder des Clans. Mikael folgte der Familienchronik weiter in die Gegenwart und fragte sich, wo sie wohl die Familienmitglieder begruben, die keinen Platz in der Kapelle mehr fanden – vielleicht diejenigen, die man nicht als bedeutend genug betrachtete.

»So, jetzt wissen wir Bescheid«, sagte Mikael, als sie über die Brücke gingen. »Wir jagen einen wahrhaftigen Wahnsinnigen.«

»Wie meinst du das?«

Mikael blieb mitten auf der Brücke stehen und lehnte sich ans Geländer.

»Wenn es ein ganz gewöhnlicher Verrückter gewesen wäre, der versucht hat, uns Angst einzujagen, dann hätte er die Katze in die Garage oder in den Wald mitgenommen. Aber er hat sich für die Familienkapelle entschieden. Stell dir bloß mal vor, was für ein Risiko er da eingegangen ist. Es ist Sommer, die Leute gehen hier nachts tatsächlich spazieren. Der Weg über den Friedhof ist eine Verbindung zwischen Nord- und Süd-Hedeby. Selbst bei geschlossener Tür müssten die Geräusche der gequälten Katze und der Brandgeruch doch auffallen.«

»Er?«

»Ich glaube nicht, dass Cecilia Vanger hier nachts mit einer Lötlampe unterwegs ist.«

Lisbeth zuckte die Achseln.

»Ich traue keiner dieser Figuren in der Familie Vanger, inklusive Frode und deinem Henrik. Das ist ein Clan, der dich bei der erstbesten Gelegenheit über den Tisch zieht. Also, was machen wir jetzt?«

Sie schwiegen beide einen Moment. Dann musste Mikael fragen:

»Ich habe viele deiner Geheimnisse rausgekriegt. Wie viele wissen, dass du eine Hackerin bist?«

»Niemand.«

»Niemand außer mir, meinst du?«

»Worauf willst du hinaus?«

»Ich will wissen, ob du mit mir klarkommst. Ob du mir vertraust.«

Sie sah ihn lange an. Schließlich zuckte sie wieder mit den Schultern.

»Dagegen kann ich nichts tun.«

»Vertraust du mir?«, wiederholte er.

»Bis auf Weiteres«, antwortete sie.

»Gut. Gehen wir zu Dirch Frode.«

Rechtsanwalt Frodes Frau, die Lisbeth zum ersten Mal zu Gesicht bekam, sah sie mit großen Augen an, während sie gleichzeitig höflich lächelte und sie in den Garten führte. Frodes Gesicht hellte sich auf, als er Lisbeth sah. Er stand auf und begrüßte sie freundlich.

»Schön, Sie wiederzusehen«, sagte er. »Ich hatte ein ganz schlechtes Gewissen, weil ich meine Dankbarkeit für die außerordentliche Arbeit, die Sie für uns geleistet haben, gar nicht so richtig zum Ausdruck gebracht habe. Sowohl letzten Winter als auch diesen Sommer.«

Lisbeth beäugte ihn misstrauisch.

»Ich bin dafür bezahlt worden«, sagte sie.

»Darum geht es gar nicht. Ich hatte vorgefasste Meinungen, als ich Sie zum ersten Mal sah. Dafür wollte ich Sie um Entschuldigung bitten.«

Mikael war überrascht. Dirch Frode war imstande, ein fünfundzwanzigjähriges gepierctes und tätowiertes Mädchen für etwas um Entschuldigung zu bitten, wofür er sich eigentlich gar nicht entschuldigen musste. Der Anwalt stieg in Mikaels Bewertungsskala auf einen Schlag ein paar Stufen nach oben. Lisbeth zuckte die Achseln.

Frode sah Mikael an.

»Was haben Sie da mit Ihrer Stirn gemacht?«

Sie setzten sich. Mikael fasste die Entwicklungen der letzten vierundzwanzig Stunden zusammen. Als er erzählte, dass man dreimal auf ihn geschossen hatte, sprang Frode erregt auf.

»Das ist doch vollkommener Irrsinn.« Er machte eine Pause und sah Mikael durchdringend an. »Es tut mir leid, aber das muss ein Ende haben. Ich kann nicht Ihr Leben aufs Spiel setzen. Ich muss mit Henrik sprechen, damit wir den Vertrag sofort auflösen.«

»Setzen Sie sich«, sagte Mikael.

»Sie begreifen nicht …«

»Ich begreife sehr wohl, dass Lisbeth und ich der Lösung so nahe gekommen sind, dass sich jemand massiv bedroht fühlt und panisch reagiert. Wir haben ein paar Fragen. Erstens: Wie viele Schlüssel gibt es zur Kapelle der Familie Vanger, und welche Personen haben sie?«

Frode überlegte kurz.

»Um ehrlich zu sein, ich weiß es nicht. Ich glaube, mehrere Familienmitglieder haben Zugang zur Kapelle. Ich weiß, dass Henrik einen Schlüssel hat und Isabella ab und zu dort sitzt, aber ich weiß nicht, ob sie einen eigenen Schlüssel hat oder ihn sich von Henrik leiht.«

»Okay. Sie sind immer noch im Vorstand des Vanger-Konzerns. Gibt es ein Unternehmensarchiv? Eine Bibliothek oder so etwas, in der über Jahre hinweg Zeitungsausschnitte und Informationen über die Firma gesammelt werden?«

»Ja, so etwas gibt es. In der Hauptverwaltung in Hedestad.«

»Wir brauchen Zugang zu diesem Archiv. Gibt es dort auch alte Personalzeitungen und Ähnliches?«

»Ich muss Ihnen nochmals sagen, ich weiß es nicht. Ich selbst bin seit dreißig Jahren nicht mehr im Archiv gewesen. Aber Sie können mit einer Dame namens Bodil Lindgren sprechen, die für die Aufbewahrung aller möglichen Papiere im Konzern verantwortlich ist.«

»Können Sie sie anrufen und dafür sorgen, dass Lisbeth schon heute Nachmittag das Archiv sichten kann? Sie will alle alten Zeitungsartikel über den Vanger-Konzern sehen. Es ist außerordentlich wichtig, dass sie in alles Einblick nehmen kann, was von Interesse sein könnte.«

»Das kann ich in die Wege leiten. Sonst noch etwas?«

»Ja, Greger Vanger hatte eine Hasselblad in der Hand, als er beim Unfall auf der Brücke unter den Zuschauern war. Das bedeutet, dass er auch Fotos gemacht haben könnte. Wo sind die Bilder nach seinem Tod gelandet?«

»Schwer zu sagen, aber seine Witwe oder sein Sohn wären wohl der nahe liegendste Tipp.«

»Können Sie …«

»Ich rufe Alexander an und frage ihn.«

»Wonach soll ich suchen?«, fragte Lisbeth, als sie auf dem Rückweg die Brücke überquerten.

»Nach Zeitungsausschnitten und Personalzeitungen. Ich möchte, dass du alles durchliest, was du direkt nach dem jeweiligen Datum der Morde in den fünfziger und sechziger Jahren findest. Notier dir alles, was dir nur im Geringsten merkwürdig vorkommt. Ich glaube, es ist das Beste, wenn *du* diesen Teil der Arbeit übernimmst. Wie ich mittlerweile weiß, hast du das bessere Gedächtnis.«

Er boxte sie in die Seite. Fünf Minuten später knatterte ihr Motorrad über die Brücke.

Mikael schüttelte Alexander Vanger die Hand. Die meiste Zeit, die Mikael in Hedeby verbracht hatte, war Alexander verreist gewesen, und Mikael hatte ihn zuvor nur ganz kurz kennengelernt. *Er war zwanzig Jahre alt, als Harriet verschwand.*

»Dirch Frode hat mir gesagt, dass Sie alte Fotos angucken wollen.«

»Ihr Vater hatte eine Hasselblad.«

»Das stimmt. Die gibt es auch immer noch, aber keiner benutzt sie.«

»Sie wissen, dass ich in Henriks Auftrag nachforsche, was mit Harriet passiert ist.«

»Ich weiß. Und es gibt viele, die nicht besonders glücklich darüber sind.«

»Das kann schon sein. Sie brauchen mir selbstverständlich nichts zu zeigen.«

»Ach was. Was wollen Sie denn sehen?«

»Ob Ihr Vater an dem Tag, an dem Harriet verschwand, Bilder geschossen hat.«

Sie gingen zum Dachboden hinauf. Es dauerte ein paar Minuten, bis es Alexander gelang, einen Karton mit Unmengen unsortierter Bilder ausfindig zu machen.

»Sie können sich die ganze Kiste ausleihen«, sagte er. »Wenn es noch Bilder gibt, dann müssen sie da drin sein.«

Mikael verbrachte eine Stunde damit, den Inhalt von Greger Vangers Karton zu sortieren. Darin fanden sich echte Leckerbissen für den Bildteil der Familienchronik, darunter eine Menge Fotos von Greger Vanger zusammen mit dem großen schwedischen Nazi-Führer der vierziger Jahre, Sven Olof Lindholm. Mikael legte sie beiseite.

Er fand mehrere Kuverts mit Bildern, die Greger offensichtlich selbst aufgenommen hatte. Sie zeigten verschiedene Personen und Familientreffen sowie eine ganze Menge typischer Urlaubsfotos vom Fischen oder von einer Italienreise mit der Familie. Sie hatten unter anderem den schiefen Turm von Pisa besucht.

Nach und nach fand er vier Aufnahmen vom Unfall mit dem Tanklaster. Trotz seiner ausgesprochen professionellen Kamera war Greger Vanger ein miserabler Fotograf. Die Bilder zoomten entweder den Tanklaster heran oder zeigten Leute von hinten. Er fand ein einziges Bild, auf dem Cecilia im Halbprofil zu sehen war.

Mikael scannte die Fotos ein, wusste aber schon, dass sie zu nichts führen würden. Er packte alles wieder in den Karton und aß ein belegtes Brot, während er überlegte. Gegen drei ging er zu Anna Nygren.

»Ich frage mich, ob Henrik wohl noch mehr Fotoalben hat als die, die sozusagen zu seinen Nachforschungen in Harriets Fall gehören.«

»Ja, Henrik hat sich schon immer für Fotografie interessiert, soviel ich weiß. Er hat viele Alben im Arbeitszimmer.«

»Können Sie sie mir zeigen?«

Anna Nygren zögerte. Es war *eine* Sache, den Schlüssel für die Grabkapelle herauszugeben – dort waltete jedenfalls Gott –, aber es war eine ganz andere, Mikael Zugang zu Henriks Arbeitszimmer zu gewähren. Dort waltete nämlich Gottes Vorgesetzter. Mikael schlug Anna vor, Dirch Frode anzurufen, wenn sie Zweifel hätte. Schließlich erklärte sie sich widerwillig bereit, Mikael hineinzulassen. Im untersten Regalfach nahmen die Fotoalben einen ganzen Meter ein. Mikael setzte sich an Henriks Schreibtisch und schlug das erste Album auf.

Henrik hatte alle möglichen Familienfotos aufgehoben. Viele waren offensichtlich lange vor seiner Zeit aufgenommen worden. Ein paar von den ältesten Fotos stammten aus der Zeit um 1870 und zeigten barsche Männer und reservierte Frauen. Da waren Bilder von Henriks Eltern und anderen Verwandten. Eine Aufnahme zeigte Henriks Vater, wie er 1906 in Sandhamn mit guten Freunden Mittsommer feierte. Ein anderes Foto aus Sandhamn zeigte Fredrik und seine Frau Ulrika zusammen mit Anders Zorn und Albert Engström an einem Tisch, auf dem geöffnete Flaschen standen. Er fand einen Henrik Vanger im Teenageralter, der im Anzug auf seinem Fahrrad saß. Auf anderen Bildern waren Menschen in Fabriken und Direktorenzimmern zu sehen. Er entdeckte den Kapitän Oskar Granath, der Henrik und seine geliebte Edith Lobach mitten im Krieg nach Karlskrona in Sicherheit gebracht hatte.

Anna brachte ihm eine Tasse Kaffee. Er bedankte sich. Er hatte sich bis in modernere Zeiten vorgearbeitet und blätterte mehrere Seiten mit Fotos um, die Henrik Vanger auf dem Höhepunkt seines Lebens zeigten, als er Fabriken einweihte und Tage Erlander die Hand schüttelte. Ein Bild aus den frühen sechziger Jahren zeigte ihn mit Marcus Wallenberg. Die zwei starrten sich grimmig an und schienen nicht gerade große Sympathie füreinander zu empfinden.

Er blätterte weiter und blieb plötzlich bei einer Doppelseite hängen, auf die Henrik mit Bleistift »Familienrat 1966« geschrieben hatte. Zwei Farbfotos zeigten Herren, die sich unterhielten und Zigarren rauchten. Mikael erkannte Henrik, Harald und Greger wieder sowie die meisten der eingeheirateten Männer aus Johan Vangers Familienzweig. Auf zwei Aufnahmen waren ungefähr vierzig Männer und Frauen zu sehen, die sich zum Abendessen an den Tisch gesetzt hatten und in die Kamera blickten. Mikael wurde auf einmal klar, dass diese Fotos nach dem dramatischen Ereignis auf der Brücke aufgenommen worden waren. Offenbar hatte noch niemand bemerkt, dass Harriet verschwunden war. Er studierte ihre Gesichter genau. Das war das Abendessen, bei dem sie hätte dabei sein sollen. Wusste einer der Herren schon, dass sie weg war? Die Bilder gaben keine Antwort.

Da verschluckte sich Mikael plötzlich an seinem Kaffee. Er hustete und setzte sich ruckartig auf.

An der hinteren Schmalseite des Tisches saß Cecilia und lächelte in die Kamera. Neben ihr saß eine andere blonde Frau mit langen Haaren und dem gleichen hellen Kleid. Sie sahen sich so ähnlich, sie hätten Zwillinge sein können. Und mit einem Schlag fiel das Puzzlestückchen auf seinen Platz. Nicht Cecilia hatte an Harriets Fenster gestanden – ihre zwei Jahre jüngere Schwester Anita Vanger war es gewesen, die nun in London wohnte.

Was hatte Lisbeth gesagt? *Cecilia Vanger ist auf vielen Bildern zu sehen. Sie scheint zwischen verschiedenen Gruppen hin und her zu wechseln.* Nicht im Geringsten. Es waren zwei Personen, und zufälligerweise waren sie nie auf demselben Foto zu sehen. Auf den Schwarz-Weiß-Fotos hatten sie gleich ausgesehen. Henrik hatte den Unterschied zwischen den Schwestern wahrscheinlich die ganze Zeit erkannt, aber für Mikaels und Lisbeths Augen war die Ähnlichkeit so groß gewesen, dass sie davon ausgegangen waren, es müsse sich um ein und dieselbe Person handeln. Und keiner hatte den Irrtum korrigiert, weil es den beiden nie eingefallen war, die entsprechende Frage zu stellen.

Mikael blätterte um und spürte, wie sich ihm die Nackenhaare aufstellten. Ihm war, als wäre ein kalter Luftzug durch den Raum gegangen.

Diese Bilder waren am nächsten Tag gemacht worden, als die Suche nach Harriet schon angefangen hatte. Ein junger

Kommissar Morell erteilte einer Gruppe mit zwei uniformierten Polizisten und zirca zehn Männern mit Stiefeln Anweisungen, bevor sie sich auf ihre Suche begaben. Henrik Vanger trug eine knielange Regenjacke und einen englischen Hut mit schmaler Krempe.

Ganz links am Bildrand stand ein junger, leicht pummeliger Mann mit hellem halblangem Haar. Er trug einen dunklen Steppanorak mit einem roten Einsatz an den Schultern. Das Bild war scharf. Mikael erkannte ihn sofort wieder, nahm das Bild aber zur Sicherheit heraus, ging damit zu Anna Nygren und fragte sie, ob sie ihn wiedererkannte.

»Ja natürlich, das ist Martin Vanger. Er ist wohl so um die achtzehn auf diesem Bild.«

Lisbeth Salander ackerte sich in chronologischer Reihenfolge durch die nach Jahrgängen geordneten Zeitungsausschnitte, die vom Vanger-Konzern handelten. Sie begann mit dem Jahr 1949. Das Problem war allerdings, dass der Vanger-Konzern in diesem Zeitraum fast jeden Tag in den Medien auftauchte – nicht nur in den landesweiten Medien, sondern vor allem in der lokalen Presse. Da gab es Wirtschaftsanalysen, Gewerkschaften, Verhandlungen und Kündigungsdrohungen, Fabrikeröffnungen und Fabrikschließungen, Jahresabschlüsse, Direktorenwechsel, neue Produkte, die eingeführt wurden ... ein Strom von Nachrichten. Klick. Klick. Klick. Ihr Gehirn lief auf Hochtouren.

Nach ein paar Stunden kam ihr eine Idee. Sie wandte sich an die Archiv-Chefin Bodil Lindgren und fragte, ob es irgendwo eine Liste aller Vanger-Fabriken und Dependancen in den fünfziger und sechziger Jahren gäbe.

Bodil Lindgren sah Lisbeth Salander mit offensichtlichem Misstrauen und Kühle an. Sie war überhaupt nicht begeistert, dass ein wildfremder Mensch sich plötzlich in das Allerheiligste des Vanger-Archivs drängeln und nach Belieben alle Papiere einsehen konnte. Noch dazu ein Mädchen, das wie eine verrückte fünfzehnjährige Anarchistin aussah. Aber Dirch Frode hatte ihr unmissverständliche Anweisungen gegeben. Und sie hatte es eilig. Bodil brachte die gedruckten Jahresberichte, nach denen Lisbeth sich erkundigt hatte. Jeder Jahresbericht enthielt eine Karte der Außenposten des Konzerns in ganz Schweden.

Lisbeth warf einen Blick auf die Karte und bemerkte, dass der Konzern viele Fabriken, Büros und Verkaufsstellen besaß. Sie stellte fest, dass sich überall dort, wo ein Mord geschehen war, auch ein roter Punkt befand – manchmal auch mehrere –, der eine Niederlassung des Vanger-Konzerns bezeichnete.

Den ersten Treffer hatte sie 1957. Rakel Lunde, Landskrona, wurde tot aufgefunden, einen Tag nachdem das Unternehmen V&C Bau einen Großauftrag über mehrere Millionen für den Bau eines neuen Einkaufszentrums vor Ort ergattert hatte. V&C stand für *Vanger & Carlén Bau* und gehörte zum Vanger-Konzern. Die Lokalzeitung hatte Gottfried Vanger interviewt, der angereist war, um den Vertrag zu unterzeichnen.

Lisbeth zog die Verbindung zu etwas, was sie in dem vergilbten Untersuchungsbericht im Archiv in Landskrona gelesen hatte. Rakel Lund, die Freizeit-Wahrsagerin, war Putzfrau gewesen. Sie hatte bei V&C Bau gearbeitet.

Um sieben Uhr abends hatte Mikael ein Dutzend Mal Lisbeths Nummer gewählt und ebenso oft festgestellt, dass ihr Handy ausgeschaltet war. Sie wollte nicht unterbrochen werden, während sie sich durchs Archiv ackerte.

Er wanderte rastlos im Gästehäuschen auf und ab. Er hatte Henriks Notizen hervorgeholt und nachgesehen, was Martin Vanger bei Harriets Verschwinden getan hatte.

Martin Vanger war 1966 in seinem letzten Jahr auf dem Gymnasium in Uppsala.

Uppsala. Lena, siebzehnjährige Gymnasiastin. Den Kopf vom Fett getrennt.

Henrik hatte es ein paarmal erwähnt, aber Mikael musste seine Notizen zurate ziehen, um die Passage zu finden. Martin war ein verschlossener Junge gewesen. Sie hatten sich Sorgen um ihn gemacht. Als sein Vater ertrank, hatte Isabella beschlossen, ihn nach Uppsala zu schicken – ein Tapetenwechsel, für den er bei Harald untergebracht wurde. *Harald und Martin?* Das konnte er sich nicht vorstellen.

Auf dem Weg zum Treffen in Hedestad war im Auto kein Platz mehr für Martin gewesen. Er hatte den Zug verpasst, als er nach Hause fahren wollte. Er war spätnachmittags angekommen und damit unter denjenigen, die auf der anderen Seite der Brücke festsaßen. Er kam erst nach sechs Uhr abends mit dem Boot auf die Insel und wurde unter anderem von Henrik in Empfang genommen. Aus diesem Grund hatte er Martin zunächst ziemlich weit unten auf die Liste der Personen gesetzt, die etwas mit Harriets Verschwinden zu tun haben konnten.

Martin behauptete, Harriet den ganzen Tag über nicht getroffen zu haben. Er log. Er war früher nach Hedestad gekommen und stand auf der Bahnhofstraße, Auge in Auge mit seiner Schwester. Mikael konnte die Lüge mit Bildern dokumentieren, die fast vierzig Jahre verschwunden gewesen waren.

Harriet hatte ihren Bruder gesehen und schockiert reagiert. Sie war auf die Insel gefahren und hatte versucht, mit Henrik zu reden, doch zu diesem Gespräch kam es nicht mehr. *Wovon wolltest du erzählen? Von Uppsala? Aber Lena Andersson, Uppsala, stand nicht auf deiner Liste. Du wusstest nichts davon.*

Die Story ging für Mikael immer noch nicht auf. Harriet war gegen drei Uhr verschwunden. Martin war zu dieser Zeit erwiesenermaßen auf der anderen Seite des Sundes gewesen.

Er war auf Fotos zu sehen, die vom Kirchhügel aus aufgenommen worden waren. Er konnte Harriet auf der Insel unmöglich etwas angetan haben. Es fehlte immer noch ein Puzzleteil. *Ein Komplize? Anita Vanger?*

Aus den Unterlagen im Archiv konnte Lisbeth entnehmen, wie sich Gottfried Vangers Position im Konzern im Laufe der Jahre verändert hatte. 1927 geboren, hatte er als Zwanzigjähriger Isabella kennengelernt und sie im Handumdrehen geschwängert. Martin kam 1948 zur Welt, und damit konnte es keinen Zweifel mehr daran geben, dass die jungen Leute heiraten mussten.

Mit zweiundzwanzig war Gottfried von Henrik in die Hauptverwaltung geholt worden. Anscheinend war er begabt und wurde als der Mann der Zukunft gehandelt. Er sicherte sich mit fünfundzwanzig einen Platz in der Führungsriege, als stellvertretender Chef der Abteilung für Unternehmensentwicklung. Sein Stern war im Steigen.

Irgendwann Mitte der fünfziger Jahre kam seine Karriere ins Stocken. Er soff. Die Ehe mit Isabella ging langsam in die Brüche. Die Kinder, Harriet und Martin, litten. Henrik sprach ein Machtwort. Gottfrieds Karriere war an ihrem Höhepunkt angekommen. 1956 wurde ihm ein zweiter stellvertretender Chef an die Seite gestellt. Der machte die Arbeit, während Gottfried soff und über längere Zeiträume hinweg fehlte.

Aber Gottfried war immer noch ein Vanger, noch dazu charmant und redegewandt. Ab 1957 schien seine Aufgabe darin zu bestehen, durchs ganze Land zu reisen und Fabriken einzuweihen, lokale Konflikte zu lösen und den Eindruck zu vermitteln, dass die Konzernführung sich auch für die kleineren Belange interessierte. *Wir schicken einen unserer Söhne, der sich um Ihre Probleme kümmert. Wir nehmen Sie ernst.*

Die zweite Verbindung entdeckte sie gegen halb sieben Uhr abends. Gottfried hatte an einer Verhandlung in Karlstad teilgenommen, wo der Vanger-Konzern ein örtliches Holzwarenunternehmen gekauft hatte. Tags darauf war die Bäuerin Magda Lovisa Sjöberg ermordet aufgefunden worden.

Die dritte Verbindung entdeckte sie nur fünfzehn Minuten später. Uddevalla 1962. Am selben Tag, an dem Lea Persson verschwand, hatte die Lokalzeitung Gottfried Vanger zu einem möglichen Ausbau des Hafens interviewt.

Drei Stunden später hatte Lisbeth Salander festgestellt, dass Gottfried Vanger an mindestens fünf der acht Mordschauplätze gewesen war, unmittelbar vor oder nach dem Mord. Sie hatte keine Informationen zu den Morden von 1949 und 1954. Sie sah sich sein Bild auf einem Zeitungsausschnitt genau an. Ein gut aussehender, schlanker Mann mit dunkelblondem Haar, der Ähnlichkeit mit Clark Gable in *Vom Winde verweht* hatte.

1949 war Gottfried zweiundzwanzig Jahre alt. Der erste Mord geschah auf heimischem Boden. Hedestad. Rebecka Jacobsson, Büroangestellte im Vanger-Konzern. Wo habt ihr euch getroffen? Was hast du ihr versprochen?

Als Bodil Lindgren um fünf Uhr abschließen und nach Hause gehen wollte, fauchte Lisbeth Salander sie an, dass sie noch nicht fertig sei. Bodil könne gerne nach Hause gehen, wenn sie nur einen Schlüssel daließe, damit Lisbeth absperren konnte. Die Archiv-Chefin war so irritiert darüber, von einem jungen Mädchen derart angeherrscht zu werden, dass sie Dirch Frode zu Hause anrief und ihn um Anweisungen bat. Frode entschied sofort, dass Lisbeth über Nacht bleiben könne, wenn sie wolle. Frau Lindgren solle dem Nachtwächter in der Zentrale Bescheid geben, damit der sie später hinauslassen konnte.

Lisbeth Salander biss sich auf die Unterlippe. Das Problem war freilich, dass Gottfried Vanger 1965 ertrunken war, während der letzte Mord im Februar 1966 in Uppsala begangen wurde. Sie fragte sich, ob sie einen Fehler gemacht hatte, als sie die siebzehnjährige Gymnasiastin Lena Andersson in die Liste mit aufgenommen hatte. *Nein. Das war nicht wirklich dieselbe Handschrift, aber es war derselbe Bezug auf die Bibel. Die Fälle müssen zusammenhängen.*

Um neun Uhr hatte es zu dämmern begonnen. Die Luft war abgekühlt, und es nieselte. Mikael saß am Küchentisch und trommelte mit den Fingern, als Martins Volvo über die Brücke fuhr und in Richtung Landzunge verschwand. Das trieb die ganze Sache irgendwie auf die Spitze.

Mikael wusste nicht, was er anfangen sollte. Er brannte mit jeder Faser seines Körpers darauf, Fragen zu stellen – auf Konfrontation zu setzen. Aber es war sicherlich keine gute Idee, wenn er Martin offiziell verdächtigte, ein verrückter Mörder zu sein, der seine Schwester sowie ein Mädchen in Uppsala getötet und obendrein versucht hatte, Mikael zu erschießen. Aber Martin Vanger wusste schließlich nicht, dass Mikael wusste … und er konnte ja unter dem Vorwand zu ihm hinübergehen, dass er … tja, dass er den Schlüssel von Gottfried Vangers Häuschen zurückbringen wollte? Mikael schloss die Tür und ging langsam in Richtung Landzunge.

Harald Vangers Haus lag wie üblich in völliger Dunkelheit. In Henriks Haus brannte auch kein Licht – nur in einem Zimmer, das auf den Garten hinausging. Anna war schlafen gegangen. Isabellas Haus war dunkel. Cecilia war nicht zu Hause. Im Obergeschoss von Alexander Vangers Haus war Licht, aber in den zwei Häusern, in denen Leute wohnten, die nicht zur Familie Vanger gehörten, war es ebenfalls dunkel. Er sah keine Menschenseele.

Vor Martins Haus blieb er unentschlossen stehen, schaltete sein Handy ein und wählte Lisbeths Nummer. Immer noch keine Antwort. Er stellte das Handy ab, damit es nicht überraschend zu klingeln begann.

Im Erdgeschoss brannte Licht. Mikael ging über den Rasen und blieb ein paar Meter vor dem Küchenfenster stehen, aber er konnte keine Bewegung ausmachen. Dann drehte er eine Runde ums Haus und blieb an jedem Fenster stehen, doch Martin Vanger konnte er nirgends sehen. Er entdeckte jedoch, dass die Hintertür der Garage nur angelehnt war. *Sei kein Idiot, verdammt noch mal.* Er konnte der Versuchung nicht widerstehen, einen kurzen Blick zu riskieren.

Das Erste, was er sah, war ein offener Karton auf einer Hobelbank, der Munition für einen Elchstutzen enthielt. Danach die zwei Benzinkanister auf dem Boden unter der Bank.

Vorbereitungen für den nächsten nächtlichen Besuch, Martin?

»Kommen Sie rein, Mikael. Ich hab Sie schon auf der Straße gesehen.«

Mikaels Herz setzte einen Schlag aus. Er wandte langsam den Kopf und sah Martin Vanger im Dunkeln an einer Tür der Garage stehen, die ins Haus führte.

»Sie konnten einfach nicht wegbleiben, was?«

Die Stimme war ruhig, fast schon freundlich.

»Hallo, Martin«, antwortete Mikael.

»Kommen Sie rein«, wiederholte Martin Vanger. »Hier entlang.«

Er ging einen Schritt nach vorne und zur Seite und streckte seine linke Hand in einer einladenden Geste aus. Er hob seine Rechte, und Mikael konnte einen Reflex auf mattem Metall ausmachen.

»Ich habe eine Glock in der Hand. Tun Sie jetzt nichts Unkluges. Auf diese Entfernung kann ich nicht vorbeischießen.«

Mikael kam langsam näher. Als er bei Martin Vanger angekommen war, blieb er stehen und sah ihm in die Augen.

»Ich musste einfach herkommen. Es gibt so viele Fragen.«

»Das verstehe ich. Bitte, durch die Tür.«

Mikael ging langsam ins Haus. Der Durchgang führte zum Flur und weiter in die Küche, doch bevor er dort war, hielt Martin Vanger ihn mit einer leichten Berührung an der Schulter zurück.

»Nein, nicht so weit. Hier rechts. Öffnen Sie die Tür hier auf der Seite.«

Der Keller. Als Mikael die Kellertreppe zur Hälfte hinuntergegangen war, drückte Martin Vanger auf einen Lichtschalter, worauf ein paar Lampen angingen. Rechts war der Heizungskeller. Von vorne kam Mikael der Geruch von Waschmittel entgegen. Martin lenkte ihn nach links, in einen Lagerraum mit alten Möbeln und Kartons. Weiter hinten war noch eine Tür. Eine Stahltür mit Sicherheitsschloss.

»Hier«, sagte Martin Vanger und warf Mikael einen Schlüsselbund zu. »Machen Sie auf.«

»Rechts ist ein Lichtschalter.«

Mikael hatte die Tür zur Hölle geöffnet.

Gegen neun Uhr ging Lisbeth Salander kurz hinaus, um sich an einem Automaten im Korridor vor dem Archiv einen Kaffee und ein in Plastik verpacktes belegtes Brötchen zu kaufen. Dann blätterte sie weiter in alten Papieren und konzentrierte sich darauf, 1954 in Kalmar eine Spur von Gottfried Vanger zu finden. Es gelang ihr nicht.

Sie überlegte, ob sie Mikael Blomkvist anrufen sollte, entschied sich aber, die Personalzeitungen auch noch durchzugehen, bevor sie Feierabend machte.

Der Raum war ungefähr fünf mal zehn Meter groß. Mikael vermutete, dass er an der nördlichen Schmalseite des Hauses liegen musste.

Martin Vanger hatte seine private Folterkammer sorgfältig eingerichtet. Links Ketten, Metallringe an der Decke und im Boden, ein Tisch mit Lederriemen, auf dem er seine Opfer fest-

schnallen konnte, und eine Videoausrüstung. Ein Aufnahme-
studio. Ganz hinten im Raum stand ein Stahlkäfig, in dem er
seine Gäste längerfristig einsperren konnte. Rechts von der
Tür ein Bett und eine Fernsehecke. Auf einem Regal konnte
Mikael jede Menge Videofilme entdecken.

Sobald sie den Raum betreten hatten, richtete Martin Vanger die Pistole auf Mikael und befahl ihm, sich bäuchlings auf
den Boden zu legen. Mikael weigerte sich.

»Okay«, sagte Martin Vanger, »dann schieße ich Ihnen in
die Kniescheiben.«

Mikael kapitulierte. Er hatte keine Wahl.

Er hatte gehofft, dass Martins Aufmerksamkeit einmal für
eine Zehntelsekunde nachlassen würde – er wusste, dass er
einen Kampf gegen ihn gewinnen würde. Als Martin ihm oben
an der Treppe die Hand auf die Schulter legte, hatte er eine
kleine Chance gehabt, aber zu lange gezögert. Danach war
Martin nicht mehr in seine Nähe gekommen. Und mit verletz-
ten Knien hatte er gar keine Chance mehr. Er legte sich auf den
Boden.

Martin näherte sich ihm von hinten und befahl Mikael, die
Hände auf den Rücken zu legen. Er legte ihm Handschellen
an. Dann versetzte er Mikael einen Tritt zwischen die Beine
und begann, auf ihn einzuprügeln.

Was danach geschah, erschien Mikael wie ein Alptraum.
Martin Vangers geistiger Zustand wechselte zwischen Vernunft und Wahnsinn. Phasenweise war er anscheinend ruhig.
Im nächsten Moment lief er im Keller auf und ab wie ein Tier
im Käfig. Mehrfach versetzte er Mikael Tritte. Mikael konnte
weiter nichts tun, als zu versuchen, seinen Kopf zu schützen und die Schläge bestmöglich abzufangen. Nach wenigen
Minuten schmerzte sein Körper von einem Dutzend Verletzungen.

Während der ersten halben Stunde sagte Martin kein Wort
und war nicht ansprechbar. Danach schien er sich zu beruhi-

gen. Er holte eine Kette, legte sie Mikael um den Hals und befestigte sie mit einem Vorhängeschloss an einem Metallring
am Boden. Dann ließ er ihn eine knappe Viertelstunde allein.
Als er wiederkam, hatte er eine Literflasche Tafelwasser dabei.
Er setzte sich auf einen Stuhl und betrachtete Mikael, während
er trank.

»Kann ich ein bisschen Wasser haben?«, fragte Mikael.

Martin Vanger beugte sich herab und ließ ihn großzügig aus
der Flasche trinken. Mikael schluckte gierig.

»Danke.«

»Immer so höflich, *Kalle Blomkvist*.«

»Warum diese Tritte?«, fragte Mikael.

»Weil Sie mich so böse gemacht haben. Sie verdienen Strafe.
Warum sind Sie nicht einfach nach Hause gefahren? Sie wurden bei *Millennium* gebraucht. Ich hatte es ernst gemeint – wir
hätten ein großes Magazin daraus machen können. Wir hätten viele Jahre zusammenarbeiten können.«

Mikael zog eine Grimasse und versuchte, seinen Körper in
eine bequemere Stellung zu bringen. Er war hilflos. Alles, was
er hatte, war seine Stimme.

»Ich schätze, damit wollen Sie sagen, dass diese Chance endgültig verpasst ist«, sagte Mikael.

Martin Vanger lachte.

»Tut mir leid, Mikael. Aber Ihnen muss doch klar sein, dass
Sie hier unten sterben werden.«

Mikael nickte.

»Wie zum Teufel seid Ihr nur auf mich gekommen, Sie und
diese anorektische Hexe, die Sie hier mit reingezogen haben?«

»Sie haben gelogen, als man Sie fragte, was Sie gemacht
haben, als Harriet verschwand. Ich kann beweisen, dass Sie
beim Festzug am ›Tag des Kindes‹ in Hedestad waren. Sie
wurden fotografiert, als Sie Harriet ansahen.«

»Sind Sie deswegen nach Norsjö gefahren?«

»Ja, um das Foto zu holen. Es war von einem Paar aufgenommen worden, das sich zufällig in Hedestad aufgehalten hatte.«

Martin Vanger schüttelte den Kopf.

»Der Teufel soll mich holen, wenn das wahr ist.«

Mikael versuchte, die Achseln zu zucken. Er überlegte angestrengt, was er sagen konnte, um seine Hinrichtung zu verhindern oder aufzuschieben.

»Wo ist das Foto jetzt?«

»Das Negativ? Das liegt in meinem Fach in der Handelsbank hier in Hedestad ... wussten Sie nicht, dass ich mir ein Bankschließfach gemietet habe?« Die Lügen gingen ihm ganz leicht über die Lippen. »Kopien gibt es mehrere. In meinem und in Lisbeths Computer, auf dem Bildserver bei *Millennium* und auf dem Server von Milton Security, wo Lisbeth arbeitet.«

Martin Vanger wartete und versuchte einzuschätzen, ob Mikael bluffte oder nicht.

»Wie viel weiß Salander?«

Mikael zögerte. Lisbeth Salander war jetzt seine einzige Hoffnung auf Rettung. Was würde sie tun, wenn sie nach Hause kam und bemerkte, dass er verschwunden war? Er hatte das Foto von Martin Vanger im Anorak auf den Küchentisch gelegt. Würde sie die Verbindung herstellen können? Würde sie Alarm schlagen? Sie war nicht der Typ, der die Polizei anruft. Der Alptraum schlechthin wäre es, wenn sie bei Martin Vanger an der Tür klingeln würde, um sich nach ihm zu erkundigen.

»Antworten Sie!«, sagte Martin Vanger mit gefährlicher Stimme.

»Ich denke, Lisbeth weiß ungefähr genauso viel wie ich, vielleicht sogar mehr. Ich würde mal tippen, dass sie mehr weiß. Sie ist schlau. Sie hat auch die Verbindung zu Lena Andersson gesehen.«

»Die Verbindung zu Lena Andersson?« Martin Vanger wirkte völlig verblüfft.

»Das siebzehnjährige Mädchen, das Sie im Februar 1966 in

Uppsala zu Tode gefoltert haben. Sagen Sie nicht, dass Sie das vergessen haben.«

Martin Vangers Blick wurde wieder klarer. Zum ersten Mal sah er fast ein wenig bestürzt aus. Er wusste nicht, dass jemand auch hier die Querverbindung gefunden hatte – Lena Andersson hatte nicht in Harriets Adressbuch gestanden.

»Martin«, sagte Mikael, wobei er versuchte, seine Stimme so fest wie möglich klingen zu lassen. »Martin, es ist vorbei. Sie können mich vielleicht töten, aber es ist vorbei. Es gibt zu viele, die Bescheid wissen, und diesmal werden Sie ins Kittchen wandern.«

Martin Vanger sprang auf und begann im Zimmer auf und ab zu laufen. Plötzlich schlug er mit der Faust gegen die Wand. *Ich darf nicht vergessen, dass er irrational denkt und handelt. Die Katze. Er hätte die Katze mit hierher nehmen können, aber er ist gegen jeden gesunden Menschenverstand zur Familienkapelle gegangen. Er handelt nicht rational.* Martin Vanger blieb stehen.

»Ich glaube, dass Sie lügen. Nur Sie und Salander wissen Bescheid. Sie haben mit niemandem darüber gesprochen, sonst wäre die Polizei schon hier gewesen. Ein ordentliches Feuer im Gästehaus, und alle Beweise sind vernichtet.«

»Und wenn Sie sich täuschen?«

Auf einmal lächelte er.

»Wenn ich mich täusche, dann ist es wirklich vorbei. Aber das glaube ich nicht. Ich setze darauf, dass Sie bluffen. Was habe ich für eine Wahl?« Er überlegte. »Diese verdammte Fotze ist das schwache Glied. Ich muss sie finden.«

»Sie ist gegen Mittag nach Stockholm gefahren.«

Martin Vanger lachte.

»Aha. Warum sitzt sie dann den ganzen Abend im Archiv des Vanger-Konzerns?«

Mikaels Herz schlug schneller. *Er wusste es. Er hatte es die ganze Zeit gewusst.*

»Stimmt. Sie sollte zuerst beim Archiv vorbeifahren und dann weiter nach Stockholm«, antwortete Mikael so ruhig er konnte. »Ich wusste nicht, dass sie so lange geblieben ist.«

»Hören Sie auf jetzt. Die Archiv-Chefin hat mir mitgeteilt, dass Dirch Frode ihr Anweisung gegeben hat, Salander so lange bleiben zu lassen, wie sie will. Das heißt, dass sie irgendwann heute Nacht zurückkommt. Der Nachtwächter ruft mich an, sobald sie das Verwaltungsgebäude verlässt.«

Teil IV

Feindliche Übernahme

11. Juli bis 30. Dezember

92% aller schwedischen Frauen, die Opfer sexueller Gewalt
geworden sind, haben ihre jüngste Erfahrung
nicht bei der Polizei angezeigt.

24. Kapitel

Freitag, 11. Juli – Samstag, 12. Juli

Martin Vanger beugte sich herab und durchsuchte Mikaels Taschen. Er fand den Schlüssel.

»Schlau von Ihnen, die Schlösser auszutauschen«, kommentierte er. »Ich werde mich um Ihre Freundin kümmern, wenn sie nach Hause kommt.«

Mikael antwortete nicht. Er erinnerte sich, dass Martin Vanger nach vielen erbitterten Kämpfen in der Industrie Erfahrung mit Verhandlungen hatte. Er hatte schon den vorherigen Bluff durchschaut.

»Warum?«

»Warum was?«

»Warum all das?« Mikael nickte unbestimmt mit dem Kopf in den Raum.

Martin bückte sich zu ihm, legte ihm eine Hand unters Kinn und hob seinen Kopf an, sodass sich ihre Blicke trafen.

»Weil es so einfach ist«, sagte er. »Die ganze Zeit verschwinden Frauen. Es gibt keinen, der sie vermisst. Einwanderer. Huren aus Russland. Tausende von Menschen fahren jedes Jahr durch Schweden.«

Er ließ Mikaels Kopf los und stand auf, beinahe schon stolz auf seine Demonstration.

Martin Vangers Worte trafen Mikael wie ein Faustschlag.

O mein Gott. Das ist gar kein historisches Rätsel. Martin Vanger bringt heute noch Frauen um. Und ich bin völlig ahnungslos reingerannt ...

»Ich habe gerade keinen Gast. Aber es wird Sie vielleicht amüsieren zu erfahren, dass im Winter und im Frühjahr, während Sie und Henrik beieinandersaßen und schwatzten, ein Mädchen hier unten war. Sie hieß Irina und kam aus Weißrussland. Als Sie bei mir zu Abend aßen, saß sie hier in diesem Käfig eingesperrt. Das war doch ein netter Abend, nicht wahr?«

Martin Vanger setzte sich auf den Tisch und ließ die Beine baumeln. Mikeal blinzelte. Er musste plötzlich sauer aufstoßen und schluckte kräftig.

»Was machen Sie mit den Leichen?«

»Ich habe das Boot genau hier unten am Anlegesteg. Ich nehme sie weit mit hinaus aufs Meer. Im Unterschied zu meinem Vater hinterlasse ich keine Spuren. Aber auch er war geschickt. Er hat seine Opfer über ganz Schweden verstreut.«

In Mikaels Kopf fielen die Puzzleteilchen langsam, aber sicher an ihren Platz.

Gottfried Vanger. Von 1949 bis 1965. Danach übernahm Martin Vanger, 1966 in Uppsala.

»Sie bewundern Ihren Vater.«

»Er hat mir alles beigebracht. Er hat mich initiiert, als ich vierzehn Jahre alt war.«

»Uddevalla. Lea Persson.«

»Genau. Ich war dabei. Ich habe nur zugeguckt, aber ich war dabei.«

»1964, Sara Witt in Ronneby.«

»Ich war sechzehn. Da habe ich zum ersten Mal eine Frau gehabt. Gottfried hat es mir beigebracht. Ich habe sie erwürgt.«

Er gibt damit an. Großer Gott, was für eine durch und durch kranke Familie.

»Sie begreifen doch wohl selbst, dass das hier völlig krank ist?«

Martin Vanger zuckte leicht mit den Schultern.

»Ich glaube nicht, dass Sie verstehen können, wie göttlich es ist, volle Kontrolle über Leben und Tod eines Menschen zu haben.«

»Sie genießen es, Frauen zu foltern und zu ermorden, Martin.«

Der Konzernchef überlegte kurz, den Blick auf einen leeren Fleck an der Wand hinter Mikael gerichtet. Dann lächelte er sein charmantes, blendendes Lächeln.

»Das glaube ich eigentlich nicht. Wenn ich meinen Zustand intellektuell analysiere, stelle ich fest, dass ich eher ein Serienvergewaltiger als Serienmörder bin. Eigentlich bin ich ein Serienkidnapper. Dass ich die Frauen töte, ist nur die natürliche Konsequenz – ich muss meine Verbrechen schließlich verbergen. Das verstehen Sie doch?«

Mikael wusste nicht, was er antworten sollte, und nickte nur. »Natürlich sind meine Taten sozial nicht akzeptabel, aber mein Verbrechen ist in erster Linie ein Verbrechen gegen die Konventionen der Gesellschaft. Der Tod kommt erst am Ende des Aufenthalts meiner Gäste, wenn ich ihrer überdrüssig geworden bin. Es ist immer wieder faszinierend, ihre Enttäuschung zu sehen.«

»Enttäuschung?«, fragte Mikael verblüfft.

»Genau. Enttäuschung. Sie glauben, wenn sie mir zu Willen sind, dann werden sie überleben. Sie unterwerfen sich meinen Regeln. Sie fangen an, mir zu vertrauen, beginnen einen Kameraden in mir zu sehen, und bis zum Schluss hoffen sie, dass diese Kameradschaft etwas bedeutet. Die Enttäuschung kommt dann, wenn sie merken, dass ich sie an der Nase herumgeführt habe.«

Martin Vanger ging um den Tisch herum und lehnte sich gegen den Stahlkäfig.

»Sie mit Ihren kleinbürgerlichen Konventionen werden das nie verstehen, aber die Spannung liegt darin, die Entführung zu planen. Solche Dinge darf man nicht spontan machen – solche Kidnapper werden immer geschnappt. Es ist die reinste Wissenschaft, ich muss dabei tausend Details berücksichtigen. Ich muss eine Beute finden und ihr Leben erforschen. Wer ist sie? Woher kommt sie? Wie kann ich an sie rankommen? Wie stelle ich es an, dass ich mit meiner Beute einmal allein sein kann, ohne dass mein Name ins Spiel kommt oder irgendwann in einer zukünftigen polizeilichen Ermittlung auftaucht?«

Hör auf, dachte Mikael. Martin Vanger redete über Kidnapping und Mord in einem fast schon akademischen Ton, als hätte er in irgendeiner esoterischen oder theologischen Frage eine abweichende Meinung.

»Interessiert Sie das wirklich, Mikael?«

Er beugte sich herab und strich Mikael über die Wange. Seine Berührung war behutsam, beinahe zärtlich.

»Stört es Sie, wenn ich rauche?«

Mikael schüttelte den Kopf. »Sie können mir gerne eine Zigarette anbieten«, erwiderte er.

Martin Vanger erfüllte ihm den Wunsch und zündete zwei Zigaretten an. Eine davon steckte er Mikael zwischen die Lippen und ließ ihn einmal ziehen.

»Danke«, sagte Mikael automatisch.

Martin Vanger lachte abermals.

»Da sehen Sie's. Sie haben sich das Prinzip der Unterwerfung schon zu Eigen gemacht. Ihr Leben liegt in meinen Händen, Mikael. Sie wissen, dass ich Sie jeden Moment töten kann. Sie haben mich gebeten, Ihre Lebensqualität zu verbessern, und das haben Sie getan, indem Sie ein rationales Argument und ein bisschen Schmeichelei einsetzten. Sie haben eine Belohnung bekommen.«

Mikael nickte. Er hatte fast unerträgliches Herzklopfen.

Um viertel nach elf trank Lisbeth Salander gerade Wasser aus ihrer PET-Flasche, während sie weiterblätterte. Im Gegensatz zu Mikael verschluckte sie sich nicht an ihrem Getränk. Sie zog jedoch die Augenbrauen hoch, als sie die Verbindung entdeckte.

Klick!

Innerhalb von zwei Stunden hatte sie die Personalzeitungen aller möglichen Niederlassungen des Vanger-Konzerns durchgearbeitet. Die Hauptzeitung hieß schlicht und einfach *Unternehmensinformation* und trug das Logo des Vanger-Konzerns – eine schwedische Flagge, die im Wind flatterte und deren Spitze einen Pfeil bildete. Die Zeitung wurde anscheinend von der Werbeabteilung des Konzerns gemacht und enthielt Propaganda, die dazu beitragen sollte, dass sich die Angestellten wie die Mitglieder einer einzigen großen Familie fühlten.

In den Skiferien im Februar 1967 hatte Henrik mit einer großzügigen Geste fünfzig Angestellte der Hauptverwaltung mit ihren Familien zu einem einwöchigen Skiurlaub in Härjedalen eingeladen. Die Einladung war dem Rekordergebnis zu verdanken, das der Konzern im Jahr zuvor erzielt hatte – es war der Dank für viele Arbeitsstunden. Die PR-Abteilung fuhr mit und machte eine Fotoreportage von dem Skidorf, in das man sich zu diesem Zwecke eingemietet hatte.

Viele der Fotos mit den lustigen Unterschriften waren auf dem Skihügel aufgenommen worden. Ein paar beim geselligen Beisammensein in der Bar, mit lachenden, durchgefrorenen Mitarbeitern, die das eine oder andere Bierglas hochhielten. Zwei Fotos waren bei einem kleinen Unternehmens-Event geschossen worden, auf dem Henrik Vanger die einundvierzigjährige Büroangestellte Ulla-Britt Mogren zur »Besten Büroangestellten des Jahres« kürte. Sie bekam einen Bonus von 500 Kronen und eine Glasschale.

Die Preisverteilung war auf der Terrasse des Skihotels vorgenommen worden, anscheinend kurz bevor die Leute wieder auf die Pisten zurückgekehrt waren. Ungefähr zwanzig Personen waren auf dem Bild zu sehen.

Ganz rechts, hinter Henrik Vanger, stand ein Mann mit langem, hellem Haar. Er trug einen dunklen Steppanorak mit einem abgesetzten Feld an der Schulterpartie. Da die Zeitung schwarz-weiß war, konnte man die Farbe nicht erkennen, aber Lisbeth hätte jederzeit ihren Kopf gewettet, dass die Schulterpartie rot war.

Die Bildunterschrift erläuterte den Zusammenhang: *Ganz rechts der neunzehnjährige Martin Vanger, der in Uppsala studiert. Er wird bereits als vielversprechender Nachwuchs für die Konzernführung gehandelt.*

»Got you«, sagte Lisbeth leise.

Sie schaltete die Schreibtischlampe aus und ließ die Personalzeitungen in einem einzigen Durcheinander auf dem Schreibtisch liegen – *damit diese Schlampe Bodil Lindgren morgen früh gleich was hat, worum sie sich kümmern kann.*

Durch eine Seitentür ging sie auf den Parkplatz. Auf halbem Weg erinnerte sie sich, dass sie versprochen hatte, der Wache Bescheid zu geben, wenn sie das Gebäude verließ. Sie blieb stehen und warf einen Blick auf den Parkplatz. Der Nachtwächter saß auf der anderen Seite des Gebäudes. Das bedeutete, sie hätte zurückgehen und ums ganze Haus laufen müssen. Scheiß drauf, sagte sie sich.

Als sie zum Motorrad kam, schaltete sie das Handy ein und wählte Mikaels Nummer, doch es meldete sich nur seine Mobilbox. Sie sah jedoch, dass Mikael zwischen halb vier und neun nicht weniger als dreizehn Mal versucht hatte, sie anzurufen. In den letzten zwei Stunden hatte er es nicht mehr probiert.

Lisbeth wählte die Festnetznummer des Gästehäuschens, bekam aber immer noch keine Antwort. Sie runzelte die Stirn, befestigte ihre Computertasche auf dem Gepäckträger, setzte den Helm auf und ließ ihre Maschine an. Die Fahrt von der Hauptverwaltung bis zur Einfahrt ins Gewerbegebiet von Hedestad und hinüber zur Hedeby-Insel dauerte zehn Minuten. In der Küche brannte Licht, aber das Häuschen war leer.

Lisbeth stieg ab und sah sich um. Ihr erster Gedanke war, dass Mikael zu Frode hinübergegangen sein musste, aber sie konnte schon vom Treppenabsatz aus feststellen, dass bei Frode auf der anderen Seite des Sundes alle Lichter erloschen waren. Sie blickte auf ihre Armbanduhr, die zehn Minuten nach Mitternacht anzeigte.

Sie ging wieder ins Haus, öffnete den Schrank und holte den PC heraus, der die Bilder der Überwachungskameras speicherte, die sie draußen montiert hatte. Sie brauchte ein Weilchen, bis sie den Handlungsverlauf nachvollziehen konnte.

Um 15.32 Uhr war Mikael nach Hause gekommen.

Um 16.03 Uhr war er in den Garten gegangen und hatte Kaffee getrunken. Er hatte eine Mappe dabei, in der er konzentriert las. In der Stunde, die er im Garten verbrachte, hatte er drei kurze Anrufe getätigt. Alle drei Anrufe entsprachen auf die Minute genau den Anrufen, die sie nicht beantwortet hatte.

Um 17.21 Uhr war Mikael spazieren gegangen. Weniger als fünfzehn Minuten später war er wieder zurück.

Um 18.20 Uhr war er an den Zaun getreten und hatte Richtung Brücke geguckt.

Um 21.03 Uhr war er hinausgegangen und nie zurückgekommen.

Lisbeth sah sich im Schnelldurchlauf die Bilder auf dem anderen PC an, die den Zaun und die Straße vor der Haustür zeigten. Sie konnte sehen, welche Personen tagsüber vorbeigelaufen waren.

Um 19.12 Uhr war Gunnar Nilsson nach Hause gekommen.

Um 19.42 Uhr war jemand in dem Saab vom Östergården in Richtung Hedestad gefahren.

Um 20.02 Uhr war das Auto zurückgekommen – eine kurze Fahrt zum Tankstellenkiosk?

Danach passierte nichts bis genau 21 Uhr, als Martin Vangers Auto vorbeifuhr. Drei Minuten später hatte Mikael das Haus verlassen.

Eine knappe Stunde später, um 21.50 Uhr war Martin Vanger plötzlich ins Sichtfeld des Objektivs getreten. Er stand über eine Minute am Zaun, betrachtete das Gästehäuschen und guckte durchs Küchenfenster. Er ging auf den Treppenabsatz und versuchte, die Tür aufzuschließen. Dann musste er entdeckt haben, dass ein neues Türschloss eingebaut worden war. Er blieb kurz stehen, bevor er auf dem Absatz kehrtmachte und das Häuschen verließ.

Mit einem Mal spürte Lisbeth Salander, wie sich Eiseskälte in ihrer Magengegend ausbreitete.

Martin Vanger hatte Mikael plötzlich allein gelassen. Er lag in unbequemer Haltung mit auf dem Rücken gefesselten Händen, den Hals mit einer dünnen Kette an einen Metallring am Boden gefesselt. Er fummelte an den Handschellen herum, wusste jedoch, dass er sie nicht öffnen konnte. Sie saßen so eng, dass ihm die Hände schon taub wurden.

Er hatte keine Chance. Er blinzelte.

Er wusste nicht, wie viel Zeit vergangen war, als er Martin Vangers Schritte wieder hörte.

Der Unternehmensführer trat in sein Blickfeld. Er sah bekümmert aus.

»Unbequem?«, fragte er.

»Ja«, erwiderte Mikael.

»Ihre eigene Schuld. Sie hätten nach Hause fahren sollen.«

»Warum morden Sie?«

»Ich habe damit eine Wahl getroffen. Ich könnte die ganze Nacht moralische und intellektuelle Aspekte meines Tuns mit Ihnen diskutieren, aber das ändert nichts an dieser Tatsache.

Versuchen Sie es mal so zu sehen – ein Mensch ist eine Hülle aus Haut, die Zellen, Blut und chemische Komponenten an ihrem Platz hält. Ein paar wenige schaffen es bis in die Geschichtsbücher. Die meisten verschwinden spurlos.«

»Sie ermorden Frauen.«

»Wir, die morden, weil wir den Genuss bejahen – ich bin ja nicht alleine mit diesem Hobby –, wir leben das vollständige Leben.«

»Aber warum Harriet? Ihre eigene Schwester?«

Martin Vangers Gesicht veränderte sich plötzlich. Er war mit einem einzigen Schritt bei Mikael und packte ihn grob bei den Haaren.

»Was ist mit ihr passiert?«

»Was meinen Sie?«, keuchte Mikael.

Er versuchte, den Kopf zu drehen, um den Schmerz auf der Kopfhaut zu mildern. Sofort zog sich die Kette um seinen Hals fester zusammen.

»Salander und Sie. Was haben Sie herausgefunden?«

»Lassen Sie mich los. Wir reden doch miteinander.«

Martin Vanger ließ seine Haare los und setzte sich im Schneidersitz vor Mikael hin. Plötzlich hielt er ein Messer in der Hand. Er setzte die Messerspitze auf die Haut genau unter Mikaels Auge. Mikael zwang sich, ihm in die Augen zu sehen.

»Was zum Teufel ist mit ihr passiert?«

»Ich verstehe Sie nicht. Ich dachte, dass Sie sie umgebracht haben.«

Martin Vanger starrte Mikael noch eine ganze Weile an. Dann entspannte er sich. Er stand auf und überlegte, während er durch den Raum lief. Er ließ das Messer nachlässig auf den Boden fallen und wandte sich Mikael zu.

»Harriet, Harriet, immer diese Harriet. Wir haben versucht ... mit ihr zu reden. Gottfried hat versucht, es ihr beizubringen. Wir dachten, sie wäre eine von uns und würde ihre Pflichten akzeptieren, aber sie war nur eine ganz gewöhnliche … Fotze. Ich dachte, ich hätte sie unter Kontrolle, aber sie wollte Henrik alles erzählen, und ich begriff, dass ich ihr nicht trauen konnte. Früher oder später hätte sie ihm von mir erzählt.«

»Sie haben sie getötet.«

»Ich *wollte* sie töten. Ich *hatte es vor*, aber ich kam zu spät. Ich konnte nicht zur Insel hinüberfahren.«

Mikaels Gehirn versuchte, die Information aufzunehmen, aber ihm war, als würde ein Schild mit der Aufschrift *information overload* erscheinen. Martin Vanger wusste nicht, was mit seiner Schwester passiert war.

Plötzlich zog er sein Handy aus der Jacke, sah aufs Display und legte es auf den Stuhl neben die Pistole.

»Es wird Zeit, dass wir das hier zum Abschluss bringen. Ich muss ja heute Nacht auch noch mit Ihrem anorektischen Drachen zurande kommen.«

Er öffnete einen Schrank, entnahm ihm einen schmalen Lederriemen und legte ihn wie eine Schlinge um Mikaels Hals. Er löste die Kette, die Mikael an den Boden gefesselt hatte, zog ihn auf die Füße hoch und stieß ihn gegen die Wand. Den Lederriemen führte er durch einen Metallring über Mikaels Kopf und zog an, sodass Mikael sich auf die Zehenspitzen stellen musste.

»Ist es zu fest? Können Sie nicht mehr atmen?« Er ließ ein paar Zentimeter nach und machte das Ende des Riemens weiter unten an der Wand fest. »Ich will ja nicht, dass Sie sofort ersticken.«

Die Schlinge schnitt so fest in Mikaels Hals, dass er unmöglich etwas sagen konnte. Martin Vanger betrachtete ihn aufmerksam.

Plötzlich knöpfte er Mikaels Hose auf und zog sie zusammen mit seiner Unterhose nach unten. Als er ihm die Hose von den Beinen zerrte, verloren Mikaels Füße den Halt, und er baumelte ein paar Sekunden an der Schlinge, bevor er wieder in Kontakt mit dem Boden kam. Martin Vanger ging zu einem Schrank und holte eine Schere. Er schnitt Mikaels T-Shirt auf und warf die Reste auf einen Haufen. Dann trat er einen Schritt von Mikael zurück und betrachtete sein Opfer.

»Ich habe noch nie einen Jungen hier gehabt«, sagte Martin Vanger ernst. »Ich habe niemals einen anderen Mann angefasst ... außer meinem Vater. Das war meine Pflicht.«

Mikaels Schläfen pochten. Er konnte sein Körpergewicht nicht auf die Füße verlagern, ohne erwürgt zu werden. Er versuchte vergeblich, mit den Fingern Halt an der Betonwand hinter ihm zu finden.

»Es ist Zeit«, sagte Martin Vanger.

Er legte die Hand auf den Riemen und drückte ihn nach unten. Mikael spürte, wie die Schlinge sofort tiefer in seinen Hals schnitt.

»Ich habe mich immer gefragt, wie ein Mann schmeckt.«

Er erhöhte den Druck auf die Schlinge, beugte sich plötzlich vor und küsste Mikael auf den Mund – als im selben Augenblick eine kühle Stimme durch den Raum schnitt.

»Du alter Kotzbrocken, darauf habe *ich* das Monopol in diesem verdammten Dreckskaff.«

Mikael hörte Lisbeths Stimme wie durch rote Nebel. Es gelang ihm, seinen Blick zu fokussieren, und er sah sie am Türpfosten lehnen.

»Nein ...«, krächzte Mikael.

Mikael sah Martins Gesichtsausdruck nicht, aber seinen Schock, als er herumfuhr, konnte er fast körperlich spüren. Für eine Sekunde stand die Zeit still. Dann streckte Martin Vanger seinen Arm nach der Pistole aus, die er auf dem Hocker hatte liegen lassen.

Lisbeth Salander machte drei schnelle Schritte nach vorne und schwang einen Golfschläger, den sie seitlich versteckt in der Hand gehabt hatte. Das Eisen beschrieb einen weiten

Bogen und traf Martin Vanger über dem Schlüsselbein an der Schulter. Der Schlag hatte eine unerhörte Wucht, und Mikael konnte hören, wie etwas brach. Martin Vanger brüllte.

»Mögen Sie Schmerz?«, fragte Lisbeth Salander.

Ihre Stimme klang rau wie Sandpapier. Mikael würde sein Leben lang nicht vergessen, wie ihr Gesicht aussah, als sie zum Angriff überging. Sie fletschte die Zähne wie ein Raubtier. Ihre Augen glänzten pechschwarz. Sie bewegte sich blitzschnell wie eine Spinne und schien sich nur noch auf ihre Beute zu konzentrieren, als sie den Golfschläger erneut schwang und Vangers Rippen traf.

Er stolperte über den Stuhl und stürzte. Die Pistole fiel auf den Boden vor Lisbeths Füße. Sie kickte sie zur Seite, von ihm weg.

Dann schlug sie ein drittes Mal zu, gerade als Martin Vanger versuchte, sich wieder hochzurappeln. Sie traf ihn mit einem schnalzenden Geräusch an der Hüfte. Ein grauenvoller Laut entfuhr Martin Vangers Kehle. Der vierte Schlag traf ihn von hinten aufs Schulterblatt.

»Lis ... errth ...«, krächzte Mikael.

Er stand kurz davor, das Bewusstsein zu verlieren, und der Schmerz in seinen Schläfen war fast unerträglich.

Sie drehte sich zu Mikael um und sah, dass sein Gesicht tomatenrot angelaufen war, ihm die Zunge aus dem Mund quoll und er die Augen wild aufgerissen hatte.

Sie sah sich rasch um und entdeckte das Messer auf dem Boden. Dann warf sie einen Blick auf Martin Vanger, der sich auf die Knie gestemmt hatte und mit einem schlaff herabhängenden Arm versuchte, auf sie zuzukriechen. Der würde in den nächsten Sekunden keine Probleme machen können. Sie ließ den Golfschläger fallen und holte sich das Messer. Es hatte zwar eine scharfe Spitze, die Schneide war jedoch stumpf. Sie stellte sich auf die Zehenspitzen und bewegte die Klinge fieberhaft hin und her, um den Lederriemen durchzuschneiden. Es dauerte ein paar Sekunden, bis Mikael endlich auf den Boden fiel. Aber die Schlinge um seinen Hals hatte sich fest zusammengezogen.

Lisbeth Salander warf noch einen Blick auf Martin Vanger. Er war wieder auf die Füße gekommen, krümmte sich aber vor Schmerzen. Sie ignorierte ihn und versuchte, ihre Finger unter die Würgeschlinge zu bekommen. Sie traute sich nicht zu schneiden, aber schließlich benutzte sie doch die Messerspitze und ritzte Mikael am Hals, als sie vorsichtig versuchte, die Schlinge aufzuziehen. Schließlich löste sich der Riemen und Mikael schnappte rasselnd nach Luft.

Für einen Augenblick erlebte Mikael das phantastische Gefühl, wie Körper und Seele sich wieder vereinten. Er konnte wieder perfekt sehen und jedes Staubkorn im Raum erkennen. Er vernahm jeden Atemzug und jedes Rascheln von Kleidern, als ob die Geräusche durch ein Hörrohr an sein Ohr gelangten. Er nahm den Duft von Lisbeths Schweiß wahr und den Geruch ihrer Lederjacke. Dann verschwand diese Illusion, als ihm das Blut in den Kopf zurückströmte und sein Gesicht seine normale Farbe wiedererlangte.

Lisbeth wandte den Kopf im selben Moment, in dem Martin Vanger durch die Tür nach draußen verschwand. Sie richtete sich auf, griff sich die Pistole und prüfte das Magazin. Mikael dachte, dass sie schon früher mit Waffen umgegangen sein musste. Sie sah sich um, und ihr Blick blieb an den Schlüsseln der Handschellen hängen, die deutlich sichtbar auf dem Boden lagen.

»Den schnapp ich mir«, sagte sie und rannte zur Tür. Die Schlüssel nahm sie im Laufen auf und warf sie nach hinten zu Mikael auf den Boden.

Mikael versuchte ihr zuzurufen, dass sie auf ihn warten solle, aber er brachte nur ein Krächzen heraus, und da war sie auch schon durch die Tür verschwunden.

Lisbeth hatte nicht vergessen, dass Martin Vanger irgendwo noch ein Gewehr hatte, also blieb sie mit der Pistole in der Hand schussbereit stehen, als sie den Durchgang zwischen Garage und Küche betrat. Sie horchte, konnte aber kein Geräusch hören, das ihr verraten hätte, wo sich ihre Beute befand. Instinktiv ging sie in Richtung Küche und war fast schon dort, als sie hörte, wie auf dem Hof das Auto angelassen wurde.

Sie rannte zurück und durch die Seitentür in die Garage. Von der Ausfahrt aus konnte sie die Rücklichter seines Wagens sehen, wie sie gerade Henriks Haus passierten und die Kurve hinunter zur Brücke beschrieben. Sie rannte ihm nach, so schnell ihre Beine sie trugen. Die Pistole stopfte sie in ihre Jackentasche und verlor keine Zeit mit dem Helm, als sie ihre Maschine startete. Wenige Sekunden später war sie auf dem Weg über die Brücke.

Er hatte vielleicht einen Vorsprung von neunzig Sekunden, als sie den Kreisverkehr an der Auffahrt zur E4 erreichte. Sie konnte ihn nicht sehen. Sie bremste, stellte den Motor aus und lauschte.

Am Himmel türmten sich dicke Wolken. Am Horizont sah sie die ersten Anzeichen der Dämmerung. Dann hörte sie ein Motorengeräusch und konnte ganz kurz Martin Vangers Auto auf der E4 Richtung Süden erkennen. Lisbeth ließ ihr Motorrad wieder an, legte den Gang ein und fuhr unter der Unterführung hindurch. Sie fuhr achtzig, als sie die Kurve der Autobahnauffahrt nahm. Vor ihr lag eine gerade Strecke. Da sie keinen Verkehr sah, gab sie Gas bis zum Anschlag und flog geradezu über die Fahrbahn. Ihre Geschwindigkeit lag bei hundertsiebzig, als sich der Weg an einer lang gestreckten Hügelkette entlang zu krümmen begann – das war so ungefähr die Höchstgeschwindigkeit, die ihre eigenhändig frisierte Maschine bergab fahren konnte. Nach zwei Minuten sah sie Martin Vangers Auto zirka vierhundert Meter vor sich.

Konsequenzanalyse. Was mache ich jetzt?

Sie drosselte ihr Tempo auf vernünftigere hundertzwanzig und fuhr ihm mit gleich bleibendem Abstand hinterher. Für ein paar Sekunden verlor sie ihn aus den Augen, als sie ein paar scharfe Kurven nahmen. Dann kamen sie wieder auf eine lange, gerade Strecke. Sie lag ungefähr zweihundert Meter hinter ihm.

Er sah den Scheinwerfer ihres Motorrads und erhöhte die Geschwindigkeit, als sie durch eine lang gezogene Kurve fuhren. Sie gab Vollgas, verlor in der Kurve aber an Boden. Dann lag wieder ein gerades Stück vor ihnen.

Sie sah die Lichter des Lastwagens schon aus weiter Entfernung. Martin Vanger auch. Plötzlich erhöhte er das Tempo noch mehr und wechselte auf die Gegenfahrbahn, als der LKW noch hundertfünfzig Meter entfernt war. Lisbeth sah, wie der Fahrer bremste und frenetisch die Lichthupe betätigte, aber der Abstand schrumpfte innerhalb weniger Sekunden zusammen, und der Zusammenstoß war unausweichlich. Martin Vanger fuhr mit einem schrecklichen Krachen frontal in den Lastwagen.

Instinktiv bremste Lisbeth. Dann sah sie, wie sich der Anhänger quer über ihre Fahrbahn zu schieben begann. Bei ihrer Geschwindigkeit würde es nur noch zwei Sekunden dauern, bis sie die Unfallstelle erreichte. Sie gab noch mehr Gas, lenkte nach rechts auf die Standspur und konnte dem Anhänger um ein paar Meter ausweichen, als sie vorbeifuhr. Aus dem Augenwinkel sah sie, wie unter dem Vorderteil des Lasters Flammen hochschlugen.

Sie fuhr noch hundertfünfzig Meter weiter, bevor sie stehen blieb und sich umdrehte. Sie sah, wie der Lastwagenfahrer auf der Beifahrerseite aus der Kabine sprang. Da gab sie wieder Gas. Bei Åkerby, zwei Kilometer weiter südlich, bog sie links ab und folgte der alten Landstraße Richtung Norden, parallel zur E4. Als sie auf gleicher Höhe mit der Unfallstelle war, sah sie, dass zwei Autos angehalten hatten. Das platt gedrückte Wrack, das sich hoffnungslos unter dem LKW verkeilt hatte, brannte lichterloh. Ein Mann versuchte, den Flammen mit einem kleinen Feuerlöscher beizukommen.

Sie gab Gas, war flugs in Hedeby und fuhr langsam über die Brücke zurück. Sie parkte vor dem Gästehäuschen und ging wieder in Martin Vangers Haus.

Mikael kämpfte immer noch mit den Handschellen. Seine Hände waren so abgestorben, dass er den Schlüssel nicht greifen konnte. Lisbeth schloss die Handschellen auf und hielt ihn fest, während das Blut wieder zu zirkulieren begann und das Gefühl in seine Hände zurückkehrte.

»Martin?«, fragte Mikael heiser.

»Tot. Er hat sein Auto mit hundertfünfzig frontal in einen Lastwagen gelenkt, ein paar Kilometer Richtung Süden auf der E4.«

Mikael starrte sie an. Sie war nur ein paar Minuten fort gewesen.

»Wir müssen ... die Polizei anrufen«, krächzte Mikael. Er musste plötzlich stark husten.

»Warum das denn?«, erkundigte sich Lisbeth Salander.

Weitere zehn Minuten war Mikael nicht imstande aufzustehen. An die Wand gelehnt, blieb er nackt auf dem Boden sitzen. Er massierte sich den Hals und griff mit ungeschickten Fingern nach der Wasserflasche. Lisbeth wartete geduldig, bis er wieder Gefühl in den Händen hatte. In der Zwischenzeit dachte sie nach.

»Zieh dich an.«

Sie holte Mikaels zerschnittenes T-Shirt und wischte die Fingerabdrücke von den Handschellen, dem Messer und dem Golfschläger. Die PET-Flasche nahm sie mit.

»Was machst du?«

»Zieh dich an. Draußen wird es schon hell. Beeil dich.«

Mikael stellte sich auf seine wackeligen Füße und schaffte es, sich Unterhose und Jeans anzuziehen. Er schlüpfte in seine Sneakers. Lisbeth stopfte ihm seine Strümpfe in die Jackentasche und fasste ihn am Arm.

»Was genau hast du hier unten alles angefasst?«

Mikael sah sich um. Er versuchte sich zu erinnern. Schließlich erklärte er, dass er außer der Türklinke und den Schlüsseln nichts angefasst hatte. Lisbeth fand die Schlüssel in Martin Vangers Jacke, die er über den Stuhl gehängt hatte. Sie wischte die Klinke und den Lichtschalter sorgfältig ab und machte die Lampe aus. Dann führte sie Mikael die Kellertreppe hinauf und bat ihn, im Durchgang zu warten, während sie den Golfschläger wieder an seinen Platz stellte. Als sie wiederkam, hatte sie ein dunkles T-Shirt in der Hand, das Martin Vanger gehört hatte.

»Zieh das an. Ich will nicht, dass irgendjemand dich hier nachts mit nacktem Oberkörper rumlaufen sieht.«

Mikael begriff, dass er unter Schock stand. Sie hatte das Kommando übernommen, und er gehorchte willenlos ihren Befehlen. Sie führte ihn von Martin Vangers Haus fort. Die ganze Zeit hielt sie ihn fest. Als sie vor der Tür zu Mikaels Häuschen angekommen waren, hielt sie inne.

»Wenn uns jemand gesehen hat und fragt, was wir nachts draußen gemacht haben, dann haben wir zwei auf der Landzunge einen Nachtspaziergang gemacht und Sex gehabt.«

»Lisbeth, ich kann nicht …«

»Stell dich unter die Dusche. Jetzt.«

Sie half ihm aus seinen Kleidern. Dann setzte sie den Kaffeekessel auf und schmierte schnell ein halbes Dutzend Brote mit Käse, Leberwurst und Salzgurken. Als Mikael wieder ins Zimmer gehinkt kam, saß sie am Küchentisch und dachte intensiv nach. Sie musterte die Blutergüsse und Schürfwunden an seinem Körper. Die Würgeschlinge hatte so tief eingeschnit-

ten, dass er ein dunkelrotes Mal um den ganzen Hals zurückbehalten hatte, und das Messer hatte einen blutigen Riss in der
Haut an seiner linken Halsseite hinterlassen.

»Komm«, sagte sie. »Leg dich ins Bett.«

Sie holte Pflaster und deckte die Wunde mit einer Kom-
presse ab. Danach goss sie Kaffee ein und stellte die belegten
Brote auf den Tisch.

»Ich hab keinen Hunger«, sagte Mikael.

»Iss!«, kommandierte Lisbeth und nahm einen großen
Bissen.

Mikael blinzelte ein Weilchen. Schließlich setzte er sich auf
und aß. Sein Hals war so wund, dass er nur mit Mühe schlucken konnte.

Lisbeth zog ihre Lederjacke aus und holte ein Döschen Ti-
gerbalsam aus ihrem Kulturbeutel.

»Lass den Kaffee noch ein bisschen abkühlen. Leg dich auf
den Bauch.«

Sie massierte ihm fünf Minuten mit der Salbe den Rücken.
Dann drehte sie ihn um und ließ seiner Vorderseite die gleiche
Behandlung angedeihen.

»Du wirst noch eine Weile ganz schöne blaue Flecken
haben.«

»Lisbeth, wir müssen die Polizei anrufen.«

»Nein!«, gab sie so entschieden zurück, dass Mikael sie erstaunt ansah. »Wenn du die Polizei rufst, dann hau ich ab. Mit
denen will ich nichts zu tun haben. Martin Vanger ist tot. Er
ist bei einem Autounfall ums Leben gekommen. Er war allein
im Auto. Es gab Zeugen. Lass die Polizei oder irgendjemand
sonst diese verdammte Folterhöhle entdecken. Du und ich
wissen genauso wenig von ihrer Existenz wie alle anderen hier
in der Stadt.«

»Warum?«

Sie ignorierte ihn und massierte seine schmerzenden Ober-
schenkel.

544

»Lisbeth, wir können nicht einfach ... «

»Wenn du mich weiter nervst, dann schleif ich dich zurück in Martins Höhle und kette dich wieder an.«

Während sie redete, schlief Mikael so plötzlich ein, als wäre er ohnmächtig geworden.

25. Kapitel

Samstag, 12. Juli – Montag, 14. Juli

Mikael wurde gegen fünf Uhr morgens schlagartig wach und fuhrwerkte hektisch an seinem Hals herum, um die Schlinge zu entfernen. Lisbeth kam in sein Zimmer, nahm seine Hände und hielt ihn fest. Er schlug die Augen auf und sah sie mit vernebeltem Blick an.

»Ich wusste gar nicht, dass du Golf spielst«, murmelte er und schloss die Augen wieder. Sie blieb noch ein paar Minuten bei ihm sitzen, bis sie sicher war, dass er wieder schlief. Zwischenzeitlich war Lisbeth in Martin Vangers Keller zurückgegangen, um den Tatort zu untersuchen. Neben den Folterwerkzeugen hatte sie eine große Sammlung von Heften mit Gewaltpornographie gefunden und jede Menge Polaroidbilder, die in ein Album eingeklebt worden waren.

Ein Tagebuch hatte es nicht gegeben. Allerdings hatte sie zwei A4-Ordner mit Passfotos und handschriftlichen Notizen zu verschiedenen Frauen gefunden. Sie hatte die Ordner in einer Nylontasche mitgenommen, ebenso Martin Vangers Laptop, den sie auf dem Flurtisch im Obergeschoss entdeckt hatte. Als Mikael wieder eingeschlafen war, fuhr Lisbeth damit fort, Martin Vangers Computer und seine Ordner durchzugehen. Es war sechs Uhr morgens, als sie den Laptop ausschaltete. Sie steckte sich eine Zigarette an und biss nachdenklich auf ihrer Unterlippe herum, während sie überlegte.

Gemeinsam mit Mikael hatte sie die Jagd auf einen vermeintlich in der Vergangenheit aktiven Serienmörder aufgenommen. Sie hatten etwas völlig anderes gefunden. Sie konnte sich kaum ausmalen, was für grauenhafte Szenen sich in Martin Vangers Keller abgespielt haben mussten, mitten in dieser trauten Idylle.

Sie versuchte zu begreifen.

Martin Vanger hatte seit den sechziger Jahren Frauen getötet, in den letzten fünfzehn Jahren mit einer Frequenz von ungefähr einem oder zwei Opfern pro Jahr. Die Tötung war so diskret und wohldurchdacht, dass niemand bemerkt hatte, dass ein Serienmörder am Werk war. Wie war so etwas möglich?

Die Ordner beantworteten diese Frage zumindest teilweise.

Seine Opfer waren anonyme Frauen, oft gerade erst in Schweden angekommene Einwanderinnen, die weder Freunde noch andere Sozialkontakte in Schweden hatten. Daneben fanden sich auch noch Prostituierte und Außenseiterinnen der Gesellschaft, die Drogenprobleme oder anderweitige soziale Schwierigkeiten hatten.

Aus ihren eigenen Studien über die Psychologie des sexuellen Sadismus hatte Lisbeth Salander gelernt, dass diese Art Mörder gerne Souvenirs von ihren Opfern sammelten. Solche Souvenirs dienten als Erinnerung, mit deren Hilfe der Mörder sein erlebtes Vergnügen nach Bedarf wieder aufleben lassen konnte. Martin Vanger hatte diese Gewohnheit gepflegt, indem er ein Todesbuch führte. Er hatte seine Opfer sorgfältig katalogisiert und benotet. Er hatte die Leiden seiner Opfer kommentiert und beschrieben. Er hatte sein mörderisches Tun mit Videofilmen und Fotografien dokumentiert.

Gewalt und Töten, das war seine Zielsetzung, aber Lisbeth kam zu dem Schluss, dass es in Wirklichkeit die Jagd war, die ihn hauptsächlich interessiert hatte. In seinem Laptop hatte er eine Datenbank angelegt, in der Hunderte von Frauen gespeichert waren: Angestellte des Vanger-Konzerns, Bedienungen in Restaurants, die er häufig besuchte, Empfangsdamen in Hotels, Personal der Kranken- und Sozialversicherung, Sekretärinnen von Geschäftsfreunden. Anscheinend nahm Martin Vanger so gut wie jede Frau in sein Verzeichnis auf, mit der er jemals in Kontakt gekommen war, und erforschte ihr Leben so umfassend wie möglich.

Nur einen Bruchteil von ihnen hatte er tatsächlich ermordet, aber alle Frauen in seiner Umgebung waren potenzielle Opfer, über die er Buch führte und die er genau beobachtete. Diese systematischen Untersuchungen hatten geradezu den Charakter eines Hobbys, dem er Tausende von Stunden gewidmet haben musste.

Ist sie verheiratet oder ledig? Hat sie Kinder und Familie? Wo arbeitet sie? Wo wohnt sie? Was für eine Ausbildung hat sie? Haarfarbe? Hautfarbe? Figur?

Lisbeth kam zu dem Schluss, dass dieses Sammeln persönlicher Informationen über seine potenziellen Opfer ein wichtiger Bestandteil von Martin Vangers sexuellen Phantasien gewesen sein musste. Er war in erster Linie ein Stalker und erst in zweiter Linie ein Mörder.

Als Lisbeth fertig gelesen hatte, entdeckte sie ein kleines Kuvert in einem der Umschläge. Sie fummelte zwei abgegriffene, verblichene Polaroidaufnahmen heraus. Auf dem ersten Bild saß ein dunkelhaariges Mädchen an einem Tisch. Sie trug eine schwarze Hose, ihr Oberkörper mit den kleinen spitzen Brüsten war nackt. Sie drehte das Gesicht von der Kamera weg und wollte gerade einen Arm heben, um sich zu schützen, so als ob der Fotograf sie plötzlich überrascht hatte, als er die Kamera hob. Auf dem anderen Bild war sie auch unten herum nackt. Sie lag bäuchlings auf einem Bett mit einem blauen Überwurf. Das Gesicht hielt sie immer noch von der Kamera abgewandt.

Lisbeth stopfte das Kuvert mit den Bildern in ihre Jackentasche. Danach trug sie die Ordner zum Ofen und riss ein Streichholz an. Als sie fertig war, stocherte sie noch einmal in der Asche. Es goss immer noch in Strömen, als sie einen kurzen Spaziergang unternahm und Martin Vangers Laptop ins Wasser unter der Brücke warf.

Als Dirch Frode um halb acht Uhr morgens die Tür aufmachte, saß Lisbeth rauchend am Küchentisch und trank Kaffee. Frode war aschgrau im Gesicht und sah aus, als wäre er brutal geweckt worden.

»Wo ist Mikael?«, fragte er.

»Der schläft noch.«

Frode setzte sich auf einen Küchenstuhl. Lisbeth goss Kaffee ein und schob ihm die Tasse hinüber.

»Martin ... Ich habe gerade erfahren, dass Martin heute Nacht bei einem Autounfall ums Leben gekommen ist.«

»Traurig«, sagte Lisbeth und nahm einen Schluck Kaffee.

Frode hob den Blick und starrte sie verständnislos an. Dann weiteten sich seine Augen.

»Was ...?«

»Er hatte einen Crash. Zu dumm.«

»Wissen Sie, was passiert ist?«

»Er hat das Auto frontal in einen Lastwagen gelenkt. Er hat Selbstmord begangen. Die Presse, der Stress und sein wankendes Finanzimperium, das alles ist zu viel für ihn geworden. Zumindest habe ich den Verdacht, dass es so in den Schlagzeilen zu lesen sein wird.«

Frode sah aus, als würde er gleich einen Schlag erleiden. Hastig stand er auf, ging zum Schlafzimmer und öffnete die Tür.

»Lassen Sie ihn schlafen!«, sagte Lisbeth scharf.

Frode betrachtete den Schlafenden. Er sah die Blessuren in seinem Gesicht und die Blutergüsse auf dem Oberkörper.

Dann entdeckte er den flammend roten Strich, wo die Würgeschlinge gesessen hatte. Frode wich zurück und ließ sich langsam aufs Küchensofa sinken.

Lisbeth erzählte in Kurzfassung, was in der Nacht zuvor
passiert war. Ausführlich beschrieb sie ihm Martin Vangers
Kammer des Schreckens. Erzählte, wie sie Mikael mit einer
Würgeschlinge um den Hals gefunden hatte, vor sich den
geschäftsführenden Direktor des Vanger-Konzerns. Wie sie
tags zuvor im Firmenarchiv entdeckt hatte, dass sie Martins
Vater mit mindestens sieben Frauenmorden in Verbindung
bringen konnte.

Frode unterbrach sie nicht ein einziges Mal. Als sie zu Ende
gesprochen hatte, blieb er ein paar Minuten still sitzen, bis er
schließlich heftig ausatmete und den Kopf schüttelte.

»Was sollen wir unternehmen?«

»Das ist nicht mein Problem«, erwiderte Lisbeth mit aus-
drucksloser Stimme.

»Aber …«

»Ich habe niemals auch nur einen Fuß nach Hedestad gesetzt.«

»Bitte?«

»Ich will auf keinen Fall in irgendeinem Polizeibericht auftauchen. In diesem Zusammenhang existiere ich nicht. Wenn
mein Name mit dieser Geschichte in Verbindung gebracht
werden sollte, dann werde ich leugnen, jemals hier gewesen zu
sein, und ich werde keine einzige Frage beantworten.«

Frode sah sie forschend an.

»Das verstehe ich nicht.«

»Das brauchen Sie auch nicht zu verstehen.«

»Was soll ich denn tun?«

»Das entscheiden Sie selbst, solange Sie nur Mikael und
mich aus dem Spiel lassen.«

Frode war leichenblass.

»Sehen Sie's doch mal so: Das Einzige, was Sie wissen, ist, dass Martin Vanger bei einem Autounfall ums Leben kam. Sie haben keine Ahnung, dass er obendrein ein wahnsinniger Mörder ist, und Sie haben noch nie von diesem Raum gehört, den er in seinem Keller hat.«

Sie legte den Schlüssel auf den Tisch zwischen ihnen.

»Sie haben Zeit, bis jemand Martins Keller aufräumt und den Raum entdeckt. Das dauert vielleicht noch ein Weilchen.«

»Wir müssen mit dieser Geschichte zur Polizei gehen.«

»Nicht *wir*. Sie können zur Polizei gehen, wenn Sie wollen. Das ist Ihre Entscheidung.«

»Das darf nicht einfach vertuscht werden.«

»Ich schlage ja auch gar nicht vor, dass es vertuscht wird, sondern nur, dass Mikael und ich aus dem Spiel bleiben. Wenn Sie den Raum entdecken, dann ziehen Sie Ihre eigenen Schlüsse und entscheiden selbst, wem Sie davon erzählen wollen.«

»Wenn das alles stimmt, was Sie mir erzählt haben, dann hat Martin Frauen gekidnappt und ermordet ... und irgendwo muss es auch verzweifelte Familien geben, die nicht wissen, wo ihre Kinder sind. Wir können nicht nur ...«

»Das stimmt. Aber da gibt es Probleme. Die Leichen sind verschwunden. Vielleicht finden Sie einen Pass oder einen Personalausweis in irgendeiner Kiste. Vielleicht kann eines der Opfer auch mit Hilfe der Videofilme identifiziert werden. Aber Sie brauchen heute keinen Entschluss mehr zu fassen. Denken Sie über die Sache nach.«

Frode wirkte völlig panisch.

»O mein Gott. Das wird dem Konzern den Todesstoß versetzen. Wie viele Familien werden arbeitslos, wenn herauskommt, dass Martin ...«

Frode wiegte sich vor und zurück. Er stand vor einem moralischen Dilemma.

»Das ist ein Aspekt. Ich nehme mal an, dass Isabella Vanger

ihren Sohn beerbt. Ich glaube nicht, dass es so gut wäre, wenn sie als Erste von Martins Hobby erfährt.«

»Ich muss nachsehen ...«

»Ich denke, Sie sollten sich heute von diesem Raum fernhalten«, sagte Lisbeth scharf. »Sie haben jede Menge zu tun. Sie müssen zu Henrik fahren und ihn informieren, eine außerordentliche Vorstandssitzung einberufen und all das tun, was Sie auch hätten tun müssen, wenn Ihr geschäftsführender Direktor unter völlig normalen Umständen ums Leben gekommen wäre.«

Frode dachte über ihre Worte nach. Er hatte Herzklopfen. Er war der alte Anwalt, der Problemlöser, von dem man erwartete, dass er für jede Widrigkeit einen Plan parat hatte – aber er fühlte sich handlungsunfähig. Ein junges Mädchen mit seltsamem Aussehen hatte die Kontrolle übernommen, dachte er.

»Und Harriet ...?«

»Mikael und ich sind noch nicht sicher. Aber Sie können Henrik Vanger ausrichten, dass wir glauben, dieses Rätsel lösen zu können.«

Martin Vangers unerwartetes Hinscheiden war die Topmeldung in den Neun-Uhr-Nachrichten, als Mikael aufwachte. Von den Ereignissen der Nacht wurde nur erwähnt, dass der Großindustrielle aus unerklärlichen Gründen mit überhöhter Geschwindigkeit auf die Gegenfahrbahn geraten war.

Er hatte allein im Auto gesessen. Das Lokalradio brachte einen längeren Beitrag, in dem die Sorge um die Zukunft des Konzerns zum Ausdruck kam sowie die Ungewissheit, welche wirtschaftlichen Konsequenzen dieser Todesfall für das Unternehmen haben könnte.

Ein eilig zusammengestelltes »Mittags-Telegramm« von TT trug den Titel *Ein Landkreis unter Schock* und fasste die derzeitigen Probleme des Vanger-Konzerns zusammen. Jeder wusste, dass allein in Hedestad über 3000 der 21 000 Einwohner bei Vanger angestellt waren oder anderweitig vom Wohl und Wehe des Unternehmens abhingen. Der Geschäftsführer des Vanger-Konzerns war tot, und sein Vorgänger war ein alter Mann, der nach einem Herzanfall im Krankenhaus lag. Einen natürlichen Erben gab es nicht. Und all das in Zeiten, die als die schwierigsten der ganzen Firmengeschichte galten.

Mikael hätte die Chance gehabt, zur Polizei nach Hedestad zu fahren und zu erklären, was sich über Nacht abgespielt hatte, doch Lisbeth hatte einige Dinge bereits ins Rollen gebracht. Dadurch, dass er die Polizei nicht sofort angerufen hatte, wurde es mit jeder weiteren Stunde, die verstrich, schwieriger. Er verbrachte den Vormittag in düsterem Schweigen auf dem Küchensofa und beobachtete den Regen und die Wolken. Um zehn Uhr kam noch ein kräftiger Gewitterschauer, aber gegen Mittag hörte es auf zu regnen, und der Wind legte sich ein bisschen. Er ging hinaus, trocknete die Gartenmöbel ab und setzte sich mit einer Tasse Kaffee hin. Er trug ein Hemd mit Stehkragen.

Martins Tod überschattete das alltägliche Leben in Hedeby. Vor Isabellas Haus hielten immer mehr Autos, während sich der Clan versammelte und kondolierte. Lisbeth betrachtete die Prozession völlig gefühllos. Mikael saß ganz still da.

»Wie geht es dir?«, fragte sie schließlich.

Mikael überlegte einen Moment, bevor er antwortete.

»Ich glaube, ich stehe noch immer unter Schock«, sagte er. »Ich war so hilflos. Ich war mehrere Stunden lang überzeugt, dass ich sterben würde. Ich hatte Todesangst und konnte überhaupt nichts tun.«

Er streckte eine Hand aus und legte sie ihr aufs Knie.

»Danke«, sagte er. »Wenn du nicht aufgetaucht wärst, hätte er mich getötet.«

Lisbeth lächelte ihn unbeholfen an.

»Obwohl … ich immer noch nicht begreife, wie du so bescheuert sein konntest, alleine auf ihn loszugehen. Ich lag da unten auf dem Boden und schickte Stoßgebete zum Himmel, dass du das Bild sehen, zwei und zwei zusammenzählen und die Polizei rufen würdest.«

»Wenn ich auf die Polizei gewartet hätte, hättest du wohl nicht überlebt. Ich konnte nicht zulassen, dass dieses Dreckschwein dich umbringt.«

»Warum willst du nicht mit der Polizei sprechen?«, fragte Mikael.

»Ich spreche nicht mit Behörden.«

»Warum nicht?«

»Meine Sache. Aber was dich betrifft, glaube ich nicht, dass es deiner Karriere besonders förderlich ist, wenn du als der Journalist Berühmtheit erlangst, der vom berüchtigten Serienmörder Martin Vanger ausgezogen wurde. Wenn du *Kalle Blomkvist* nicht mochtest – hier kannst du dir ganz neue Beinamen ausdenken.«

Mikael sah sie forschend an und ließ das Thema fallen.

»Wir haben ein Problem«, sagte Lisbeth.

Mikael nickte. »Was geschah mit Harriet?«

Lisbeth legte die zwei Polaroidbilder auf den Tisch. Sie erklärte, wo sie sie gefunden hatte. Mikael sah sich die Fotos eine Weile genau an, bevor er den Blick hob.

»Das kann sie sein«, sagte er schließlich. »Ich könnte es nicht beschwören, aber ihre Figur und die Haare erinnern mich an all die Bilder, die ich von ihr gesehen habe.«

Mikael und Lisbeth saßen eine Stunde im Garten und versuchten, die Details zu einem sinnvollen Ganzen zu ordnen. Sie entdeckten, dass sie aus unterschiedlicher Perspektive zu der Erkenntnis gelangt waren, dass Martin Vanger das fehlende Glied in ihrer Kette war.

Lisbeth hatte das Foto, das Mikael auf den Tisch gelegt hatte, gar nicht gesehen. Doch die Bilder der Überwachungskameras machten sie stutzig. Sie war über die Uferpromenade zu Martins Haus gegangen und hatte in alle Fenster geguckt, ohne eine Menschenseele zu sehen. Vorsichtig hatte sie alle Türen und Fenster im Erdgeschoss zu öffnen versucht. Schließlich war sie zu einer offenen Balkontür im ersten Stock hochgeklettert, was eine Weile gedauert hatte. Mit äußerst vorsichtigen Bewegungen hatte sie dann ein Zimmer nach dem anderen durchsucht und irgendwann die Kellertreppe gefunden. Martin war so nachlässig gewesen, die Tür zu seiner Folterkammer einen Spalt offen zu lassen, und so hatte sie sich ein gutes Bild von der Situation machen können.

Mikael fragte, wie viel sie von Martins Worten gehört hatte.

»Nicht besonders viel. Ich kam gerade, als er dich fragte, was mit Harriet geschehen sei, kurz bevor er dich an der Schlinge aufhängte. Ich habe euch ein paar Minuten allein gelassen, während ich nach oben ging und eine Waffe suchte. In einem Schrank habe ich dann die Golfschläger gefunden.«

»Martin Vanger hatte keine Ahnung, was mit Harriet geschehen ist«, sagte Mikael.

»Glaubst du ihm das?«

»Ja«, antwortete Mikael, ohne zu zögern. »Er war verrückter als ein durchgedrehter Iltis – wo hab ich nur immer diese Vergleiche her? –, aber er hat alle Verbrechen zugegeben, die er begangen hat. Völlig ungehemmt hat er davon erzählt. Ich glaube, er wollte mir tatsächlich imponieren. Aber in puncto Harriet war er genauso erpicht darauf wie Henrik, zu erfahren, was eigentlich passiert ist.«

»Also ... wohin führt uns das?«

»Wir wissen, dass Gottfried Vanger für die erste Mordserie zwischen 1949 und 1965 verantwortlich war.«

»Stimmt. Und er hat Martin angelernt.«

»Apropos dysfunktionale Familien«, sagte Mikael. »Martin hatte eigentlich gar keine Chance.«

Lisbeth warf Mikael einen sonderbaren Blick zu.

»Nach dem, was Martin mir erzählt hat – wenn auch in rhapsodischer Form –, nahm ihn sein Vater in der Pubertät in die Lehre. Er war beim Mord an Lea 1962 in Uddevalla mit dabei. Da war er vierzehn Jahre alt. Er hat den Mord an Sara 1964 erlebt. Da war er schon selbst aktiv. Er war sechzehn.«

»Und?«

»Er hat gesagt, er sei nicht homosexuell und habe niemals einen Mann angefasst – außer seinen Vater. Deswegen nehme ich an, dass ... tja, die einzige Schlussfolgerung ist, dass sein Vater ihn vergewaltigt hat. Die sexuellen Übergriffe müssen sich über einen längeren Zeitraum erstreckt haben. Er wurde von seinem Vater sozusagen ›gemacht‹.«

»Blödsinn!«, sagte Lisbeth Salander.

Ihre Stimme war plötzlich hart wie Stein. Mikael sah sie verblüfft an. Ihr Blick war fest. Nicht eine Spur Mitleid lag darin.

»Martin hatte, wie alle anderen auch, eine Chance, sich zu wehren. Er hat seine Wahl getroffen. Er hat gemordet und vergewaltigt, weil es ihm gefiel.«

»Okay, ich will dir nicht widersprechen. Aber Martin war ein eingeschüchterter Junge und wurde von seinem Vater geprägt, so wie Gottfried wiederum von seinem Nazi-Vater unterdrückt worden war.«

»Aha, dann setzt du aber voraus, dass Martin keinen eigenen Willen besaß und dass alle Menschen das Ergebnis ihrer Erziehung sind.«

Mikael lächelte vorsichtig. »Ist das ein wunder Punkt?«

Lisbeth Augen blitzten plötzlich vor mühsam gezügelter Wut. Mikael sprach rasch weiter.

»Ich behaupte nicht, dass Menschen nur durch ihre Erziehung geprägt werden, aber ich bin sicher, dass die Erziehung eine große Rolle spielt. Gottfried wurde von seinem Vater jahrelang grün und blau geschlagen. So etwas hinterlässt seine Spuren.«

»Blödsinn«, wiederholte Lisbeth. »Gottfried ist nicht das einzige Kind, das jemals misshandelt wurde. Das gibt ihm keinen Freibrief, Frauen zu ermorden. Diese Wahl hat er selbst getroffen. Und für Martin gilt genau dasselbe.«

Mikael hob eine Hand.

»Lass uns nicht streiten.«

»Ich streite nicht. Ich finde es nur so übel, dass Dreckschweine immer jemand haben sollen, dem sie die Schuld in die Schuhe schieben können.«

»Einverstanden. Sie haben eine persönliche Verantwortung. Das können wir später noch klären. Der Punkt ist nur der, dass Gottfried starb, als Martin siebzehn war und keinen Menschen hatte, der ihm den Weg gewiesen hätte. Er versuchte, in die Fußstapfen seines Vaters zu treten. Im Februar 1966 in Uppsala.«

Mikael streckte sich, um sich eine von Lisbeths Zigaretten zu nehmen.

»Ich will nicht mal ansatzweise spekulieren, welche Impulse Gottfried da befriedigen wollte und wie er selbst seine Taten interpretierte«, sagte er. »Da gab es dieses biblische Kauderwelsch, das irgendwie mit Bestrafung und Reinigung zu tun hat, vielleicht könnte das ein Psychiater entwirren. Jedenfalls war er ein Serienmörder.«

Er überlegte kurz, bevor er fortfuhr: »Gottfried wollte Frauen ermorden und kleidete seine Handlungen in ein pseudoreligiöses Gewand. Aber Martin tat nicht einmal so, als habe er einen Vorwand. Er war perfekt organisiert und mordete systematisch. Außerdem konnte er genug Geld für sein Hobby ausgeben. Und er war schlauer als sein Vater. Jedes Mal, wenn Gottfried eine Leiche hinterließ, bedeutete das eine polizeiliche Ermittlung sowie ein gewisses Risiko, dass ihm jemand auf die Spur kommen oder zumindest die Morde miteinander in Verbindung bringen könnte.«

»Martin Vanger hat sein Haus in den siebziger Jahren gebaut.«

»Ich glaube, Henrik erwähnte, dass es 1978 war. Er ließ sich einen fensterlosen schallisolierten Raum mit einer Stahltür einbauen.«

Sie schwiegen eine Weile, während Mikael überlegte, was für Gräuel sich ein Vierteljahrhundert lang mitten in der Idylle der Hedeby-Insel abgespielt haben mussten. Lisbeth brauchte darüber nicht nachzudenken, sie hatte die Videosammlung gesehen. Sie bemerkte, dass Mikael unbewusst seinen Hals berührte.

»Gottfried hasste Frauen und brachte seinem Sohn bei, Frauen zu hassen, während er ihn gleichzeitig vergewaltigte. Aber es gab da auch noch einen gewissen Unterton ... Ich glaube, dass Gottfried davon träumte, sein gelinde gesagt perverses Weltbild mit seinen Kindern zu teilen. Als ich nach Harriet fragte, seiner eigenen Schwester, sagte Martin: ›Wir haben versucht, mit ihr zu reden. Aber sie war nur eine gewöhnliche Fotze. Sie wollte Henrik alles erzählen.‹«

Lisbeth nickte. »Ich habe ihn gehört. Ungefähr in dem Moment bin ich in den Keller gekommen. Und das bedeutet, wir wissen, wovon ihr geheimnisvolles Gespräch mit Henrik hätte handeln sollen.«

Mikael runzelte die Stirn.

»Nicht ganz.« Er überlegte kurz. »Denk an die chronologische Abfolge. Wir wissen nicht, wann Gottfried seinen Sohn zum ersten Mal vergewaltigt hat, aber er hat Martin mitgenommen, als er 1962 in Uddevalla Lea Persson ermordete. Ertrunken ist er 1965. Davor hatten er und Martin versucht, mit Harriet zu *reden*. Was sagt uns das?«

»Gottfried hatte es nicht nur auf Martin abgesehen, sondern auch auf Harriet.«

Mikael nickte. »Gottfried war der Lehrmeister. Martin war der Lehrling. Harriet war ihr ... ja, was, ihr Spielzeug?«

»Gottfried hat Martin beigebracht, seine Schwester zu ficken.« Lisbeth tippte auf die Polaroidaufnahmen. »Man kann
anhand dieser beiden Bilder schwerlich beurteilen, wie sie
diese Spiele fand, weil man ihr Gesicht nicht sieht. Aber sie
versucht, sich vor der Kamera zu verstecken.«

»Sagen wir mal, es fing an, als sie vierzehn war, 1964. Sie
wehrte sich – *konnte es nicht akzeptieren*, wie Martin sich ausdrückte. Das drohte sie also auszuplaudern. Martin hatte in
diesem Zusammenhang sicher nicht viel zu sagen, sondern
ordnete sich einfach seinem Vater unter, aber Gottfried und er
hatten eine Art ... Pakt, in den sie Harriet einzuweihen versuchten.«

Lisbeth nickte. »In deinen Notizen steht, dass Henrik im
Winter 1964 Harriet in sein Haus ziehen ließ.«

»Henrik merkte, dass in ihrer Familie etwas schieflief. Er
hielt die Streitereien und Reibereien zwischen Gottfried und
Isabella für die Ursache und nahm Harriet zu sich, damit
sie ihren Frieden hatte und sich aufs Lernen konzentrieren
konnte.«

»Womit er Gottfried und Martin einen Strich durch die
Rechnung machte. Sie konnten ihrer nicht so leicht habhaft
werden und ihr Leben kontrollieren. Aber hie und da ... wo
geschah der Übergriff?«

»Es muss in Gottfrieds Häuschen gewesen sein. Ich bin
ziemlich sicher, dass diese Bilder dort aufgenommen wurden –
das lässt sich leicht nachprüfen. Die Hütte ist perfekt gelegen,
isoliert und weit weg von der Stadt. Dann besoff Gottfried
sich ein letztes Mal und ertrank ganz undramatisch.«

Lisbeth nickte nachdenklich. »Harriets Vater hatte Sex mit
ihr oder versuchte es zumindest, aber vermutlich hat er sie
nicht in das Geheimnis seiner Morde eingeweiht.«

Mikael musste den Schwachpunkt in seiner Theorie zugeben. Harriet hatte die Namen von Gottfrieds Opfern niedergeschrieben und mit den Bibelzitaten in Verbindung gebracht,

aber ihr Interesse an Bibelkunde war erst im letzten Jahr ihres Lebens aufgekommen, also bereits nach dem Tod ihres Vaters. Er überlegte kurz und versuchte, eine logische Erklärung zu finden.

»Irgendwann ging Harriet auf, dass Gottfrieds Verbrechen nicht nur im Inzest bestanden, sondern dass er auch noch ein verrückter Serienmörder war«, sagte er.

»Wir wissen nicht, wann sie hinter die Morde kam. Das kann auch unmittelbar vor Gottfrieds Tod gewesen sein. Vielleicht sogar später, falls er Tagebuch geführt oder Zeitungsartikel über die Morde gesammelt hatte. Irgendwas hat sie auf die richtige Fährte gebracht.«

»Das war aber nicht das, was sie Henrik zu erzählen drohte«, ergänzte Mikael.

»Es war Martin«, sagte Lisbeth. »Ihr Vater war tot, doch Martin hörte nicht auf, sie zu belästigen.«

»Genau.« Mikael nickte.

»Aber sie brauchte ein Jahr, bis sie endlich handelte.«

»Was würdest du denn machen, wenn du plötzlich entdecken würdest, dass dein Vater ein wahnsinniger Serienmörder ist, der deinen Bruder gefickt hat?«

»Den ganzen Scheiß kurz und klein hauen«, erwiderte Lisbeth mit derart nüchterner Stimme, dass Mikael vermuten musste, dass sie es ernst meinte. Plötzlich hatte er ihr Gesicht wieder vor Augen, wie es ausgesehen hatte, als sie auf Martin Vanger losging. Er lächelte freudlos.

»Ihr Vater starb 1965, bevor sie loslegte. Das ist auch logisch. Nach Gottfrieds Tod schickte Isabella Martin nach Uppsala. Er war vielleicht über Weihnachten und in den Ferien mal zu Hause, aber im Laufe des folgenden Jahres traf er Harriet nicht besonders oft. Sie bekam Abstand zu ihm.«

»Und sie begann die Bibel gründlich zu lesen«, ergänzte sie.

»Im Lichte der Umstände, die uns heute bekannt sind, hat sie das wohl nicht aus religiösen Gründen getan. Sie wollte vielleicht einfach verstehen, was ihren Vater getrieben hatte. Sie grübelte bis zum Tag des Kindes 1966. Da sieht sie plötzlich ihren Bruder auf der Bahnhofstraße und weiß, dass er wieder zurück ist. Wir wissen nicht, ob sie miteinander gesprochen haben und ob er irgendwas gesagt hat. Aber was auch immer geschehen sein mag, Harriet sah sich veranlasst, direkt nach Hause zu fahren, um mit Henrik zu reden.«

»Und dann verschwand sie.«

Nachdem sie die Kette der Ereignisse durchgesprochen hatten, konnte man sich unschwer vorstellen, wie der Rest des Puzzles aussehen musste. Mikael und Lisbeth packten ihre Koffer. Bevor sie losfuhren, rief Mikael Dirch Frode an und gab ihm Bescheid, dass Lisbeth und er verreisen müssten. Vor seiner Abfahrt wolle er aber unbedingt noch Henrik Vanger treffen.

Mikael wollte wissen, was Frode Henrik erzählt hatte. Die Stimme des Rechtsanwalts klang so gepresst, dass Mikael sich Sorgen um ihn machte. Schließlich erklärte er, ihm nur von Martins Unfalltod berichtet zu haben.

Als Mikael vor dem Krankenhaus von Hedestad parkte, grollte schon wieder der Donner, und am Himmel hatten sich erneut dicke Regenwolken zusammengezogen. Als er eilig den Parkplatz überquerte, fielen die ersten Tropfen.

Henrik Vanger saß im Morgenrock an einem Tisch vor dem Fenster. Die Krankheit war zweifellos nicht spurlos an ihm vorübergegangen, aber der alte Mann hatte wieder etwas Farbe im Gesicht und sah zumindest so aus, als sei er auf dem Wege der Besserung. Sie gaben sich die Hand. Mikael bat die Privatpflegerin, sie ein paar Minuten allein zu lassen.

»Sie haben sich eine Weile ferngehalten«, sagte Henrik Vanger.

Mikael nickte. »Ganz bewusst. Ihre Familie will nicht, dass ich mich hier sehen lasse, aber heute sind alle bei Isabella.«

»Armer Martin«, sagte Henrik.

»Henrik, Sie haben mich beauftragt, die Wahrheit ans Licht zu bringen und herauszufinden, was mit Harriet passiert ist. Hatten Sie erwartet, dass diese Wahrheit schmerzfrei für Sie sein würde?«

Der Alte sah ihn an. Dann weiteten sich seine Augen.

»Martin?«

»Er ist ein Teil dieser Geschichte.«

Henrik Vanger blinzelte.

»Ich muss Sie jetzt etwas fragen.«

»Was?«

»Wollen Sie immer noch wissen, was geschehen ist? Auch, wenn es wehtut und die Wahrheit schrecklicher ist, als Sie es sich vorgestellt haben?«

Henrik sah Mikael lange an. Dann nickte er.

»Ich will es wissen. Das war Sinn und Zweck dieses Auftrags.«

»Gut. Ich glaube, ich weiß, was mit Harriet passiert ist. Aber ich bin noch nicht ganz fertig, ein Puzzleteil fehlt noch.«

»Erzählen Sie.«

»Nein. Nicht heute. Ich will, dass Sie sich jetzt weiter erholen. Der Arzt sagt, dass die Krise überstanden ist und Sie langsam wieder zu Kräften kommen.«

»Behandeln Sie mich nicht wie ein Kind.«

»Ich bin noch nicht am Ziel. Momentan habe ich nur eine Theorie. Ich werde jetzt losziehen und versuchen, das letzte Puzzleteil zu finden. Nächstes Mal werde ich Ihnen die ganze Geschichte erzählen. Das kann ein wenig dauern. Aber Sie sollen wissen, dass ich auf jeden Fall zurückkomme, und dann erfahren Sie die Wahrheit.«

Lisbeth zog eine Plane über ihr Motorrad und stellte es an der windgeschützten Seite der Hütte ab. Als Mikael und sie mit dem geliehenen Auto losfuhren, brach das Gewitter mit neuer

Kraft wieder los. Südlich von Gävle wurden sie von einem so heftigen Schauer überrascht, dass Mikael kaum noch die Straße erkennen konnte. Sicherheitshalber steuerten sie eine Tankstelle an, wo sie einen Kaffee tranken und warteten, bis sich der Regen wieder legte. Erst um sieben Uhr abends waren sie in Stockholm. Mikael gab Lisbeth den Nummerncode für seine Wohnung und ließ sie an der U-Bahn-Haltestelle Centralen aussteigen. Seine eigene Wohnung kam ihm fremd vor, als er durch die Tür trat.

Er staubsaugte und trocknete ab, während Lisbeth bei Plague in Sundbyberg etwas zu erledigen hatte. Gegen Mitternacht klopfte sie an Mikaels Tür. Zehn Minuten lang nahm sie gründlich jeden Winkel und jede Ecke seiner Wohnung in Augenschein. Danach blieb sie lange am Fenster stehen und blickte hinaus.

Der Schlafbereich war mit einer Reihe frei stehender Kleiderschränke und Bücherregale abgetrennt. Sie zogen sich aus und schliefen ein paar Stunden.

Tags darauf gegen zwölf landeten sie am Londoner Flughafen Gatwick. Regenwetter empfing sie. Mikael hatte ein Zimmer im Hotel James am Hyde Park gebucht, ein hervorragendes, modernes Hotel im Vergleich zu all den Bruchbuden in Bayswater, in denen er bei früheren Besuchen in London immer logiert hatte. Die Rechnung wurde von Frodes Konto für die laufenden Ausgaben gedeckt.

Um fünf Uhr nachmittags standen sie an der Bar, als sich ihnen ein Mann um die dreißig näherte. Er war fast kahlköpfig, trug einen blonden Bart und eine zu große Jacke, Jeans und Segelschuhe.

»Wasp?«, fragte er.

»Trinity?«, fragte sie zurück. Sie nickten sich zu. Nach Mikaels Namen erkundigte er sich gar nicht.

Trinitys Partner wurde ihnen als »Bob the Dog« vorgestellt.

Er wartete um die Ecke in einem alten Lieferwagen auf sie. Sie kletterten durch die Schiebetüren hinein und setzten sich auf die an der Wand befestigten Klappsitze. Während Bob sich durch den Londoner Verkehr navigierte, unterhielten sich Wasp und Trinity.

»Plague hat gesagt, es geht um einen *crash-bang job.*«

»Telefon abhören und E-Mails in einem Computer kontrollieren. Es kann superschnell gehen oder ein paar Tage dauern, je nachdem, wie viel Druck er macht.« Lisbeth deutete mit dem Daumen auf Mikael. »Kriegt ihr das hin?«

»Peanuts«, gab Trinity zur Antwort.

Anita Vanger wohnte in einem kleinen Reihenhaus im hübschen Städtchen St. Albans, eine knappe Autostunde in nördlicher Richtung. Aus dem Lieferwagen heraus beobachteten sie, wie sie gegen sieben Uhr abends nach Hause kam und die Tür aufschloss. Sie warteten, bis sie geduscht, eine Kleinigkeit gegessen und sich dann vor den Fernseher gesetzt hatte, bevor Mikael bei ihr klingelte.

Eine fast identische Ausgabe von Cecilia Vanger öffnete ihm, auf dem Gesicht ein höfliches Fragezeichen.

»Hallo, Anita. Ich heiße Mikael Blomkvist. Henrik Vanger lässt Sie schön grüßen. Ich nehme an, Sie kennen die Neuigkeiten von Martin schon.«

Ihr Gesichtsausdruck wechselte von Erstaunen zu Wachsamkeit. Als sie den Namen hörte, wusste sie genau, wer Mikael Blomkvist war. Sie hatte Kontakt mit Cecilia gehabt, die höchstwahrscheinlich eine gewisse Verärgerung über Mikael zum Ausdruck gebracht hatte. Aber da er Henriks Namen nannte, musste sie ihn hereinbitten. Sie bat Mikael, im Wohnzimmer Platz zu nehmen. Er sah sich um. Anita Vangers Zuhause war geschmackvoll eingerichtet – von einer Person, die Geld und ein erfülltes Berufsleben hatte, aber kein großes Aufheben von sich machte. Er bemerkte eine signierte Grafik von Anders Zorn über einem offenen Kamin.

»Verzeihen Sie, dass ich Sie so aus heiterem Himmel behellige, aber ich war sowieso in London und habe tagsüber versucht, Sie anzurufen.«

»Verstehe. Worum geht es denn?« Ihre Stimme klang defensiv.

»Haben Sie vor, zur Beerdigung zu fahren?«

»Nein, Martin und ich standen uns nicht sehr nahe, und ich kann mir auch nicht freinehmen.«

Mikael nickte. Anita Vanger hatte sich dreißig Jahre lang tunlichst von Hedestad ferngehalten. Seit ihr Vater auf die Hedeby-Insel zurück gezogen war, hatte sie kaum einen Fuß dorthin gesetzt.

»Ich will wissen, was mit Harriet Vanger passiert ist. Es wird Zeit für die Wahrheit.«

»Harriet? Ich verstehe nicht, was Sie meinen.«

Mikael lächelte über ihre gespielte Verwunderung.

»Sie waren Harriets engste Freundin in der Familie. Sie hat sich mit ihrem schrecklichen Wissen an Sie gewandt.«

»Sie spinnen wohl!«, sagte Anita Vanger.

»Damit haben Sie wahrscheinlich sogar recht«, meinte Mikael leichthin. »Sie waren in Harriets Zimmer, Anita. Das kann ich mit einem Foto beweisen. In ein paar Tagen werde ich Henrik Bericht erstatten, und dann erfährt er es auf diese Art. Warum erzählen Sie mir nicht einfach, was geschehen ist?«

Anita Vanger stand auf.

»Verlassen Sie sofort mein Haus!«

Mikael stand auf.

»Früher oder später werden Sie mit mir reden müssen.«

»Ich habe Ihnen nichts zu sagen.«

»Martin ist tot«, sagte Mikael eindringlich. »Sie haben Martin nie gemocht. Ich glaube, Sie sind nicht nur nach London gezogen, um Ihren Vater nicht mehr sehen zu müssen, sondern auch, um Martin nicht mehr zu begegnen. Das bedeutet aber, dass Sie auch Bescheid wussten, und die Einzige, die es Ihnen erzählt haben kann, ist Harriet. Die Frage ist nur – was haben Sie mit diesem Wissen angefangen?«

Anita Vanger knallte Mikael die Tür vor der Nase zu.

Lisbeth lächelte Mikael zufrieden an, als sie ihn von dem Mikrofon befreite, das er unter seinem Hemd getragen hatte.

»Dreißig Sekunden, nachdem wir draußen waren, hat sie den Hörer abgenommen«, sagte sie.

»Die Vorwahl ist die von Australien«, verkündete Trinity und legte die Kopfhörer auf den kleinen Arbeitstisch im Lieferwagen. »Ich muss nur mal kurz den *area code* prüfen.« Er drückte ein paar Tasten auf seinem Laptop.

»Okay, sie hat diese Nummer hier gewählt. Das ist ein Anschluss in einem Ort namens Tennant Creek, nördlich von Alice Springs in Australien, Northern Territory. Wollen Sie das Gespräch hören?«

Mikael nickte. »Wie spät ist es jetzt in Australien?«

»Ungefähr fünf Uhr morgens.« Trinity schaltete den Digitalspieler ein und schloss ein paar Lautsprecher an. Mikael hörte acht Mal das Freizeichen, bevor jemand den Hörer abnahm. Das Gespräch wurde auf Englisch geführt.

»Hallo. Ich bin's.«

»Puuh, ich bin ja bestimmt kein Morgenmuffel, aber …«

»Ich wollte gestern schon anrufen … Martin ist tot. Er hatte vorgestern einen Autounfall.«

Schweigen. Danach etwas, das wie ein Räuspern klang, aber auch als »Gut« interpretiert werden konnte.

»Aber wir haben ein Problem. Ein widerlicher Journalist, der von Henrik engagiert worden ist, hat gerade eben an meine Tür geklopft. Er will wissen, was 1966 geschehen ist. Irgendwas weiß er.«

Schweigen. Dann eine resolute Stimme: »Anita. Leg jetzt auf. Wir dürfen eine Weile keinen Kontakt mehr haben.«

»Aber …«

»Schreib mir einen Brief. Erzähl mir, was passiert ist.« Danach brach das Gespräch ab.

»Cleveres Mädchen«, sagte Lisbeth mit bewunderndem Unterton.

Sie kamen kurz vor elf Uhr abends ins Hotel zurück. An der Rezeption war man ihnen dabei behilflich, Plätze für den nächstmöglichen Flug nach Australien zu buchen. Nach einer Weile hatten sie Plätze in einem Flugzeug, das erst am nächsten Abend um 19.05 Uhr nach Canberra, New South Wales, abfliegen würde.

Als alle Details abgeklärt waren, zogen sie sich aus und fielen ins Bett.

Lisbeth Salander war zum ersten Mal in London. Sie verbrachten den Vormittag damit, die Tottenham Court Road entlangzulaufen und durch Soho zu bummeln. In der Old Compton Street legten sie eine Pause ein und tranken einen Milchkaffee. Gegen drei gingen sie zum Hotel zurück, um ihr Gepäck zu holen. Als Mikael die Rechnung bezahlte, schaltete Lisbeth ihr Handy ein und bemerkte, dass sie eine SMS bekommen hatte.

»Ich soll Armanskij zurückrufen.«

Sie benutzte das Telefon an der Rezeption, um ihren Chef anzurufen. Mikael stand ein Stück von ihr entfernt und sah nur, wie Lisbeth ihn mit versteinertem Gesicht anblickte. Er war sofort bei ihr.

»Was ist?«

»Meine Mutter ist tot. Ich muss sofort nach Schweden zurück.«

Lisbeth sah so verzweifelt aus, dass Mikael sie in den Arm nahm. Sie schob ihn von sich.

In der Hotelbar tranken sie noch einen Kaffee. Als Mikael erklärte, er wolle die Tickets nach Australien stornieren und mit ihr nach Stockholm fliegen, schüttelte sie den Kopf.

»Nein«, widersprach sie. »Wir können den Job jetzt nicht in den Sand setzen. Du musst allein nach Australien fliegen.«

Sie trennten sich vor dem Hotel.

26. Kapitel
Dienstag, 15. Juli – Donnerstag, 17. Juli

Mikael nahm einen Inlandsflug von Canberra nach Alice Springs. Etwas anderes blieb ihm nicht übrig, als er am späten Nachmittag ankam. Danach hatte er die Wahl, für die vierhundert Kilometer lange Fahrt Richtung Norden entweder ein Flugzeug zu chartern oder ein Auto zu mieten. Er entschied sich für Letzteres.

Ein Unbekannter mit dem biblischen Decknamen Joshua, der zu Plagues oder vielleicht auch Trinitys geheimnisvollem internationalem Netzwerk gehörte, hatte am Informationsschalter des Flughafens ein Kuvert hinterlassen, das auf Mikael wartete, als er in Canberra landete.

Der Telefonanschluss gehörte zu einer gewissen Cochran Farm. Ein kurzer Bericht klärte Mikael darüber auf, dass es sich um eine Schaffarm handelte. Eine Zusammenfassung aus dem Internet lieferte ihm Details über die australische Viehwirtschaft. Australien hat 18 Millionen Einwohner. 53 000 von ihnen sind Schafzüchter, die ungefähr 120 Millionen Schafe besitzen. Allein der Export der Wolle macht einen Umsatz von 3,5 Milliarden Dollar jährlich aus. Dazu kommen der Export von 700 Millionen Tonnen Hammelfleisch sowie das Leder für die Bekleidungsindustrie. Die Fleisch- und Wollproduktion sind die wichtigsten Wirtschaftszweige des Landes.

Die Cochran Farm, 1891 von einem Jeremy Cochran gegründet, war Australiens fünftgrößter Agrarbetrieb mit ungefähr 60 000 Merinoschafen, deren Wolle als besonders fein gilt. Neben den Schafen hielt man auch noch Kühe, Schweine und Hühner.

Mikael stellte fest, dass die Cochran Farm ein Großunternehmen mit einem imposanten Jahresumsatz war, der durch regen Export – unter anderem in die USA, Japan, China und Europa – zustande kam.

1972 war die Farm von einem Raymond Cochran an Spencer Cochran vererbt worden, der in Oxford studiert hatte. Spencer starb 1994. Seitdem wurde die Farm von seiner Witwe geführt. Auf der Homepage der Cochran Farm war sie auf einem verschwommenen, körnigen Bild zu sehen: eine kurzhaarige blonde Frau mit halb verdecktem Gesicht, die ein Schaf streichelte. Nach Joshuas Angaben hatte das Paar 1971 in Italien geheiratet.

Ihr Name war Anita Cochran.

Mikael übernachtete in einem ausgetrockneten Kaff mit dem hoffnungsvollen Namen Wannado. Im Pub aß er Hammelbraten und hob drei Pints mit ortsansässigen Leuten, die ihn »mate« nannten und einen lustigen Akzent hatten. Er fühlte sich, als wäre er am Film-Set von *Crocodile Dundee*.

Bevor er spätnachts einschlief, rief er Erika in New York an.

»Tut mir leid, Ricky, aber ich war so beschäftigt, dass ich keine Zeit hatte, dich anzurufen.«

»Was zum Teufel ist da eigentlich los in Hedestad?«, explodierte sie. »Christer hat angerufen und mir erzählt, dass Martin Vanger bei einem Autounfall ums Leben gekommen ist.«

»Das ist eine lange Geschichte.«

»Und warum gehst du nicht ans Telefon? Ich hab in den letzten Tagen wie verrückt probiert, dich anzurufen.«

»Ich hab hier kein Netz.«

»Wo bist du denn?«

»Ungefähr zweihundert Kilometer nördlich von Alice Springs. Also in Australien.«

Mikael hatte Erika nur selten überraschen können. Diesmal schwieg sie fast zehn Sekunden.

»Und was machst du in Australien, wenn ich fragen darf.«

»Ich bin dabei, meinen Job zu Ende zu bringen. In ein paar Tagen bin ich zurück in Schweden. Ich hab nur angerufen, um dir zu erzählen, dass der Auftrag für Henrik Vanger bald erledigt ist.«

»Du willst doch nicht etwa sagen, dass du herausgefunden hast, was mit Harriet passiert ist?«

»Scheint fast so.«

Als er am nächsten Tag gegen zwölf Uhr bei der Cochran Farm ankam, erfuhr er, dass Anita Cochran sich derzeit an einer ihrer Produktionsstätten an einem Ort namens Makawaka aufhielt, der weitere hundertzwanzig Kilometer westlich gelegen war.

Es wurde vier Uhr nachmittags, bevor Mikael sich seinen Weg über unzählige *backroads* gesucht hatte. Er blieb an einem Zaun stehen, wo sich eine Gruppe von Schafzüchtern zum Kaffeetrinken um den Kühler eines Jeeps versammelt hatte. Mikael stieg aus, stellte sich vor und erklärte, er suche Anita Cochran. Die Männer schauten auf einen muskulösen Mann um die dreißig, der anscheinend derjenige in der Gruppe war, der die Entscheidungen traf. Sein nackter Oberkörper war braun gebrannt, abgesehen von dem hellen Umriss, den sein T-Shirt hinterlassen hatte. Auf dem Kopf trug er einen Cowboyhut.

»Die Chefin ist noch ein paar Meilen weiter da runter«, sagte er und deutete die Richtung mit dem Daumen an.

Skeptisch musterte er Mikaels Auto und fügte dann hinzu,

es sei wohl keine sonderlich gute Idee, mit einem japanischen Spielzeugauto weiterzufahren. Schließlich verkündete der braun gebrannte Athlet, dass er Mikael dann wohl mit seinem Jeep dorthin bringen würde – dem einzig sinnvollen Fahrzeug für dieses Gelände. Mikael bedankte sich und nahm seine Computertasche mit.

Der Mann stellte sich als Jeff vor und sagte, er sei der *Studs Manager at the Station*. Mikael bat ihn um eine Übersetzung. Jeff schielte zu Mikael hinüber und stellte fest, dass er wohl nicht aus der Gegend sei. Der *Studs Manager*, so erklärte er, sei ungefähr das, was der Filialleiter einer Bank ist, nur dass er eben Schafe verwaltete, und *Station* sei das australische Wort für Ranch.

Sie unterhielten sich, während Jeff seinen Jeep gemächlich durch eine Schlucht mit einem seitlichen Gefälle von zwanzig Grad lenkte. Mikael dankte seinem guten Stern, dass er nicht versucht hatte, diese Strecke mit seinem Leihauto zurückzulegen. Er erkundigte sich, was unten in der Schlucht sei, und erfuhr, dass dort siebenhundert Schafe weideten.

»Ich habe gehört, dass die Cochran Farm zu den größeren Farmen gehört.«

»Wir sind eine der größten in ganz Australien«, entgegnete Jeff mit einem gewissen Stolz in der Stimme. »Wir haben ungefähr 9000 Schafe hier im Makawaka-Distrikt, aber *Stations* haben wir sowohl in New South Wales als auch in Western Australia. Insgesamt besitzen wir knapp 63 000 Schafe.«

Sie fuhren aus der Schlucht heraus und durch eine hügelige, weniger unwirtliche Landschaft. Plötzlich hörte Mikael Schüsse. Er sah Schafskadaver, große Feuer und ein Dutzend Farmarbeiter. Es sah so aus, als würden alle Gewehre in der Hand halten. Anscheinend wurden gerade Schafe geschlachtet.

Unwillkürlich kam Mikael die Assoziation biblischer Opferlämmer in den Sinn.

Dann erblickte er eine Frau mit Jeans, einem rot-weiß karierten Hemd und kurzen blonden Haaren. Jeff parkte ein paar Meter neben ihr.

»*Hi boss. We got a tourist*«, sagte er.

Mikael stieg aus dem Jeep und sah sie an. Sie erwiderte den Blick mit fragenden Augen.

»Hej, Harriet. Lange nicht gesehen«, sagte Mikael auf Schwedisch.

Keiner der Männer, die für Anita Cochran arbeiteten, verstand, was er sagte, aber ihre Reaktion konnten sie deutlich erkennen. Sie trat einen Schritt zurück und sah zu Tode erschrocken aus. Anita Cochrans Männer fühlten sich ganz als Beschützer ihrer Chefin – als sie ihre Reaktion bemerkten, hörten sie auf zu grinsen, richteten sich auf und signalisierten ihre Bereitschaft, gegen den seltsamen Fremden vorzugehen, der ihrem Boss so sichtliches Unbehagen bereitete. Jeffs Freundlichkeit war plötzlich wie weggeblasen, als er einen Schritt auf Mikael zutrat.

Mikael wurde plötzlich klar, dass er sich in einer entlegenen Gegend auf der anderen Seite der Erdkugel befand, umringt von einem Trupp verschwitzter Schafzüchter mit Schrotflinten. Ein Wort von Anita Cochran, und sie konnten ihn in Stücke reißen.

Dann war der Augenblick vorüber. Harriet Vanger winkte beschwichtigend ab, und die Männer traten ein paar Schritte zurück. Sie ging auf Mikael zu und blickte ihm in die Augen. Sie war schweißgebadet, ihr Gesicht schmutzig von der Arbeit. Mikael konnte erkennen, dass ihr blondes Haar am Ansatz dunkler nachwuchs. Sie war älter und im Gesicht magerer geworden, hatte sich aber genau zu der schönen Frau entwickelt, die das Konfirmationsfoto prophezeit hatte.

»Sind wir uns schon einmal irgendwo begegnet?«, fragte Harriet Vanger.

»Oh ja. Ich heiße Mikael Blomkvist. Sie waren mein Babysitter in dem Sommer, als ich drei Jahre alt war. Sie waren zwölf, dreizehn Jahre alt.«

Es dauerte ein paar Sekunden, bis sich ihr Blick aufhellte, und Mikael sah, dass sie sich plötzlich an ihn erinnern konnte. Sie sah verblüfft aus.

»Was wollen Sie?«

»Ich bin nicht Ihr Feind, Harriet. Ich bin nicht hier, um Ihnen etwas Böses zu tun. Aber wir müssen uns unterhalten.«

Sie bat Jeff, die Aufsicht zu übernehmen, und bedeutete Mikael, ihr zu folgen. Gemeinsam gingen sie ungefähr zweihundert Meter weiter, bis sie eine Gruppe weißer Segeltuchzelte an einem Hain erreichten. Sie wies auf einen Klappstuhl neben einem klapprigen Tisch, goss Wasser in ein Waschbecken und wusch sich das Gesicht. Dann trocknete sie sich ab, ging ins Zelt und wechselte das Hemd.

»Okay. Sprechen Sie.«

»Warum erschießen Sie die Schafe?«

»Wir haben eine ansteckende Epidemie. Die meisten dieser Schafe sind wahrscheinlich völlig gesund, aber wir können nicht riskieren, dass sich die Krankheit ausbreitet. Wir müssen nächste Woche sechshundert Schafe notschlachten. Deswegen bin ich nicht unbedingt bester Laune.«

Mikael nickte.

»Ihr Bruder ist vor ein paar Tagen bei einem Autounfall ums Leben gekommen.«

»Ich hab's gehört.«

»Von Anita Vanger, als sie Sie angerufen hat.«

Sie sah ihn eine Weile forschend an. Dann nickte sie. Sie begriff, dass es sinnlos war, solch einfache Wahrheiten abzustreiten.

»Wie haben Sie mich gefunden?«

»Wir haben Anitas Telefon abgehört.« Auch Mikael fand, dass es keinen Grund zum Lügen gab. »Ich habe Ihren Bruder ein paar Minuten vor seinem Tod getroffen.«

Harriet Vanger runzelte die Brauen. Sie sahen sich in die Augen. Dann nahm er seinen albernen Schal ab, zog den Hemdkragen nach unten und zeigte ihr den Streifen, den die Würgeschlinge hinterlassen hatte. Er war von der Entzündung gerötet; wahrscheinlich würde er dort zur Erinnerung an Martin Vanger eine Narbe zurückbehalten.

»Ihr Bruder hatte mich an einer Schlinge aufgehängt, als in letzter Minute meine Partnerin auftauchte und ihn vermöbelt hat.«

In Harriets Augen blitzte etwas auf.

»Ich glaube, am besten erzählen Sie mir die Geschichte von Anfang an.«

Es dauerte über eine Stunde. Mikael begann, indem er ihr erzählte, wer er war und welchen Job er ausübte. Er erzählte, wie Henrik ihn beauftragt hatte und warum es ihm nicht ungelegen gekommen war, sich in Hedeby niederzulassen. Er fasste zusammen, wie die polizeilichen Ermittlungen sich festgefahren und Henrik jahrelang auf eigene Faust ermittelt hatte, in der Überzeugung, irgendjemand aus der Familie habe Harriet ermordet. Er fuhr seinen Laptop hoch und erklärte, wie er an die Bilder von der Bahnhofstraße herangekommen war und wie Lisbeth und er einen Serienmörder aufgespürt hatten, der sich schließlich als zwei Personen entpuppte.

Während er redete, fing es an zu dämmern. Die Männer machten Feierabend, zündeten Lagerfeuer an, und bald köchelte in allen Töpfen der Eintopf vor sich hin. Mikael bemerkte, dass Jeff in der Nähe seiner Chefin blieb und ihn misstrauisch im Auge behielt. Der Koch brachte Harriet und Mikael ein Abendessen. Sie machten sich jeder eine Flasche Bier auf. Als er mit seiner Erzählung fertig war, schwieg Harriet eine Weile.

»Mein Gott«, sagte sie.

»Der Mord in Uppsala ist Ihnen entgangen.«

»Dem habe ich keine weitere Aufmerksamkeit geschenkt. Ich war so froh, dass mein Vater tot war und die Gewalt ein Ende genommen hatte. Nie wäre mir eingefallen, dass Martin ...« Sie brach ab. »Ich bin froh, dass er tot ist.«

»Ich kann Sie verstehen.«

»Aber Ihre Erzählung erklärt nicht, wie Sie darauf gekommen sind, dass ich noch am Leben bin.«

»Als wir herausgefunden hatten, was geschehen war, war der Rest nicht mehr schwer. Um verschwinden zu können, brauchten Sie Hilfe. Anita Vanger war Ihre Vertraute und die Einzige, die infrage kam. Sie waren Freundinnen geworden und hatten den Sommer miteinander verbracht. Sie wohnten draußen in Gottfrieds Häuschen. Wenn es jemand gab, dem Sie sich anvertrauen konnten, dann war sie es – außerdem hatte sie ja gerade den Führerschein gemacht.«

Harriet Vanger sah ihn mit neutralem Gesichtsausdruck an.

»Und jetzt, wo Sie wissen, dass ich lebe – was werden Sie tun?«

»Ich werde es Henrik erzählen. Er verdient es, die Wahrheit zu erfahren.«

»Und dann? Sie sind Journalist.«

»Ich habe nicht vor, Sie öffentlich vorzuführen, Harriet. Ich habe in diesem ganzen Schlamassel schon so viele Unkorrektheiten begangen, dass der Journalistenverband mich wahrscheinlich ausschließen würde, wenn er davon erführe.« Er versuchte zu scherzen. »Eine mehr oder weniger spielt da auch keine Rolle mehr, und ich will doch mein altes Kindermädchen nicht gegen mich aufbringen.«

Sie lächelte nicht einmal.

»Wie viele kennen die Wahrheit?«

»Dass Sie am Leben sind? Derzeit nur ich und Sie und Anita und meine Partnerin Lisbeth. Dirch Frode kennt ungefähr zwei Drittel der Geschichte, aber er glaubt immer noch, dass Sie in den sechziger Jahren gestorben sind.«

Harriet Vanger schien nachzudenken. Sie blickte ins Dunkel hinaus. Erneut beschlich Mikael das unangenehme Gefühl, sich ganz alleine in einer heiklen Lage zu befinden. Harriet Vangers Gewehr lehnte immer noch einen halben Meter von ihr entfernt an der Zeltwand. Schließlich besann er sich und wechselte das Thema.

»Aber wie haben Sie es geschafft, Schafzüchterin in Australien zu werden? Ich weiß bereits, dass Anita Vanger Sie von der Hedeby-Insel fortgeschmuggelt hat, vermutlich im Kofferraum, als die Brücke einen Tag nach dem Unfall wieder freigegeben worden war.«

»Ich lag tatsächlich nur auf dem Boden vor den Rücksitzen und war mit einer Wolldecke zugedeckt. Ich ging zu Anita, als sie auf die Insel kam und sagte ihr, dass ich fliehen musste. Sie haben richtig geraten, ich habe mich ihr anvertraut. Sie hat mir geholfen und war mir über all die Jahre eine loyale Freundin.«

»Wie sind Sie nach Australien gekommen?«

»Zuerst habe ich ein paar Wochen in Anitas Studentenzimmer in Stockholm gewohnt, bis ich Schweden verließ. Anita hatte eigenes Geld und lieh mir eine größere Summe. Ich bekam auch ihren Pass. Wir sahen uns sehr ähnlich, ich musste mir nur die Haare blond färben. Vier Jahre lang wohnte ich in einem Kloster in Italien – ich war zwar keine Nonne, aber es gibt Klöster, in denen man billig Zimmer mieten kann, um in Ruhe und Frieden nachdenken zu können. Dann begegnete ich zufällig Spencer Cochran. Er war ein paar Jahre älter als ich, hatte gerade sein Examen in England gemacht und reiste noch ein bisschen kreuz und quer durch Europa. Ich verliebte mich. Und er sich auch. So einfach war das. Ich heiratete ihn 1971 als *Anita* Vanger. Ich habe es nie bereut. Er war ein wunderbarer Mann. Leider ist er vor acht Jahren gestorben, und mir fiel mit einem Mal die Farm zu.«

»Aber der Pass – es musste doch jemand auffallen, dass es zwei Anita Vangers gab?«

»Nein, wieso? Eine Schwedin namens Anita Vanger ist verheiratet mit Spencer Cochran. Ob sie jetzt in London oder Australien wohnt, spielt keine Rolle. In London ist sie Spencer Cochrans Frau, die eben getrennt von ihm lebt. In Australien lebt sie mit ihm zusammen. Niemand gleicht die Melderegister zwischen London und Canberra ab. Außerdem bekam ich ja bald einen australischen Pass auf den Namen Cochran. Dieses Arrangement funktioniert prächtig. Die Sache hätte nur gefährdet werden können, wenn es Anita in den Sinn gekommen wäre, zu heiraten. Meine Ehe ist in den schwedischen Melderegistern eingetragen.«

»Sie hat es also bleiben lassen.«

»Sie behauptet, dass sie keinen gefunden hat. Aber ich weiß, dass sie für mich verzichtet hat. Sie war eine echte Freundin.«

»Was hat sie damals in Ihrem Zimmer gemacht?«

»Ich war an jenem Tag nicht bei klarstem Verstand. Ich hatte Angst vor Martin, aber solange er in Uppsala war, konnte ich das Problem verdrängen. Dann stand er da einfach auf der Straße in Hedestad, und ich begriff, dass ich niemals in meinem ganzen Leben sicher sein würde. Ich schwankte zwischen zwei Möglichkeiten – entweder Henrik alles zu erzählen oder zu fliehen. Als Henrik keine Zeit hatte, lief ich rastlos durch die Stadt. Ich verstehe natürlich, dass dieser Unfall auf der Brücke für meine Familienmitglieder alles überschattet hat, aber eben nicht für mich. Ich hatte meine eigenen Probleme und war mir des Unfalls kaum bewusst. Alles kam mir so unwirklich vor. Dann lief mir zufällig Anita über den Weg, die in einem kleinen Gästehäuschen auf Gerdas und Alexanders Grundstück wohnte. Da entschloss ich mich, sie um Hilfe zu bitten. Ich blieb die ganze Zeit bei ihr und traute mich kein einziges Mal, den Fuß vor die Tür zu setzen. Aber eins musste ich auf meiner Flucht unbedingt mitnehmen – ich hatte alles, was geschehen war, in ein Tagebuch geschrieben, außerdem brauchte ich ja ein paar Sachen zum Anziehen. Anita holte alles für mich.«

»Ich nehme an, sie konnte der Versuchung nicht widerstehen, das Fenster zu öffnen und einen Blick auf den Unfallort zu werfen.« Mikael überlegte kurz. »Nur eines begreife ich nicht: Warum sind Sie nicht zu Henrik gegangen, wie Sie es ursprünglich vorgehabt hatten?«

»Was glauben Sie?«

»Ich weiß es wirklich nicht. Ich bin überzeugt, dass Henrik Ihnen geholfen hätte. Martin wäre sofort unschädlich gemacht worden, und Henrik hätte Sie natürlich nicht bloßgestellt. Er hätte das Ganze irgendwo diskret mit einer Art Therapie geregelt.«

»Sie haben nicht kapiert, was passiert ist.«

Bis zu diesem Moment hatte Mikael zwar Gottfrieds sexuelle Übergriffe auf Martin erwähnt, Harriets Rolle aber offen gelassen.

»Gottfried hat sich an Martin vergangen«, sagte er vorsichtig. »Und ich befürchte, er hat sich auch an Ihnen vergriffen.«

Harriet Vanger bewegte keinen Muskel. Dann holte sie tief Luft und vergrub das Gesicht in den Händen. Es dauerte ungefähr drei Sekunden, dann war Jeff bei ihr und fragte, ob alles in Ordnung sei. Harriet Vanger sah ihn an und schenkte ihm ein schwaches Lächeln. Dann überraschte sie Mikael, indem sie aufstand, ihren *Studs Manager* umarmte und auf die Wange küsste. Den Arm um seine Schulter gelegt, wandte sie sich an Mikael.

»Jeff, das hier ist Mikael, ein alter ... Freund aus längst vergangenen Tagen. Er bringt Probleme und schlechte Nachrichten, aber wir wollen ja nicht den Überbringer der schlechten Nachricht erschießen. Mikael, das hier ist Jeff Cochran. Mein ältester Sohn. Ich habe noch einen Sohn und eine Tochter.«

Mikael nickte. Jeff war um die dreißig. Harriet hatte also nicht lange mit dem Kinderkriegen gewartet, nachdem sie

Spencer Cochran geheiratet hatte. Er stand auf, streckte Jeff die Hand entgegen und erklärte, wie leid es ihm tat, seine Mutter traurig gemacht zu haben, es sei aber leider notwendig gewesen. Harriet wechselte ein paar Worte mit Jeff und schickte ihn dann fort. Sie setzte sich wieder zu Mikael und schien einen Entschluss gefasst zu haben.

»Keine Lügen mehr. Ich denke, es ist alles vorbei. Irgendwie habe ich seit 1966 auf diesen Tag gewartet. Jahrelang war es meine größte Angst, dass jemand wie Sie kommen und meinen wahren Namen aussprechen würde. Und wissen Sie was – auf einmal ist es mir egal. Mein Verbrechen ist verjährt. Und ich pfeife drauf, was die Leute von mir denken.«

»Verbrechen?«, hakte Mikael nach.

Sie sah ihn herausfordernd an, aber er verstand nicht, wovon sie sprach.

»Ich war sechzehn. Ich hatte Angst. Ich schämte mich. Ich war verzweifelt. Ich war allein. Die Einzigen, die die Wahrheit kannten, waren Anita und Martin. Anita hatte ich von den sexuellen Übergriffen erzählt, aber ich hatte es nicht über mich gebracht, ihr zu erzählen, dass mein Vater obendrein ein verrückter Frauenmörder war. Davon hat Anita nie erfahren. Ich habe ihr jedoch von dem Verbrechen erzählt, das ich selbst begangen habe. Es war so furchtbar, dass ich es Henrik im entscheidenden Moment nicht zu sagen wagte. Ich betete, dass Gott mir verzeihen mochte. Und ich versteckte mich mehrere Jahre in einem Kloster.«

»Harriet, Ihr Vater war ein Vergewaltiger und Mörder. Sie traf keine Schuld.«

»Ich weiß. Mein Vater hat mich ein Jahr lang missbraucht. Ich habe alles getan, um zu vermeiden, dass … aber er war mein Vater, und ich konnte mich nicht plötzlich weigern, ihn zu sehen, ohne den Grund zu erklären. Also lächelte ich und spielte ein Spiel und versuchte so zu tun, als wäre alles okay. Ich sorgte nach Möglichkeit dafür, dass andere in der

Nähe waren, wenn wir uns trafen. Meine Mutter wusste natürlich, was er machte, aber sie kümmerte sich nicht weiter darum.«

»Isabella wusste es?«, rief Mikael bestürzt aus.

Harriets Stimme wurde wieder hart.

»Natürlich wusste sie davon. In unserer Familie gab es nichts, was sie nicht gewusst hätte. Aber Dinge, die ihr unangenehm waren oder die sie in ein schlechtes Licht rückten, ignorierte sie einfach. Mein Vater hätte mich mitten im Wohnzimmer vor ihren Augen vergewaltigen können, ohne dass sie es gesehen hätte. Sie war unfähig, sich einzugestehen, dass in meinem oder ihrem Leben etwas nicht stimmte.«

»Ich habe sie kennengelernt. Sie ist eine alte Hexe.«

»Das ist sie ihr Lebtag gewesen. Ich habe oft über das Verhalten meiner Eltern nachgedacht. Ich weiß, dass sie selten oder nie Sex miteinander hatten, seitdem ich zur Welt gekommen war. Auf eine ganz seltsame Art hatte er Angst vor Isabella. Er ging ihr aus dem Weg, konnte sich aber nicht scheiden lassen.«

»In der Familie Vanger lässt man sich nicht scheiden.«

Zum ersten Mal lachte sie.

»Nein, das tut man nicht. Aber ich brachte es eben nicht über mich, alles zu erzählen. Die ganze Welt hätte es erfahren. Meine Klassenkameraden, die gesamte Familie …«

Mikael legte eine Hand auf die ihre. »Harriet, es tut mir so entsetzlich leid.«

»Ich war vierzehn, als er mich zum ersten Mal vergewaltigte. Und im Jahr danach nahm er mich immer in sein Häuschen mit. Mehrmals war auch Martin dabei. Unser Vater zwang uns beide, gewisse Sachen mit ihm zu machen. Und er hielt mir die Arme fest, während Martin sich an mir … befriedigen durfte. Als mein Vater starb, stand Martin schon bereit, seine Rolle zu übernehmen. Er erwartete, dass ich seine Geliebte würde, und fand es ganz natürlich, dass ich mich ihm unterwerfe. Zu jenem Zeitpunkt hatte ich keine Wahl mehr. Ich musste Martin zu Willen zu sein. Den einen Peiniger war ich losgeworden, nur um dem nächsten in die Hände zu fallen. Ich musste also aufpassen, dass sich möglichst keine Gelegenheit ergab, bei der ich mit ihm allein war.«

»Henrik hätte ...«

»Sie verstehen mich immer noch nicht.«

Sie wurde lauter. Mikael sah, wie ein paar Männer im Zelt nebenan zu ihm hinüberschielten. Sie dämpfte ihre Stimme wieder und beugte sich ihm entgegen.

»Alles liegt ganz offen vor Ihnen. Sie müssen sich den Rest nur an den Fingern abzählen.«

Sie stand auf und holte noch zwei Flaschen Bier. Als sie zurückkam, sagte Mikael nur ein Wort zu ihr.

»Gottfried?«

Sie nickte.

»Am 7. August 1965 hatte mein Vater mich gezwungen, mit ihm in seine Hütte zu kommen. Henrik war verreist. Mein Vater war heillos betrunken und versuchte, mich zu vergewaltigen. Dabei kriegte er ihn nicht mal hoch, er war ja schon kurz vorm Delirium. Er war immer ... grob und gewalttätig, wenn wir allein waren, aber diesmal überschritt er die Grenze. Er urinierte auf mich. Dann erzählte er mir wieder, was er mit mir machen würde. Am Abend sprach er von den Frauen, die er ermordet hatte. Er prahlte damit. Er zitierte die Bibel. Stundenlang ging das so. Ich verstand nicht mal die Hälfte von dem, was er sagte, aber ich begriff, dass er vollkommen krank im Kopf war.«

Sie nahm einen Schluck Bier.

»Irgendwann gegen Mitternacht bekam er einen richtigen Anfall. Er wurde total wahnsinnig. Wir waren oben in seinem Schlafgeschoss. Er legte mir ein T-Shirt um den Hals und zog so fest zu, wie er nur konnte. Mir wurde schwarz vor Augen. Ich hegte nicht den geringsten Zweifel, dass er mich wirklich umbringen wollte, und zum ersten Mal in der Nacht gelang es ihm auch, mich vollständig zu vergewaltigen.«

Harriet Vanger richtete ihre Augen flehentlich auf Mikael.

»Aber er war so besoffen, dass ich mich irgendwie befreien konnte. Ich lief panisch aus der Hütte. Ich war nackt und rannte, ohne groß nachzudenken, bis ich plötzlich unten am Bootssteg ankam. Er kam mir torkelnd hinterher.«

Mikael wünschte sich plötzlich, sie würde nicht weitererzählen.

»Meine Kräfte reichten aus, um einen Besoffenen ins Wasser zu stoßen. Ich benutzte ein Ruder, um ihn unter Wasser zu drücken, bis er aufhörte zu zappeln. Es dauerte nur ein paar Sekunden.«

Sie hielt inne. Die Stille war plötzlich ohrenbetäubend.

»Und als ich wieder aufblickte, stand Martin da. Er sah erschrocken aus, grinste aber dann. Ich weiß nicht, wie lange er sich schon vor dem Häuschen herumgetrieben und uns nachspioniert hatte. Von diesem Moment an war ich ihm auf Gedeih und Verderb ausgeliefert. Er packte mich bei den Haaren, führte mich in die Hütte zurück und wieder in Gottfrieds Bett. Er fesselte und vergewaltigte mich, während unser Vater immer noch im Wasser unten am Landesteg trieb, und ich konnte mich nicht einmal widersetzen.«

Mikael blinzelte. Er schämte sich plötzlich und wünschte, er hätte Harriet Vanger in Frieden gelassen. Aber ihre Stimme war jetzt wieder fest.

»Von jenem Tag an war ich ganz in seiner Gewalt. Ich tat, was er mir sagte. Ich war wie gelähmt. Was mir den Verstand rettete, war, dass Isabella darauf verfiel, sie könnte Martin nach Uppsala schicken, weil er nach dem Tod seines Vaters eine andere Umgebung brauchte. Sie schickte ihn natürlich fort, weil sie wusste, was er mit mir machte. Das war eben ihre Art, dieses Problem zu lösen. Sie können sich vorstellen, wie enttäuscht Martin war.«

Mikael nickte.

»Im Laufe des folgenden Jahres war er nur in den Weihnachtsferien zu Hause, und es gelang mir, ihm aus dem Weg zu gehen. Zwischen den Jahren begleitete ich Henrik auf eine Reise nach Kopenhagen. Und in den Sommerferien war ja Anita da, der ich mich anvertraute. Sie blieb die ganze Zeit bei mir und sorgte dafür, dass er nicht in meine Nähe kommen konnte.«

»Sie haben ihn auf der Bahnhofstraße wiedergesehen.«

Sie warf Mikael einen fast schon amüsierten Blick zu.

»Es ist tatsächlich schön, endlich die Wahrheit zu erzählen. Jetzt wissen Sie Bescheid. Was gedenken Sie mit diesem Wissen anzufangen?«

27. Kapitel
Samstag, 26. Juli – Montag, 28. Juli

Mikael holte Lisbeth um zehn Uhr morgens vor ihrer Haustür in der Lundagata ab und fuhr sie zum Krematorium des Nordfriedhofs. Während des Gedenkgottesdienstes blieb er bei ihr. Lisbeth und Mikael waren lange Zeit die einzigen Anwesenden außer dem Pfarrer, aber als die Beerdigungszeremonie begann, kam plötzlich Dragan Armanskij ganz leise zur Tür herein. Er nickte Mikael kurz zu, stellte sich hinter Lisbeth und legte ihr eine Hand auf die Schulter. Sie nickte, ohne ihn anzusehen, als wüsste sie, wer hinter ihr stand. Dann ignorierte sie sowohl ihn als auch Mikael.

Lisbeth hatte nichts von ihrer Mutter erzählt, aber der Pfarrer hatte offensichtlich mit jemand aus dem Pflegeheim gesprochen, in dem sie gestorben war. Mikael wusste, dass eine Hirnblutung die Todesursache gewesen war. Lisbeth sprach während der gesamten Zeremonie kein Wort. Zweimal verlor der Pfarrer den Faden, als er sich direkt an Lisbeth wandte, die ihm in die Augen blickte, ohne zu antworten. Als alles vorüber war, drehte sie sich auf dem Absatz um und ging, ohne Danke oder Auf Wiedersehen zu sagen. Mikael und Dragan atmeten tief durch und warfen sich einen verstohlenen Blick zu. Sie hatten keine Ahnung, was in Lisbeths Kopf vorging.

»Es geht ihr furchtbar schlecht«, sagte Dragan.

»Ich weiß«, antwortete Mikael. »Es war gut, dass Sie gekommen sind.«

»Da bin ich mir überhaupt nicht so sicher.«

Armanskij sah Mikael durchdringend an.

»Fahren Sie wieder in den Norden zurück? Passen Sie gut auf sie auf.«

Mikael versprach es ihm. Sie trennten sich vor der Kirchentür. Lisbeth wartete schon im Auto.

Sie musste nach Hedestad mitfahren, um ihr Motorrad und die von Milton Security geliehene Ausrüstung abzuholen. Erst hinter Uppsala brach sie das Schweigen und fragte, wie die Reise nach Australien verlaufen war. Mikael war am Abend zuvor sehr spät in Arlanda gelandet und hatte nur ein paar Stunden geschlafen. Während der Fahrt gab er Harriet Vangers Erzählung wieder. Lisbeth schwieg eine halbe Stunde, bis sie den Mund aufmachte.

»Verdammtes Miststück«, sagte sie.

»Wer?«

»Diese verfluchte Harriet Vanger. Wenn sie 1966 etwas unternommen hätte, dann hätte Martin nicht siebenunddreißig Jahre lang weiter morden und vergewaltigen können.«

»Harriet wusste von den Morden, die ihr Vater begangen hatte, aber sie hatte keinen Schimmer, dass Martin dabei gewesen war. Sie lief vor einem Bruder davon, der sie vergewaltigte. Falls sie ihm nicht zu Willen war, wollte er verraten, dass sie ihren Vater ertränkt hatte.«

»Bullshit.«

Danach schwiegen sie bis Hedestad. Lisbeth war ausgesprochen düsterer Laune. Mikael, der ein Treffen mit Henrik ausgemacht hatte, war schon spät dran und ließ sie an der Abzweigung nach Hedeby aussteigen. Er fragte, ob sie noch da sein würde, wenn er zurückkam.

»Hast du vor, über Nacht hierzubleiben?«

»Denke schon.«

»Willst du, dass ich noch da bin, wenn du zurückkommst?«

Er stieg aus dem Auto, ging auf die Beifahrerseite und nahm sie in die Arme. Sie schob ihn mit Gewalt fort. Mikael trat einen Schritt zurück.

»Lisbeth, wir sind Freunde.«

Sie sah ihn ausdruckslos an.

»Willst du, dass ich hierbleibe, damit du heute Nacht jemand zum Ficken hast?«

Mikael bedachte sie mit einem langen Blick. Dann drehte er sich um, setzte sich ins Auto und ließ den Motor an. Er ließ das Fenster herunter. Ihre Feindseligkeit war spürbar.

»Ich will, dass wir Freunde sind«, sagte er. »Wenn du irgendetwas anderes glaubst, dann will ich nicht, dass du noch da bist, wenn ich zurückkomme.«

Henrik Vanger saß aufrecht und voll bekleidet in seinem Bett, als Dirch Frode Mikael ins Krankenzimmer begleitete. Als Erstes fragte er den alten Mann nach seinem Gesundheitszustand.

»Sie wollen mich morgen zu Martins Begräbnis rauslassen.«

»Wie viel hat Dirch Ihnen erzählt?«

Henrik Vanger blickte auf den Boden.

»Er hat mir erzählt, was Martin und Gottfried getan haben. Das hier war alles viel schlimmer, als ich mir jemals hätte ausmalen können.«

»Ich weiß, was mit Harriet passiert ist.«

»Wie ist sie gestorben?«

»Harriet ist nicht gestorben. Sie lebt noch. Wenn Sie wollen, würde sie sich sehr gerne mit Ihnen treffen.«

Henrik Vanger und Dirch Frode starrten Mikael an, als wäre ihre Welt gerade aus den Angeln gehoben worden.

»Ich habe ein bisschen gebraucht, bis ich sie überzeugen konnte, nach Schweden zu kommen. Aber sie lebt, es geht ihr

gut, und sie ist hier in Hedestad. Sie ist heute Morgen angekommen und kann in einer Stunde hier sein. Wenn Sie sie
sehen wollten, heißt das natürlich.«

Und wieder musste Mikael die Geschichte von Anfang bis
Ende erzählen. Henrik Vanger hörte so konzentriert zu, als
lausche er der Bergpredigt eines modernen Jesus. An ein paar
Stellen unterbrach er ihn mit einer Frage oder bat Mikael,
etwas zu wiederholen. Dirch Frode sagte kein Wort.

Als Mikael fertig war, schwieg der Alte. Obwohl die Ärzte
versichert hatten, Henrik habe sich von seinem Herzanfall er-
holt, fürchtete Mikael sich vor dem Augenblick, da er ihm die
ganze Geschichte erzählen würde – er hatte Angst, es würde
einfach zu viel für seinen Auftraggeber sein. Aber Henrik
zeigte keine äußerlichen Anzeichen von Bewegtheit. Nur seine
Stimme war vielleicht ein klein wenig belegt, als er das Schweigen brach.

»Arme Harriet. Wäre sie doch nur zu mir gekommen.«

Mikael sah auf die Uhr. Es war fünf vor vier.

»Wollen Sie sie sehen? Sie hat immer noch Angst, dass
Sie sie verstoßen könnten, sobald Sie wissen, was sie getan
hat.«

»Und die Blumen?«, fragte Henrik.

»Danach habe ich sie auf dem Rückflug gefragt. In der Familie gab es einen Menschen, den sie liebte, und das waren Sie.
Die Blumen hat Harriet natürlich selbst geschickt. Sie hoffte,
dass Ihnen damit klar würde, dass sie lebte und es ihr gut
ginge. Aber sie bekam ihre Informationen ja nur über Anita,
und die war ins Ausland gezogen, sobald sie ihr Studium abgeschlossen hatte. Also wusste Harriet nie so richtig, wie sich
die Dinge weiterentwickelt hatten. Ihr wurde nie klar, wie
schrecklich Sie litten oder dass Sie glaubten, es sei ihr Mörder,
der Sie mit diesen Blumen verhöhnte.«

»Ich nehme an, Anita hat die Blumen für sie geschickt.«

»Sie arbeitete bei einer Fluggesellschaft und flog durch die ganze Welt. Sie gab die Pakete dort auf, wo sie sich gerade befand.«

»Aber woher wussten Sie, dass ausgerechnet Anita ihr geholfen hatte?«

»Das Foto, auf dem sie in Harriets Zimmer zu sehen ist.«

»Aber sie hätte ja auch verwickelt sein ... sie hätte ja auch die Mörderin sein können. Woher wussten Sie, dass Harriet noch am Leben war?«

Mikael sah Henrik lange an. Dann lächelte er, zum ersten Mal seit seiner Rückkehr nach Hedestad.

»Anita war in Harriets Verschwinden verwickelt, aber sie konnte sie nicht umgebracht haben.«

»Wie konnten Sie da so sicher sein?«

»Weil das hier kein verdammter Agatha-Christie-Krimi ist. Wenn Anita Harriet umgebracht hätte, dann wäre der Körper schon lange gefunden worden. Die einzig logische Möglichkeit war also, dass sie ihr geholfen hatte, zu fliehen und sich versteckt zu halten. Wollen Sie sie sehen?«

»Natürlich will ich Harriet sehen.«

Mikael holte Harriet bei den Fahrstühlen in der Eingangshalle ab. Zunächst erkannte er sie nicht wieder, denn als sie tags zuvor in Arlanda auseinandergegangen waren, war sie noch blond gewesen – jetzt hatte sie ihre alte Haarfarbe wieder. Sie trug eine schwarze Hose, eine weiße Bluse und eine elegante graue Jacke. Sie sah blendend aus, und Mikael gab ihr einen aufmunternden Kuss auf die Wange.

Henrik stand von seinem Stuhl auf, als Mikael Harriet die Tür aufmachte. Sie atmete tief durch.

»Hallo, Henrik«, sagte sie.

Der Alte musterte sie vom Scheitel bis zur Sohle. Dann ging Harriet auf ihn zu und küsste ihn auf die Wange. Mikael nickte Dirch Frode zu, schloss die Tür und ließ sie alleine.

Lisbeth war nicht mehr im Gästehäuschen, als Mikael auf die Insel zurückkehrte. Die Videoausrüstung und ihr Motorrad waren weg, ebenso ihre Tasche mit den Kleidern zum Wechseln und die Toilettenartikel im Badezimmer. Es wirkte leer.

Mikael machte in finsterer Stimmung einen Rundgang durch das Häuschen. Plötzlich kam ihm alles fremd und unwirklich vor. Er betrachtete die Papierstapel im Arbeitszimmer, die er in Kartons schichten und wieder zu Henrik zurücktragen musste, aber dazu konnte er sich jetzt nicht aufraffen.

Er ging zum Supermarkt und kaufte Brot, Milch, Käse und etwas zum Abendessen. Als er zurückkam, machte er sich einen Kaffee und setzte sich in den Garten, wo er die Abendzeitungen las, ohne an irgendetwas zu denken.

Gegen halb sechs fuhr ein Taxi über die Brücke. Nach drei Minuten kam es zurück. Mikael konnte Isabella Vanger auf dem Rücksitz ausmachen.

Gegen sieben war er auf seinem Gartenstuhl eingeschlummert, als Dirch Frode zu ihm hinüberkam und ihn weckte.

»Wie läuft's mit Henrik und Harriet?«, fragte Mikael.

»Diese ganze kummervolle Geschichte hat auch was für sich«, antwortete Frode mit beherrschtem Lächeln. »Isabella ist plötzlich in Henriks Krankenzimmer gestürmt. Sie hatte entdeckt, dass Sie ins Gästehäuschen zurückgekehrt sind, und war fuchsteufelswild. Sie schrie ihn an, jetzt müsse langsam Schluss sein mit diesem ganzen Harriet-Quatsch, und außerdem hätten Sie ihren Sohn in den Tod getrieben.«

»Tja, ich schätze fast, da hat sie recht.«

»Sie hat Henrik gesagt, er solle Sie entlassen und dafür sorgen, dass Sie von hier verschwinden. Und er selbst solle aufhören, nach Gespenstern zu suchen.«

»Hoppla.«

»Die andere Frau im Zimmer würdigte sie keines Blickes. Sie glaubte wohl, es müsse jemand vom Personal sein. Diesen

Augenblick werde ich nie vergessen – Harriet stand auf, sah Isabella an und sagte: ›Hallo, Mama‹.«

»Was passierte dann?«

»Wir mussten einen Arzt holen, um Isabella wieder zu Bewusstsein zu bringen. Jetzt streitet sie ab, dass es wirklich Harriet ist, und behauptet, sie sei eine Betrügerin, die Sie aufgetan haben. Sie hat ihre fünf Sinne nicht so ganz beisammen.«

Frode war auf dem Weg zu Cecilia und Alexander, um ihnen die Neuigkeit mitzuteilen, Harriet sei von den Toten auferstanden. Er eilte fort und ließ Mikael wieder allein.

Nördlich von Uppsala hielt Lisbeth an, um ihr Motorrad aufzutanken. Die Strecke bis hierher war sie verbissen gefahren, den Blick starr auf die Straße gerichtet. Schnell bezahlte sie und setzte sich wieder auf ihre Maschine. Sie startete und fuhr zur Ausfahrt, wo sie unschlüssig stehen blieb.

Sie war immer noch unzufrieden. Als sie Hedeby verließ, war sie wahnsinnig wütend gewesen, aber der Zorn hatte auf der Fahrt nachgelassen. Sie war sich nicht sicher, warum sie so böse auf Mikael war. Sie wusste nicht einmal, ob sich ihr Zorn wirklich gegen ihn richtete.

Sie dachte an Martin Vanger und an die verfluchte Harriet Vanger und den verfluchten Dirch Frode und die ganze verdammte Familie Vanger, die in Hedestad hockten und über ihr kleines Imperium herrschten und gegeneinander intrigierten. Sie hatten ihre Hilfe gebraucht. Unter normalen Umständen hätten sie sie wohl nicht einmal gegrüßt, geschweige denn ihr ihre Geheimnisse anvertraut.

Verfluchtes Pack.

Sie atmete tief durch und dachte an ihre Mutter, die sie heute Morgen begraben hatte. Es würde nie gut werden. Der Tod ihrer Mutter bedeutete, dass die Wunde nie mehr heilen konnte, denn Lisbeth würde niemals Antwort auf all die Fragen bekommen, die sie hatte stellen wollen.

Sie dachte an Dragan Armanskij, der sich bei der Beerdigung hinter sie gestellt hatte. Sie hätte etwas zu ihm sagen sollen. Ihm zumindest zeigen sollen, dass sie seine Anwesenheit bemerkte. Aber dann hätte er das nur als Vorwand verstanden, die Organisation ihres Lebens in die Hand zu nehmen. Hielt sie ihm den kleinen Finger hin, nahm er den ganzen Arm. Und er würde es doch nicht verstehen.

Sie dachte an den beschissenen Bjurman, ihren rechtlichen Betreuer, der zumindest vorerst unschädlich gemacht war und sich an die Abmachungen hielt.

Sie fühlte, wie der unversöhnliche Hass sich in ihr zusammenballte, und biss die Zähne zusammen.

Und sie fragte sich, was wohl Mikael dazu sagen würde, wenn er herausfand, dass sie unter rechtlicher Betreuung stand und ihr ganzes Leben ein einziges verdammtes Desaster war.

Sie erkannte, dass sie eigentlich gar nicht sauer auf ihn war. Er war nur zufällig die Person gewesen, an der sie ihre Wut ausgelassen hatte, als sie am liebsten jemand ermordet hätte. Auf ihn zornig zu sein hatte wirklich wenig Sinn.

Sie merkte, wie ambivalent ihre Gefühle für ihn waren.

Er steckte seine Nase in fremde Angelegenheiten und schnüffelte in ihrem Privatleben herum und ... Aber es hatte ihr auch gut gefallen, mit ihm zusammenzuarbeiten. Allein das war ein merkwürdiges Gefühl – mit jemand zusammenzuarbeiten. Das war sie nicht gewohnt, aber es war wirklich erstaunlich schmerzlos gelaufen. Er redete keine Scheiße. Er versuchte nicht, ihr einzureden, wie sie ihr Leben zu leben hatte.

Sie hatte ihn verführt, nicht umgekehrt.

Und außerdem war es auch noch sehr befriedigend gewesen.

Warum fühlte sie sich also, als würde sie ihm am liebsten ins Gesicht treten?

Sie seufzte, hob unglücklich den Blick und sah einem Fernlastzug nach, der auf der E4 vorbeibrummte.

Mikael saß immer noch im Garten, als er gegen acht Uhr abends Motorradgeknatter hörte und Lisbeth über die Brücke fahren sah. Sie parkte und nahm den Helm ab. Dann trat sie an den Gartentisch und legte ihre Hand an die Kaffeekanne, die leer und kalt war. Mikael sah sie verblüfft an. Sie nahm die Kanne und ging in die Küche. Als sie wieder herauskam, hatte sie die Motorradlederjacke ausgezogen und trug Jeans und ein T-Shirt mit dem Aufdruck *I can be a regular bitch. Just try me.*

»Ich dachte, du wärst gefahren«, sagte Mikael.

»Ich bin in Uppsala umgekehrt.«

»Ganz hübscher Tagesausflug.«

»Mir tut der Hintern weh.«

»Warum bist du umgekehrt?«

Sie antwortete nicht. Mikael blieb stur und wartete stumm und Kaffee trinkend ihre Antwort ab. Nach zehn Minuten brach sie das Schweigen.

»Ich bin gerne mit dir zusammen«, gab sie widerwillig zu.

Solche Worte hatte sie noch nie zuvor in den Mund genommen.

»Es war … interessant, mit dir an diesem Fall zu arbeiten.«

»Mir hat's auch gefallen, mit dir zusammenzuarbeiten«, erklärte Mikael.

»Hmm.«

»Fakt ist, ich habe noch nie mit einer so phantastischen Ermittlerin zusammengearbeitet. Okay, ich weiß, dass du eine verdammte Hackerin bist und in suspekten Kreisen verkehrst, wo du ja anscheinend nur den Hörer abzunehmen brauchst, um innerhalb der nächsten vierundzwanzig Stunden einen Telefonanschluss in London illegal abhören zu lassen, aber du kommst damit eben auch zu gewissen Ergebnissen.«

Zum ersten Mal, seit sie sich an den Tisch gesetzt hatte, sah sie ihn an. Er kannte so viele ihrer Geheimnisse. Wie hatte das passieren können?

»Das ist eben so. Ich kann mit Computern umgehen. Ich hatte noch nie Probleme damit, einen Text zu lesen und exakt zu verstehen, was drinsteht.«

»Dein fotografisches Gedächtnis«, sagte er ruhig.

»Schätzungsweise. Ich verstehe einfach, wie alles funktioniert. Nicht nur Computer und Telefonnetze, sondern auch der Motor in meiner Maschine und Fernseher und Staubsauger und chemische Prozesse und astrophysikalische Formeln. Ich bin verdreht im Kopf. Ein Freak.«

Mikael runzelte die Brauen. Er schwieg lange.

Asperger-Syndrom, dachte er. *Oder irgendwas in der Richtung. Ein Talent, Muster zu erkennen und abstrakte Gedankengänge zu begreifen, wo andere nur Chaos sehen.*

Lisbeth starrte auf den Tisch.

»Die meisten Menschen würden was drum geben, so eine Begabung zu haben.«

»Ich will nicht darüber reden.«

»Okay, dann lassen wir das eben. Warum bist du zurückgekommen?«

»Ich weiß nicht. Vielleicht war's ein Fehler.«

Sie sah ihn forschend an.

»Lisbeth, kannst du mir mal das Wort ›Freundschaft‹ definieren?«

»Wenn man jemanden mag.«

»Ja, aber wie kommt das zustande, dass man jemanden mag?«

Sie zuckte mit den Schultern.

»Freundschaft – nach meiner Definition – baut auf zwei Dingen auf«, sagte er plötzlich. »Respekt und Vertrauen. Absolute Freundschaft basiert auf absolutem Respekt und absolutem Vertrauen. Beide Faktoren müssen dabei sein. Und es muss auf Gegenseitigkeit beruhen. Man kann Respekt für jemand empfinden, aber wenn man ihm kein Vertrauen schenkt, dann zerbricht die Freundschaft.«

Sie schwieg noch immer.

»Ich weiß mittlerweile, dass du mit mir nicht über dich selbst sprechen willst, aber irgendwann musst du mal entscheiden, ob du mir Vertrauen entgegenbringst oder nicht. Ich möchte, dass wir Freunde sind, aber das kann ich nicht alleine schaffen.«

»Ich hab gern Sex mit dir.«

»Sex hat nichts mit Freundschaft zu tun. Natürlich können Freunde auch Sex miteinander haben, aber wenn ich bei dir wählen müsste, dann wüsste ich, wofür ich mich entscheide.«

»Ich verstehe dich nicht. Willst du Sex mit mir haben oder nicht?«

Mikael biss sich auf die Lippe. Schließlich seufzte er.

»Man sollte keinen Sex mit Leuten haben, mit denen man zusammenarbeitet«, murmelte er. »Das gibt nur Ärger.«

»Ist mir da irgendwas entgangen, oder ist es nicht doch so, dass du und Erika Berger bei jeder Gelegenheit fickt? Und sie ist obendrein auch noch verheiratet.«

Mikael schwieg eine Weile.

»Erika und ich … haben eine Geschichte, die anfing, lange bevor unsere Zusammenarbeit begann. Dass sie verheiratet ist, geht dich nichts an.«

»Aha, und jetzt willst du plötzlich auch nicht mehr über dich selbst reden. Ging es bei Freundschaft nicht um Vertrauen?«

»Ja, aber ich meine, wir sollten nicht hinter ihrem Rücken über sie reden. Damit würde ich ihr Vertrauen missbrauchen. Ich würde auch nicht hinter deinem Rücken mit Erika über dich reden.«

Lisbeth dachte über seine Worte nach. Ein heikles Gespräch war das geworden. Sie mochte keine heiklen Gespräche.

»Ich hab gerne Sex mit dir«, wiederholte sie.

»Ich auch mit dir … aber ich bin alt genug, um dein Vater zu sein.«

»Dein Alter ist mir egal.«

»Du kannst den Altersunterschied nicht ignorieren. Das ist keine gute Ausgangsposition für eine dauerhafte Beziehung.«

»Wer hat denn von dauerhaft gesprochen?«, fragte Lisbeth. »Wir haben gerade einen Fall abgeschlossen, in dem Männer mit total kranker Sexualität eine tragende Rolle gespielt haben. Wenn es nach mir ginge, würde ich solche Männer ausrotten, einen nach dem andern.«

»Von Kompromissen hältst du auf jeden Fall nicht viel.«

»Nein«, sagte sie und lächelte ihr gequältes Lächeln. »Aber so einer bist du ja auch nicht.«

Sie stand auf.

»Ich geh jetzt rein und dusche, und dann werde ich mich nackt in dein Bett legen. Wenn du glaubst, dass du zu alt bist, dann kannst du dich ja stattdessen aufs Feldbett legen.«

Mikael sah ihr nach. Was für Störungen Lisbeth sonst auch haben mochte, Schamgefühl gehörte nicht dazu. Bei ihren Diskussionen zog er mit schöner Regelmäßigkeit den Kürzeren. Nach einer Weile räumte er die Kaffeetassen ab und folgte ihr.

Sie standen gegen neun auf, duschten gemeinsam und frühstückten im Garten. Gegen elf rief Dirch Frode an und teilte ihnen mit, dass die Beerdigung um zwei Uhr nachmittags stattfinden würde. Er fragte, ob sie auch anwesend sein würden.

»Ich glaube, eher nicht«, sagte Mikael.

Frode bat, um sechs Uhr zu einem Gespräch vorbeikommen zu dürfen. Mikael erklärte sich einverstanden.

Er verbrachte ein paar Stunden damit, Papiere in Umzugskartons zu sortieren und sie in Henriks Arbeitszimmer hinüberzutragen. Zum Schluss waren nur noch seine eigenen Notizbücher übrig und die zwei Ordner zur Affäre Hans-Erik Wennerström, die er seit einem halben Jahr nicht mehr geöffnet hatte. Er seufzte und verstaute sie in seiner Tasche.

Dirch Frode verspätete sich und kam nicht vor acht. Er trug immer noch seinen schwarzen Anzug und sah mitgenommen aus, als er sich aufs Küchensofa setzte und dankbar eine Tasse Kaffee von Lisbeth entgegennahm. Sie setzte sich an den kleinen Tisch und beschäftigte sich mit ihrem Computer, während Mikael fragte, wie Harriets Wiederauferstehung von der Familie aufgenommen worden war.

»Man kann sagen, es hat Martins Hinscheiden etwas in den Hintergrund gedrängt. Mittlerweile haben auch die Medien Wind von der Sache bekommen.«

»Und wie erklären Sie die Situation?«

»Harriet hat mit einem Journalist des *Kuriren* gesprochen. Offiziell ist sie von zu Hause ausgerissen, weil sie Schwierigkeiten mit ihrer Familie hatte. Sie sei aber in der Welt bestens klargekommen, meint sie, da sie heute immerhin ein Unternehmen führt, das ebenso viel Umsatz macht wie der Vanger-Konzern.«

Mikael stieß einen überraschten Pfiff aus.

»Ich wusste ja schon, dass man mit australischen Schafen gutes Geld verdienen kann, aber nicht, dass ihre Ranch so hervorragend läuft.«

»Ihre Ranch läuft wirklich ganz ausgezeichnet, und sie ist nicht ihre einzige Einnahmequelle. Das Unternehmen Cochran macht sein Geld auch mit Bergbau, Opalen, produzierenden Betrieben, Speditionen, Elektronik und noch einer Menge mehr.«

»Hoppla. Und was wird jetzt damit?«

»Ehrlich gesagt, ich weiß es nicht. Den ganzen Tag sind immer mehr Leute angekommen, und die Familie ist zum ersten Mal seit vielen Jahren wieder so gut wie vollständig versammelt. Es sind viele von der jüngeren Generation aufgetaucht – ab zwanzig aufwärts. Heute Abend sind wohl um die vierzig Vangers in Hedestad, von denen die eine Hälfte im Krankenhaus sitzt und Henrik ermüdet, während die andere Hälfte im Stadthotel mit Harriet redet.«

»Harriet ist sicher die große Sensation. Wie viele wissen von der Geschichte mit Martin?«

»Bis jetzt nur Henrik, Harriet und ich. Wir haben ein langes Gespräch geführt. Diese ganze Sache mit Martin und … seinen Perversionen drängt die meisten Dinge für uns in den Hintergrund. Das hat eine kolossale Krise des Konzerns nach sich gezogen.«

»Das kann ich verstehen.«

»Es gibt keinen natürlichen Erben, aber Harriet wird eine Weile in Hedestad bleiben. Wir müssen unter anderem die Eigentums- und Erbschaftsverhältnisse klären. Ihr steht ja tatsächlich ein Erbteil zu, der ziemlich groß sein würde, wenn sie die ganze Zeit hier gewesen wäre. Es ist ein Alptraum.«

Mikael lachte. Frode lachte nicht.

»Isabella ist zusammengebrochen. Sie ist ins Krankenhaus eingeliefert worden. Harriet weigert sich, sie zu besuchen.«

»Kann ich verstehen.«

»Anita kommt allerdings aus London. Wir berufen nächste Woche einen Familienrat ein. Zum ersten Mal seit fünfundzwanzig Jahren nimmt sie wieder daran teil.«

»Wer wird der neue Geschäftsführer?«

»Birger hat ein begehrliches Auge auf den Posten geworfen, aber das kommt gar nicht infrage. Stattdessen wird Henrik vom Krankenbett aus vorübergehend die Geschäfte leiten, bis wir jemanden gefunden haben. Möglicherweise aus dem Kreis der Familie …«

Er führte den Satz nicht zu Ende. Mikael zog die Augenbrauen hoch.

»Harriet? Das kann nicht Ihr Ernst sein.«

»Warum nicht? Wir sprechen von einer äußerst kompetenten und respektierten Geschäftsfrau.«

»Sie hat ein Unternehmen in Australien, um das sie sich kümmern muss.«

»Ja, aber ihr Sohn Jeff Cochran führt die Geschäfte in ihrer Abwesenheit.«

»Der ist Studs Manager auf einer Schafranch. Wenn ich das richtig verstanden habe, dann achtet er darauf, dass sich die richtigen Schafe miteinander paaren.«

»Er hat aber auch ein betriebswirtschaftliches Studium in Oxford abgeschlossen und ein Jurastudium in Melbourne.«

Mikael dachte an den verschwitzten, muskulösen Mann mit dem nackten Oberkörper, der ihn in die Schlucht gefahren hatte, und versuchte, ihn sich im Anzug vorzustellen. Warum nicht?

»Das Ganze wird sich nicht auf die Schnelle lösen lassen«, fuhr Frode fort. »Aber sie wäre eine perfekte Geschäftsführerin. Mit der richtigen Unterstützung könnte sie dem Konzern ganz neue Impulse geben.«

»Ihr fehlen die Kenntnisse, die ...«

»Das stimmt schon. Natürlich kann Harriet nicht einfach nach ein paar Jahrzehnten hier auftauchen und die Führung des Konzerns bis ins letzte Detail übernehmen. Aber der Vanger-Konzern ist international, und wir könnten uns auch einen amerikanischen Geschäftsführer holen, der kein Wort Schwedisch versteht ... so ist das Business.«

»Früher oder später müssen Sie sich mit dem Inhalt von Martins Kellerraum auseinandersetzen.«

»Ich weiß. Aber wir können nichts davon verlauten lassen, ohne Harriet völlig zu vernichten ... Ich bin froh, dass ich nicht derjenige bin, der diese Entscheidung treffen muss.«

»Verdammt, Dirch, Sie können nicht einfach verheimlichen, dass Martin ein Serienmörder war.«

Dirch Frode schwieg und wand sich auf seinem Stuhl. Auf einmal hatte Mikael einen üblen Geschmack im Mund.

»Mikael, ich bin in einer ... sehr unangenehmen Lage.«

»Erzählen Sie.«

»Ich soll Ihnen eine Mitteilung von Henrik überbringen. Sie ist ziemlich schlicht. Er dankt Ihnen für die Arbeit, die Sie geleistet haben, und betrachtet den Vertrag als erfüllt. Das bedeutet, dass er Sie von den übrigen Verpflichtungen entbindet, dass Sie also nicht mehr in Hedestad wohnen und arbeiten müssen und so weiter. Sie können unverzüglich nach Stockholm zurückziehen und sich anderen Verpflichtungen widmen.«

»Will er, dass ich von hier verschwinde?«

»Absolut nicht. Er will, dass Sie ihn besuchen kommen, damit Sie ein Gespräch über die Zukunft führen können. Er hofft, dass er weiterhin ohne Einschränkungen im Führungsstab von *Millennium* tätig sein kann. Aber …«

Dirch Frode sah noch verlegener aus, falls das überhaupt noch möglich war.

»Aber er will nicht mehr, dass ich eine Familienchronik der Vangers schreibe.«

Frode nickte. Er zog ein Notizbuch aus der Tasche, das er aufschlug und Mikael über den Tisch zuschob.

»Er hat Ihnen diesen Brief geschrieben.«

Lieber Mikael,
ich respektiere Ihre Unabhängigkeit voll und ganz und habe nicht vor, Sie zu beleidigen, indem ich Ihnen vorschreibe, was Sie schreiben sollen. Sie sollen genau das schreiben und veröffentlichen, was Sie wollen, und ich will nicht den geringsten Druck auf Sie ausüben.
Unser Vertrag gilt, wenn Sie darauf bestehen. Sie haben genug Material, um die Chronik der Familie Vanger abzuschließen.
In meinem ganzen Leben habe ich niemanden um etwas angefleht. Ich fand immer, dass ein Mensch seiner Moral und seiner Überzeugung folgen sollte. Doch in diesem Moment habe ich keine Wahl.

Ich bitte Sie, sowohl als Freund als auch in meiner Eigenschaft als Teilhaber von Millennium, die Wahrheit über Gottfried und Martin nicht öffentlich zu machen. Ich weiß, dass das falsch ist, aber ich sehe keinen anderen Ausweg aus dieser Finsternis. Ich habe die Wahl zwischen zwei schlimmen Alternativen, und hier kann es nur Verlierer geben.

Ich bitte Sie, nichts zu schreiben, was Harriet noch mehr schaden könnte. Sie haben selbst erlebt, was es bedeutet, im Mittelpunkt einer Medienkampagne zu stehen. Die Kampagne gegen Sie hatte dabei noch bescheidene Ausmaße – wahrscheinlich können Sie sich vorstellen, wie es für Harriet aussehen würde, wenn die Wahrheit ans Licht käme. Sie hat sich vierzig Jahre lang gequält und soll nicht weiter für die Taten leiden müssen, die ihr Bruder und ihr Vater begangen haben.

Und ich bitte Sie, denken Sie darüber nach, was für Konsequenzen diese Geschichte für Tausende Angestellte unseres Konzerns haben könnte. Sie würde daran zerbrechen, und wir wären vernichtet.

Henrik

»Henrik sagt außerdem, wenn Sie eine Entschädigung für den Verdienstausfall wünschen, der Ihnen entsteht, wenn Sie diese Geschichte nicht publizieren, dann ist er gerne zur Diskussion bereit. Sie können eine beliebige finanzielle Forderung stellen.«

»Henrik Vanger versucht, mich mundtot zu machen. Richten Sie ihm aus, ich wünschte, er hätte mir dieses Angebot nicht gemacht.«

»Diese Situation ist für Henrik genauso schmerzlich wie für Sie. Er mag Sie sehr und betrachtet Sie als Freund.«

»Henrik ist ein cleverer Mistkerl«, sagte Mikael. Plötzlich war er unglaublich wütend. »Er will die ganze Geschichte vertuschen. Er nutzt meine Gefühle aus; er weiß ja, dass ich ihn auch mag. Und was er sagt, bedeutet praktisch: Ich kann veröffentlichen, was ich will, aber wenn ich das mache, dann muss er seine Einstellung zu *Millennium* revidieren.«

»Als Harriet auftauchte, hat sich alles verändert.«

»Und jetzt möchte Henrik mal genauer wissen, für welchen Preis ich zu haben bin. Ich habe nicht vor, Harriet öffentlich bloßzustellen, aber *irgendjemand* muss etwas über die Frauen sagen, die in Martins Keller landeten. Dirch, wir wissen nicht einmal, wie viele Frauen er abgeschlachtet hat. Wer soll sich ihres Schicksals annehmen?«

Lisbeth Salander blickte plötzlich von ihrem Computer auf. Ihre Stimme war schrecklich sanft, als sie das Wort an Dirch Frode richtete.

»Gibt es denn niemand im Konzern, der *mich* zum Schweigen bringen will?«

Frode sah verblüfft aus. Er hatte ihre Existenz wieder einmal ignoriert.

»Wenn Martin Vanger in diesem Moment noch am Leben wäre, dann hätte ich alles öffentlich gemacht«, fuhr sie fort. »Egal, welche Vereinbarung Mikael mit Ihnen getroffen hat, ich hätte jedes Detail an die nächste Abendzeitung weitergegeben. Und wenn ich die Möglichkeit gehabt hätte, dann hätte ich ihn in seinen eigenen Folterkeller mitgenommen, ihn auf diesem Tisch festgeschnallt und ihm Nägel durch den Sack getrieben. Aber er ist tot.«

Sie wandte sich an Mikael.

»Ich bin zufrieden mit der Lösung. Nichts, was wir tun, könnte die Leiden ungeschehen machen, die Martin Vanger seinen Opfern zugefügt hat. Allerdings ist jetzt eine interessante Konstellation entstanden. Auch du könntest unschuldigen Frauen Leid zufügen – nicht zuletzt Harriet, die du eben noch so feurig verteidigt hast. Ich frage dich also: Was ist schlimmer – dass Martin Vanger sie in Gottfrieds Häuschen vergewaltigt hat oder dass du dasselbe durch die Schlagzeilen tun willst? Nettes Dilemma. Vielleicht kann dir ja der Ethikausschuss des Journalistenverbandes weiterhelfen.«

Sie machte eine Pause. Mikael konnte Lisbeth plötzlich nicht mehr in die Augen sehen. Er starrte auf den Tisch.

»Aber ich bin natürlich keine Journalistin«, fügte sie schließlich hinzu.

»Was fordern Sie?«, fragte Dirch Frode.

»Martin hat seine Opfer mit einer Videokamera gefilmt. Ich will, dass Sie versuchen, so viele wie möglich zu identifizieren, und dafür sorgen, dass ihre Familien ein angemessenes Schmerzensgeld erhalten. Außerdem will ich, dass der Vanger-Konzern jährlich zwei Millionen Kronen für die ROKS, die Zentralorganisation der Frauenhäuser in Schweden, zur Verfügung stellt.«

Frode dachte ein paar Minuten über diesen Preis nach. Dann nickte er.

»Kannst du damit leben, Mikael?«, fragte Lisbeth.

Mikael war auf einmal verzweifelt. Während seines gesamten Berufslebens hatte er aufgedeckt, was andere zu vertuschen versuchten, und seine Moral verbot ihm, sich an der Vertuschung der schrecklichen Verbrechen in Martin Vangers Keller zu beteiligen. Sein Berufsethos verlangte, dass er sein Wissen der Öffentlichkeit mitteilte. Er hatte seine Kollegen immer kritisiert, wenn sie die Wahrheit nicht aussprachen. Und dennoch saß er jetzt hier und diskutierte das makaberste Vertuschungsmanöver, von dem er jemals gehört hatte.

Er schwieg lange. Dann nickte auch er. »Gut.«

Frode wandte sich an Mikael. »Was Henriks Angebot einer Entschädigung betrifft ...«

»Die kann er sich in den Hintern schieben«, schnitt Mikael ihm das Wort ab. »Dirch, ich will, dass Sie jetzt gehen. Ich verstehe Ihre Verlegenheit, aber im Moment bin ich gerade so wütend auf Sie und Henrik und Harriet, dass unsere Freundschaft in die Brüche gehen wird, wenn Sie jetzt noch länger bleiben.«

Dirch Frode blieb am Küchentisch sitzen und machte keine Anstalten aufzustehen.

»Ich kann noch nicht gehen«, sagte er. »Ich bin noch nicht fertig. Ich habe noch eine Botschaft zu überbringen, die Ihnen nicht gefallen wird. Henrik besteht darauf, dass ich sie Ihnen heute ausrichte. Sie können morgen ins Krankenhaus fahren und ihn dafür zur Rechenschaft ziehen.«

Mikael hob langsam den Blick und sah ihm in die Augen.

»Das hier ist wohl das Schwerste, was ich in meinem ganzen Leben tun musste«, begann Frode. »Aber ich glaube, dass in der jetzigen Situation nur noch restlose Ehrlichkeit angebracht ist. Ich will die Karten offen auf den Tisch legen.«

»Was?«

»Als Henrik Sie zu diesem Job überredet hat, glaubten weder er noch ich, dass es wirklich Resultate geben würde. Es war so, wie er sagte – er wollte einfach einen letzten Versuch unternehmen. Er hatte Ihre missliche Lage gründlich analysiert, nicht zuletzt mit Hilfe des Berichts, den Frau Salander erstellt hatte. Er nutzte ihre Isolation aus, bot Ihnen eine gute Bezahlung und verwendete den richtigen Köder.«

»Wennerström.«

Frode nickte.

»Sie haben geblufft?«

»Nein.«

Lisbeth zog interessiert die Augenbrauen hoch.

»Henrik wird all seine Versprechen einlösen«, sagte Frode. »Er wird Interviews geben und einen öffentlichen Frontalangriff auf Wennerström starten. Die Details können Sie später erfahren, aber kurz gesagt verhält sich die Sache so, dass Wennerström während seiner Zeit in der kaufmännischen Abteilung mehrere Millionen für Valutaspekulationen eingesetzt hat. Das war lange, bevor das Day Trading zum echten Phänomen wurde. Er hatte dafür keine Genehmigung bei der Unternehmensleitung eingeholt. Die Geschäfte gingen in die Binsen, und plötzlich saß er mit einem Verlust von sieben Millionen da, den er teils durch frisierte Bücher auszugleichen versuchte, teils durch weitere, noch gewagtere Spekulationen. Er wurde erwischt und gefeuert.«

»Hat er etwa in die eigene Tasche gewirtschaftet?«

»Ja, er bekam ungefähr eine halbe Million Kronen, die dann bizarrerweise den Grundstock für seine *Wennerstroem Group* bildeten. Sie können diese Information verwenden, wie Sie wollen, und Henrik wird Ihre Behauptungen öffentlich bestätigen. Aber ...«

»Aber diese Information ist wertlos«, vollendete Mikael seinen Satz und schlug mit der flachen Hand auf den Tisch.

Frode nickte.

»Das ist dreißig Jahre her – das ist ein abgeschlossenes Kapitel!«, rief Mikael.

»Sie bekommen die Bestätigung, dass Wennerström ein Schwindler ist.«

»Dass es herauskommt, wird Wennerström ärgern, aber es wird ihm nicht mehr wehtun, als wenn ihn kleine Jungs mit Erbsen aus einem Blasrohr beschießen würden. Er wird mit den Schultern zucken und ein Ablenkungsmanöver starten, indem er eine Pressemitteilung rausschickt, dass Henrik Vanger ein alter Knacker ist, der irgendein Geschäft von ihm übernehmen will. Im selben Atemzug wird er behaupten, dass er damals auf Henriks Anordnung gehandelt hat. Selbst wenn er seine Unschuld nicht beweisen kann, kann er immer noch so viele Vernebelungstaktiken einsetzen, dass die Geschichte schließlich mit einem Achselzucken abgetan wird.«

Dirch Frode sah unglücklich drein.

»Sie haben mich beschissen«, sagte Mikael schließlich.

»Mikael ... so war das nicht gemeint.«

»Ich bin selbst schuld. Ich habe nach einem Strohhalm gegriffen und hätte gleich merken müssen, dass es nur ein Vorwand war.« Er lachte kurz auf. »Henrik ist ein alter Hai. Er musste mir ein Produkt verkaufen, also hat er mir gesagt, was ich hören wollte.«

Mikael stand auf und ging zur Spüle hinüber. Dann drehte er sich zu Frode um und fasste seine Gefühle in zwei Worten zusammen.

»Verschwinden Sie!«

»Mikael ... ich bedaure, dass ...«

»Dirch. Gehen Sie.«

Lisbeth wusste nicht, ob sie zu Mikael gehen oder ihn in Ruhe lassen sollte. Er löste das Problem, indem er sich plötzlich wortlos seine Jacke griff und die Haustür hinter sich zuknallte.

Über eine Stunde tigerte sie in der Küche auf und ab. Sie war so unglücklich, dass sie sich das Geschirr vornahm und abwusch – eine Aufgabe, die sie sonst Mikael überließ. Ab und zu ging sie ans Fenster und hielt nach ihm Ausschau. Schließlich wurde sie so unruhig, dass sie ihre Lederjacke anzog und hinausging, um ihn zu suchen.

Sie eilte zuerst zum Kleinboothafen hinunter, wo in den Häusern immer noch Licht brannte, aber weit und breit war kein Mikael zu sehen. Dann lief sie am Wasser entlang, wo Mikael und sie abends oft spazieren gingen. Martin Vangers Haus war dunkel und wirkte bereits unbewohnt. Sie ging bis zu den Steinen auf der Landzunge, wo Mikael und sie bei anderer Gelegenheit gesessen hatten, dann lief sie nach Hause. Er war noch nicht zurückgekommen.

Sie stattete der Kirche einen Besuch ab. Auch hier kein Mikael. Eine Weile blieb sie unschlüssig stehen. Dann kehrte sie um, holte eine Taschenlampe aus der Satteltasche ihres

Motorrads und ging noch einmal am Wasser entlang. Es dauerte eine Weile, auf dem halb überwucherten Weg voranzukommen, und noch länger, um den Pfad zu Gottfrieds Häuschen zu finden. Als sie schon fast dort war, tauchte es schließlich hinter ein paar Bäumen aus der Dunkelheit auf. Mikael war nicht auf der Veranda zu sehen, die Tür war abgeschlossen.

Sie war schon auf dem Rückweg, als sie noch einmal innehielt, umkehrte und ganz bis ans Wasser hinunterging. Plötzlich sah sie Mikaels Silhouette in der Dunkelheit. Er saß auf dem Bootssteg, an dem Harriet ihren Vater ertränkt hatte. Erst in diesem Moment konnte sie erleichtert ausatmen.

Er hörte ihre Schritte auf den Planken und drehte sich um. Wortlos setzte sie sich neben ihn. Schließlich brach er das Schweigen.

»Entschuldige. Ich musste nur eine Weile alleine sein.«

»Ich weiß.«

Sie steckte zwei Zigaretten an und gab ihm eine. Er sah sie an. Lisbeth war der unsozialste Mensch, den er jemals getroffen hatte. Für gewöhnlich ignorierte sie jeden seiner Versuche, über persönliche Dinge zu sprechen, und nicht ein einziges Mal hatte sie ihm ihre Sympathie bekundet. Sie hatte ihm das Leben gerettet, und jetzt war sie mitten in der Nacht losgezogen, um ihn zu suchen. Er legte einen Arm um sie.

»Jetzt weiß ich, für welchen Preis man mich kaufen kann. Wir haben diese Frauen verraten«, sagte er. »Die werden die ganze Geschichte vertuschen. Alles, was in Martins Keller geschah, wird totgeschwiegen.«

Lisbeth entgegnete nichts.

»Erika hatte recht«, fuhr er fort. »Ich hätte für einen Monat nach Spanien fahren, mich mit ein paar Spanierinnen vergnügen und dann heimkommen sollen, um mir Wennerström vorzuknöpfen. Jetzt habe ich Monate nutzlos vergeudet.«

»Wenn du nach Spanien gefahren wärst, dann hätte Martin seine Verbrechen fortgesetzt.«

Schweigen. Sie blieben eine ganze Weile nebeneinander sitzen, bis er aufstand und vorschlug, nach Hause zu gehen.

Mikael schlief vor Lisbeth ein. Sie konnte nicht schlafen und lauschte seinen Atemzügen. Dann ging sie in die Küche und machte sich einen Kaffee, setzte sich aufs Küchensofa und rauchte mehrere Zigaretten, während sie intensiv nachdachte. Dass Vanger und Frode Mikael ausgenutzt hatten, betrachtete sie als selbstverständlich. Das lag in ihrer Natur. Aber das war Mikaels Sache und nicht ihr Problem. Oder?

Schließlich fasste sie einen Entschluss. Sie drückte ihre Zigarette aus, ging zu Mikael, machte die Nachttischlampe an und rüttelte ihn wach. Es war halb drei Uhr morgens.

»Ich habe eine Frage. Setz dich mal auf.«

Mikael setzte sich auf und sah sie schlaftrunken an.

»Als du damals angeklagt wurdest – warum hast du dich nicht verteidigt?«

Mikael schüttelte den Kopf und sah ihr in die Augen. Dann warf er einen Blick auf die Uhr.

»Das ist eine lange Geschichte, Lisbeth.«

»Erzähl. Ich hab Zeit.«

Er schwieg eine geraume Weile und überlegte, was er sagen sollte. Schließlich entschied er sich für die Wahrheit.

»Ich konnte mich nicht verteidigen. Der Inhalt meines Artikels war falsch.«

»Als ich mich in deinen Computer gehackt habe und deine Mailkorrespondenz mit Erika Berger las, gab es da jede Menge Verweise auf die Wennerström-Affäre, aber ihr habt die ganze Zeit die praktischen Details des Prozesses besprochen und alle möglichen anderen Dinge – nur nicht das, was eigentlich passiert ist. Erzähl mir, was da schiefgegangen ist.«

»Ich kann dir die wahre Geschichte nicht erzählen, Lisbeth. Ich bin auf einen riesigen Fake reingefallen. Erika und ich waren uns einig, dass unsere Glaubwürdigkeit nur noch mehr leiden würde, wenn wir zu erzählen versuchten, was wirklich geschehen war.«

»Jetzt hör mir mal gut zu, *Kalle Blomkvist*, gestern Nachmittag hast du noch hier gesessen und hast eine Predigt gehalten über Freundschaft und Vertrauen und was weiß ich noch alles. Ich habe nicht vor, deine Story ins Netz zu stellen.«

Mikael protestierte noch ein paarmal. Er erinnerte sie daran, dass es mitten in der Nacht war, und behauptete, er könne jetzt nicht an diese Geschichte denken. Sie blieb stur, bis er nachgab. Er ging zur Toilette, wusch sich das Gesicht und setzte neuen Kaffee auf. Dann kam er zurück ins Bett und erzählte, wie sein alter Klassenkamerad Robert Lindberg vor zwei Jahren im Gästehafen von Arholma auf einer gelben Mälar-30 seine Neugier geweckt hatte.

»Du meinst, dein alter Kumpel hat dich angelogen?«

»Nein, überhaupt nicht. Ich konnte jedes seiner Worte im Revisionsbericht des SIB nachprüfen. Ich bin sogar nach Polen gefahren und habe die Blechbaracke fotografiert, in der die große Minos-Fabrik untergebracht gewesen war. Und ich habe mehrere Personen interviewt, die dort angestellt gewesen waren. Alle haben genau dasselbe gesagt.«

»Das kapier ich nicht.«

Mikael seufzte. Es dauerte einen Moment, bevor er weitersprach.

»Ich hatte eine verdammt gute Story. Ich hatte Wennerström selbst noch nicht damit konfrontiert, aber die Story war wasserdicht, und wenn ich sie damals veröffentlicht hätte, wäre er in ziemliche Schwierigkeiten geraten. Wahrscheinlich hätte es nicht zu einer Anklage wegen Betrugs gereicht – die Sache war ja durch die Revision schon abgenickt worden –, aber ich hätte seinem Ansehen geschadet.«

»Was ist schiefgegangen?«

»Irgendjemand hatte von meinen Recherchen erfahren und Wennerström offenbar gewarnt. Und auf einmal geschahen lauter seltsame Dinge. Zuerst erhielt ich Drohungen. Anonyme Telefonanrufe von Kartentelefonen, die man nicht zurückverfolgen konnte. Auch Erika wurde massiv bedroht. Sie war natürlich ziemlich verstört.«

Er nahm sich eine Zigarette von Lisbeth.

»Dann geschah etwas furchtbar Unangenehmes. Eines Nachts, als ich spät aus der Redaktion kam, wurde ich von zwei Männern überfallen, die mir ein paar Fausthiebe versetzten. Ich war völlig unvorbereitet, landete auf der Straße und holte mir eine geschwollene Lippe. Ich konnte sie nicht identifizieren, aber der eine sah aus wie ein alter Rocker.«

»Okay.«

»Dieser Vorfall hatte nur zur Folge, dass Erika stinkwütend wurde und ich noch sturer. Wir verschärften die Sicherheitsvorkehrungen bei *Millennium*. Aber irgendwie standen diese Schikanen in keinem Verhältnis zum Inhalt der Story. Wir konnten uns nicht erklären, was das alles sollte.«

»Aber die Story, die du veröffentlicht hast, war doch eine ganz andere.«

»Genau. Ganz plötzlich gelang uns ein Durchbruch. Wir fanden eine Quelle, einen *Deep Throat* aus Wennerströms Umfeld. Dieser Informant hatte buchstäblich Todesangst, und wir konnten ihn nur in anonymen Hotelzimmern treffen. Er erzählte uns, dass die Gelder von *Minos* für Waffengeschäfte im jugoslawischen Bürgerkrieg verwendet worden waren. Wennerström hatte Geschäfte mit der Ustascha gemacht. Und damit nicht genug, er konnte uns als Beweis Kopien von Dokumenten geben.«

»Ihr habt ihm geglaubt?«

»Er war geschickt. Dank seiner Informationen konnten wir eine weitere Quelle auftun, die unsere Story bestätigte. Wir bekamen sogar ein Foto, auf dem zu sehen war, wie einer von

Wennerströms engsten Mitarbeitern dem Käufer die Hand schüttelte. Das war detaillierte Munition, und es sah so aus, als könnte man alles belegen. Wir gingen mit der Story an die Öffentlichkeit.«

»Und es war alles gefaked.«

»Es war gefaked von A bis Z«, bestätigte Mikael. »Die Dokumente waren geschickte Fälschungen. Wennerströms Anwalt konnte sogar beweisen, dass das Foto von Wennerströms Unterhändler und dem Ustascha-Führer eine Fälschung war – zwei verschiedene Bilder, die man in PhotoShop zusammenmontiert hatte.«

»Faszinierend«, sagte Lisbeth nüchtern und nickte versonnen.

»Ja, nicht? Im Nachhinein konnte man leicht erkennen, wie wir manipuliert worden waren. Unsere Originalstory hatte Wennerström aufgeschreckt, aber die wurde jetzt völlig von dieser Fälschungsgeschichte verdrängt – die übelste Falle, von der ich jemals gehört habe. Wir veröffentlichten eine Story, aus der Wennerström tatsächlich einen Punkt nach dem anderen herauspicken konnte, um dann jeweils seine Unschuld zu beweisen. Und es war so verflucht geschickt gemacht.«

»Ihr konntet keinen Rückzieher machen und die Wahrheit erzählen. Ihr hattet überhaupt keinen Beweis, dass Wennerström selbst hinter dieser Fälschung steckte.«

»Es war noch schlimmer. Wenn wir versucht hätten, die Wahrheit zu erzählen, und wenn wir auch noch verrückt genug gewesen wären, Wennerström als Urheber dieser Fälschung zu bezeichnen, dann hätte uns kein Mensch geglaubt. Es hätte ausgesehen wie ein verzweifelter Versuch, auf Gedeih und Verderb einem unschuldigen Industriellen die Schuld in die Schuhe zu schieben. Wir hätten dagestanden wie die größten Verschwörungstheoretiker und Vollidioten.«

»Verstehe.«

»Wennerström war doppelt abgesichert. Wäre der Fake aufgeflogen, hätte er behaupten können, einer seiner Feinde habe ihm einen Skandal anhängen wollen. Und wir bei *Millennium* hätten alle Glaubwürdigkeit eingebüßt, weil wir auf eine Fehlinformation hereingefallen waren.«

»Also hast du dich entschieden, dich gar nicht erst zu verteidigen und eine Gefängnisstrafe in Kauf zu nehmen.«

»Ich hatte die Strafe verdient«, sagte Mikael bitter. »Ich hatte mich einer Ehrverletzung schuldig gemacht. Nun weißt du Bescheid. Darf ich jetzt schlafen?«

Mikael machte das Licht aus und schloss die Augen. Lisbeth legte sich neben ihn. Sie schwieg eine Weile.

»Wennerström ist ein Verbrecher.«

»Ich weiß.«

»Nein, ich meine, *ich weiß*, dass er ein Verbrecher ist. Er arbeitet mit allen möglichen Leuten zusammen, von der russischen Mafia bis hin zu kolumbianischen Drogenkartellen.«

»Wie meinst du das?«

»Nachdem ich meinen Bericht für Frode abgegeben hatte, erteilte er mir noch einen Extraauftrag. Er bat mich herauszufinden, was bei deinem Prozess eigentlich passiert war. Ich hatte gerade angefangen, daran zu arbeiten, da rief er Armanskij an und stornierte den Auftrag.«

»Aha.«

»Ich nehme an, sie haben diese Nachforschungen fallen lassen, nachdem du Henriks Angebot akzeptiert hattest. Da war das alles nicht mehr interessant.«

»Und?«

»Tja, ich mag nun mal keine unabgeschlossenen Sachen. Im Frühjahr hatte ich ein paar Wochen frei. Armanskij hatte gerade keinen Job für mich, und da hab ich zum Spaß weiter an einer persönlichen Untersuchung von Wennerström gearbeitet.«

Mikael setzte sich auf, schaltete das Licht an und blickte in Lisbeths große Augen. Sie wirkte tatsächlich schuldbewusst.

»Hast du was rausgekriegt?«

»Ich habe seine ganze Festplatte auf meinem Computer. Wenn du willst, kriegst du beliebig viele Beweise, dass er ein Schwerverbrecher ist.«

28. Kapitel
Dienstag, 29. Juli – Freitag, 24. Oktober

Mikael Blomkvist hatte drei Tage über ihren Ausdrucken ge-
brütet. Das Problem war nur, dass sich die Details pausenlos
veränderten. Ein Optionsgeschäft in London. Ein Valutage-
schäft durch einen Bevollmächtigten in Paris. Eine Briefkastenfirma in Gibraltar. Eine plötzliche Verdoppelung des Kon-
tostandes auf einem Konto bei der Chase Manhattan Bank in
New York.

Und weitere verblüffende Fragen taten sich auf: Ein Han-
delsgeschäft mit 200 000 Kronen auf einem unberührten
Konto, das fünf Jahre zuvor in Santiago de Chile registriert
worden war – eines von zirka dreißig ähnlichen Unternehmen
in zwölf Ländern –, und keine Spur davon, was für Geschäften
diese Firmen eigentlich nachgingen. Ruhende Geschäfte?
Worauf warteten sie? Waren sie nur eine Fassade für andere
Aktivitäten? Der Computer konnte keine Auskunft darüber
geben, was in Wennerströms Kopf vor sich ging. Was für ihn
selbstverständlich war, wurde wahrscheinlich niemals in Form
eines elektronischen Dokuments festgehalten.

Salander war überzeugt, dass die meisten dieser Fragen unbeantwortet bleiben würden. Sie konnte die Botschaften lesen,
aber ohne den passenden Schlüssel konnte sie sie nicht deuten.
Wennerströms Imperium ähnelte einer Zwiebel, deren Haut

man Schicht für Schicht abzog – ein Labyrinth von Firmen mit undurchsichtigen Eigentumsverhältnissen. Unternehmen, Konten, Fonds, Wertpapiere. Sie stellten fest, dass keiner – nicht einmal Wennerström selbst – einen völligen Überblick über dieses Labyrinth haben konnte. Wennerströms Imperium führte ein Eigenleben.

Es gab allerdings ein Muster oder zumindest die Andeutung eines Musters. Alle Firmen schienen sich quasi gegenseitig zu besitzen. Das Wennerström-Imperium konnte man auf das irrwitzige Spektrum zwischen 100 und 400 Millionen Kronen schätzen. Je nachdem, wen man fragte und wie man rechnete. Aber wenn die Firmen ihr Vermögen gegenseitig besitzen – was sind diese Firmen dann in Wirklichkeit wert?

Als sie diese Fragen stellte, sah Mikael Blomkvist sie mit gequältem Gesichtsausdruck an und widmete sich wieder der Aufgabe, sich eine Übersicht über die Firmenguthaben zu verschaffen.

Sie hatten die Hedeby-Insel früh am Morgen in aller Eile verlassen, nachdem Lisbeth die Bombe hatte platzen lassen, die von da an jede wache Minute in Mikael Blomkvists Leben beanspruchte. Sie waren direkt zu Lisbeths Wohnung gefahren und hatten zwei Tage und zwei Nächte vor ihrem Computer verbracht. Sie führte ihn durch das Wennerströmsche Universum. Er hatte viele Fragen; eine davon stellte er aus reiner Neugier.

»Lisbeth, wie ist das möglich, dass du Wennerströms Computer so perfekt überwachst?«

»Eine kleine Erfindung meines Kollegen Plague. Wennerström arbeitet an einem IBM-Computer, sowohl zu Hause als auch im Büro. Das heißt, alle Informationen befinden sich auf einer einzigen Festplatte. Zu Hause benutzt er eine Breitbandverbindung. Plague hat eine Art Manschette erfunden, die man um dieses Netzwerkkabel schlingt. Die teste ich für ihn, und alles, was Wennerström zu sehen kriegt, wird auch von der Manschette gescannt, die die Informationen dann zu irgendeinem Server weiterschickt.«

»Hat er denn keine Firewall?«

Lisbeth lächelte.

»Doch, er hat eine Firewall. Aber der Witz ist, dass die Manschette quasi selbst wie eine Firewall funktioniert. Es dauert eine Weile, bis man sich so weit in einen Computer gehackt hat. Die Signale, die direkt zu Wennerströms Computer fließen, filtern wir ganz einfach, *bevor* sie durch seine Firewall gegangen sind. Angenommen, er bekommt eine E-Mail: Die geht dann zuerst zu Plagues Manschette und kann von uns gelesen werden, bevor sie seine Firewall passiert. Aber das Raffinierte daran ist, die Mail wird gepatched, und ein paar Byte Quellcode werden hinzugefügt. Jedes Mal, wenn er sich etwas auf seinen Computer runterlädt, wird das wiederholt. Bilder sind noch besser. Er surft furchtbar viel im Internet. Jedes Mal, wenn er ein Pornofoto anschaut oder eine neue Homepage öffnet, bekommen wir ein paar neue Zeilen Quellcode. Nach einer Weile, ein paar Stunden oder Tagen – je nachdem, wie viel er den Computer benutzt –, hat Wennerström ein ganzes Programm von ungefähr drei Megabyte Umfang runtergeladen, bei dem ein Bit zum nächsten Bit kommt.«

»Und?«

»Wenn die letzten Bits an ihrem Platz sind, wird der Trojaner, also dieses versteckte Programm, in seinen Browser integriert. Für ihn sieht das so aus, als würde sich sein Computer aufhängen, und er müsste alles noch mal neu starten. Beim Neustart installiert sich dann ein ganz neues Programm. Wennerström verwendet den *Microsoft Explorer*. Das nächste Mal, wenn er den Explorer startet, startet er in Wirklichkeit ein ganz anderes Programm, das unsichtbar irgendwo auf seinem Desktop liegt. Es sieht aus wie ein Explorer, es funktioniert wie ein Explorer, aber es macht auch noch eine ganze Menge anderer Sachen. Zunächst einmal bemächtigt es sich seiner Firewall, sorgt aber gleichzeitig dafür, dass es für Wennerström so aussieht, als würde alles funktionieren. Dann beginnt es den Computer zu scannen, und jedes Mal, wenn er beim Surfen auf die Maus klickt, verschickt es Informationen. Nach einer Weile – auch da kommt es darauf an, wie viel er im Netz ist – haben wir ein komplettes Spiegelbild vom Inhalt seines Computers auf einer Festplatte unseres Servers. Und dann ist der Zeitpunkt für den HT gekommen.«

»HT?«

»Sorry. Plague nennt das immer HT. *Hostile Takeover*, feindliche Übernahme.«

»Aha.«

»Jetzt kommt was ganz Raffiniertes. Wenn die ganze Aktion abgeschlossen ist, hat Wennerström zwei komplette Festplatten, eine auf seiner eigenen Kiste, eine auf unserem Server. Das nächste Mal, wenn er seinen Computer startet, startet er eigentlich sein Computer-Spiegelbild. Er arbeitet nicht mehr auf seinem eigenen Computer, sondern auf unserem Server. Sein Computer wird einen Tick langsamer, aber das ist kaum merkbar. Und wenn ich mit dem Server verbunden bin, dann kann ich seinen Computer live anzapfen. Wann immer Wennerström eine Taste drückt, kann ich das auf meinem Bildschirm mitverfolgen.«

»Ich nehme mal an, dieser Kumpel von dir ist auch ein Hacker.«

»Das war der, der auch die Abhöraktion in London organisiert hat. Er ist sozial ein bisschen inkompetent und trifft sich nie mit Menschen, aber im Netz ist er eine echte Legende.«

»Okay«, sagte Mikael und lächelte sie resigniert an. »Frage Nummer zwei: Warum hast du mir nicht früher von Wennerström erzählt?«

»Du hast mich ja nie gefragt.«

»Mal angenommen, ich wäre dir nie begegnet, dann hättest du dieses Wissen über Wennerströms verbrecherische Machenschaften für dich behalten, während *Millennium* in Konkurs gegangen wäre, stimmt's?«

»Niemand hat mich gebeten, Wennerström zu überführen«, gab Lisbeth in altklugem Ton zurück.

»Und wenn dich jemand gebeten hätte?«

»Ich habe es doch jetzt erzählt«, antwortete sie defensiv.

Mikael ließ das Thema fallen.

Der Inhalt von Wennerströms Computer nahm Mikael völlig gefangen. Lisbeth hatte sämtliche Dateien seiner Festplatte auf ungefähr zehn CDs gebrannt – knapp fünf Gigabyte – und kam sich vor, als wäre sie mehr oder weniger in Mikaels Wohnung mit eingezogen. Geduldig wartete sie und beantwortete all seine Fragen.

»Ich verstehe einfach nicht, wie er so unglaublich blöd sein kann, das ganze Material zu seinen schmutzigen Machenschaften auf einer Festplatte zu sammeln«, wunderte sich Mikael. »Wenn das irgendwann bei der Polizei landet …«

»Die Leute denken da nicht rational. Er kann sich vermutlich nicht vorstellen, dass die Polizei jemals seinen Computer beschlagnahmen könnte.«

»Er muss doch Sicherheitsberater haben, die ihm sagen, was er beim Umgang mit seinem Computer beachten muss. Da ist Material drauf, das geht bis 1993 zurück.«

»Der Computer ist ziemlich neu. Er wurde vor einem Jahr hergestellt, aber er scheint seine gesamte alte Korrespondenz und Ähnliches auf seine Festplatte kopiert zu haben, anstatt das Ganze auf CDs zu brennen. Doch er benutzt auf jeden Fall ein Verschlüsselungsprogramm.«

»Das ihm nicht viel nutzt, wenn du in seinem Computer bist und jedes Passwort mitlesen kannst, das er eingibt.«

Nach vier Tagen rief plötzlich Christer Malm auf Mikaels Handy an und weckte ihn um drei Uhr nachts.

»Henry Cortez war heute mit einer Freundin in der Kneipe.«

»Aha«, antwortete Mikael schlaftrunken.

»Auf dem Heimweg sind sie noch in einer anderen Kneipe bei Centralen gelandet.«

»Kein guter Ort, um jemand zu verführen.«

»Hör zu. Janne Dahlman hat Urlaub. Cortez hat ihn plötzlich mit einem anderen Mann an einem Tisch entdeckt.«

»Ja und?«

»Henry hat ihn wiedererkannt – es war auch ein Journalist. Krister Söder.«

»Der Name kommt mir bekannt vor, aber …«

»Er arbeitet beim Wirtschaftsmagazin *Monopol*, das der Wennerström-Gruppe gehört.«

Mikael setzte sich im Bett auf und überlegte.

»Bist du noch dran?«

»Ja, ich bin noch dran. Das muss nichts heißen. Söder ist ein ganz normaler Journalist und kann auch ein alter Bekannter von Dahlman sein.«

»Dann bin ich eben paranoid. Vor drei Monaten hat *Millennium* eine Reportage von einem Freelancer eingekauft. Eine Woche bevor wir sie veröffentlichen wollten, brachte Söder eine fast identische Enthüllungsstory. Es war dieselbe Geschichte – ein Handyhersteller hat einen Bericht unterdrückt, in dem aufgedeckt wurde, dass er ein fehlerhaftes Teil verwendet, das einen Kurzschluss verursachen kann.«

»So was kann doch immer mal vorkommen. Hast du mit Erika gesprochen?«

»Nein, die ist noch im Urlaub und kommt erst nächste Woche zurück.«

»Unternimm nichts. Ich ruf dich später zurück«, sagte Mikael und schaltete sein Handy aus.

»Probleme?«, fragte Lisbeth.

»*Millennium*«, sagte Mikael. »Ich muss mal kurz vorbeischauen. Hast du Lust mitzukommen?«

Es war vier Uhr morgens, die Redaktion menschenleer. Lisbeth brauchte ungefähr drei Minuten, um das Passwort von Janne Dahlmans Computer zu knacken und weitere zwei Minuten, um den gesamten Inhalt auf Mikaels iBook zu überspielen.

Der Großteil der Mails befand sich allerdings in Dahlmans eigenem Laptop, auf den sie keinen Zugriff hatten. Aber über den Computer an seinem Arbeitsplatz konnte Lisbeth feststellen, dass Dahlman außer seiner »millennium.se«-Mailadresse noch einen privaten Account bei Hotmail hatte. Sie brauchte sechs Minuten, um das Hotmailkonto zu knacken und seine Korrespondenz des letzten halben Jahres herunterzuladen. Fünf Minuten später hatte Mikael genügend Belege dafür, dass Janne Dahlman interne Informationen über die Situation bei *Millennium* nach außen gegeben und den Redakteur von *Monopol* über geplante Reportagen auf dem Laufenden gehalten hatte. Diese Spionage war mindestens seit dem letzten Herbst im Gange.

Sie schalteten die Computer wieder aus, gingen zurück in Mikaels Wohnung und schliefen ein paar Stunden. Am nächsten Morgen um zehn Uhr rief er Christer Malm an.

»Ich habe Beweise, dass Dahlman für Wennerström arbeitet.«

»Hab ich mir's doch gedacht. Okay, dann werf ich das verdammte Schwein heute endgültig raus.«

»Tu's nicht. Tu überhaupt nichts.«

»Nichts?«

»Vertrau mir, Christer. Wie lange ist Dahlman noch in Urlaub?«

»Am Montag fängt er wieder an.«

»Wie viele sind heute in der Redaktion?«

»Tja, hier ist es halb leer.«

»Kannst du für zwei Uhr ein Meeting einberufen? Sag nicht, worum es geht. Ich komme dann zu euch.«

Sechs Leute saßen vor Mikael am Konferenztisch. Christer Malm sah müde aus, Henry Cortez hingegen so frisch verliebt, wie es nur Vierundzwanzigjährige sein können. Monika Nilsson wirkte gespannt. Christer Malm hatte mit keinem Wort angedeutet, worum es bei diesem Meeting gehen würde, aber sie war lange genug dabei, um zu wissen, dass hier etwas Ungewöhnliches im Busch war. Außerdem passte es ihr nicht, dass man sie aus dem *information loop* herausgehalten hatte. Die Einzige, die aussah wie immer, war die Teilzeitangestellte Ingela Oskarsson, die sich zwei Tage pro Woche um die administrativen Aufgaben, das Abonnentenregister und Ähnliches kümmerte. Sie wirkte nicht mehr sonderlich gestresst, seit sie vor zwei Jahren Mutter geworden war. Die andere Teilzeitkraft war die freiberufliche Journalistin Lotta Karim, die einen ähnlichen Vertrag wie Henry Cortez hatte und gerade aus dem Urlaub gekommen war. Christer war es auch gelungen, Sonny Magnusson aus seinem Urlaub in die Redaktion zu bestellen.

Mikael begrüßte sie alle und bat erst einmal um Verzeihung, dass er während des ganzes Jahres derart durch Abwesenheit geglänzt hatte.

»Was wir heute mit euch besprechen wollen, konnten Christer und ich noch nicht mit Erika diskutieren, aber ich versichere euch, dass ich mit ihr reden werde. Heute müssen wir über die Zukunft von *Millennium* entscheiden.«

Er machte eine Pause und ließ seine Worte wirken. Keiner stellte Fragen.

»Das letzte Jahr war sehr schwierig. Ich wundere mich, dass keiner von euch auf die Idee gekommen ist, sich einen anderen

Job zu suchen. Ich muss wohl annehmen, dass ihr entweder total verrückt seid oder außergewöhnlich loyal oder womöglich sogar gerne bei dieser Zeitschrift arbeitet. Deswegen möchte ich jetzt auch alle Karten auf den Tisch legen und euch ein letztes Mal um euren Einsatz bitten.«

»Der letzte Einsatz«, wiederholte Monika Nilsson. »Das klingt ja, als wolltest du das Magazin aufgeben?«

»Genau«, antwortete Mikael. »Nach ihrem Urlaub wird Erika ein düsteres Redaktionstreffen einberufen und euch mitteilen, dass *Millennium* zu Weihnachten eingestellt wird und ihr alle gekündigt seid.«

Nun machte sich eine gewisse Unruhe im Raum breit. Sogar Christer Malm glaubte eine Sekunde lang, Mikael könnte es ernst meinen. Doch dann fiel allen sein verschmitztes Lächeln auf.

»Ich möchte von euch, dass ihr im Herbst ein doppeltes Spiel spielt. Denn es verhält sich leider so, dass unser geschätzter Redaktionsassistent Janne Dahlman noch einen Nebenjob hat – als Informant für Hans-Erik Wennerström. Der Feind ist also ständig über die Geschehnisse in der Redaktion im Bilde, und das erklärt auch einige Rückschläge, die wir letztes Jahr erlitten haben. Das traf ja nicht zuletzt dich, Sonny, als ein Teil unserer Anzeigenkunden, die uns gegenüber positiv eingestellt schienen, sich plötzlich zurückzogen.«

»Verdammt, hab ich's mir doch gleich gedacht«, sagte Monika Nilsson.

Janne Dahlman war in der Redaktion nie allzu beliebt gewesen, und Mikaels Eröffnung schien niemand sonderlich zu schockieren. Mikael unterbrach das allgemeine Gemurmel.

»Ich erzähle euch das alles, weil ich absolutes Vertrauen in euch setze. Ich habe mehrere Jahre mit euch zusammengearbeitet und weiß, dass ihr ehrliche, vernünftige Leute seid. Darum weiß ich auch, dass ihr bei der Geschichte mitspielen werdet, die ich diesen Herbst vorhabe. Es ist außerordentlich wichtig, Wennerström glauben zu lassen, dass *Millennium* kurz vor dem Ruin steht. Und darin besteht eure Aufgabe.«

»Wie stehen wir denn eigentlich da?«, fragte Henry Cortez.

»Es ist so: Ich weiß, dass es für alle eine stressige Zeit war, und wir sind auch noch nicht ganz über den Berg. Wenn man das Ganze mit gesundem Menschenverstand betrachtet, dann müsste *Millennium* schon mit einem Fuß im Grab stehen. Ich gebe euch mein Wort, so weit wird es nicht kommen. *Millennium* ist heute stärker als vor einem Jahr. Nach diesem Treffen werde ich noch einmal für zwei Monate verschwinden. Ende Oktober bin ich wieder da. Und dann werden wir Hans-Erik Wennerström mal ein bisschen die Flügel stutzen.«

»Wie soll das gehen?«, fragte Cortez.

»Sorry. Diese Information kann ich euch nicht geben. Ich werde eine neue Story über Wennerström schreiben. Aber diesmal machen wir es richtig. Und dann bereiten wir die Weihnachtsfeier in der Redaktion vor. Ich denke da an gebratenen Wennerström als Vorspeise und diverse Kritiker als Nachtisch.«

Plötzlich herrschte eine ausgelassene Stimmung. Mikael fragte sich, wie er reagieren würde, wenn er sich selbst reden hörte. Misstrauisch? Ja, wahrscheinlich. Aber anscheinend besaß er noch ein gewisses Vertrauenskapital bei der kleinen Angestelltenschar. Er hob die Hand, um sich Gehör zu verschaffen.

»Damit der Plan gelingt, muss Wennerström unbedingt glauben, dass *Millennium* demnächst zusammenbricht. Ich will nicht, dass er sich irgendeine Gegenkampagne ausdenken oder in letzter Minute Beweise verschwinden lassen kann. Wir legen jetzt also erst mal ein Drehbuch für diesen Herbst fest. Erstens: Es ist wichtig, dass nichts von dem, worüber wir heute gesprochen haben, zu Papier gebracht oder gemailt oder mit irgendeiner Person außerhalb dieses Zimmers besprochen wird. Wir wissen nicht, inwieweit Dahlman unsere Computer überwacht. Wie ich erfahren habe, ist es wohl ziemlich einfach, die Mails aller Mitarbeiter einzusehen. Die ganze Geschichte ziehen wir also mündlich durch. Wenn ihr in den nächsten Wochen darüber reden wollt, dann müsst ihr euch an Christer wenden und euch bei ihm zu Hause treffen. So diskret wie nur möglich.«

Mikael schrieb »Keine E-Mails!« an die Tafel.

»Zweitens werdet ihr euch verfeinden. Ich will, dass ihr über mich herzieht, wann immer Janne Dahlman in der Nähe ist. Übertreibt nicht. Lasst einfach euren niederen Instinkten freien Lauf. Christer, ich möchte, dass Erika und du ein ernstes Zerwürfnis habt. Lass deine Fantasie spielen und mach ein großes Geheimnis daraus, worum es dabei eigentlich geht, aber es muss so aussehen, als würde das Magazin an allen Ecken und Enden auseinanderbrechen und als wäre hier plötzlich jeder gegen jeden.«

Er schrieb »Kleinkrieg« an die Tafel.

»Drittens: Sobald Erika zurückkommt, wirst du sie ins Bild setzen, Christer. Ihre Aufgabe wird sein, Janne Dahlman vorzuspielen, dass unsere Vereinbarung mit dem Vanger-Konzern – die uns derzeit ja noch über Wasser hält – den Bach runtergeht, weil Henrik Vanger schwer erkrankt und Martin Vanger verstorben ist.«

Er schrieb das Wort »Fehlinformationen«.

»Aber die Vereinbarung steht doch wohl noch, oder?«, fragte Monika Nilsson.

»Eines könnt ihr mir glauben«, sagte Mikael grimmig. »Der Vanger-Konzern wird eine ganze Menge dafür tun, dass *Millennium* überlebt. In ein paar Wochen, sagen wir mal Ende August, wird Erika ein Meeting einberufen und Kündigungen in Aussicht stellen. Euch muss klar sein, dass das nur ein Fake ist. Der Einzige, der von hier verschwinden wird, ist Janne Dahlman. Aber spielt das Spiel die ganze Zeit mit. Fangt an, darüber zu reden, dass ihr euch neue Jobs sucht. Beklagt euch, was für eine miese Referenz es doch ist, *Millennium* in seinem Lebenslauf zu haben. Und so weiter und so fort.«

»Und du glaubst, dieses Spiel wird *Millennium* retten?«, fragte Sonny Magnusson.

»Ich weiß, dass es *Millennium* retten wird. Sonny, ich will, dass du einen gefälschten Monatsbericht zusammenstellst, der belegt, dass der Anzeigenmarkt umgeschlagen ist und die Zahl der Abonnenten dramatisch sinkt.«

»Sollen wir dieses Spiel nur redaktionsintern betreiben oder auch anderen Medien gegenüber?«, fragte Monika.

»Haltet das Ganze redaktionsintern. Falls die Nachricht irgendwo anders auftaucht, dann wissen wir, wer sie weitergetragen hat. Und wenn ihr in ein paar Monaten darauf angesprochen werdet, dann könnt ihr einfach antworten, es seien nur böswillige Gerüchte gewesen. Das Beste, was überhaupt passieren könnte, wäre, dass Dahlman loszieht und anderen Massenmedien entsprechende Tipps gibt. Dann steht er hinterher da wie der letzte Idiot. Wenn ihr Dahlman den einen oder anderen Tipp für eine glaubwürdige, aber vollkommen hirnrissige Story geben könnt, dann ist das völlig in Ordnung.«

Zwei Stunden lang heckten sie ein Szenario aus und verteilten die Rollen.

Nach dem Treffen ging Mikael mit Christer Malm bei Java an der Horngata Kaffee trinken.

»Es ist wahnsinnig wichtig, dass du Erika schon in Arlanda abfängst und sie ins Bild setzt, Christer. Du musst sie davon überzeugen, das Spiel mitzuspielen. Wie ich sie kenne, wird sie sich Dahlman sofort vorknöpfen wollen, aber das darf auf keinen Fall passieren. Ich will, dass Dahlman nicht den geringsten Verdacht hat, damit er nicht noch Beweismaterial verschwinden lassen kann.«

»Okay.«

»Und sieh zu, dass Erika keine E-Mails schreibt, bevor sie das Verschlüsselungsprogramm PGP installiert hat und damit umgehen kann. Über Dahlman kann Wennerström wahrscheinlich alles lesen, was wir uns gegenseitig mailen. Ich will, dass du und alle anderen PGP auf euren Rechnern installiert. Lass es ganz natürlich aussehen. Du bekommst den Namen eines Beraters und lässt ihn das Netzwerk und die Computer in der Redaktion überprüfen. Lass ihn die Programme installieren, als wäre das eine ganz normale Sicherheitsvorkehrung.«

Christer Malm sah verlegen aus.

»Ich habe dir immer vertraut, Mikael. Soll das bedeuten, dass du mir nicht mehr vertraust?«

Mikael lachte.

»Nein. Aber momentan gehe ich einer kriminellen Aktivität nach, die mir zwei Jahre Gefängnis einbringen kann. Meine Recherchemethoden sind sozusagen ein bisschen zweifelhaft ... Ich spiele mit ebenso ›fairen‹ Methoden wie Wennerström, und ich will nicht, dass du oder Erika oder jemand sonst von *Millennium* da mit hineingezogen wird.«

»Du beherrschst die Kunst, mich nervös zu machen.«

»Beruhig dich. Und sag Erika, die Story wird groß. Richtig groß.«

»Erika wird wissen wollen, was du da treibst.«

Mikael überlegte kurz. Dann lächelte er.

»Richte ihr aus, als sie im Frühjahr hinter meinem Rücken den Vertrag mit Henrik Vanger aufgesetzt hat, hat sie mir deutlich gemacht, dass ich ab jetzt keinen Einfluss mehr auf die Geschäftspolitik von *Millennium* habe. Das heißt dann ja wohl auch, dass ich sie nicht mehr informieren muss. Aber ich verspreche, wenn sie sich gut benimmt, dann hat sie das Vorkaufsrecht auf meine Story.«

Christer Malm musste plötzlich loslachen.

»Sie wird rasen vor Wut«, stellte er fröhlich fest.

Mikael musste sich eingestehen, dass er nicht ganz ehrlich zu Christer gewesen war. Er ging Erika bewusst aus dem Weg. Normalerweise hätte er direkt Kontakt mit ihr aufnehmen und sie einweihen müssen. Aber er wollte nicht mit ihr reden. Dutzende von Malen hatte er das Handy in die Hand genommen, um sie anzurufen. Und jedes Mal hatte er es sich wieder anders überlegt.

Er wusste, wo das Problem lag. Er konnte ihr nicht in die Augen sehen.

Die Vertuschung, an der er sich in Hedestad beteiligte, war vom journalistischen Standpunkt aus einfach unverzeihlich. Er hatte keine Ahnung, wie er es ihr erklären sollte, ohne zu lügen, und wenn es etwas auf der Welt gab, das er niemals tun wollte, dann war es Erika anzulügen.

Und vor allem konnte er sich damit nicht auseinandersetzen, solange er mit Wennerström beschäftigt war. Also schob er ihr Treffen auf, schaltete sein Handy aus und verzichtete darauf, mit ihr zu reden. Er wusste jedoch, dass das nur ein Aufschub war.

Unmittelbar nach der Redaktionssitzung zog Mikael in sein Sommerhäuschen in Sandhamn, wo er seit einem Jahr nicht mehr gewesen war. In seinem Gepäck befanden sich zwei Kartons mit ausgedrucktem Material und die CDs, die Lisbeth ihm mitgegeben hatte. Er kaufte Lebensmittel auf Vorrat, schloss sich ein, klappte sein iBook auf und begann zu schreiben. Jeden Tag machte er einen kurzen Spaziergang, holte Zeitungen und kaufte ein. Im Gästehafen lagen immer noch lauter Segelboote, und all die Jugendlichen, die sich Papis Boot ausgeliehen hatten, hockten wie immer in der *Taucherbar* und betranken sich sinnlos. Mikael nahm seine Umwelt kaum wahr. Er saß praktisch von morgens, wenn er die Augen aufschlug, bis abends, wenn er vor Erschöpfung fast umfiel, vor seinem Computer.

Verschlüsselte E-Mail Chefredakteurin <erika.berger@millen-nium.se> an den verantwortlichen Herausgeber <mikael.blomkvist@millennium.se>:

Mikael, ich muss wissen, was hier läuft – Herrgott noch mal, ich komme aus dem Urlaub nach Hause ins totale Chaos. Die Neuigkeit über Janne Dahlman und dieses doppelte Spiel, das du dir ausgedacht hast. Martin Vanger ist tot. Harriet lebt. Was ist da oben in Hedeby eigentlich los? Wo bist du? Gibt es irgendeine Story? Warum gehst du nicht ans Handy? E.
P. S.: Die Stichelei wegen letztem Frühjahr, die Christer mir genüsslich übermittelt hat, habe ich verstanden. Das zahle ich dir heim. Bist du im Ernst sauer auf mich?

Von <mikael.blomkvist@millennium.se> an <erika.berger@millennium.se>:

Hallo, Ricky. Nein, um Gottes willen, ich bin nicht sauer. Entschuldige, dass ich dich nicht auf dem Laufenden gehalten habe, aber in den letzten Monaten war mein Leben eine Achterbahn. Ich werde dir alles erzählen, wenn wir uns wiedersehen, aber nicht via E-Mail. Ich bin momentan in Sandhamn. Es gibt eine Story, aber Harriet Vanger ist es nicht. Ich werde die nächste Zeit hier nicht wegkommen. Danach ist aber alles vorbei. Vertrau mir. Gruß und Kuss, M.

Von <erika.berger@millennium.se> an <mikael.blomkvist@millennium.se>:

Sandhamn? Ich komme dich sofort besuchen.

Von <mikael.blomkvist@millennium.se> an <erika.berger@millennium.se>:

Ich will im Moment keinen Besuch. Warte ein paar Wochen, zumindest bis ich den Text so weit in Ordnung habe. Außerdem erwarte ich noch anderen Besuch.

Von <erika.berger@millennium.se> an
<mikael.blomkvist@millennium.se>:

Dann werde ich selbstverständlich nicht kommen. Aber ich muss wissen,
was hier läuft. Henrik Vanger ist wieder Geschäftsführer und geht nicht
ans Telefon, wenn ich anrufe. Wenn die Vereinbarung mit Vanger irgendwie geplatzt ist, dann muss ich das wissen. Im Moment weiß ich gar nicht,
was ich tun soll. Ich muss wissen, ob das Magazin überlebt oder nicht.
Ricky
P. S.: Wer ist sie?

Von <mikael.blomkvist@millennium.se> an
<erika.berger@millennium.se>:

Hallo, Erika. Erstens: Du kannst völlig beruhigt sein, Henrik wird sich nicht
zurückziehen. Aber er hatte einen schweren Herzanfall und arbeitet momentan wenig. Ich schätze, dass das Chaos nach Martins Tod und Harriets
Wiederauferstehung seine ganze Kraft beansprucht. Zweitens: Millennium
wird überleben. Ich arbeite derzeit an der wichtigsten Reportage unseres
Lebens, und wenn wir damit an die Öffentlichkeit gehen, dann vernichten
wir Wennerström ein für alle Mal. Drittens: Mein Leben steht gerade Kopf,
aber du und ich und Millennium – da hat sich nichts verändert. Vertrau mir.
Küsschen. Mikael.
P. S.: Ich werde Euch einander vorstellen, sobald sich die Gelegenheit
ergibt. Sie wird dir einen Floh ins Ohr setzen.

Als Lisbeth ihn in Sandhamn besuchen kam, traf sie einen un-
rasierten und hohläugigen Mikael an, der sie nach flüchtiger
Umarmung bat, Kaffeewasser aufzusetzen und zu warten, bis
er seinen Text abgeschlossen hatte.

Lisbeth sah sich in der Hütte um und stellte fast sofort fest,
dass sie sich hier wohlfühlte. Das Häuschen stand direkt am
Wasser, zwei Meter von der Eingangstür war der Bootssteg. Es
war nur sechs mal fünf Meter groß, aber so hoch, dass man

über eine Wendeltreppe zum Schlafgeschoss hinaufsteigen konnte. Sie konnte aufrecht stehen, Mikael musste den Kopf einziehen. Als sie das Bett inspizierte, stellte sie fest, dass es breit genug für sie beide war.

Die Hütte hatte ein großes Fenster zum Meer hin, direkt neben der Eingangstür. Dort stand Mikaels Küchentisch, der gleichzeitig als Schreibtisch diente. An der Wand neben dem Tisch stand ein Regal mit einem CD-Player, einer großen Elvis-Presley-Sammlung und ein bisschen Hardrock – in puncto Musik vielleicht nicht gerade Lisbeths erste Wahl.

In einer Ecke stand ein Kachelofen mit Glasfront. Ansonsten bestand die Möblierung nur aus einem großen Kleiderschrank, der an der Wand festgemacht war, und einer Spüle, die man zur Badezimmernische umfunktionieren konnte, indem man den Duschvorhang rundherum zuzog. Dort gab es ein weiteres Fenster. Die ganze Hütte war wie eine Kajüte eingerichtet, in der jeder Stauraum clever genutzt wurde.

In ihrem Untersuchungsbericht zu Mikael Blomkvist hatte sie festgehalten, dass er die Hütte selbst renoviert und die Einrichtung eigenhändig getischlert hatte – das hatte sie aus der E-Mail eines seiner Bekannten geschlossen, der von seinem handwerklichen Geschick sehr beeindruckt war. Alles war sauber, bescheiden und einfach, fast schon spartanisch. Sie konnte verstehen, warum er sein Sommerhäuschen in Sandhamn so liebte.

Zwei Stunden später war es ihr endlich gelungen, Mikael so weit abzulenken, dass er frustriert den Computer ausschaltete, sich rasierte und ihr eine Führung durch Sandhamn zuteil werden ließ. Das Wetter war regnerisch und windig, und wenig später landeten sie in der Kneipe. Mikael erzählte, was er bis jetzt geschrieben hatte, und Lisbeth gab ihm eine CD mit Updates von Wennerströms Computer.

Zu Hause zerrte sie ihn ins Schlafzimmer, wo es ihr gelang, ihn auszuziehen und noch mehr abzulenken. Sie wachte spät nachts davon auf, dass sie allein im Bett war, spähte hinunter und sah ihn über seinen Computer gebeugt. Sie stützte den Kopf auf die Hand und betrachtete ihn eine ganze Weile. Er wirkte glücklich, und sie selbst fühlte sich plötzlich auch seltsam zufrieden mit ihrem Dasein.

Lisbeth blieb nur fünf Tage, bevor sie nach Stockholm zurückfuhr, um einen Job zu erledigen, bei dem Dragan Armanskij sie verzweifelt um ihre Hilfe gebeten hatte. Sie verwendete elf Arbeitstage auf diesen Auftrag, gab ihren Bericht ab und fuhr wieder hinaus nach Sandhamn. Der Papierstapel mit den ausgedruckten Seiten neben Mikaels iBook war weiter angewachsen.

Dieses Mal blieb sie vier Wochen. Sie entwickelten eine richtige Alltagsroutine. Sie standen um acht Uhr auf, frühstückten und beschäftigten sich ein Weilchen miteinander. Danach arbeitete Mikael intensiv bis zum Nachmittag durch. Dann gingen sie spazieren und unterhielten sich. Lisbeth verbrachte den Großteil des Tages im Bett, wo sie entweder Bücher las oder mit Mikaels ADSL-Modem im Netz surfte. Sie vermied es, Mikael tagsüber in seiner Konzentration zu stören. Sie aßen ziemlich spät zu Abend, und erst dann ergriff Lisbeth die Initiative und schleifte ihn ins Bett, wo sie dafür sorgte, dass er ihr seine ungeteilte Aufmerksamkeit widmete.

Für Lisbeth fühlte es sich an wie der erste Urlaub ihres Lebens. Die Harmonie war perfekt.

VERSCHLÜSSELTE E-MAIL VON
<erika.berger@millennium.se> an
<mikael.blomkvist@millennium.se>:

Hallo, M. Jetzt ist es offiziell. Janne Dahlman hat gekündigt und fängt in drei Wochen bei Monopol an. Habe deinem Wunsch entsprechend nichts gesagt, und alle laufen hier rum und spielen dieses dämliche Spielchen. E.

P. S.: Immerhin scheint es ihnen Spaß zu machen. Henry und Lotta hatten vor ein paar Tagen einen Streit und haben sich mit Gegenständen beworfen. Sie haben Dahlman derart veräppelt, dass mir unbegreiflich ist, wie er das noch für bare Münze nehmen konnte.

Von <mikael.blomkvist@millennium.se> an <erika.berger@millennium.se>:

Wünsch ihm alles Gute und lass ihn ziehen. Aber schließ vorher das Tafelsilber weg. Gruß und Kuss, M.

Von <erika.berger@millennium.se> an <mikael.blomkvist@millennium.se>:

Ich stehe ohne Assistent da, zwei Wochen bevor wir in Druck gehen wollen, und mein Enthüllungsreporter sitzt in Sandhamn und weigert sich, mit mir zu sprechen. Micke, ich bin völlig fertig. Kannst du nicht herkommen? Erika

Von <mikael.blomkvist@millennium.se> an <erika.berger@millennium.se>:

Halt noch ein paar Wochen aus. Und fang schon mal an, die Dezembernummer zu planen, die wird anders als jedes Heft, das wir bis jetzt gemacht haben. Mein Artikel wird sich auf ungefähr 40 Seiten belaufen. M.

Von <erika.berger@millennium.se> an <mikael.blomkvist@millennium.se>:

40 Seiten!!! Hast du sie noch alle?

Von <mikael.blomkvist@millennium.se> an <erika.berger@millennium.se>:

Ich glaube, so was nennt sich Themenheft. Ich brauche noch drei Wochen. Kannst du Folgendes in die Wege leiten: 1) einen Verlag mit dem Namen Millennium registrieren lassen, 2) uns eine ISBN-Nummer beschaffen, 3) Christer bitten, dass er ein hübsches Logo für unseren neuen Buchverlag entwirft, 4) eine gute Druckerei auftreiben, die schnell und billig ein Taschenbuch drucken kann. Außerdem brauchen wir noch Kapital, um unser erstes Buch zu drucken. Küsschen, Mikael

Von <erika.berger@millennium.se> an <mikael.blomkvist@millennium.se>:

Themenheft. Buchverlag. Geld. Yes, master. Kann ich sonst noch was für dich tun? Nackt auf dem Marktplatz tanzen? E.
P. S.: Ich glaube, ich weiß, was du im Schilde führst. Aber was mach ich mit Dahlman?

Von <mikael.blomkvist@millennium.se> an <erika.berger@millennium.se>:

Mach gar nichts mit Dahlman. Lass ihn gehen. Monopol wird nicht mehr lange überleben. Kauf für dieses Heft ein paar mehr Freelance-Artikel ein. Und stell doch einfach einen neuen Assistenten ein, meine Güte. M.
P. S.: Ich würde dich zu gerne nackt auf dem Marktplatz sehen. M.

Von <erika.berger@millennium.se> an <mikael.blomkvist@millennium.se>:

... – in your dreams. Aber wir haben unsere Mitarbeiter immer gemeinsam eingestellt. Ricky

Von <mikael.blomkvist@millennium.se> an <erika.berger@millennium.se>:

Und wir waren uns immer einig, wen wir einstellen wollten. Das wird auch dieses Mal so sein, egal, für wen du dich entscheidest. Wir werden Wennerström ordentlich eins verpassen. Das ist die ganze Story. Lass mich die Sache einfach nur in Ruhe abschließen. M.

Anfang Oktober entdeckte Lisbeth Salander eine Meldung auf der Website des *Hedestads-Kuriren,* die sie Mikael zeigte. Isabella Vanger war nach kurzer Krankheit verstorben. Betrauert wurde sie von ihrer erst kürzlich wieder aufgetauchten Tochter Harriet Vanger.

VERSCHLÜSSELTE E-MAIL VON
<erika.berger@millennium.se> an
<mikael.blomkvist@millennium.se>:

Hallo, Mikael,
Harriet Vanger hat mich heute in der Redaktion besucht. Sie rief mich fünf Minuten vorher an, ich war völlig unvorbereitet. Eine schöne Frau mit eleganten Kleidern und kühlem Blick.
Sie war gekommen, um mir mitzuteilen, dass sie Martin Vangers Funktion als Henriks Stellvertreter in unserem Führungsstab übernimmt. Sie war höflich und freundlich und versicherte mir, dass der Vanger-Konzern nicht vorhätte, sich aus unserer Vereinbarung zurückzuziehen – im Gegenteil, die Familie stehe voll und ganz hinter Henriks Verpflichtungen dem Magazin gegenüber. Sie bat mich, sie durch die Redaktion zu führen, und fragte mich, wie ich die Situation empfände.
Ich habe die Wahrheit gesagt. Dass ich mich fühle, als hätte ich keinen festen Boden mehr unter den Füßen. Dass du mir verboten hast, dich in Sandhamn zu besuchen, und dass ich nicht weiß, woran du arbeitest, außer, dass du eben vorhast, Wennerström gehörig an den Karren zu fahren. (Ich habe einfach mal angenommen, dass ich das erzählen durfte. Immerhin sitzt sie ja in unserem Führungskreis.) Sie hob eine Augenbraue und fragte lächelnd, ob ich daran zweifelte, dass du Erfolg haben würdest. Was soll man darauf antworten? Ich antwortete, ich

wäre bedeutend ruhiger, wenn ich wüsste, was hier eigentlich läuft. Natürlich vertraue ich dir. Aber du machst mich wirklich wahnsinnig.

Ich fragte sie, ob sie wüsste, was du gerade treibst. Sie verneinte, meinte aber, ihr Eindruck von dir sei der eines außergewöhnlich entschlossenen Querdenkers. (So hat sie sich ausgedrückt.)

Außerdem sagte ich, es müsse ja wohl etwas Dramatisches in Hedestad vorgefallen sein, und ich sei ganz krank vor Neugier auf die Harriet-Vanger-Story. Kurz und gut, ich kam mir vor wie ein kleiner Idiot.

Sie antwortete mit einer Gegenfrage: Ob du mir denn tatsächlich nichts erzählt hättest? Sie wisse, dass wir ein ganz besonderes Verhältnis haben, und dass du mir die Story sicher erzählen würdest, sobald du wieder ein bisschen Zeit hast. Dann fragte sie, ob sie mir vertrauen könnte. Was sollte ich antworten? Sie sitzt in der Führungsspitze von Millennium, und du hast mir ja wirklich gar nichts an die Hand gegeben.

Dann sagte sie etwas Seltsames. Sie bat mich, weder über sie noch über dich zu hart zu urteilen. Sie behauptete, zutiefst in deiner Schuld zu stehen. Sie wünschte sich, dass auch wir Freundinnen werden. Dann versprach sie, mir die ganze Geschichte einmal zu erzählen, solltest du es nicht schaffen. Vor einer Stunde ist sie gegangen, und ich bin völlig verwirrt. Ich glaube, ich mag sie, aber ich weiß nicht, ob ich ihr vertrauen kann. Erika.

P.S.: Du fehlst mir. Ich hab das Gefühl, dass in Hedestad etwas ganz Schreckliches passiert ist. Christer hat erzählt, du hättest da so eine seltsame Narbe – Würgemale? – am Hals.

Von <mikael.blomkvist@millennium.se> an <erika.berger@millennium.se>:

Hallo, Ricky. Die Story von Harriet Vanger ist so entsetzlich und grauenvoll, das kannst du dir nicht vorstellen. Bemerkenswert, dass sie sie dir selbst erzählen will. Ich mag nicht einmal daran denken.

In der Zwischenzeit verbürge ich mich dafür, dass du Harriet Vanger vertrauen kannst. Sie ist mir wirklich zu tiefem Dank verpflichtet und wird niemals etwas tun, womit sie Millennium schaden könnte – glaub mir.

Werde ihre Freundin, wenn du sie magst. Lass es, wenn du sie nicht magst. Aber sie verdient Respekt. Diese Frau schleppt eine schwere Last mit sich herum, und ich hege große Sympathien für sie. M.

Am nächsten Tag bekam Mikael noch eine Mail.

Von <harriet.vanger@vangerindustries.com> an <mikael.blomkvist@millennium.se>:

Hallo, Mikael, seit ein paar Wochen versuche ich nun schon, mich bei Ihnen zu melden, aber wie es aussieht, reicht meine Zeit einfach nie. Sie sind so schnell aus Hedeby verschwunden, dass ich mich gar nicht persönlich von Ihnen verabschieden konnte.

Seit ich nach Schweden zurückgekehrt bin, habe ich eine Zeit Schwindel erregender Eindrücke und harter Arbeit erlebt. Der Vanger-Konzern steckt im Chaos, und ich habe mit Henrik gemeinsam daran gearbeitet, die Geschäfte wieder in Ordnung zu bringen. Heute habe ich Millennium besucht, wo ich Henriks Stellvertretung übernehmen werde. Henrik hat mir ausführlich von Ihnen und der Situation des Magazins berichtet.

Ich hoffe, Sie können akzeptieren, dass ich auf diese Art und Weise wieder auftauche. Wenn Sie mich (oder irgendjemand sonst aus meiner Familie) nicht in Ihrem Führungsstab haben wollen, kann ich Ihre Gefühle gut verstehen, aber ich werde alles tun, um Millennium zu helfen. Ich fühle mich tief in Ihrer Schuld und versichere Ihnen, meine Absichten werden in diesem Zusammenhang immer die besten sein.

Ich habe Ihre Freundin Erika Berger kennengelernt. Ich weiß nicht recht, was sie von mir hält, und ich habe mich gewundert, dass Sie ihr nicht erzählt haben, was alles geschehen ist.

Ich will sehr gerne Ihre Freundin bleiben. Falls Sie überhaupt noch jemand aus der Familie Vanger ertragen können. Einen herzlichen Gruß, Harriet

Von <mikael.blomkvist@millennium.se> an <harriet.vanger@vangerindustries.com>:

Hallo, Harriet. Ich bin überstürzt aus Hedeby verschwunden und sitze nun an der Geschichte, an der ich eigentlich dieses Jahr hätte arbeiten müssen. Ich werde Sie rechtzeitig informieren, bevor der Artikel in Druck geht, aber ich wage jetzt schon zu sagen, dass die Probleme des vergangenen Jahres bald überstanden sein werden.

Ich hoffe, Erika und Sie werden Freundinnen, und ich habe selbstverständlich kein Problem damit, dass Sie im Führungskreis von Millennium auftauchen. Ich werde Erika auch alles erzählen. Aber momentan habe ich weder die Kraft noch die Zeit und will erst noch ein bisschen Distanz zu den Geschehnissen gewinnen.

Lassen Sie uns in Kontakt bleiben.

Herzlichen Gruß, Mikael

Lisbeth schenkte Mikaels Tätigkeit kein allzu großes Interesse. Sie entspannte sich und vertrieb sich die Zeit, indem sie Bücher las und im Internet surfte. Sie blickte auf, als Mikael etwas sagte, was sie nicht gleich verstand.

»Tut mir leid. Ich habe laut gedacht. Ich habe gerade gesagt, das ist ja heftig.«

»Was ist heftig?«

»Wennerström hatte eine Affäre mit einer zweiundzwanzigjährigen Kellnerin, die er geschwängert hat. Hast du seinen Schriftverkehr mit seinem Anwalt nicht gelesen?«

»Bitte, Mikael – du hast da zehn Jahre Schriftverkehr, E-Mails, Verträge, Reiseunterlagen und weiß Gott was alles auf dieser Festplatte. So fasziniert bin ich nun auch wieder nicht von Wennerström, dass ich mich auf sechs Gigabyte von diesem Blödsinn stürze. Ich habe einen Bruchteil davon gelesen, um meine Neugier zu befriedigen und festzustellen, dass er ein Verbrecher ist.«

»Okay. Er hat sie 1997 geschwängert. Als sie Geld wollte, setzte sein Rechtsanwalt jemand darauf an, sie zu einer Abtreibung zu überreden. Das sah dann so aus, dass einer seiner Handlanger sie in einer gefüllten Badewanne so lange unter

Wasser drückte, bis sie endlich versprach, Wennerström in Frieden zu lassen. Und das teilt dieser Idiot von Anwalt ihm in einer Mail mit – verschlüsselt zwar, aber trotzdem ... Ich würde fast sagen, mit der Intelligenz ist es bei diesem Haufen nicht allzu weit her.«

»Was ist mit dem Mädchen weiter passiert?«

»Sie hat abgetrieben. Wennerström war zufrieden.«

Lisbeth Salander schwieg ganze zehn Minuten. Ihre Augen waren plötzlich schwarz.

»Noch so ein Mann, der Frauen hasst«, murmelte sie schließlich. Mikael hörte sie nicht.

Sie griff sich die CDs und verbrachte die nächsten Tage damit, Wennerströms E-Mails und andere Dokumente sorgfältig durchzulesen. Während Mikael weiterarbeitete, saß Lisbeth auf dem Bett, ihr PowerBook auf den Knien, und dachte gründlich über Wennerströms merkwürdiges Imperium nach.

Mit einem Mal kam ihr ein seltsamer Gedanke, der sie nicht mehr losließ. Am meisten wunderte sie sich darüber, dass sie nicht schon eher darauf gekommen war.

Ende Oktober druckte Mikael eine Seite aus und schaltete den Computer schon um elf Uhr vormittags aus. Wortlos kletterte er zum Schlafloft hinauf und hielt Lisbeth einen dicken Stapel Papier hin. Dann schlief er ein. Am Abend weckte sie ihn wieder auf und brachte ihre Ansichten zu seinem Text vor.

Kurz nach zwei Uhr morgens machte Mikael eine letzte Sicherungskopie. Sie fuhren gemeinsam nach Stockholm.

Bevor sie in Stockholm ankamen, hatte Mikael noch eine heikle Frage mit Lisbeth zu klären. Er schnitt das Thema an, als sie auf dem Vaxholmsboot Kaffee aus Pappbechern tranken.

»Wir müssen uns darauf einigen, was ich Erika erzählen soll. Sie wird sich weigern, meinen Artikel zu veröffentlichen, wenn ich ihr nicht erklären kann, wie ich zu dem Material gekommen bin.«

Erika Berger. Mikaels langjährige Geliebte und Chefredakteurin. Lisbeth war ihr nie begegnet und wusste auch nicht, ob sie das überhaupt wollte. Sie war eine Art undefinierbare Störung in Lisbeths Dasein.

»Was weiß sie von mir?«

»Nichts.« Er seufzte. »Ich gehe Erika tatsächlich seit dem Sommer aus dem Weg. Ich konnte ihr nicht erzählen, was in Hedestad passiert ist, weil ich mich einfach so verflucht schäme. Sie ist ganz schön frustriert, weil ich derartig mit meinen Informationen geize. Sie weiß natürlich, dass ich in Sandhamn war und diesen Text geschrieben habe, aber sie weiß nicht, worum es geht.«

»Hmm.«

»In ein paar Stunden bekommt sie das Manuskript. Und dann wird sie mich gehörig in die Zange nehmen. Die Frage ist, was ich ihr sagen soll.«

»Was willst du sagen?«

»Ich will ihr die Wahrheit erzählen.«

Zwischen Lisbeths Augenbrauen bildete sich eine senkrechte Falte.

»Erika und ich streiten fast immer, weißt du. Das gehört quasi zu unserem Umgangston. Aber wir vertrauen einander bedingungslos. Sie ist absolut zuverlässig. Du bist eine Quelle. Sie würde eher sterben, als deine Identität preiszugeben.«

»Wie vielen Leuten wirst du es noch erzählen müssen?«

»Absolut niemandem. Das werden Erika und ich mit ins Grab nehmen. Aber ich werde ihr dein Geheimnis nicht verraten, wenn du nicht willst. Allerdings werde ich auch keine Quelle erfinden, die es gar nicht gibt.«

Lisbeth dachte darüber nach, bis sie unterhalb des Grand

Hotels anlegten. *Konsequenzanalyse*. Schließlich erlaubte sie Mikael widerwillig, sie Erika vorzustellen. Er schaltete sein Handy ein und rief sie an.

Mikaels Anruf erreichte Erika Berger während eines Mittagessens mit Malin Eriksson, die sie vielleicht als Assistentin einstellen wollte. Malin war neunundzwanzig und hatte fünf Jahre als Springerin gearbeitet. Sie hatte noch nie einen festen Job gehabt und begann langsam den Mut zu verlieren. Die Stelle war nicht in einer Anzeige ausgeschrieben worden, vielmehr hatte Erika einen Tipp von einem alten Bekannten bei einer Wochenzeitung bekommen, der ihr Malin empfahl.

»Es wäre eine Vertretung für drei Monate«, sagte Erika. »Aber wenn es mit uns klappt, dann könnte was Festes draus werden.«

»Ich habe das Gerücht gehört, dass *Millennium* bald eingestellt wird.«

Erika Berger lächelte.

»Sie sollten diesem Gerücht keinen Glauben schenken.«

»Dieser Dahlman, der die Stelle vorher hatte ...« Malin Eriksson zögerte. »Er geht zu einer Zeitung, die Hans-Erik Wennerström gehört.«

Erika nickte. »Es ist nicht gerade ein Branchengeheimnis, dass wir einen gewissen Konflikt mit Wennerström haben. Leute, die für *Millennium* arbeiten, mag er nicht.«

»Wenn ich einen Job bei *Millennium* annehme, dann gehöre ich also auch zu dieser Kategorie.«

»Die Wahrscheinlichkeit ist groß, ja.«

»Aber Dahlman hat einen Job bei *Monopol* bekommen.«

»Man könnte sagen, das ist Wennerströms Art, sich für gewisse Dienste erkenntlich zu zeigen, die Dahlman ihm erwiesen hat. Sind Sie immer noch interessiert?«

Malin Eriksson überlegte kurz. Dann nickte sie.

Genau in diesem Moment rief Mikael Blomkvist an und unterbrach das Bewerbungsgespräch.

Erika schloss Mikaels Wohnung mit ihrem eigenen Schlüssel auf. Zum ersten Mal seit seinem kurzen Besuch in der Redaktion an Mittsommer sah sie ihn wieder. Sie ging ins Wohnzimmer, wo sie auf ein anorektisch mageres Mädchen mit abgewetzter Lederjacke traf, die auf dem Sofa saß und ihre schmutzigen Stiefel auf den Tisch gelegt hatte. Im ersten Moment hielt sie das Mädchen für fünfzehn, aber dann sah sie ihre Augen. Sie war immer noch in die Betrachtung dieser Erscheinung versunken, als Mikael mit einer Thermoskanne Kaffee und Gebäck zu ihnen kam.

Mikael und Erika sahen sich an.

»Entschuldige, dass ich so unmöglich war«, sagte Mikael.

Erika legte den Kopf schief. Irgendetwas an Mikael war anders. Er sah ausgemergelt aus, magerer, als sie ihn in Erinnerung hatte. Seine Augen waren verschämt, und einen Moment lang wich er sogar ihrem Blick aus. Verstohlen musterte sie seinen Hals. Der rote Streifen war blasser geworden, aber immer noch deutlich zu erkennen.

»Ich bin dir aus dem Weg gegangen. Das ist alles eine furchtbar lange Geschichte, und ich bin nicht stolz auf die Rolle, die ich darin spiele. Aber dazu kommen wir später ... jetzt will ich euch erst mal miteinander bekannt machen. Erika, das ist Lisbeth Salander. Lisbeth, Erika Berger ist Chefredakteurin bei *Millennium* und meine beste Freundin.«

Lisbeth musterte Erikas elegante Kleider und das selbstsichere Auftreten und beschloss schon nach zehn Sekunden, dass sie höchstwahrscheinlich nicht ihre beste Freundin werden würde.

Das Treffen dauerte fünf Stunden. Erika musste zweimal telefonisch andere Termine absagen. Eine Stunde lang las sie Auszüge des Manuskripts, das Mikael ihr in die Hand gedrückt hatte. Sie hatte tausend Fragen, wusste jedoch, dass es Wochen dauern würde, sie alle zu beantworten. Das Wichtigste stand im Manuskript, das sie schließlich aus der Hand legte. Wenn auch nur ein Bruchteil dieser Behauptungen der Wahrheit entsprach, dann war eine völlig neue Situation entstanden.

Erika sah Mikael an. Sie hatte nie daran gezweifelt, dass er ein ehrlicher Mensch war, vorübergehend war ihr aber der Verdacht gekommen, dass die Wennerström-Affäre ihm psychisch so zusetzte, dass er ein Hirngespinst ausgebrütet hatte. In diesem Moment stellte ihr Mikael zwei Kartons mit ausgedrucktem Quellenmaterial vor die Nase. Erika wurde blass. Natürlich wollte sie wissen, wie er in den Besitz dieses Materials gekommen war.

Es brauchte eine geraume Zeit, sie davon zu überzeugen, dass das eigenartige Mädchen in der Lederjacke, die bisher geschwiegen hatte, Wennerströms Computer kontrollierte. Und nicht nur seinen – sie hatte sich auch in die Computer mehrerer seiner Rechtsanwälte und engsten Mitarbeiter gehackt.

Erikas spontane Reaktion war, dass sie das Material unmöglich verwenden konnten, da es durch Eindringen in fremde Datenbestände gewonnen worden war.

Aber sie konnten es sehr wohl verwenden. Mikael wies darauf hin, dass sie nicht verpflichtet waren, einen Nachweis zu erbringen, wie sie an das Material gekommen waren.

Schließlich wurde Erika klar, was für eine Waffe sie da in der Hand hielt. Sie war erschöpft und hatte immer noch Fragen, wusste aber nicht, wo sie anfangen sollte. Schließlich lehnte sie sich auf dem Sofa zurück und hob ratlos die Arme.

»Was ist da oben in Hedestad passiert, Mikael?«

Lisbeth hob interessiert eine Augenbraue. Mikael schwieg eine ganze Weile. Dann antwortete er mit einer Gegenfrage.

»Wie verstehst du dich mit Harriet Vanger?«

»Gut. Glaube ich. Ich habe sie zweimal getroffen. Christer und ich sind letzte Woche zu einer Vorstandssitzung nach Hedestad gefahren. Wir haben ziemlich viel Wein getrunken.«

»Und wie lief die Sitzung?«

»Sie hält Wort.«

»Ricky, ich weiß, wie frustriert du darüber bist, dass ich dir ausgewichen bin und nach Vorwänden gesucht habe, um dir nichts erzählen zu müssen. Wir haben nie Geheimnisse voreinander gehabt, und plötzlich gibt es da ein halbes Jahr in meinem Leben, von dem … von dem ich dir nichts erzählen kann.«

Erika sah Mikael an. Sie kannte ihn in- und auswendig, aber jetzt entdeckte sie in seinen Augen einen neuen Ausdruck. Sein Blick hatte etwas Flehendes. Er flehte sie an, nicht weiter zu fragen. Sie machte den Mund auf und sah ihn hilflos an. Lisbeth beobachtete ihre stumme Konversation mit neutralem Blick. Sie mischte sich nicht ein.

»War es so schrecklich?«

»Noch viel schlimmer. Ich hatte Angst vor diesem Gespräch. Ich verspreche dir, dass ich dir alles erzählen werde, aber ich habe mehrere Monate damit verbracht, meine Gefühle unter Verschluss zu halten, während mein ganzes Interesse Wennerström galt … Ich bin noch nicht richtig bereit. Ich wäre froh, wenn Harriet es dir erzählen könnte.«

»Was hast du da für Striemen am Hals?«

»Lisbeth hat mir dort oben das Leben gerettet. Wenn sie nicht da gewesen wäre, wäre ich jetzt tot.«

Erikas Augen weiteten sich. Sie sah das Mädchen in der Lederjacke an.

»Und jetzt musst du eine Vereinbarung mit ihr treffen. Sie ist unsere Informantin.«

Erika blieb eine ganze Weile schweigend sitzen und überlegte. Dann tat sie etwas, das Mikael verblüffte, Lisbeth schockierte und sie selbst überraschte. Die ganze Zeit hatte sie Lisbeth Salanders Blicke auf sich gespürt. Ein schweigsames Mädchen, das Feindseligkeit ausstrahlte.

Erika stand auf, ging um den Tisch herum, schlang die Arme um Lisbeth und drückte sie an sich. Lisbeth wehrte sich wie ein Mehlwurm, der auf den Haken gespießt werden soll.

29. Kapitel

Samstag, 1. November – Dienstag, 25. November

Lisbeth surfte durch Wennerströms Cyber-Imperium. Elf Stunden hatte sie wie festgenagelt vor dem Bildschirm gesessen. Die Idee, die sich in der letzten Woche in Sandhamn in irgendeinem entlegenen Winkel ihres Gehirns materialisiert hatte, war zu einer manischen Beschäftigung geworden. Sie hatte sich vier Wochen lang in ihrer Wohnung isoliert und sämtliche Anrufe von Armanskij ignoriert. Sie hatte zwölf bis fünfzehn, mitunter zwanzig Stunden pro Tag vor dem Computer zugebracht und auch in der verbleibenden Zeit über ein und dasselbe Problem nachgedacht, sofern sie nicht gerade schlief.

Während dieses Monats hatte sie nur sporadischen Kontakt mit Mikael Blomkvist – er war genauso besessen von seiner Arbeit in der *Millennium*-Redaktion. Sie hatten jede Woche ein paarmal telefoniert, damit sie ihn über Wennerströms Korrespondenz und seine übrigen Aktivitäten auf dem Laufenden halten konnte.

Zum hundertsten Mal ging sie jedes Detail durch. Sie hatte keine Angst, etwas übersehen zu haben, aber sie war sich nicht ganz sicher, ob sie all die verschachtelten Zusammenhänge richtig verstand.

Wennerströms berühmtes Imperium war wie ein unförmiger, pulsierender lebendiger Organismus, der ständig seine Form änderte. Es bestand aus Optionen, Obligationen, Aktien, Firmenanteilen, Kreditzinsen, Ertragszinsen, Pfändern, Konten, Transaktionen und tausend anderen Elementen. Ein überwältigend großer Teil seines Vermögens steckte in Briefkastenfirmen, die sich gegenseitig besaßen.

In den fantastischsten Analysen der BWL-Streber wurde die *Wennerstroem Group* auf einen Wert von über 900 Milliarden Kronen taxiert. Das war ein Bluff, zumindest aber eine heftig übertriebene Zahl. Aber ein Habenichts war Wennerström auf keinen Fall. Lisbeth schätzte den echten Vermögenswert auf eine Höhe von 90 bis 100 Millionen Kronen, was ja auch nicht übel war. Eine seriöse Revision des gesamten Unternehmens würde Jahre in Anspruch nehmen. Insgesamt hatte Lisbeth an die 3000 verschiedene Konten auf der ganzen Welt identifiziert. Wennerström betrieb seine Betrügereien in einem solchen Ausmaß, dass man von organisierter Kriminalität im großen Stil sprechen musste.

Irgendwo in diesem Wennerströmschen Organismus gab es auch wirklich Substanz. Zwei Guthaben wurden ständig genannt. Die schwedischen Vermögenswerte waren authentisch, mit öffentlicher Prüfung, Jahresabschluss und Revision. Die amerikanische Firma war solide, ihre liquiden Mittel wurden von einer New Yorker Bank verwaltet. Dubios waren hingegen die Aktivitäten der Briefkastenfirmen an Orten wie Gibraltar, Zypern und Macao. Wennerström war wie ein Gemischtwarenladen – für illegalen Waffenhandel, Geldwäsche für suspekte Unternehmen in Kolumbien und äußerst unorthodoxe Geschäfte in Russland.

Ein anonymes Konto auf den Cayman Islands stach heraus: Es wurde von Wennerström persönlich kontrolliert, war aber in keines seiner Geschäfte direkt eingebunden. Ungefähr ein Zehntausendstel jedes Geschäftes, das Wennerström tätigte, floss mit schöner Regelmäßigkeit über diese Briefkastenfirma auf die Cayman Islands.

Salander arbeitete wie unter Hypnose. Konten – *klick* – Mails – *klick* – Bilanzen – *klick*. Sie bemerkte die letzten Geldtransaktionen. Sie verfolgte die Spur einer kleiner Transaktion von Japan nach Singapur und via Luxemburg weiter zu den Cayman Islands. Sie verstand, wie all das funktionierte. Sie war wie ein Teil der elektrischen Impulse im Cyberspace. Kleine Veränderungen. Die neueste Mail. Eine einzige magere Mail von peripherem Interesse, die er um zehn Uhr abends abgeschickt hatte. Das Verschlüsselungsprogramm PGP, ratter, ratter, ein Kinderspiel für jemand, der bereits in seinem Computer war und die Mitteilung decodiert lesen konnte:

[Berger hat aufgehört, um Anzeigenkunden zu kämpfen. Hat sie aufgegeben, oder brütet sie irgendetwas anderes aus? Ihr Informant in der Redaktion hatte ja versichert, dass das Magazin auf dem absteigenden Ast ist, aber es sieht so aus, als wäre gerade eine neue Mitarbeiterin eingestellt worden. Finden Sie raus, was da läuft. Blomkvist hat die letzten Wochen draußen in Sandhamn geschrieben wie ein Geisteskranker, aber keiner weiß, woran er schreibt. In den letzten Tagen ist er in der Redaktion aufgetaucht. Können Sie ein Vorabexemplar der nächsten Millennium-Nummer besorgen? HEW]

Nichts Dramatisches. Lass ihn nur grübeln. *Dein Schicksal ist besiegelt, Alter.*

Um halb sechs Uhr morgens schaltete sie den Computer aus und suchte nach einer unangebrochenen Schachtel Zigaretten. Sie hatte in der Nacht vier, nein, fünf Flaschen Coca-Cola getrunken, holte sich eine sechste und setzte sich aufs Sofa. Sie trug nur eine weiße Unterhose und ein verwaschenes Werbe-T-Shirt in Tarnfarben vom *Soldier of Fortune Magazine* mit der Aufschrift *Kill them all and let God sort them out*. Sie gab sich der politischen Analyse dieses Textes nicht weiter hin, bemerkte aber, dass sie fror, und wickelte sich in eine Wolldecke.

Sie war high, als hätte sie Drogen genommen. Sie konzentrierte ihren Blick auf eine Straßenlaterne vor ihrem Fenster und blieb ganz still sitzen, während ihr Gehirn auf Hochtouren lief. Mama – *klick* – meine Schwester – *klick* – Mimmi – *klick* – Holger Palmgren. Evil Fingers. Und Armanskij. Der Job. Harriet Vanger. *Klick*. Martin Vanger. *Klick*. Der Golfschläger. *Klick*. Rechtsanwalt Bjurman. *Klick*. Jedes verdammte Detail, das sie nicht vergessen konnte, egal, wie sehr sie sich bemühte.

Sie fragte sich, ob Bjurman sich wohl jemals wieder vor einer Frau ausziehen würde, und wenn ja, wie er das Tattoo auf seinem Bauch erklärte. Und wie er es vermeiden wollte, bei seinem nächsten Arztbesuch seine Kleidung abzulegen.

Und Mikael Blomkvist. *Klick*.

Sie hielt ihn für einen guten Menschen, auch wenn sein Streber-Komplex manchmal überhandnahm. Außerdem war er unerträglich naiv in gewissen grundlegenden Moralfragen. Er war eine nachsichtige Natur und suchte ständig Erklärungen und psychologische Rechtfertigungen für das Tun der Menschen, weil er nicht begriff, dass die Raubtiere dieser Welt nur eine Sprache verstanden. Sie empfand einen fast schon lästigen Beschützerinstinkt, wenn sie an ihn dachte.

Sie konnte sich nicht erinnern, wann sie eingeschlafen war, wachte aber am nächsten Morgen um neun Uhr mit steifem Genick auf dem Sofa auf, den Kopf schräg nach hinten an die Wand gelehnt. Sie taumelte ins Schlafzimmer und schlief wieder ein.

Zweifellos war dies die wichtigste Reportage ihres Lebens. Erika war zum ersten Mal seit achtzehn Monaten wieder so glücklich, wie es nur eine Herausgeberin sein kann, die eine Riesenstory in petto hat. Als sie dem Artikel gemeinsam mit

Mikael den letzten Schliff gab, rief Lisbeth ihn auf seinem Handy an.

»Ich habe vergessen zu sagen, dass Wennerström nach all deinem Geschreibe in der letzten Zeit unruhig geworden ist und ein Vorabexemplar eurer nächsten Nummer bestellt hat.«

»Woher weißt du … ach, vergiss es. Irgendwelche Infos, wie er das anstellen will?«

»Nein. Aber es gäbe da einen guten Tipp, wenn man mal logisch nachdenkt.«

Mikael überlegte kurz. »Die Druckerei«, platzte er heraus.

Erika hob die Augenbrauen.

»Wenn ihr in der Redaktion wirklich alle dichthaltet, dann gibt es nicht mehr viel andere Möglichkeiten. Solange nicht einer seiner Handlanger vorhat, *Millennium* einen nächtlichen Besuch abzustatten.«

Mikael wandte sich an Erika: »Buch eine neue Druckerei für diese Nummer. Sofort. Und ruf Armanskij an – ich will hier während der nächsten Woche Nachtwachen haben.« Wieder an Lisbeth gewandt: »Danke, Sally.«

»Was war dir das wert?«

»Wie meinst du das?«

»Was war dieser Tipp wert?«

»Was willst du haben?«

»Das will ich bei einem Kaffee mit dir besprechen. Sofort.«

Sie trafen sich in der *Kaffeebar* an der Hornsgata. Als Mikael sich neben ihr auf einen Hocker setzte, wirkte Lisbeth so ernst, dass er einen beunruhigten Stich verspürte. Sie kam wie immer ohne Umschweife zur Sache.

»Ich muss mir Geld leihen.«

Mikael lächelte sein einfältigstes Lächeln und tastete nach seiner Brieftasche.

»Okay. Wie viel?«

»120 000 Kronen.«

»Hoppla.« Er steckte seine Brieftasche wieder ein. »So viel Geld habe ich nicht dabei.«

»Ich mache keine Witze. Ich muss mir 120 000 Kronen leihen, für – sagen wir mal – sechs Wochen. Ich habe da so eine Möglichkeit, Geld zu investieren, aber ich kenne niemand, an den ich mich wenden könnte. Du hast im Moment ungefähr 140 000 auf deinem Konto. Du bekommst das Geld natürlich zurück.«

Mikael verkniff sich die Frage, woher sie seinen Kontostand kannte. Er nutzte das Internetbanking, da lag die Antwort auf der Hand.

»Du brauchst dir kein Geld von mir zu leihen«, sagte er. »Wir haben noch nicht über deinen Anteil geredet, aber der wird gut und gerne den Betrag abdecken, den du dir ausleihen willst.«

»Anteil?«

»Ich werde noch ein wahnsinnig hohes Honorar von Henrik Vanger einstreichen, und zum Jahreswechsel rechnen wir ab. Ohne dich wäre ich tot und *Millennium* untergegangen. Ich habe vor, dieses Honorar mit dir zu teilen. Fifty-fifty.«

Lisbeth sah ihn forschend an. Auf ihrer Stirn hatte sich eine Falte gebildet. Mikael hatte sich langsam an ihr minutenlanges Schweigen gewöhnt und ließ sie in Ruhe nachdenken. Schließlich schüttelte sie den Kopf.

»Ich will dein Geld nicht.«

»Aber …«

»Ich will keine einzige Krone von dir.« Auf einmal setzte sie wieder ihr schiefes Grinsen auf. »Es sei denn, das Geld kommt in Form von Geburtstagsgeschenken.«

»Ich weiß gar nicht, wann du Geburtstag hast.«

»Du bist doch Journalist. Finde es raus.«

»Wirklich, Lisbeth, ich meine es ernst, ich will dieses Geld mit dir teilen.«

»Ich meine es auch ernst. Ich will dein Geld nicht. Ich will mir 120 000 Kronen leihen, und ich brauche sie morgen.«

Mikael schwieg. *Sie fragt nicht einmal, wie groß ihr Anteil ist.* »Okay, ich gehe heute mit dir zur Bank und leihe dir die Summe, die du haben willst. Aber zum Jahreswechsel sprechen wir noch mal über deinen Anteil.« Er hob die Hand. »Wann hast du denn eigentlich Geburtstag?«

»In der Walpurgisnacht«, sagte sie. »Passt prima, was? Da lauf ich dann mit einem Besen zwischen den Beinen rum.«

Sie landete um halb acht Uhr abends in Zürich und nahm ein Taxi zum Hotel Matterhorn. Sie hatte ein Zimmer auf den Namen Irene Nesser gebucht und wies sich mit einem norwegischen Pass aus. Irene Nesser hatte schulterlanges blondes Haar. Die Perücke hatte sie in Stockholm gekauft und 10 000 Kronen ihres Darlehens von Mikael Blomkvist darauf verwendet, sich über einen der obskuren Kontakte von Plagues internationalem Netzwerk zwei Pässe zu besorgen.

Sie ging sofort auf ihr Zimmer, schloss die Tür ab und zog sich aus. Dann legte sie sich aufs Bett und guckte an die Decke des Zimmers, das 1600 Kronen pro Nacht kostete. Sie fühlte sich leer. Die Hälfte der Summe, die sie sich von Mikael geliehen hatte, war schon unter die Leute gebracht. Obwohl sie ihre eigenen Ersparnisse dazugegeben hatte, war ihr Budget schon recht schmal. Sie hörte auf nachzudenken und schlief rasch ein.

Um kurz nach fünf Uhr morgens wachte sie auf. Als Erstes duschte sie und verwandte dann einige Zeit darauf, das Tattoo auf ihrem Hals mit einer dicken Schicht hautfarbener Creme abzudecken und den Übergang mit Puder zu kaschieren. Der nächste Punkt auf ihrer Checkliste war die Anmeldung im Schönheitssalon eines wesentlich teureren Hotels um halb sieben. Sie kaufte sich noch eine blonde Perücke, diesmal mit einer Pagenfrisur. Danach Maniküre, rote Nägel auf ihre abgebissenen Stummel kleben lassen, falsche Wimpern, noch mehr Puder, Rouge und schließlich Lippenstift und anderes Geschmier. Kosten: knapp 8000 Kronen.

Sie bezahlte mit einer Kreditkarte, die auf den Namen Monica Sholes ausgestellt war, und legte einen englischen Pass mit demselben Namen vor, der ihre Identität bestätigte.

Der nächste Anlaufpunkt war *Camille's House of Fashion*, 150 Meter die Straße herunter. Nach einer Stunde kam sie in schwarzen Stiefeln, schwarzer Strumpfhose, einem sandfarbenen Rock mit passender Bluse, einer taillenkurzen Jacke und einer Baskenmütze wieder heraus. Lauter teure Markenkleidung. Sie hatte eine Verkäuferin die Auswahl treffen lassen. Sogar eine exklusive Aktentasche aus Leder und einen kleinen Samsonite-Reisekoffer hatte sie sich noch ausgesucht. Die Krönung des Werkes waren diskrete Ohrringe und eine einfache Halskette aus Gold. Die Kreditkarte war mit nochmals 44 000 Kronen belastet worden.

Außerdem hatte Lisbeth Salander zum ersten Mal in ihrem Leben Brüste, die sie nach Luft schnappen ließen, als sie ihr Spiegelbild in der Tür sah. Die Brüste waren genauso falsch wie Monica Sholes' Identität. Sie waren aus Latex, und Lisbeth hatte sie in einem Laden in Kopenhagen gekauft, in dem sich Transvestiten eindeckten.

Sie war bereit zum Kampf.

Um kurz nach neun ging sie zwei Blöcke weiter zum traditionsreichen Hotel Zimmertal, wo sie auf den Namen Monica Sholes ein Zimmer gebucht hatte. Dort gab sie einem Boy, der ihr den neuen Koffer hinaufgetragen hatte, in dem sich ihre schlichte Reisetasche befand, umgerechnet 100 Kronen Trinkgeld. Die Suite war klein und kostete nur 22 000 Kronen pro Tag. Sie hatte eine Nacht gebucht. Als sie alleine war, sah sie sich um. Vom Fenster hatte sie einen wundervollen Ausblick auf den Zürichsee, was ihr vollkommen gleichgültig war. Sie verbrachte jedoch fünf Minuten damit, sich mit großen Augen im Spiegel zu betrachten. Sie sah einen völlig fremden Menschen.

Die vollbusige Monica Sholes mit dem blonden Pagenkopf

trug mehr Make-up, als Lisbeth Salander in einem ganzen Monat verbrauchte. Es sah … anders aus.

Um halb zehn frühstückte sie endlich – zwei Tassen Kaffee und einen Bagel mit Marmelade in der Hotelbar. Kostenpunkt 210 Kronen.

Kurz vor zehn stellte Monica Sholes die Kaffeetasse ab, schaltete ihr Handy an und wählte die Nummer eines Modems in Hawaii, USA. Nach drei Klingeltönen hörte sie, wie die Verbindung hergestellt wurde. Das Modem wählte sich ein. Monica Sholes gab daraufhin einen sechsstelligen Code auf ihrem Handy ein und schickte eine SMS mit der Anweisung, das Programm zu starten, das Lisbeth Salander extra für diesen Zweck geschrieben hatte.

In Honolulu erwachte das Programm auf einer anonymen Website zum Leben, die sich auf einem Server befand, der offiziell zur Universität gehörte. Das Programm war sehr einfach. Es hatte nur die Funktion, ein anderes Programm auf einem völlig anderen Server zu starten, diesmal eine ganz gewöhnliche kommerzielle Seite, die in Holland Internetdienste anbot. Dieses Programm wiederum hatte die Aufgabe, das Spiegelbild von Hans-Erik Wennerströms Computer zu finden und das Kommando über das Programm zu übernehmen, das den Inhalt seiner rund 3000 Bankkonten rund um den Globus anzeigte.

Nur eines von ihnen war von Interesse. Lisbeth hatte bemerkt, dass Wennerström dieses Konto ein paarmal pro Woche kontrollierte. Wenn er seinen Computer startete und genau diese Datei öffnete, würde für ihn alles ganz normal aussehen. Das Programm zeigte kleine Kontobewegungen, die im Rahmen des Üblichen lagen, berechnet auf Basis der Schwankungen der letzten sechs Monate. Sollte Wennerström in den nächsten 48 Stunden die Auszahlung oder den Transfer einer Summe verlangen, würde das Programm brav melden, dass der Befehl ausgeführt worden war. In Wirklichkeit wäre diese Veränderung aber nur auf der gespiegelten Festplatte in Holland vollzogen worden.

Monica Sholes schaltete das Handy ab, nachdem sie vier kurze Töne gehört hatte, die ihr bestätigten, dass das Programm gestartet worden war.

Sie verließ das Hotel Zimmertal und schlenderte quer über die Straße zur Bank Hauser General, wo sie für zehn Uhr einen Termin mit dem Direktor namens Wagner ausgemacht hatte. Sie war drei Minuten vor der verabredeten Zeit dort und verbrachte die Wartezeit damit, vor der Überwachungskamera zu posieren. Dann betrat sie die Abteilung für diskrete Privatberatung.

»Ich brauche Hilfe bei ein paar Transaktionen«, sagte Monica Sholes in untadeligem Oxford-Englisch. Als sie ihre Aktentasche öffnete, fiel zufällig ein Reklamekugelschreiber zu Boden, der zeigte, dass sie im Hotel Zimmertal residierte, und den Direktor Wagner ihr höflich aufhob. Sie schenkte ihm ein schelmisches Lächeln und schrieb die Kontonummer auf einen Block, der vor ihr auf dem Tisch lag.

Wagner musterte sie kurz und ordnete sie als verwöhnte Tochter eines Herrn Sowieso ein.

»Es geht um ein paar Konten bei der Bank of Kronenfeld auf den Cayman Islands. Automatischer Transfer mit Clearingcodes.«

»Sie haben selbstverständlich alle Clearingcodes parat, Fräulein Sholes?«, fragte er.

»Aber natürlich«, erwiderte sie mit starkem Akzent, der deutlich hören ließ, dass sie nur über ein miserables Schuldeutsch verfügte.

Sie begann, sechzehnstellige Nummernserien aufzusagen, ohne ein einziges Mal auf ein Blatt Papier zu blicken. Direktor Wagner wurde klar, dass er einen mühseligen Vormittag vor sich hatte, aber gegen eine Provision von vier Prozent der Transaktionen war er bereit, sein Mittagessen ausfallen zu lassen.

Es dauerte länger, als sie gedacht hatte. Erst um kurz nach zwölf verließ Monica Sholes die Bank Hauser General und ging zurück zum Hotel Zimmertal. Sie zeigte sich an der Rezeption, bevor sie in ihr Zimmer ging und die gekauften Kleider auszog. Die Latexbrüste behielt sie an, tauschte den Pagenkopf aber gegen Irene Nessers schulterlanges blondes Haar aus. Dann zog sie sich auf etwas vertrautere Art an: Stiefel mit extra hohen Absätzen, schwarze Hose, einen einfachen Pullover und eine ordentliche schwarze Lederjacke von *Malungsboden* in Stockholm. Sie musterte sich im Spiegel. Sie sah zwar nicht ungepflegt aus, war aber auch keine reiche Erbin mehr. Bevor Irene Nesser das Zimmer verließ, sortierte sie ein paar Obligationspapiere aus, die sie in eine dünne Mappe legte.

Um fünf nach eins, also ein paar Minuten zu spät, ging sie in die Bank Dorffmann, die ungefähr siebzig Meter von der Bank Hauser General entfernt lag. Irene Nesser hatte ein Treffen mit Direktor Hasselmann abgemacht. Als sie sich für ihre Verspätung entschuldigte, sprach sie ein makelloses Deutsch mit norwegischem Akzent.

»Kein Problem, Fräulein Nesser«, antwortete Direktor Hasselmann. »Womit kann ich Ihnen dienen?«

»Ich will ein Konto eröffnen. Ich habe ein paar Privatobligationen, die ich verkaufen will.«

Irene Nesser legte die Mappe vor ihn auf den Tisch.

Direktor Hasselmann überflog den Inhalt, erst schnell, dann langsamer. Er hob eine Augenbraue und lächelte höflich.

Sie eröffnete fünf Nummernkonten, auf die sie per Internet zugreifen konnte. Sie gehörten einer anonymen Briefkastenfirma auf Gibraltar, die ihr ein lokaler Makler für 50 000 Kronen von Mikaels Darlehen eingerichtet hatte. Sie machte fünfzig Obligationen zu Geld, das sie auf den Konten deponierte. Jede Obligation hatte einen Wert von umgerechnet einer Million Kronen.

Ihre Geschäfte in der Bank Dorffmann zogen sich so lange hin, dass sie noch weiter hinter ihren Zeitplan zurückfiel. Sie hatte keine Möglichkeit mehr, ihre letzten Erledigungen abzuschließen, bevor die Bank zumachte. Irene Nesser ging also ins Hotel Matterhorn zurück, wo sie sich eine Stunde lang zeigte und dafür sorgte, dass man ihre Gegenwart bemerkte. Wegen angeblicher Kopfschmerzen zog sich früh zurück. An der Rezeption kaufte sie sich noch Kopfschmerztabletten und bat darum, am nächsten Morgen um acht Uhr geweckt zu werden. Dann ging sie auf ihr Zimmer.

Es war fast schon fünf, alle Banken in Europa hatten geschlossen. Die Banken auf dem amerikanischen Kontinent hingegen hatten geöffnet. Sie fuhr ihr PowerBook hoch und wählte sich über ihr Handy ins Netz ein. Sie verbrachte eine Stunde damit, die Nummernkonten zu leeren, die sie gerade vorher in der Bank Dorffmann eingerichtet hatte.

Das Geld wurde in kleinere Portionen aufgeteilt und dazu verwendet, die Rechnungen fiktiver Firmen auf der ganzen Welt zu bezahlen. Schließlich war das ganze Geld wieder zur Bank of Kronenfeld auf den Cayman Islands zurücktransferiert worden, diesmal aber zu einem ganz anderen Konto als dem, von dem sie am Morgen abgehoben worden waren.

Irene Nesser glaubte, dass zumindest dieser erste Teil des Geldes gesichert war und nicht zurückverfolgt werden konnte. Sie tätigte eine einzige Auszahlung von diesem Konto: Eine knappe Million Kronen wurde auf ein Konto überwiesen, dessen zugehörige Kreditkarte in ihrer Brieftasche war. Das Konto wiederum gehörte einer anonymen, in Gibraltar registrierten Firma mit dem Namen *Wasp Enterprises*.

Ein paar Minuten später verließ ein Mädchen mit blondem Pagenkopf das Hotel Matterhorn durch eine Seitentür in der Hotelbar. Monica Sholes ging zum Hotel Zimmertal, nickte dem Empfangschef höflich zu und nahm den Fahrstuhl zu ihrem Zimmer.

Dann ließ sie sich jede Menge Zeit, Monica Sholes' Kampf-kluft anzuziehen, ihr Make-up zu verbessern und noch eine Extra-Schicht Abdeckcreme auf ihr Tattoo aufzutragen. Sie ging ins Hotelrestaurant und aß ein unglaublich leckeres Fischgericht zum Abendessen. Dazu bestellte sie eine edle Flasche Wein, von dem sie noch nie gehört hatte, der aber 1200 Kronen kostete, trank ein Glas und ließ den Rest einfach stehen, als sie an die Hotelbar ging. Sie ließ ein Trinkgeld von 500 Kronen auf dem Tisch liegen, sodass der Kellner sie bestimmt in Erinnerung behalten würde.

In der Bar ließ sie sich drei Stunden lang von einem kräftig beschwipsten jungen Italiener anbaggern. Sie machte sich gar nicht erst die Mühe, sich seinen adeligen Namen zu merken. Sie teilten sich zwei Flaschen Champagner, von denen sie ungefähr ein Glas trank.

Gegen elf Uhr beugte sich ihr betrunkener Kavalier vor und begrapschte ganz ungeniert Monica Sholes Brüste. Zufrieden zog sie seine Hand auf den Tisch zurück. Er schien gar nicht bemerkt zu haben, dass er weiches Latex liebkost hatte. Sie wurden zwischenzeitlich ziemlich laut und weckten einen gewissen Unwillen bei den anderen Gästen. Als Monica Sholes kurz vor Mitternacht bemerkte, wie ein Angestellter des Hotels sie mit grimmigem Gesichtsausdruck beobachtete, half sie ihrem italienischen Freund auf sein Zimmer.

Während er im Badezimmer war, goss sie ihm und sich ein letztes Glas Rotwein ein. Sie öffnete ein zusammengefaltetes Papierheftchen und würzte seinen Wein mit einer zerstoßenen Rohypnol. Er sackte innerhalb einer Minute zu einem jämmerlichen Häuflein auf seinem Bett zusammen, kaum, dass sie ihm zugeprostet hatte. Sie löste seinen Krawattenknoten, zog ihm die Schuhe aus und deckte ihn zu. Im Bad spülte sie noch die Gläser und trocknete alles ab, bevor sie sein Zimmer verließ.

Am nächsten Morgen frühstückte Monica Sholes um sechs Uhr auf ihrem Zimmer, verteilte reichlich Trinkgeld und checkte vor sieben Uhr aus dem Hotel Zimmertal aus. Bevor sie ging, wischte sie fünf Minuten lang Fingerabdrücke von den Klinken und Kleiderschränken, von der Toilette, dem Telefonhörer und anderen Gegenständen in der Suite, die sie angefasst hatte.

Irene Nesser checkte gegen halb neun aus dem Hotel Matterhorn aus, kurz nachdem sie geweckt worden war. Sie nahm sich ein Taxi und sperrte ihre Koffer in ein Schließfach am Bahnhof. Die folgenden Stunden verbrachte sie damit, neun Privatbanken zu besuchen, auf die sie jeweils kleinere Portionen der Privatobligationen von den Cayman Islands aufteilte. Um drei Uhr nachmittags hatte sie ungefähr zehn Prozent der Obligationen in Geld umgesetzt, das sie auf zirka dreißig Nummernkonten eingezahlt hatte. Den Rest der Obligationen bündelte sie, um sie in einem Bankfach zu lagern.

Irene Nesser würde noch öfter nach Zürich kommen müssen, aber das hatte keine Eile.

Nachmittags um halb fünf nahm Irene Nesser ein Taxi zum Flughafen, wo sie die Damentoilette aufsuchte, Monica Sholes' Pass und Kreditkarte in kleine Fetzen schnitt und hinunterspülte. Die Schere warf sie in einen Abfalleimer. Nach dem 11. September 2001 war es nicht mehr angebracht, durch spitze Gegenstände im Gepäck die Aufmerksamkeit auf sich zu ziehen.

Irene Nesser nahm den Lufthansa-Flug GD890 nach Oslo und von dort den Airport Shuttle bis Oslo Hauptbahnhof, wo sie wieder die Damentoilette benutzte, um ihre Kleider zu sortieren. Alle Gegenstände, die zur Identität von Monica Sholes gehört hatten – Pagenkopf und Markenkleidung –, packte sie in drei Plastiktüten, die sie in verschiedenen Mülltonnen und Papierkörben rund um den Bahnhof verschwinden ließ. Die Goldkette und die Ohrringe waren Designerkram, der zurückverfolgt werden konnte. Sie warf sie in einen Gully.

Nach kurzem ängstlichem Zögern beschloss Irene Nesser, die falschen Latexbrüste zu behalten.

Dann wurde ihr die Zeit knapp, also aß sie nur ein hastiges Abendessen in Form eines Hamburgers bei McDonald's, während sie den Inhalt der exklusiven Ledermappe in ihre Reisetasche stopfte. Als sie ging, ließ sie die leere Mappe unter dem Tisch stehen. An einem Kiosk kaufte sie sich noch einen Milchkaffee im Pappbecher, dann rannte sie zu ihrem Nachtzug nach Stockholm. Sie kam gerade noch rechtzeitig, bevor sich die Türen schlossen. Sie hatte sich ein eigenes Schlafwagenabteil reserviert.

Nachdem sie die Abteiltür geschlossen hatte, spürte sie, wie sich ihr Adrenalinspiegel zum ersten Mal seit zwei Tagen wieder normalisierte. Sie öffnete das Fenster und setzte sich über das Rauchverbot hinweg. In kleinen Schlucken trank sie ihren Kaffee zu der Zigarette, während der Zug aus dem Osloer Bahnhof rollte.

Gleichzeitig ging sie im Kopf ihre Checkliste durch, um sich zu vergewissern, dass sie kein Detail vergessen hatte. Nach einer Weile runzelte sie die Stirn und tastete ihre Jackentaschen ab. Sie zog einen Reklamekugelschreiber des Hotels Zimmertal hervor und betrachtete ihn nachdenklich ein paar Minuten, bevor sie ihn aus dem Fenster warf.

Eine Viertelstunde später kroch sie in ihr Bett und schlief sofort ein.

EPILOG: REVISION
**Donnerstag, 27. November –
Dienstag, 30. Dezember**

Millenniums Themenheft zu Hans-Erik Wennerström umfasste geschlagene sechsundvierzig Seiten und ging in der letzten Novemberwoche hoch wie eine präzise gezündete Zeitbombe. Der zentrale Artikel war mit Mikael Blomkvists und Erika Bergers Namen unterzeichnet. In den ersten Stunden nach der Veröffentlichung wussten die Medien nicht so recht, wie sie mit dieser Riesenstory umgehen sollten – ein ähnlicher Artikel hatte ein Jahr zuvor schließlich dafür gesorgt, dass Mikael Blomkvist wegen Verleumdung zu einer Gefängnisstrafe verurteilt und von *Millennium* scheinbar gefeuert worden war. Seine Glaubwürdigkeit wurde daher als relativ gering eingestuft. Jetzt publizierte die Zeitschrift eine Story desselben Journalisten, die noch viel mehr Sprengstoff enthielt als der Artikel, für den er damals verurteilt worden war. Der Inhalt schien streckenweise so absurd, dass er jedem gesunden Menschenverstand widersprach. Die schwedische Medienwelt reagierte mit abwartendem Misstrauen.

Doch am Abend machte TV4 mit einer elfminütigen Zusammenfassung von Mikaels Anschuldigungen den Anfang. Erika Berger hatte sich ein paar Tage zuvor mit einer Mitarbeiterin von TV4 zum Mittagessen getroffen und ihr vorab exklusive Informationen gegeben.

Nachdem sich TV4 so deutlich exponiert hatte, zogen die staatlichen Sender nach, aber erst in den Neun-Uhr-Nachrichten. Dann gab auch die Presseagentur TT ein erstes Telegramm heraus. Die vorsichtige Überschrift lautete: *Verurteilter Journalist beschuldigt Industriellen schwerer Verbrechen.* Der Text basierte offenbar auf den gezeigten Fernsehbeiträgen, doch allein die Tatsache, dass TT sich zu diesem Thema äußerte, löste eine fieberhafte Aktivität unter den konservativen Morgenzeitungen und einem Dutzend Provinzblättern aus, die sich sofort daranmachten, ihre Seite eins noch schnell umzusetzen, bevor die Druckerpresse anlief. Bis zu diesem Zeitpunkt waren die Zeitungen mehr oder weniger entschlossen gewesen, die Behauptungen von *Millennium* zu ignorieren.

Eine liberale Morgenzeitung kommentierte die Sensationsstory mit einem Leitartikel, den der Chefredakteur höchstpersönlich am Nachmittag verfasst hatte. Dieser Chefredakteur war anschließend essen gegangen, und als ihn seine Assistentin nach der Ausstrahlung der TV4-Nachrichten mehrmals hektisch anrief, weil an Mikael Blomkvists Behauptungen »vielleicht doch etwas dran sein könnte«, hatte er sie mit den Worten abgefertigt: »Blödsinn – das hätten unsere Wirtschaftsjournalisten doch längst aufgedeckt!« Ein Ausspruch, der in einschlägigen Kreisen zum geflügelten Wort werden sollte. So war der Leitartikel des liberalen Chefredakteurs dann auch die einzige Stimme im Lande, die den *Millennium*-Artikel gnadenlos niedermachte. Der Artikel enthielt Ausdrücke wie *Hetze*, *krimineller Schundjournalismus* sowie *üble Verleumdung, die sich gegen ehrenwerte Mitbürger richte.* Dies blieb jedoch der einzige Diskussionsbeitrag, den der Chefredakteur zur folgenden Debatte beisteuerte.

Über Nacht war die *Millennium*-Redaktion voll besetzt. Nach Plan sollten nur Erika Berger und die neue Redaktionsassistentin Malin Eriksson bleiben, um eventuell eingehende

Anrufe entgegenzunehmen. Um zehn Uhr abends saßen jedoch immer noch sämtliche Angestellten im Büro, denen ein halbes Dutzend freier Mitarbeiter und nicht weniger als vier ehemalige Kollegen Gesellschaft leisteten. Gegen Mitternacht entkorkte Christer Malm eine Flasche Sekt, nachdem ein alter Bekannter das Vorabexemplar einer Abendzeitung mitbrachte, die der Wennerström-Affäre unter der Überschrift *Finanzmafia* sechzehn Seiten gewidmet hatte. Als am nächsten Tag die Abendzeitungen herauskamen, begann eine Medienhysterie, wie man sie schon lange nicht mehr erlebt hatte.

Die Redaktionsassistentin Malin Eriksson kam zu dem Schluss, dass sie sich bei *Millennium* sehr wohlfühlen würde.

In der folgenden Woche erbebte die schwedische Börse, als die Steuerfahnder in der Sache zu ermitteln begannen, der Staatsanwalt sich eingeschaltet und panische Verkäufe getätigt wurden. Zwei Tage nach der Veröffentlichung wurde die Wennerström-Affäre zu einer Regierungsangelegenheit, zu der sich sogar der Wirtschaftsminister äußern musste.

Die Medien nahmen die Behauptungen des *Millennium*-Magazins nicht ohne kritische Fragen hin – dafür waren die Enthüllungen zu krass. Aber im Gegensatz zur ersten Wennerström-Affäre konnte *Millennium* diesmal überwältigende und überzeugende Beweise vorlegen: Wennerströms E-Mails, Kopien vom Inhalt seines Computers mit Auszügen geheimer Konten auf den Cayman Islands und in zwei Dutzend anderen Ländern. Ferner heimliche Verträge und andere Dummheiten, die ein vorsichtigerer Verbrecher um nichts in der Welt auf seiner Festplatte gespeichert hätte. Und dabei wurde nicht nur ein Firmenimperium unter die Lupe genommen. Sollten die Enthüllungen von *Millennium* auch der Prüfung des Oberlandesgerichts standhalten – und alle waren sich einig, dass diese Angelegenheit früher oder später dort landen würde –, dann war mit der Wennerström-Gruppe definitiv die größte Blase der schwedischen Finanzwelt seit dem Kreuger-Crash von 1932 geplatzt. Neben dieser Affäre verblassten alle Gotabank-Skandale und Trustor-Schwindel. Das hier war organisierte Kriminalität von solchem Ausmaß, dass niemand auch nur zu spekulieren wagte, wie viele Gesetzesbrüche hier vorliegen mochten.

Zum ersten Mal in der Geschichte des schwedischen Wirtschaftsjournalismus fielen Worte wie *systematisches Verbrechen*, *Mafia* und *Gangsterkreise*. Wennerström und sein engster Kreis von jungen Börsenmaklern, Teilhabern und Armanigekleideten Rechtsanwälten wurden so porträtiert wie jede beliebige Bande von Bankräubern oder Dealern.

Während der ersten vierundzwanzig Stunden des ganzen Medienrummels war Mikael Blomkvist unsichtbar. Er beantwortete keine Mails und war auch telefonisch nicht zu erreichen. Alle redaktionellen Kommentare kamen von Erika Berger, die wie eine Katze schnurrte, als sie von landesweiten schwedischen Medien und wichtigen Lokalzeitungen sowie einer wachsenden Zahl ausländischer Medien interviewt wurde. Wann immer man ihr die Frage stellte, wie *Millennium* in den Besitz all dieser höchst privaten, internen Dokumente hatte kommen können, antwortete sie mit einem geheimnisvollen Lächeln, das in die nebulöse Aussage mündete: »Unseren Informanten können wir selbstverständlich nicht preisgeben.«

Als man sie fragte, warum die letztjährige Enthüllungsreportage über Wennerström in so einem Fiasko geendet hatte, gab sie sich noch geheimnisvoller. Sie log nie, aber sie sagte vielleicht nicht immer die ganze Wahrheit. *Off the record*, wenn sie kein Mikrofon vor der Nase hatte, ließ sie ein paar rätselhafte Sticheleien fallen. Wenn man all diese Teilinformationen zusammenfügte, konnte man zu voreiligen Schlüssen gelangen. Und so entstand ein Gerücht, das schnell legendäre Ausmaße annahm: Mikael Blomkvist habe sich vor Gericht nicht verteidigt und sich freiwillig zu einer Gefängnisstrafe und einer hohen Geldbuße verurteilen lassen, weil die Offenlegung seines Beweismaterials unweigerlich zur Identifizierung seines Informanten geführt hätte. Er wurde mit amerikanischen Vorbildern in der Medienwelt verglichen, die eher ins Gefängnis gingen, als einen Informanten zu verraten. Man stilisierte ihn so hemmungslos zum Helden, dass er sich schon genierte. Aber dies war nicht der richtige Zeitpunkt, um Missverständnisse aufzuklären.

In einem Punkt waren sich alle einig: Die Person, von der die Beweise stammten, musste aus Wennerströms innerstem Zirkel stammen. Damit begann eine langatmige Nebendebatte, wer in diesem Fall der Maulwurf war. Mitarbeiter, die vielleicht Grund zur Unzufriedenheit hatten, Anwälte, sogar Wennerströms kokainabhängige Tochter und andere Familienmitglieder wurden als mögliche Kandidaten gehandelt. Weder Mikael noch Erika äußerten sich dazu. Sie kommentierten das Thema grundsätzlich nicht.

Erika lächelte zufrieden. Als am dritten Tag des Medienrummels eine der beiden Abendzeitungen mit *Revanche für Millennium* titelte, wusste sie, dass sie gewonnen hatten. Der Artikel war ein schmeichelhaftes Porträt des Magazins und seiner Mitarbeiter und außerdem mit einem außerordentlich vorteilhaften Foto von Erika Berger illustriert. Man nannte sie die Königin des investigativen Journalismus. Das brachte Pluspunkte in den Klatschspalten, und schon bald war die Rede vom Großen Journalisten-Preis.

Fünf Tage nachdem *Millennium* die erste Kanonensalve abgefeuert hatte, wurde Mikaels Buch *Der Bankier der Mafia* an die Buchhändler ausgeliefert. Es war während der fieberhaften Tage in Sandhamn im September und Oktober entstanden und in aller Eile und größter Verschwiegenheit gedruckt worden. Es war das erste Buch, das von einem ganz neuen Verlag mit dem *Millennium*-Logo herausgegeben wurde. Die kryptische Widmung lautete *Für Sally, die mir die Vorteile des Golfsports näher brachte.*

Es war ein Wälzer von 615 Seiten im Taschenbuchformat. Die niedrige Auflage von zweitausend Exemplaren war fast eine Garantie für ein Verlustgeschäft, aber die erste Auflage war tatsächlich schon nach ein paar Tagen ausverkauft, sodass Erika schnell 10 000 Exemplare nachdrucken ließ.

Die Rezensenten stellten fest, dass Mikael Blomkvist diesmal nicht mit ausführlichen Quellenangaben gespart hatte. Zwei Drittel des Buches waren Anhang, der aus direkten Abschriften der Dokumente aus Wennerströms Computer bestand. Zeitgleich mit der Veröffentlichung des Buches stellte *Millennium* Texte aus Wennerströms Computer als pdf-Dateien auf die Website des Magazins. Jeder, der sich nur im Geringsten für den Wahrheitsgehalt des Buches interessierte, konnte die Quellen selbst überprüfen.

Mikaels befremdliche Abwesenheit war ein Teil der Medienstrategie, die Erika und er ausgeheckt hatten. Jede Zeitung im Lande suchte ihn. Erst als das Buch veröffentlicht wurde, trat Mikael mit einem exklusiven Interview an die Öffentlichkeit, das die Kollegin von TV4 führte. Abermals hatte sie das staatliche Fernsehen auf die Ränge verwiesen. Dieses Interview war jedoch kein Gespräch unter Freunden, und ihre Fragen waren alles andere als schmeichlerisch.

Mit einer Passage war Mikael besonders zufrieden, als er sich das Videoband mit seinem Auftritt ansah. Das Interview war live ausgestrahlt worden, als die Börse von Stockholm sich gerade im freien Fall befand und die jungen Börsenspekulanten drohten, sich aus diversen Fenstern zu stürzen. Sie hatte ihn gefragt, welche Verantwortung *Millennium* dafür trug, dass die schwedische Wirtschaft gerade in die Knie ging.

»Die Behauptung, dass die schwedische Wirtschaft in die Knie geht, ist blanker Unsinn«, hatte Mikael blitzschnell geantwortet.

Die Journalistin von TV4 war völlig verblüfft. Diese Antwort entsprach nicht ihren Erwartungen, und plötzlich war sie gezwungen zu improvisieren. Sie stellte die Folgefrage, auf die Mikael gehofft hatte: »Wir erleben derzeit den größten Sturz in der Geschichte der schwedischen Börse – Sie meinen also, das sei Unsinn?«

»Sie müssen zwei Dinge unterscheiden – die schwedische Wirtschaft und die schwedische Börse. Die schwedische Wirtschaft ist die Summe aller Dienstleistungen und Waren, die in diesem Land jeden Tag produziert werden. Das sind Telefone von Eriksson, Autos von Volvo, Hühnchen von Scan und Transporte von Kiruna nach Skövde. Das ist die schwedische Wirtschaft, und die ist noch genauso stark oder schwach wie vor einer Woche.«

Er machte eine Kunstpause und trank einen Schluck Wasser.

»Die Börse ist etwas ganz anderes. Da gibt es keine Wirtschaft, keine Produktion von Waren und Dienstleistungen. Da gibt es nur Fantasien, da entscheidet man von einer Stunde auf die andere, dass dieses oder jenes Unternehmen jetzt soundso viele Milliarden mehr oder weniger wert ist. Das hat nicht das Geringste mit der Wirklichkeit oder mit der schwedischen Wirtschaft zu tun.«

»Sie meinen also, es spielt keine Rolle, dass die Börse gerade ins Bodenlose stürzt?«

»Nö, das spielt überhaupt keine Rolle«, antwortete Mikael mit einer so müden und resignierten Stimme, dass er wie ein Orakel wirkte. Diese Replik würde im folgenden Jahr noch so manches Mal zitiert werden. Er fuhr fort:

»Das bedeutet nur, dass unzählige Spekulanten sich jetzt von schwedischen auf deutsche Aktien verlegen werden. Diese Finanzjongleure sollte man dingfest machen und als Landesverräter an den Pranger stellen. Sie sind es nämlich, die der schwedischen Wirtschaft systematisch und vielleicht sogar bewusst schaden, um den Wunsch ihrer Klienten nach Profit zu befriedigen.«

Dann beging die Journalistin den Fehler, genau die Frage zu stellen, auf die Mikael gehofft hatte.

»Sie meinen also, dass die Medien keine Verantwortung tragen?«

»Doch, die Medien tragen in höchstem Maße Verantwortung. Mindestens zwanzig Jahre lang haben es allzu viele Wirtschaftsjournalisten unterlassen, Hans-Erik Wennerström einmal genauer unter die Lupe zu nehmen. Stattdessen haben sie ihm durch unbesonnene Lobeshymnen geholfen, sein Prestige aufzubauen. Wenn sie in den letzten zwanzig Jahren ihren Job gemacht hätten, dann wären wir heute nicht in dieser Situation.«

Dieser Auftritt war ein Wendepunkt gewesen. Im Nachhinein war Erika sicher, dass erst Mikaels souveräner Auftritt im Fernsehen die schwedischen Medien davon überzeugt hatte, dass die Story wirklich wasserdicht war. Sein Auftreten hatte der Geschichte wegweisenden Charakter verliehen.

Nach dem Interview wanderte die Wennerström-Affäre unmerklich von den Wirtschaftsredaktionen auf die Tische der Polizeireporter. Das war ein Zeichen dafür, dass in den Redaktionen ein Umdenken stattgefunden hatte. Früher hatten normale Polizeireporter selten oder nie über Wirtschaftsverbrechen geschrieben, es sei denn, es ging um die russische Mafia oder jugoslawische Zigarettenschmuggler. Man erwartete von ihnen nicht, dass sie verwickelte Geschehnisse an der Börse untersuchten. Eine Abendzeitung nahm Mikael Blomkvist sogar beim Wort und füllte zwei Doppelseiten mit Porträts wichtigster Finanzmakler, die gerade deutsche Wertpapiere kauften. Die Zeitung titelte *Sie verkaufen ihr Land*. Alle

Broker wurden aufgefordert, die Behauptungen zu kommentieren. Alle lehnten ab. Aber der Aktienhandel ging an jenem Tag bedenklich zurück, und ein paar Makler, die sich als progressive Patrioten profilieren wollten, begannen, gegen den Strom zu schwimmen. Mikael Blomkvist lachte sich kaputt.

Der Druck wurde so groß, dass ernste Männer in dunklen Anzügen ihre Stirn in Falten legten und gegen die wichtigste Regel jener exklusiven Gesellschaft verstießen, die den innersten Kreis der schwedischen Hochfinanzwelt bildeten – sie äußerten sich über einen Kollegen. Plötzlich gaben pensionierte Volvo-Chefs, Industriekapitäne und Bankdirektoren Fernsehinterviews, um den Schaden zu begrenzen. Der Ernst der Lage war allen klar, nun ging es darum, sich so schnell wie möglich von der *Wennerstroem Group* zu distanzieren und eventuelle Aktienbestände abzustoßen. Wennerström (so verkündeten sie fast einstimmig) war trotz allem kein richtiger Industrieller, und er war auch nie so recht im *Klub* akzeptiert worden. Jemand erinnerte daran, dass Wennerström im Grunde ja nur ein einfacher Arbeiterjunge aus Norrland war, dem der Erfolg zu Kopf gestiegen war. Irgendjemand beschrieb sein Verhalten als *eine persönliche Tragödie*. Andere taten auf einmal kund, dass sie schon seit Jahren an Wennerström gezweifelt hatten – er trat zu prahlerisch auf und hatte einfach keine Manieren.

In den folgenden Wochen, nachdem das Beweismaterial von *Millennium* in allen Einzelheiten durchleuchtet worden war, wurde Wennerströms Imperium obskurer Firmen mit dem Herzen der internationalen Mafia in Verbindung gebracht, die so gut wie alles betrieb, von illegalem Waffenhandel über Geldwäsche für südamerikanische Drogenhändler bis hin zur Prostitution in New York oder Geschäften mit Kindersex in Mexiko. Ein in Gibraltar registriertes Wennerström-Unternehmen verursachte großen Wirbel, als herauskam, dass es versucht hatte, auf dem ukrainischen Schwarzmarkt aufbereitetes Uran zu kaufen. An jedem Winkel dieser Erde schien eine von Wennerströms obskuren Briefkastenfirmen in einem anderen Zusammenhang aufzutauchen.

Erika stellte fest, dass das Buch über Wennerström das Beste war, was Mikael jemals geschrieben hatte. Der Stil war uneinheitlich, die Sprache streckenweise sogar holprig – für stilistische Finessen war einfach keine Zeit gewesen –, aber Mikael führte hier seinen großen Rachefeldzug, und so war das Buch beseelt von einer maßlosen Wut, die keinem Leser verborgen bleiben konnte.

Aus reinem Zufall begegnete Mikael seinem Gegenspieler, dem ehemaligen Wirtschaftsjournalisten William Borg. Sie liefen sich an der Garderobe der *Mühle* über den Weg. Mikael, Erika und Christer hatten sich zum Lucia-Fest am 13. Dezember einen freien Abend genehmigt, um mit ihren Mitarbeitern auszugehen und sich auf Firmenkosten gepflegt vollllaufen zu lassen. Borg war in Begleitung eines stockbetrunkenen Mädchens in Lisbeths Alter.

Mikael erstarrte und musste sich schwer zurückhalten, um nichts Unpassendes zu sagen oder zu tun. Stattdessen standen Borg und er sich gegenüber und maßen sich stumm mit Blicken.

Diese Blicke – so behauptete Erika später – hätten das Haus in Brand setzen können. Mikaels Ekel vor Borg war geradezu körperlich spürbar. Sie hatte dem Machogetue schließlich ein Ende bereitet, indem sie Mikael am Arm packte und ihn an die Bar zog.

Mikael beschloss, Lisbeth bei Gelegenheit darum zu bitten, Borg einer ihrer berühmten Personenrecherchen zu widmen.

Während des ganzen Medienrummels blieb die Hauptperson des Dramas, der Geschäftsmann Hans-Erik Wennerström, weitgehend unsichtbar. An dem Tag, als der *Millennium*-Artikel herausgekommen war, hatte er, auf einer schon vorher angesetzten Pressekonferenz zu einem ganz anderen Thema, einen Kommentar dazu abgegeben. Wennerström erklärte, dass die Anschuldigungen nicht haltbar seien und die angegebenen Quellennachweise eine Fälschung. Er erinnerte daran, dass derselbe Reporter ein Jahr zuvor wegen Verleumdung verurteilt worden war.

Danach antworteten nur noch Wennerströms Anwälte auf die Fragen der Massenmedien. Zwei Tage nach der Auslieferung von Mikaels Buch verbreitete sich das Gerücht, Wennerström habe das Land verlassen. Die Abendzeitungen verwendeten in ihren Überschriften das Wort *Flucht*. Als die Polizei in der zweiten Woche versuchte, offiziell Kontakt mit ihm aufzunehmen, stellte sie ebenfalls fest, dass er nicht im Lande war. Mitte Dezember bestätigte sie, dass Wennerström zur Fahndung ausgeschrieben sei, und einen Tag vor Silvester ging eine offizielle Suchmeldung an die internationalen Polizeiapparate. Am selben Tag wurde einer von Wennerströms engsten Mitarbeitern auf dem Flughafen Arlanda festgenommen, als er an Bord einer Maschine nach London gehen wollte.

Ein paar Wochen später berichtete ein schwedischer Tourist, er habe Wennerström in Bridgetown, der Hauptstadt von Barbados, in ein Auto steigen sehen. Als Beweis für seine Behauptung legte er ein Foto vor, das aus relativ großer Entfernung einen weißen Mann mit Sonnenbrille, weit aufgeknöpftem Hemd und heller Hose zeigte. Der Mann konnte nicht mit Sicherheit identifiziert werden, aber die Abendzeitungen schickten ihre Reporter los, die sich ohne Erfolg bemühten, Wennerström auf den karibischen Inseln aufzuspüren.

Nach sechs Monaten wurde die Suche eingestellt. Kurz darauf wurde Hans-Erik Wennerström tot in einer Wohnung in Marbella, Spanien, aufgefunden, wo er unter dem Namen Victor Fleming gelebt hatte. Er war aus nächster

Nähe mit drei Schüssen in den Kopf getötet worden. Die spanische Polizei ging davon aus, dass er einen Einbrecher überrascht hatte.

Wennerströms Tod kam für Lisbeth Salander nicht überraschend. Aus gutem Grund brachte sie sein Hinscheiden mit der Tatsache in Verbindung, dass er bei einer gewissen Bank auf den Cayman Islands keinen Zugang zum Geld mehr hatte, das er eigentlich dringend gebraucht hätte, um gewisse obskure Schulden in Kolumbien zu begleichen.

Wenn jemand sich die Mühe gemacht hätte, Lisbeth Salander bei der Suche nach Wennerström um Hilfe zu bitten, hätte sie fast jeden Tag exakt sagen können, wo er sich gerade befand. Sie hatte seine verzweifelte Flucht durch ein Dutzend Länder per Internet verfolgt und die wachsende Panik aus seinen Mails herauslesen können, sobald er irgendwo seinen Laptop anschloss. Aber nicht einmal Mikael Blomkvist hielt den fliehenden Ex-Milliardär für so dumm, dass er denselben Computer mit sich herumschleppte, der bereits so gründlich ausgeschlachtet worden war.

Nach einem halben Jahr hatte Lisbeth es satt gehabt, Wennerström zu folgen. Blieb nur noch die Frage, wie weit ihr eigenes Engagement gehen sollte. Wennerström war zweifellos ein Riesenschwein, aber er war nicht ihr persönlicher Feind, und sie hatte kein Interesse, selbst tätig zu werden. Sie konnte Mikael einen Tipp geben, aber der würde wahrscheinlich nur einen Artikel daraus machen. Sie konnte der Polizei einen Tipp geben, aber die Wahrscheinlichkeit, dass Wennerström gewarnt werden würde und sich wieder aus dem Staub machen konnte, war relativ groß. Außerdem redete sie aus Prinzip nicht mit der Polizei.

Aber da gab es ja noch andere unbezahlte Schulden. Sie dachte an die schwangere zweiundzwanzigjährige Kellnerin, der man in ihrer Badewanne den Kopf unter Wasser gehalten hatte.

Vier Tage bevor Wennerström tot aufgefunden wurde, hatte sie sich entschieden. Sie hatte ihr Handy aufgeklappt und einen Anwalt in Miami angerufen, der einer der Leute zu sein schien, vor denen Wennerström sich hauptsächlich versteckte. Sie hatte mit einer Sekretärin gesprochen und sie gebeten, eine geheimnisvolle Botschaft auszurichten: den Namen »Wennerstroem« sowie eine Adresse in Marbella. Das war alles.

Sie schaltete die Nachrichten aus, als gerade ein dramatischer Bericht über Wennerströms Hinscheiden lief. Dann schaltete sie die Kaffeemaschine ein und schmierte sich ein Leberwurstbrot mit Gurkenscheiben.

Erika Berger und Christer Malm trafen die alljährlichen Weihnachtsvorbereitungen, während Mikael auf Erikas Sessel saß und ihnen, Glühwein trinkend, zusah. Alle Angestellten und die meisten freien Mitarbeiter bekamen ein Weihnachtsgeschenk – dieses Jahr war es eine Umhängetasche mit dem *Millennium*-Logo. Nachdem sie die Geschenke eingepackt hatten, begannen sie knapp zweihundert Weihnachtskarten an die Druckerei, an Fotografen und Kollegen aus der Medienbranche zu schreiben und zu frankieren.

Mikael versuchte lange, der Versuchung zu widerstehen, aber schließlich konnte er es sich doch nicht verkneifen. Er nahm eine letzte Weihnachtskarte und schrieb: *Frohe Weihnachten und ein gutes neues Jahr. Danke für einen fantastischen Einsatz im letzten Jahr.*

Er unterschrieb mit seinem Namen und adressierte die Karte an Janne Dahlman c/o Redaktion des Wirtschaftsmagazins *Monopol*.

Als Mikael abends nach Hause kam, fand er selbst eine Paketabholkarte vor. Er holte sein Weihnachtsgeschenk am nächsten Morgen bei der Post ab und öffnete es, sobald er in der Redaktion war. Das Paket enthielt einen Mückenstift und eine kleine Flasche Reimersholmer Schnaps. Mikael öffnete die Karte und las: *Wenn du nichts anderes vorhast, gehe ich am Mittsommerabend in Arholma vor Anker.* Unterzeichnet war die Karte von seinem ehemaligen Schulkameraden Robert Lindberg.

Traditionellerweise schloss die *Millennium*-Redaktion eine Woche vor Weihnachten bis nach Neujahr. Dieses Jahr war das nicht ganz so einfach; der Druck auf die kleine Redaktion war enorm gewesen, und immer noch riefen täglich Journalisten aus allen Ecken der Welt an. Erst einen Tag vor Heiligabend stieß Mikael zufällig auf einen Artikel der *Financial Times*, der die derzeitigen Ergebnisse der internationalen Bankenkommission zusammenfasste, welche in aller Eile ins Leben gerufen worden war, um Wennerströms Imperium zu untersuchen. Die Kommission ging davon aus, dass Wennerström wohl in letzter Sekunde in irgendeiner Form vor seiner bevorstehenden Enttarnung gewarnt worden war.

Seine Konten bei der Bank of Kronenfeld auf den Cayman Islands – mit einem Guthaben von 260 Millionen US-Dollar – waren einen Tag vor der Veröffentlichung der *Millennium*-Reportage leer geräumt worden.

Die Gelder waren auf anderen Konten wieder aufgetaucht, über die nur Wennerström persönlich verfügen konnte, und zwar ohne bei der Bank vorstellig werden zu müssen. Um das Geld zu jeder anderen Bank der Welt zu transferieren, brauchte er nur eine Serie von Clearingcodes anzugeben. Die Gelder waren in die Schweiz überführt worden, wo eine weibliche Helferin die Summe in anonyme Privatobligationen umgesetzt hatte. Alle Clearingcodes waren in Ordnung gewesen.

Europol hatte eine internationale Suchmeldung nach dieser unbekannten Frau ausgegeben. Sie hatte einen gestohlenen englischen Pass mit dem Namen Monica Sholes verwendet und angeblich ein Luxusleben in einem der teuersten Hotels in

Zürich geführt. Das Foto – es war erstaunlich scharf, obwohl es von einer Überwachungskamera stammte – zeigte eine kleine Frau mit blondem Pagenkopf, breitem Mund, großen Brüsten, exklusiver Designerkleidung und Goldschmuck.

Mikael sah das Bild an, zuerst flüchtig, dann immer aufmerksamer.

Wenige Sekunden später wühlte er in seiner Schreibtischschublade nach einem Vergrößerungsglas und versuchte die Details ihrer Gesichtszüge aus dem Raster des Zeitungsfotos herauszulesen.

Schließlich legte er die Zeitung aus der Hand und war mehrere Minuten sprachlos. Dann begann er so hysterisch zu lachen, dass Christer Malm den Kopf zur Tür hereinsteckte und fragte, was denn los sei. Mikael winkte nur ab.

Am Vormittag des 24. Dezember fuhr Mikael nach Årsta zu seiner Exfrau und seiner Tochter Pernilla, um ihnen seine Weihnachtsgeschenke zu bringen. Pernilla bekam einen Computer, den sie sich gewünscht hatte und den Mikael und Monica gemeinsam gekauft hatten. Mikael bekam eine Krawatte von seiner Exfrau und einen Åke-Edwardson-Krimi von seiner Tochter. Im Gegensatz zur letzten Weihnacht waren sie diesmal ganz aufgekratzt von dem Mediendrama, das sich rund um *Millennium* abspielte.

Sie aßen zusammen zu Mittag. Mikael musterte Pernilla verstohlen. Er hatte seine Tochter seit ihrem Überraschungsbesuch in Hedestad nicht mehr gesehen. Plötzlich fiel ihm auch ein, dass er mit ihrer Mutter nie über ihre Leidenschaft für eine Sekte von Bibelchristen in Skellefteå gesprochen hatte. Ebenso wenig konnte er erzählen, dass es die Bibelkenntnisse seiner Tochter gewesen waren, die ihn bei der Suche nach Harriet Vanger letztendlich auf die richtige Spur gebracht hatten. Er hatte seitdem tatsächlich kaum an seine Tochter gedacht und spürte, wie ihm das schlechte Gewissen einen Stich versetzte.

Er war kein guter Vater.

Nach dem Mittagessen gab er seiner Tochter einen Abschiedskuss, traf sich mit Lisbeth und fuhr mit ihr nach Sandhamn. Seit die *Millennium*-Bombe hochgegangen war, hatten sie sich kaum gesehen. Sie kamen am Heiligabend spät bei Mikaels Hütte an und blieben über die Feiertage dort.

Mikael war wie immer kurzweilig, aber Lisbeth hatte das unangenehme Gefühl, dass er sie äußerst eigenartig ansah, als sie ihm sein Darlehen mit einem Scheck über 120 000 Kronen zurückzahlte. Doch er sagte nichts.

Sie machten einen Spaziergang nach Trovill und zurück (was Lisbeth als Zeitverschwendung betrachtete), aßen ein festliches Abendessen im Gasthaus und zogen sich in Mikaels Hütte zurück, wo sie ein Feuer im Kachelofen machten, eine Elvis-CD auflegten und sich unspektakulärem Sex hingaben. Als Lisbeth zwischendurch an die Oberfläche kam, versuchte sie, sich über ihre eigenen Gefühle klar zu werden.

Sie hatte kein Problem mit Mikael als Liebhaber. Sie hatten Spaß im Bett. Ihr Zusammensein war eine äußerst körperliche Angelegenheit. Und er versuchte nie, sie zu dressieren.

Ihr Problem war, dass sie ihre Gefühle für Mikael nicht deuten konnte. Schon lange vor ihrer Pubertät hatte sie begonnen, sorgfältig darauf zu achten, ja keinen anderen Menschen so nah an sich heranzulassen, wie sie es jetzt mit Mikael Blomkvist tat. Offen gesagt hatte er die lästige Begabung, ihre Abwehrmechanismen zu durchdringen und sie immer wieder dazu zu verführen, mit ihm über persönliche Angelegenheiten und private Gefühle zu reden. Auch wenn sie noch genug Verstand besaß, die meisten seiner Fragen zu ignorieren, erzählte sie ihm doch auf eine Art und Weise von sich selbst, wie sie es sich bei anderen Menschen nicht mal unter Todesdrohungen hätte vorstellen können. Das erschreckte sie, sie fühlte sich nackt und seiner Willkür ausgeliefert.

Dann wieder – wenn sie auf den schlafenden Mikael herabblickte und seinem Schnarchen lauschte – fühlte sie, dass sie noch nie zuvor in ihrem Leben einem anderen Menschen so vorbehaltlos vertraut hatte. Sie wusste mit absoluter Sicherheit, dass Mikael sein Wissen über sie niemals dazu verwenden würde, ihr zu schaden. Das lag nicht in seiner Natur.

Das Einzige, worüber sie nie sprachen, war ihr Verhältnis. Wie es dazu gekommen war, wusste sie selbst nicht, ebenso wenig, wie sie damit umgehen sollte. Zum ersten Mal in ihrem fünfundzwanzigjährigen Leben war sie verliebt.

Dass er fast doppelt so alt war wie sie, war ihr egal. Ebenso, dass er zu den Personen gehörte, über die in den schwedischen Zeitungen derzeit am meisten geschrieben wurde, und dass er es sogar auf das Cover von *Newsweek* geschafft hatte – das war nur eine billige Soap. Aber Mikael war keine erotische Fantasie und kein Tagtraum. Es musste ein Ende nehmen, es konnte nicht funktionieren. Zu welchem Zweck sollte er sich schon mit ihr abgeben, wenn nicht zum Zeitvertreib, während er auf jemand wartete, dessen Leben nicht ein einziges stinkendes Chaos war?

Mit einem Mal ging ihr auf, dass Liebe der Augenblick ist, in dem einem plötzlich das Herz brechen will.

Als Mikael aufwachte, hatte sie Kaffee gekocht und Brötchen auf den Tisch gestellt. Er setzte sich zu ihr an den Tisch und bemerkte sofort, dass sich in ihrem Verhalten irgendetwas geändert hatte – dass sie ein klein wenig distanzierter war. Als er sie fragte, ob irgendetwas nicht in Ordnung sei, sah sie ihn auf ihre neutrale Art verständnislos an.

Am ersten Tag nach Weihnachten nahm Mikael den Zug nach Hedestad. Er hatte warme Kleidung und richtige Winterschuhe an, als Dirch Frode ihn am Bahnhof abholte und diskret zu seinem Erfolg in den Medien gratulierte. Es war das erste Mal seit August, dass er Hedestad wieder besuchte, und es war fast auf den Tag genau ein Jahr her, dass er zum ersten Mal hierhergekommen war. Sie schüttelten sich die Hand und unterhielten sich höflich, aber es stand zu viel Unausgesprochenes zwischen ihnen, und Mikael fühlte sich unwohl.

Es war schon alles vorbereitet, sodass die geschäftlichen Transaktionen bei Frode nur ein paar Minuten in Anspruch nahmen. Frode hatte ihm angeboten, das Geld auf ein bequemes Auslandskonto zu überweisen, aber Mikael hatte darauf bestanden, dass es ihm als ganz normal zu versteuerndes Honorar an seine Firma gezahlt werden sollte.

»Eine andere Art von Aufwandsentschädigung kann ich mir nicht leisten«, hatte er kurz angebunden geantwortet, als Frode nachfragte.

Der Besuch war nicht nur pekuniärer Natur. Mikael hatte auch noch Kleidung, Bücher und ein paar persönliche Habseligkeiten im Gästehäuschen zurückgelassen, als Lisbeth und er so überstürzt aus Hedeby aufgebrochen waren.

Henrik war nach seinem Herzanfall immer noch schwach auf den Beinen, aber inzwischen aus dem Krankenhaus entlassen worden. Er war in ständiger Gesellschaft einer Privatpflegerin, die ihm das Recht verweigerte, lange Spaziergänge zu unternehmen, Treppen zu steigen oder über Dinge zu reden, die ihn aufregen könnten. Zwischen den Jahren hatte er sich nun auch noch eine Erkältung zugezogen, worauf sie ihm strengste Bettruhe verordnet hatte.

»Und dann ist sie auch noch teuer«, beklagte er sich.

Das berührte Mikael relativ wenig, denn er fand, der Alte konnte sich diese Ausgabe durchaus leisten, wenn man bedachte, wie viele Steuern er im Laufe seines Lebens hinterzogen hatte. Henrik betrachtete ihn verdrießlich, bevor er in Lachen ausbrach.

»Verdammt noch mal, Sie waren jede einzelne Krone wert. Ich wusste es.«

»Ehrlich gesagt, ich habe nie geglaubt, dass ich das Rätsel lösen könnte.«

»Ich habe nicht vor, Ihnen zu danken«, erklärte Henrik.

»Das habe ich auch nicht erwartet«, erwiderte Mikael.

»Sie sind anständig bezahlt worden.«

»Ich beklage mich nicht.«

»Sie haben einen Job für mich erledigt, und der Lohn sollte Dank genug sein.«

»Ich bin auch nur hier, um Ihnen zu erklären, dass ich meine Arbeit als abgeschlossen betrachte.«

Henrik Vanger kräuselte die Lippen. »Im Grunde haben Sie die Arbeit gar nicht abgeschlossen«, sagte er.

»Ich weiß.«

»Sie haben die vereinbarte Chronik der Familie Vanger nicht geschrieben.«

»Auf Ihren eigenen Wunsch habe ich davon Abstand genommen. Ich sehe auch keine Möglichkeit, von der Familie Vanger zu berichten und dabei absichtlich die zentrale Handlung der letzten Jahrzehnte unter den Tisch fallen zu lassen – Harriet, ihren Vater, ihren Bruder und die Morde. Wie könnte ich ein Kapitel über Martins Zeit als Geschäftsführer schreiben und so tun, als wüsste ich nicht, was in seinem Keller los war? Aber ich kann die Story auch nicht schreiben, ohne Harriets Leben noch einmal zu zerstören.«

»Ich bin Ihnen dankbar, dass Sie meine Bitte befolgen.«

»Gratuliere. Es ist Ihnen tatsächlich gelungen, mich zu korrumpieren. Ich werde alle Notizen und Tonbandaufnahmen von Ihnen zerstören.«

»Ich kann eigentlich nicht finden, dass Sie korrumpiert worden sind«, meinte Henrik Vanger.

»Aber es kommt mir so vor. Und dann ist es wahrscheinlich auch so.«

»Sie mussten sich zwischen Ihrer Arbeit als Journalist und Ihrer Aufgabe als Mitmensch entscheiden. Ich bin sicher, ich hätte Ihr Schweigen nicht erkaufen können, und Sie hätten sich für Ihre Rolle als Journalist entschieden, wenn Harriet Mittäterin gewesen wäre, oder wenn Sie mich für einen Mistkerl gehalten hätten.«

Mikael sagte nichts. Henrik sah ihn an.

»Wir haben Cecilia in die ganze Geschichte eingeweiht. Dirch und ich werden bald abtreten, und Harriet wird die eine oder andere Stütze in der Familie brauchen. Cecilia wird auch ins Unternehmen eintreten und aktiv am Führungskreis beteiligt sein. In Zukunft werden Harriet und sie das Unternehmen leiten.«

»Wie hat sie es aufgenommen?«

»Sie war natürlich schockiert. Sie ist für eine Weile ins Ausland gefahren. Eine Zeit lang hatte ich schon Angst, dass sie nicht mehr zurückkommen würde.«

»Aber sie ist zurückgekommen.«

»Martin war einer der wenigen Verwandten, mit dem Cecilia sich immer verstanden hatte. Es war schwer für sie, die Wahrheit über ihn zu erfahren. Cecilia weiß jetzt also auch, was Sie für die Familie getan haben.«

Mikael zuckte mit den Schultern.

»Danke, Mikael«, sagte Henrik.

Mikael zuckte nochmals mit den Schultern.

»Außerdem könnte ich die Story gar nicht mehr schreiben«, erklärte er. »Mir steht die Familie Vanger bis obenhin.«

Sie dachten wieder einen Moment nach, bevor Mikael das Thema wechselte.

»Wie fühlt es sich an, nach fünfundzwanzig Jahren wieder Geschäftsführer zu sein?«

»Es ist ja nur vorübergehend, aber ... ich wünschte, ich wäre jünger. Im Moment arbeite ich nur drei Stunden am Tag. Alle Treffen werden in diesem Zimmer abgehalten, und Dirch steht mir wieder zur Seite, für den Fall, dass jemand aus der Reihe tanzt.«

»Dann hoffe ich, dass sie die Junioren gut unter Kontrolle haben. Ich habe ein ganzes Weilchen gebraucht, bis mir klar wurde, dass Frode nicht nur ein braver Ratgeber in Finanzdingen für Sie war, sondern die Person, die all Ihre Probleme löst.«

»Genau. Aber wir fassen alle Beschlüsse gemeinsam mit Harriet, und sie leistet auch die ausführenden Arbeiten im Büro.«

»Reicht das?«

»Ich weiß es nicht. Birger arbeitet ihr entgegen und versucht ständig, ihr ein Bein zu stellen. Alexander ist plötzlich aufgegangen, dass er eine Chance hat, sich Geltung zu verschaffen, und hat sich mit Birger zusammengetan. Mein Bruder Harald hat Krebs und wird nicht mehr lange leben. Er hat als Einziger noch einen großen Aktienanteil von sieben Prozent, den die Kinder erben werden. Cecilia und Anita werden sich mit Harriet verbünden.«

»Dann kontrollieren Sie über vierzig Prozent.«

»So ein Stimmenkartell hat es in der Familie noch nie zuvor gegeben. Und genügend Teilhaber mit einem oder zwei Prozent werden sich uns anschließen. Harriet wird im Februar meinen Posten als Geschäftsführer übernehmen.«

»Sie wird nicht glücklich werden.«

»Wer weiß. Wir müssen neue Partner und neues Blut in unsere Firma holen. Wir haben auch die Möglichkeit, mit ihrer Firma in Australien zusammenzuarbeiten. Da gibt es Chancen.«

»Wo ist Harriet heute?«

»Sie haben Pech. Sie ist in London. Aber sie möchte Sie furchtbar gerne sehen.«

»Ich werde sie im Januar auf der Vorstandssitzung bei *Millennium* sehen, wenn sie Ihre Nachfolge antritt.«

»Ich weiß.«

»Richten Sie ihr aus, dass ich über die Geschehnisse der sechziger Jahre mit niemand außer Erika Berger sprechen werde.«

»Da sind wir uns ganz sicher. Wir kennen Ihre Integrität.«

»Aber sagen Sie ihr auch, dass alles, was sie von jetzt an tut, in die Zeitung kommen kann, wenn sie nicht aufpasst. Der Vanger-Konzern hat bei uns keinen Freibrief, wir werden ihn genauso beobachten wie andere Unternehmen.«

»Ich werde sie warnen.«

Mikael verließ Henrik Vanger, als der alte Mann langsam einschlummerte. Er packte seine Habseligkeiten in zwei Taschen. Als er die Tür des Gästehäuschens zum letzten Mal schloss, zögerte er kurz, bevor er zu Cecilia hinüberging und klopfte. Sie war nicht zu Hause. Er zückte seinen Taschenkalender, riss eine Seite heraus und schrieb ein paar Worte drauf. *Verzeih mir. Ich wünsche Dir alles Gute.* Zusammen mit seiner Visitenkarte warf er den Zettel in ihren Briefkasten. In ihrem Küchenfenster stand ein weihnachtlicher Kerzenleuchter mit elektrischen Lichtern.

Er nahm den Abendzug zurück nach Stockholm.

Zwischen den Jahren kapselte sich Lisbeth Salander völlig von der Welt ab. Sie ging nicht ans Telefon und schaltete ihren Computer nicht an. Sie verbrachte zwei Tage damit, ihre Kleider zu waschen, die Wohnung zu schrubben und aufzuräumen. Uralte Pizzakartons und Tageszeitungen wurden gebündelt und weggeworfen. Insgesamt trug sie sechs schwarze Müllsäcke hinaus und ungefähr zwanzig Tüten Altpapier. Als hätte sie beschlossen, ein völlig neues Leben anzufangen. Sie hatte vor, sich eine Wohnung zu kaufen – falls sie etwas Passendes fand –, aber bis dahin sollte ihr altes Zuhause so strahlend sauber sein wie nie zuvor.

Danach saß sie wie gelähmt auf dem Sofa und grübelte. Noch nie in ihrem Leben hatte sie solche Sehnsucht verspürt. Sie wollte, dass Mikael an ihrer Tür klingelte und … was? Sie in den Arm nahm, leidenschaftlich ins Schlafzimmer zerrte und ihr die Kleider vom Leib riss? Nein, eigentlich wollte sie bloß mit ihm zusammen sein. Sie wollte hören, wie er sagte, dass er sie so mochte, wie sie war. Sie wollte hören, wie er sagte, dass sie in seiner Welt und in seinem Leben etwas ganz Besonderes war. Sie wollte, dass er ihr eine Geste der Liebe zuteil werden ließ, nicht nur der Freundschaft und Kameradschaft. *Jetzt dreh ich wohl langsam durch.*

Sie zweifelte an sich selbst. Mikael Blomkvist lebte in einer anderen Welt, voller Menschen mit respektablen Berufen und einem wohlgeordneten Dasein. Seine Bekannten machten tolle Sachen, waren im Fernsehen zu sehen und sorgten für Schlagzeilen. *Wofür solltest du mich brauchen?* Lisbeths größte Angst – so groß und so schwarz, dass sie schon fast die Ausmaße einer Phobie annahm – war, dass die Leute sie für ihre Gefühle auslachen könnten. Und während sie ihre Wohnung putzte, schien plötzlich nach und nach all ihr mühsam aufgebautes Selbstwertgefühl wieder einzustürzen.

Da fasste sie einen Entschluss. Sie brauchte zwar ein paar Stunden, um den erforderlichen Mut aufzubringen, aber sie musste ihn unbedingt treffen und ihm erzählen, wie sie sich fühlte.

Alles andere wäre unerträglich.

Sie benötigte freilich einen Vorwand, um an seine Tür zu klopfen. Sie hatte ihm kein Weihnachtsgeschenk gegeben, wusste aber, was sie ihm kaufen wollte. In einem Trödelladen hatte sie ein paar alte Reklameschilder aus Blech aus den fünfziger Jahren gefunden, auf denen die Figuren in Halbreliefs hervortraten. Eines der Schilder stellte Elvis Presley dar, die Gitarre auf der Hüfte und daneben eine Sprechblase mit dem Text *Heartbreak Hotel*. Zwar hatte Lisbeth nicht das geringste Gespür für Inneneinrichtung, aber sogar ihr war klar, dass dieses Schild perfekt in die Hütte in Sandhamn passen würde. Es kostete 780 Kronen, und rein aus Prinzip handelte sie den Preis auf 700 herunter. Sie ließ es sich einpacken, nahm es unter den Arm und spazierte damit zu seiner Wohnung in der Bellmansgata.

Auf der Hornsgata warf sie zufällig einen Blick in die *Kaffeebar* und sah plötzlich Mikael mit Erika im Schlepptau herauskommen. Er sagte etwas, woraufhin Erika lachte, ihm die Arme um die Taille legte und ihm einen Kuss auf die Wange gab. Sie verschwanden über die Brännkyrkagata in Richtung Bellmansgata. Ihre Körpersprache ließ keinen Zweifel daran, was sie im Sinn hatten.

Der Schmerz war so jäh und brutal, dass Lisbeth innehielt – unfähig, auch nur einen einzigen weiteren Schritt zu tun. Ein Teil von ihr wollte ihnen hinterherlaufen. Am liebsten hätte sie das Blechschild genommen, um mit der scharfen Kante Erikas Kopf zu spalten. Sie unternahm gar nichts, während die Gedanken durch ihren Kopf rasten. *Konsequenzanalyse*. Schließlich beruhigte sie sich wieder.

Salander, du bist so ein peinliches Rindvieh, sagte sie laut zu sich selbst.

Sie drehte sich auf dem Absatz um und ging nach Hause in ihre frisch geputzte Wohnung. Als sie am Zinkensdamm vorbeikam, begann es zu schneien. Den Elvis Presley warf sie in einen Müllcontainer.

STIEG LARSSON

Verdammnis

Roman

HEYNE<

Ein ehrgeiziger junger Journalist bietet Mikael Blomkvist für sein Magazin *Millennium* eine Story an, die skandalöser nicht sein könnte. Amts- und Würdenträger der schwedischen Gesellschaft vergehen sich an jungen russischen Frauen, die gewaltsam zur Prostitution gezwungen werden. Als sich Lisbeth Salander in die Recherchen einschaltet, stößt sie auf ein pikantes Detail: Nils Bjurman, ihr ehemaliger Betreuer, scheint in den Mädchenhandel involviert zu sein. Wenig später werden der Journalist und Bjurman tot aufgefunden. Die Tatwaffe trägt Lisbeths Fingerabdrücke. Sie wird an den Pranger gestellt und flüchtet. Nur Mikael Blomkvist glaubt an ihre Unschuld und beginnt, auf eigene Faust zu ermitteln. Seine Nachforschungen führen in Lisbeth Salanders Vergangenheit. Eine Vergangenheit, die ihn bald das Fürchten lehrt.

»Wenn ein Autor ein so komplexes und faszinierendes Porträt abliefert wie das von Lisbeth Salander, können wir nur schweigend und dankbar den Hut ziehen. Besser geht es kaum noch.«
Gefle Dagblad

»Der zweite Band ist noch einen Tick besser. Nicht mal der eifrigste Fehlersucher findet hier etwas Störendes. Stieg Larsson ist der bedeutendste Krimiautor unserer Zeit«.
Kristianstadsbladet

Der neue große Roman des preisgekrönten Bestsellerautors Stieg Larsson!

Prolog

Er hatte sie mit Lederriemen auf einer schmalen, stählernen Pritsche gefesselt. Ein straff gespannter Riemen verlief über ihren Brustkorb. Sie lag auf dem Rücken. Die Hände hatte er zu beiden Seiten auf Hüfthöhe an das Stahlgestell gebunden.

Den Versuch, sich loszumachen, hatte sie schon lange aufgegeben. Obwohl sie wach war, hielt sie die Augen geschlossen, denn um sie herum war es dunkel. Nur ein schmaler Streifen Licht drang durch den Spalt über der Tür. Sie hatte einen widerlichen Geschmack im Mund und sehnte sich danach, sich die Zähne putzen zu dürfen.

Unbewusst horchte sie immer mit einem Ohr nach dem Geräusch von Schritten, mit dem er sich ankündigte. Sie hatte keine Ahnung, wie spät es schon war; es kam ihr allerdings so vor, als ob es langsam schon zu spät für seinen Besuch wäre. Als ihre Liege plötzlich leicht vibrierte, öffnete sie die Augen. Es war, als hätte man irgendwo im Haus eine Maschine angeworfen. Doch nach ein paar Sekunden war sie schon nicht mehr sicher, ob sie sich das Ganze einbildete oder ob das Geräusch tatsächlich existierte.

Im Geiste hakte sie einen weiteren Tag ab.

Heute war der dreiundvierzigste Tag ihrer Gefangenschaft.

Ihre Nase juckte, und sie drehte den Kopf zur Seite, um sich am Kissen reiben zu können. Sie schwitzte. Im Zimmer herrschte schwüle Wärme. Sie trug ein schlichtes Nachthemd, das unter ihrem Körper Falten schlug. Wenn sie die Hüften hob, konnte sie mit Zeigefinger und Mittelfinger gerade eben den Stoff zu fassen bekommen und das Hemd einen Zentimeter hinunterziehen. Dann wiederholte sie die Prozedur mit der anderen Hand. Trotzdem blieb im Kreuz eine hartnäckige Falte.

Ihre Matratze war durchgelegen und unbequem. Durch die völlige Isolation steigerte sich jeder geringfügige Reiz, den sie sonst kaum wahrgenommen hätte, um ein Vielfaches. Immerhin waren ihre Lederfesseln so locker, dass sie ab und zu ihre Stellung ändern und sich auf die Seite drehen konnte, aber das war auf die Dauer auch nicht sonderlich bequem, denn dann blieb eine Hand hinter ihrem Rücken, und der Arm schlief ihr ständig ein.

Trotz ihrer allgegenwärtigen Angst spürte sie, wie sich von Tag zu Tag mehr Wut in ihr aufstaute.

Gleichzeitig wurde sie von ihren Gedanken gequält, von unschönen Fantasien, was mit ihr geschehen würde. Sie hasste die Hilflosigkeit, in die er sie gezwungen hatte. So sehr sie auch versuchte, sich auf etwas anderes zu konzentrieren, um sich die Zeit zu vertreiben und ihre Situation zu verdrängen, so hing die Angst doch über ihr wie eine Gaswolke und drohte jeden Moment durch ihre Poren zu dringen und ihr Dasein völlig zu vergiften. Mittlerweile hatte sie jedoch eine Methode entdeckt, mit der sie ihre Angst in Schach halten konnte: Sie fantasierte sich ein Szenario zusammen, das ihr ein Gefühl von Kraft einflößte. Sie schloss die Augen und beschwor den Geruch von Benzin herauf.

Er saß in seinem Auto, das Fenster war heruntergelassen. Sie rannte zum Auto, goss das Benzin durchs Fenster und riss ein Streichholz an. Das dauerte nur einen Augenblick. Im nächsten Moment loderten auch schon die Flammen auf. Er wand sich in Todesqualen, und sie hörte seine erschrockenen, schmerzerfüllten Schreie. Der Geruch von verbranntem Fleisch drang ihr in die Nase, und dazwischen der stechende Gestank von verkohltem Plastik und der versengten Polsterung des Autositzes.

Sie musste eingenickt sein, denn sie hatte gar keine Schritte gehört. Als die Tür aufging, war sie jedoch sofort hellwach. Das Licht, das durch die Türöffnung hereinfiel, blendete sie.

Er war also gekommen.

Er war groß. Sie wusste nicht, wie alt er war, aber er war auf jeden Fall schon erwachsen. Er hatte rotbraunes, zotteliges Haar, trug eine Brille mit schwarzem Gestell und ein dünnes Kinnbärtchen. Und er roch nach Rasierwasser.

Sie hasste seinen Geruch.

Schweigend blieb er am Fußende ihrer Pritsche stehen und betrachtete sie eine geraume Weile.

Sie hasste sein Schweigen.

Im Gegenlicht sah sie nur seine Silhouette und konnte sein Gesicht nicht erkennen. Plötzlich sprach er mit ihr. Er hatte eine tiefe, klare Stimme, mit der er jedes Wort pedantisch betonte.

Sie hasste seine Stimme.

Er erzählte, dass heute ihr Geburtstag sei und er ihr gratulieren wolle. Dabei war seine Stimme weder unfreundlich noch ironisch, sondern völlig neutral. Sie konnte sein Lächeln ahnen.

Sie hasste ihn.

Er kam näher und trat ans Kopfende. Dann legte er ihr seine feuchte Hand auf die Stirn und strich ihr mit den Fingern über den Haaransatz. Wahrscheinlich sollte diese Geste freundlich wirken. Das war sein Geburtstagsgeschenk für sie.

Sie hasste seine Berührung.

Er sprach mit ihr. Sie sah, wie sich sein Mund bewegte, blendete den Ton seiner Stimme jedoch aus. Sie wollte nicht zuhören. Sie wollte nicht antworten. Sie hörte, wie er die Stimme hob. Eine Spur von Gereiztheit über ihre mangelnde Reaktion hatte sich in seine Stimme geschlichen. Er sprach von gegenseitigem Vertrauen. Nach ein paar Minuten verstummte er endlich. Sie ignorierte seinen Blick. Schließlich zuckte er die Achseln und überprüfte ihre Fesseln. Nachdem er den Lederriemen über ihrer Brust ein wenig enger geschnallt hatte, beugte er sich über sie.

In der nächsten Sekunde warf sie sich, so schnell sie konnte, nach links, so weit wie möglich von ihm weg, so weit, wie es die Riemen zuließen. Sie zog die Knie unters Kinn und stieß ihm dann mit aller Kraft ihre Füße gegen den Kopf. Eigentlich hatte sie auf seinen Adamsapfel gezielt, aber sie traf ihn nur mit der Zehenspitze irgendwo unterm Kinn. Er hatte schnell reagiert und war ausgewichen, sodass sie ihn nur ganz leicht streifte. Als sie einen zweiten Tritt versuchte, war er bereits außer Reichweite.

Sie ließ die Beine wieder auf die Liege sinken.

Ihre Decke hing auf den Boden, ihr Nachthemd war ihr bis weit über die Hüften hochgerutscht.

Eine ganze Weile blieb er wortlos stehen. Dann ging er zum Fußende und nahm die Fesseln, die dort an der Pritsche hingen. Sie versuchte, die Beine anzuziehen, doch er packte sie beim Knöchel, drückte mit der anderen Hand ihr Knie auf die Matratze und fesselte ihren Fuß mit dem Lederriemen. Dasselbe wiederholte er auf der anderen Seite mit ihrem zweiten Fuß.

Nun war sie völlig hilflos.

Er hob die Decke auf und deckte sie zu. Schweigend betrachtete er sie zwei Minuten. Auch im Dunkeln konnte sie seine Erregung spüren, obwohl er sie nicht zeigte. Ganz bestimmt hatte er eine Erektion. Sie wusste, dass er eine Hand ausstrecken und sie berühren wollte.

Doch dann drehte er sich um, ging hinaus und schloss die Tür hinter sich. Sie hörte, wie er den Riegel vorlegte, was gänzlich sinnlos war, da sie ja sowieso keine Möglichkeit hatte, sich von ihrer Liege loszumachen.

Mehrere Minuten blieb sie liegen und fixierte den schmalen Lichtstreifen über der Tür. Schließlich bewegte sie sich ein wenig, um festzustellen, wie fest die Riemen saßen. Sie konnte die Knie noch leicht anziehen, doch dann setzten die Fesseln jeder Bewegung ein Ende. Sie entspannte sich, blieb ganz still liegen, starrte ins Nichts und wartete.

Fantasierte von einem Benzinkanister und einem Streichholz.

Sie sah ihn vor ihrem inneren Auge, völlig benzingetränkt. Sie konnte die Streichholzschachtel in ihrer Hand geradezu physisch wahrnehmen. Sie schüttelte sie. Es rasselte. Sie öffnete die Schachtel und nahm ein Streichholz heraus. Sie hörte ihn etwas sagen, ohne auf seine Worte zu achten. Sie sah seinen Gesichtsausdruck, als sie das Streichholz entzündete. Sie hörte, wie der Schwefelkopf mit einem ratschenden Geräusch über die raue Fläche rieb. Es klang wie ein lang gezogener Donnerschlag. Sie sah die Flamme auflodern.

Sie lächelte und machte sich innerlich hart.

In dieser Nacht wurde sie 13 Jahre alt.

Teil I

Unregelmäßige Gleichungen

16.–20. Dezember

Eine Gleichung wird nach der höchsten Potenz
(dem Wert des Exponenten) der in ihr vorkommenden
Unbekannten benannt. Ist dieser Exponent 1,
handelt es sich um eine Gleichung ersten Grades,
ist der Exponent 2, ist es eine Gleichung zweiten Grades etc.
Bei Gleichungen zweiten oder höheren Grades ergeben sich für
die Unbekannten mehrere Lösungen.
Die Werte nennt man Wurzeln.

Gleichung ersten Grades
(lineare Gleichung): $3x - 9 = 0$
Lösung: $x = 3$

1. Kapitel
Donnerstag, 16. Dezember – Freitag, 17. Dezember

Lisbeth Salander schob sich die Sonnenbrille auf die Nasenspitze und blinzelte unter der Krempe ihres Sonnenhutes hervor. Sie sah die Dame aus Zimmer 32 aus dem Seiteneingang des Hotels treten und auf eine der grün-weiß gestreiften Liegen am Pool zusteuern. Konzentriert heftete sie ihre Blicke auf den Boden, und es wirkte, als wäre sie etwas wackelig auf den Beinen.

Salander hatte sie zuvor nur aus der Entfernung gesehen. Sie schätzte sie auf ungefähr 35, aber bei ihrem Aussehen hätte sie jedes Alter zwischen 25 und 50 haben können. Ihr braunes Haar reichte ihr bis zu den Schultern, ihr Gesicht war etwas länglich, und ihr reifer Körper sah aus, als wäre er einem Versandkatalog für Damenunterwäsche entstiegen. Sie trug Sandalen, einen schwarzen Bikini und eine lila getönte Sonnenbrille. Ihr Amerikanisch hatte einen Südstaatenakzent. Nachdem sie ihren gelben Sonnenhut neben ihrer Liege auf den Boden hatte fallen lassen, gab sie dem Barkeeper an Ella Carmichaels Bar ein Zeichen.

Lisbeth Salander legte ihr Buch in den Schoß und nahm einen Schluck Kaffee, bevor sie ihre Hand nach den Zigaretten ausstreckte. Ohne den Kopf zu drehen, warf sie einen Blick auf den Horizont. Von ihrem Platz auf der Poolterrasse aus konnte sie durch ein paar Palmen und Rhododendronsträucher an der Hotelmauer einen Blick auf das Karibische Meer erhaschen. Weit draußen war ein Segelboot mit Wind von achtern unterwegs nach Saint Lucia oder Dominica. In noch größerer Entfernung konnte sie die Konturen eines grauen Frachters ausmachen, der Richtung Süden nach Guyana oder in ein Nachbarland fuhr. Eine schwache Brise milderte die Vormittagshitze ein wenig, dennoch spürte sie, wie ihr ein Schweißtropfen langsam über die Stirn zur Augenbraue rann. Lisbeth Salander briet nicht gern in der Sonne und verbrachte die Tage weitgehend im Schatten, indem sie sich beständig unter dem Sonnendach aufhielt. Sie trug Kaki-Shorts und ein schwarzes Top.

Sie lauschte den merkwürdigen Klängen der *steel pans*, die aus dem Lautsprecher an der Bar drangen. Für Musik hatte sie sich noch nie im Geringsten interessiert und konnte Sven-Ingvars nicht von Nick Cave unterscheiden, aber die *steel pans* faszinierten sie irgendwie. Es schien so abwegig, ein Ölfass zu stimmen, und noch abwegiger, dass man das Fass dazu bringen konnte, kontrollierbare Töne von sich zu geben, die mit nichts anderem zu vergleichen waren. Sie fand diese Klänge geradezu magisch.

Plötzlich irritierte sie irgendetwas. Sie wandte ihren Blick wieder der Frau zu, die gerade ein Glas mit einem orangefarbenen Drink bekommen hatte.

Mit dem Drink hatte Lisbeth Salander freilich kein Problem. Aber sie konnte sich nicht erklären, warum die Frau plötzlich zur Salzsäule erstarrte. Seit das Paar vor vier Nächten angekommen war, hatte Lisbeth Salander dem Terror gelauscht, der sich in ihrem Nachbarzimmer abspielte. Sie hatte Schluchzen gehört, leise, aber erregte Stimmen und zeitweilig sogar Ohrfeigen. Der Mann, der diese Schläge austeilte – Lisbeth vermutete, dass es der Ehemann war –, mochte Mitte 40 sein. Er hatte sein dunkles, glattes Haar zu etwas so Unmodischem wie einem Mittelscheitel gekämmt und schien sich aus beruflichen Gründen in Grenada aufzuhalten. Was das für ein Beruf sein könnte, hatte sich Lisbeth Salander noch nicht erschlossen, aber bis jetzt war er jeden Morgen sorgfältig gekleidet erschienen, mit Schlips und Jackett, und hatte an der Hotelbar einen Kaffee getrunken, bevor er sich seine Aktentasche griff und hinausging, um in ein Taxi zu steigen.

Lisbeth kam immer spätnachmittags ins Hotel zurück, wenn er gerade mit seiner Frau am Pool war. Das Paar aß meistens zusammen zu Abend und machte dabei einen zurückhaltenden und liebevollen Eindruck. Vielleicht trank die Frau ein, zwei Gläschen zu viel, aber ihr kleiner Schwips wirkte nicht weiter störend oder auffällig.

Der Streit im Nachbarzimmer begann routinemäßig zwischen zehn und elf Uhr abends, ungefähr um die Zeit, wenn Lisbeth gerade mit einem Buch über die Geheimnisse der Mathematik ins Bett ging. Soweit Lisbeth das durch die Wand mitverfolgen konnte, kam es zu keinen gröberen Misshandlungen, aber die beiden stritten sich mit zermürbender Ausdauer. Die Nacht zuvor hatte Lisbeth ihre Neugier nicht mehr zügeln können und war auf den Balkon gegangen, um durch die offene Balkontür ihrer Nachbarn mitzuhören, worum es eigentlich ging. Er lief über eine Stunde im Zimmer auf und ab und gab zu, dass er ein mieser Schuft war, der sie überhaupt nicht verdiente. Immer wieder hatte er wiederholt, sie müsse ihn doch für einen Betrüger halten. Und jedes Mal hatte sie geantwortet, dass sie nicht so von ihm dachte, und versucht, ihn zu beruhigen. Er wurde immer eindringlicher, und zum Schluss packte und schüttelte er sie. Schließlich antwortete sie, wie er wollte … *ja, du bist ein Betrüger*. Kaum hatte er ihr diese Worte abgepresst, nahm er sie zum Vorwand, nun seine Frau anzugreifen, ihren Lebenswandel und ihren Charakter. Er bezeichnete sie als Hure, ein Ausdruck, gegen den Lisbeth sich zweifellos wirkungsvoll zur Wehr gesetzt hätte, wäre sie so genannt worden. Das war zwar nicht der Fall und somit war das Ganze auch nicht ihr persönliches Problem, aber sie konnte sich nicht recht entschließen, ob sie in irgendeiner Form eingreifen sollte oder nicht.

Erstaunt hatte Lisbeth seiner ständig wiederkehrenden Leier gelauscht, aber dann hörte sie plötzlich eine Ohrfeige. Als sie gerade beschlossen hatte, auf den Flur zu gehen und die Tür zum Nachbarzimmer einzutreten, wurde es nebenan still.

Lesen Sie weiter:
Verdammnis
von
Stieg Larsson
ISBN 978-3-453-01360-5

HEYNE ‹